Edexcel GCSE (9–1) French
Higher

Clive Bell, Anneli McLachlan, Gill Ramage

ALWAYS LEARNING

PEARSON

Published by Pearson Education Limited, 80 Strand, London, WC2R 0RL.

www.pearsonschoolsandfecolleges.co.uk

Edited by Sara McKenna
Designed and Typeset by Oxford Designers and Illustrators Ltd.

Illustrated by Beehive Illustration – Simon Rumble, Andy Keylock, Paul Moran, Peter Lubach and Adrian Barclay. Oxford Designers and Illustrators. John Hallett.
Picture research by Jane Smith

Cover images: Shutterstock.com/Sergey Kelin

Written by Clive Bell, Anneli McLachlan and Gill Ramage
Additional material written by Eleanor Mayes

First published 2016

19 18 17 16
10 9 8 7 6 5 4 3 2 1

British Library Cataloguing in Publication Data
A catalogue record for this book is available from the British Library

ISBN 978 1 292 17135 7

Printed in the UK by CPI

Acknowledgements
We would like to thank Lynn Youdale, Fabienne Tartarin, Isabelle Retailleau, James Hodgson, Melanie Birdsall, Pete Milwright, Barbara Cooper and her students, Leah Cooper, Sylvie Fauvel, Karen Pearson, Isabelle Porcon, Maela Thomas, Anne Guerniou, Alchemy Soho and Chatterbox Voices, Elliot Mitchell, Mikael Scaramucci, Thibault Fowler, Matthew McNeil, Billie-Jane Bayer-Crier, Celia Landi, Toscanie Hulett, Olivier Deslandes, Caroline Crier and Marie Trinchant for their invaluable help in the development of this course.

Every effort has been made to contact copyright holders of material reproduced in this book. Any omissions will be rectified in subsequent printings if notice is given to the publishers.

The publisher would like to thank the following for their kind permission to reproduce photographs:
(Key: b-bottom; c-centre; l-left; r-right; t-top)
123RF.com: 16 (1-Man), 38 (1tl), 74 (2d), 78 (1a), 79 (5r), 109 (5cr), auremar 167 (5cl), 167 (5cr), Borges Samuel 100 (1-2), Edyta Pawlowska 91, Elzbieta Sekowska 84 (1g), Graham Oliver 34 (2cl), Jake Hellbach 23, lightpoet 106 (1c), Olena Zaskochenko 110 (1 Claire), Olha Shtepa 100 (1-1), racorn 20 (2a), Val Thoermer 56 (1a); **Agence du Service Civique**: 87; **Alamy Images**: aberCPC 92, Barry Diomede 62 (1b), 133, Blaine Harrington III 78 (1e), Blend Images 62 (1f), Bon Appétit 58 (1c), Catchlight Visual Services 167 (5bl), CREATIVE COLLECTION TOLBERT PHOTO 116, David Bagnall 129 (5l), dpa picture alliance 42 (1l), 42 (2br), 146 (1-4), eddie linssen 131 (5), Gautier Stéphane 185, Hemis 65, 83 (4b), 170 (1br), 209, Hero Images Inc. 68, imageBROKER 108 (1tr), John Devlin 80 (1cl), John Elk III 131 (4), Lasse Kristensen 142, Lightworks Media 111, Mandy Godbehear 87 (5l), Novarc Images 63 (5r), Peter Lane 80 (1tl), PhotoAlto sas 100 (1-4), PhotoSlinger 100 (1-3), Rebecca Johnson 147 (6), redsnapper 37 (8r), Robert Hoetink 122 (1), Shoosh / Form Advertising 36 (1cl), StockFood GMBH 58 (1f), Suzanne Porter 162 (2bl), Tony Tallec 123, WeddingSnapper.com.au 63 (5l), Xinhua 140 (2br), Zoonar GmbH 69; **Corbis**: 2 / Vicky Kasala / Ocean 18, 143 (5l), 190, Bertrand Garde / Hemis 64 (1l), Catherine DELAHAYE / Photononstop 56 (1f), Ian Lishman / Juice Images 147 (5), imagesource 56 (1b), Patrick Pleul / dpa 86 (1r); **Fotolia.com**: 7horses 74 (2a), Africa Studio 9, Alen-D 161, AntonioDiaz 134, bakharev 34 (2l), BlueOrange Studio 109 (5cl), captblack76 74 (2e), dekanaryas 82, Diego Barbieri 130, DragonImages 11 (8l), eyetronic 100 (2), eyewave 75 (6r), fotek 58 (1a), fred34560 74 (2c), goodluz 148 (2b), Gorilla 114, Heliosphile 78 (1c), highwaystarz 156, 204, Hoda Bogdan 34 (2r), Hurricane 11 (8r), ImageArt 74 (2h), imaginedigital 108 (1bl), Ivonne Wierink 74 (2f), javigarlu 75 (6l), Jérôme Rommé 108 (1br), littlehandstocks 67, M.studio 58 (1b), 105 (5r), Mario Beauregard 81 (7b), michaeljung 59, Monkey Business 34 (1tr), 48, 124, 148 (2t), 202, Netfalls 103, Neyak 162 (2tr), oksmit 74 (2g), oneinchpunch 109 (5b), Phil_Good 108 (1tl), photka 58 (1e), photografiero 165, Picture Partners 108 (1cl), ronniechua 105 (5l), runzelkorn 86 (1l), ruslan_100 34 (1cl), rustamank 56 (1c), Sebastian Gauert 140 (2tl), Spectral-Design 183, Thierry RYO 140 (2tc), Tran-Photography 84 (1f), ucius 40 (1 Yann), WavebreakmediaMicro 150, Y. L. Photographies 106 (1a), yanlev 211, zen-kom.com 108 (1cr); **Getty Images**: Andersen Ross 143 (5r), Anne-Christine Poujoulat 170 (1bl), Bertrand Rindoff Petroff 78 (1b), Betsie Van Der Meer 62 (1c), 205, Blend Images - Mike Kemp 62 (1e), Bloomberg 106 (1b), Brian Stevenson 192, Carrie Davenport / TAS 31 (5tr), dagmar heymans 56 (1d), David H. Wells 172, Erick James 31 (5br), ESCUDERO Patrick 39, franckreporter 84 (1e), François Durand 33, Georges Gobet 78 (1f), Image Source 87 (5r), James Hardy / PhotoAlto 36 (1cr), Jean Ayissi 64 (1tr), JGI Jamie Grill 149, Ken Chemus 144 (2l), Lightwavemedia / Wavebreakmedia Ltd 62 (1d), Mark Tipple 57, Matthew Stockman 170 (2), Mike Hewitt 170 (1tr), Patrick Aventurier 162 (2br), Per-Anders Pettersson 34 (1bl), Rolfo 58 (1d), Sean Gallup 42 (1r), Sia Kambou 125, Storimages 162 (2bc), sturti 37 (8l), Tony Tremblay 81 (7t), ullstein bild 21 (7l), VCL / Alistair Berg 174, Vera Anderson 146 (1-1), Wavebreakmedia 151 (5); **Imagestate Media**: Phovoir 140 (2bl); **Lycée Français Charles de Gaulle**: 122 (2); **Masterfile UK Ltd**: 13, photolibrary.com 110 (1 Diego); **Office de Tourisme Dinan - Vallée de la Rance**: 83 (4a); Oxfam: Bekki Frost 169 (5l); **Pearson Education Ltd**: Chris Parker 112, Gareth Boden 40 (1 Helio), 167 (5br), Jon Barlow 40 (1 Honoré), Jules Selmes 11 (8c), 38 (1cl), 167 (5tl), 167 (5tr); **PhotoDisc**: Photolink 35 (4lr); **Press Association Images**: AP / Jack Plunkett 21 (6), PA Archive 20 (2c); **Programme Eco-Ecole**: 165 (Inset); **Projects Abroad** (www.projects-abroad.co.uk): 193; **PunchStock**: Goodshot 44; **R. Goscinny et J.-J. Sempé**: 66; **Reuters**: Benoit Tessier 20 (2b), Carlo Allegri 21 (7c), Gilbert Tourte 20 (2d), Norsk Telegrambyra AS 21t; **Rex Shutterstock**: imageBROKER / Shutterstock 84 (1h), Jeff Blackler / Shutterstock 106 (1e), Startraks Photo / REX Shutterstock 146 (1-3), Xinhua News Agency / Shutterstock 85, Zelig Shaul / ACE Pictures / REX Shutterstock 146 (1-5); **Shutterstock.com**: Amble Design 169 (5r), ARENA Creative 25, bensliman hassan 89, Chepe Nicoli 40 (1 Clementine), CREATISTA 11t, 12 (1tr), Cynthia Farmer 136, David Hughes 74 (2b), Debby Wong 146 (1-2), Denis Makarenko 42 (2tl), 146 (1t), Dfree 42 (2tr), Edyta Pawlowska 12 (1bl), 129 (5r), Fotokostic 35 (4c), Goodluz 12 (1bc), 38 (1tr), 140 (2bc), Gordon Bell 79 (5l), IAKOBCHUK VIACHESLAV 34 (1tl), ilogic27 140 (2tr), IM_Photo 35 (4l), infografick 215, iofoto 34 (2cr), Jaguar PS 42 (1c), 42 (2bl), Jfanchin 99, Jorg Hackemann 98, 110 (1 Orlando), Jstone 41, 199, Karramba Production 104, Kiev.Victor 106 (1d), Kzenon 151 (6), Lewis Tse Pui Lung 110 (1 Albane), MarcelClemens 194, michaeljung 120, Mila Supinskaya 169 (5c), Monkey Business Images 127, 154, 181, Nikolay Dimitrov - ecobo 53, Nvelichko 16 (1-Woman), Radu Razvan 170 (1tl), Richard Whitcombe 162 (2tc), 162 (2tl), Rob Marmion 40 (1 Karima), Robert Kneschke 70, Ruslan Guzov 6, S.Cooper Digital 109 (5t), Samuel Borges Photography 110 (1 Nina), Singkham 188, SKABARCAT 56 (1e), Sorbis 106 (1f), suravid 46, svtrotof 78 (1d), Tsian 36 (1tl), Vadim Kolobanov 12 (1tc), William Perugini 26, ZouZou 62 (1a), Zurijeta 186; **Stockdisc**: Royalty Free Photos 38 (1cr)

The publisher would like to thank the following for their kind permission to reproduce copyright material in this book:
p. 19 Pierre Coran, «L'épouvantail» © SABAM Belgium 2016; p. 22 *Kiffe kiffe demain* de Faïza Guène © Hachette Littératures 2004 © Librairie Arthème Fayard 2010; p. 45 *La fille qui n'aimait pas les fins*, Yaël Hassan & Matt7ieu Radenac, Collection « TEMPO » © Editions Syros, 2013; p. 66 R. Goscinny et J.-J. Sempé, extrait de «Mémé», *Le Petit Nicolas, c'est Noël*, IMAV Éditions, 2013; p. 76 Le Chat © Philippe Geluck; p. 79 Net-Provence, net-provence.com; p. 82 Office de Tourisme de Dinan - Vallée de la Rance (www.dinan-tourisme.com); p. 83 Vedettes Jaman V (www.vedettejamaniv.com); p. 83 La Cité des télécoms (www.cite-telecoms.com); p. 88 *Libération*, «P'tit Libé n°2», 2015. Concept et rédaction: Cécile Bourgneuf, Sophie Gindensperger et Elsa Maudet. Graphisme et illustrations: Emilie Coquard; p.105 100% Vietnam by François Keo (centpourcentvietnam.wordpress.com); p. 112 «La Plage» (from *Instantanés*) by Alain Robbe-Grillet, © 1962 by Les Editions de Minuit; p. 132 Editions de Fallois, Collection Fortunio © Marcel Pagnol, 2004; p. 153 © *Okapi* juin 2003 Bayard Presse Jeunesse, Virginie, rédactrice en chef de Cheval magazine; p. 153 © *Okapi* janvier 2015 Bayard Presse Jeunesse (extrait audio); p. 163 © Jean-Marc Ligny: *AQUA*™, L'Atalante, 2006; p. 172 *FDD Fatou Diallo Détective* d'Emmanuel Trédez et Magali Le Huche, Nathan Poche Policier, 2009; p. 172 Exhibition «La Banane à tout prix», Peuples Solidaires (www.peuples-solidaires.org), 2007; p. 173 *Libération*, «P'tit Libé n°2», 2015. Concept et rédaction: Cécile Bourgneuf, Sophie Gindensperger et Elsa Maudet. Graphisme et illustrations: Emilie Coquard; p. 183 Frank Andriat, *Je voudr@is que tu…* © Editions Grasset & Fasquelle, 2011; p. 187 *C'est toujours bien*, Milan poche Junior, Tranche de vie, Philippe Delerm © 1998 Éditions Milan; p. 193 Projects Abroad (www.projects-abroad.fr) p. 199 © *Okapi* avril 2005 Bayard Presse Jeunesse ; p. 203 «Le Cancre», in *Paroles* © Gallimard and © Fatras / Succession Jacques Prévert (digital)

Table des matières

Module 1 *Qui suis-je?* *Theme: Identity and culture*

Module 2 *Le temps des loisirs* *Theme: Identity and culture*

Module 3 *Jours ordinaires, jours de fête* *Theme: Identity and culture*

Table des matières

Module 4 *De la ville à la campagne* *Theme: Local area, holiday and travel*

Module 5 *Le grand large …* *Theme: Local area, holiday and travel*

Module 6 *Au collège* *Theme: School*

Table des matières

Module 7 *Bon travail!* *Theme: Future aspirations, study and work*

Module 8 *Un œil sur le monde* *Theme: International and global dimension*

1 Qui suis-je?

Point de départ 1

- *Revising family and describing people*

1 lire **Lisez et choisissez le bon mot pour compléter chaque phrase.**

1 Le père de ma mère est **mon grand-père / mon beau-père / mon neveu.**
2 La sœur de ma mère est **ma nièce / ma belle-sœur / ma tante.**
3 Le fils de mon oncle est **mon frère / mon cousin / ma cousine.**
4 La fille de mon père et de ma belle-mère est **mon demi-frère / ma demi-sœur / ma belle-sœur.**
5 La femme de mon grand-père est **ma fille / ma mère / ma grand-mère.**
6 Le nouveau mari de ma mère est **mon beau-frère / mon beau-père / mon grand-père.**
7 Le fils de mon fils est **mon fils / mon grand-père / mon petit-fils.**
8 La femme de mon fils est **ma fille / ma belle-fille / ma petite-fille.**

2 écrire **Écrivez les adjectifs en deux listes: adjectifs positifs et adjectifs négatifs.**

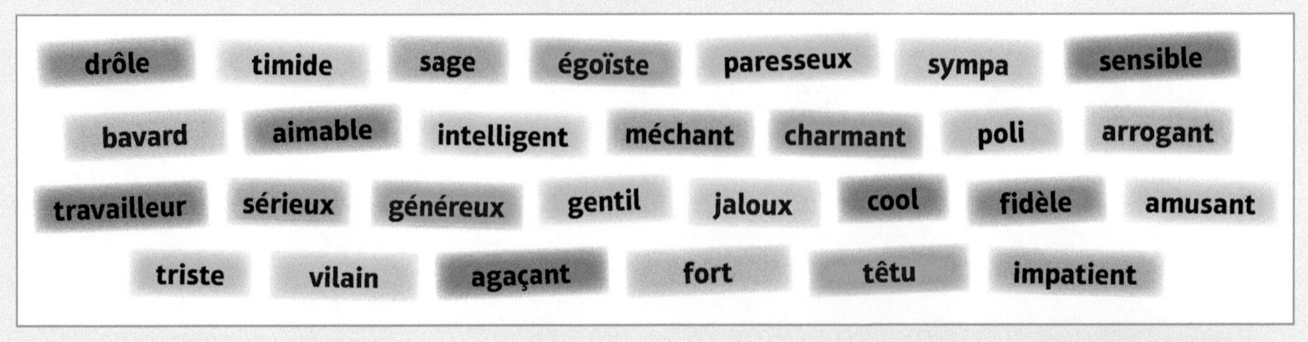

3 écouter **Écoutez. Bruno décrit sa famille. Identifiez le membre de la famille sur la photo et notez les adjectifs utilisés. (1–7)**

Exemple: **1** e: timide, intelligente

4 écrire **Écrivez trois adjectifs corrects pour compléter chaque phrase.**

1 Je suis ____, ____ et ____.
2 Il est ____, ____ et ____.
3 Elle est ____, ____ et ____.
4 Mes sœurs sont ____, ____ et ____.
5 Mes frères sont ____, ____ et ____.

5 parler **À deux. Choisissez trois adjectifs pour décrire la personnalité des membres de votre famille.**

Exemple:

Ma belle-sœur est timide, sensible et aimable.

G *Adjectival agreement* *Page 224*

Most adjectives work like this:

masculine	feminine	masc plural	fem plural
no ending e.g. *charmant*	add **-e** e.g. *charmant**e***	add **-s** e.g. *charmant**s***	add **-es** e.g. *charmant**es***

Some adjectives follow a different pattern (e.g. *travaill**eur*** → *travaill**euse***, *heur**eux*** → *heur**euse***, *gent**il*** → *gent**ille***).

Some adjectives never change (e.g. *cool*, *sympa*).

6 lire Regardez les images. Copiez les descriptions mais corrigez les erreurs.

G The present tense

Page 206

Most French verbs are ***-er*** verbs. The ***je*** form ends in ***-e***.

The most useful irregular verbs are ***avoir*** (to have) and ***être*** (to be).

	-er verbs (e.g. ***porter*** to wear)	***avoir*** to have	***être*** to be
je/j'	porte	ai	suis
tu	portes	as	es
il/elle/on	porte	a	est
nous	portons	avons	sommes
vous	portez	avez	êtes
ils/elles	portent	ont	sont

7 lire Copiez et complétez chaque phrase avec *j'ai, je suis* ou *je porte.*

1 ______ Annabelle Durand.
2 ______ française.
3 ______ quinze ans.
4 ______ petite et mince.
5 ______ les cheveux blonds et les yeux bleus.
6 ______ des lunettes.
7 ______ des boutons.
8 ______ deux sœurs et un demi-frère.
9 ______ travailleuse et sérieuse.
10 ______ un chat et un chien.

8 écouter Vous aidez la police après un incident. Écoutez les descriptions des suspects et notez les détails en anglais. (1–6)

Exemple: **1** male: tall, fat, short brown hair

9 parler À deux. Vous êtes un de ces suspects. Décrivez-vous. Imaginez aussi votre personnalité.

Exemple: J'ai les cheveux courts et bouclés …

J'ai	les cheveux	courts/longs/mi-longs. raides/bouclés/frisés. noirs/bruns/châtains/blonds/roux/gris/blancs.
	les yeux	bleus/verts/gris/marron.
	des boutons/une barbe/une moustache.	
Je suis	petit(e)/grand(e)/de taille moyenne/mince/gros(se). beau (belle)/joli(e)/laid(e)/moche. timide/bavard(e)/intelligent(e).	
Je porte	des lunettes.	

- *Revising places in town and activities*

1 Regardez le plan du centre-ville. Reliez les images et les mots.

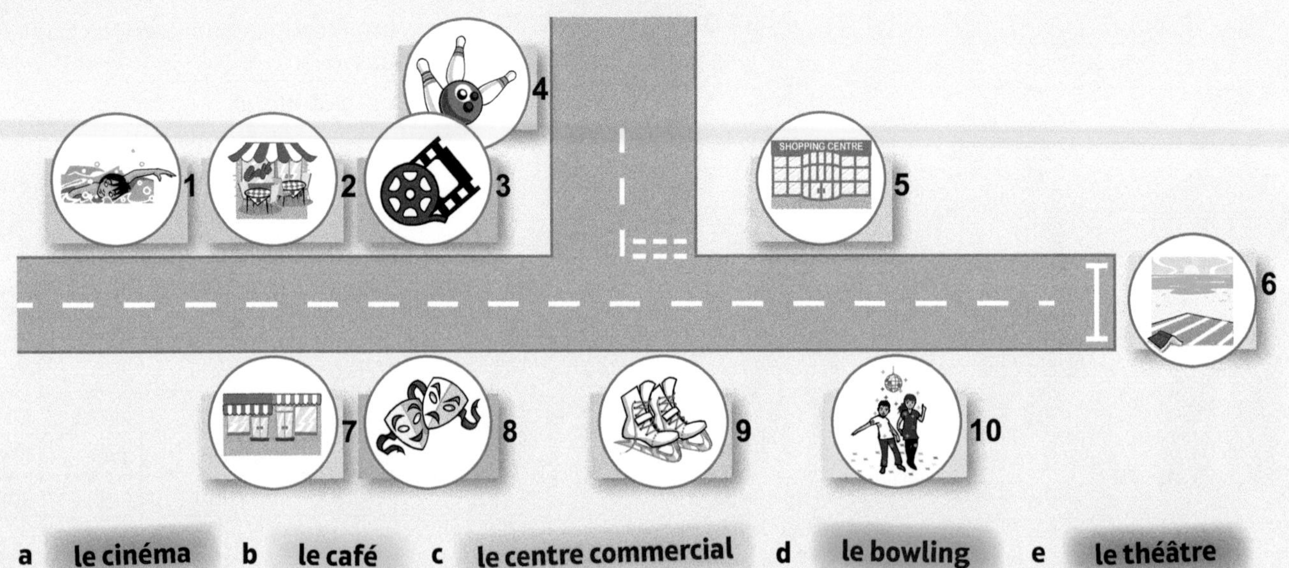

a	le cinéma	b	le café	c	le centre commercial	d	le bowling	e	le théâtre
f	la piscine	g	la plage	h	la boîte de nuit	i	la patinoire	j	les magasins

2 Écoutez et mettez les images de l'exercice 1 dans le bon ordre.

Exemple: 4, …

3 Lisez les phrases et regardez le plan de l'exercice 1. Écrivez V (vrai) ou F (faux) pour chaque phrase.

1. Il y a un café derrière le cinéma.
2. Le théâtre est à côté de la patinoire.
3. La plage est dans le centre commercial.
4. Le cinéma est devant le bowling.
5. Il y a une piscine près de la plage.
6. Le cinéma est en face du centre commercial.
7. La patinoire est entre le théâtre et la boîte de nuit.

G *Definite and indefinite articles*

	masculine	feminine	plural
'the'	*le*	*la*	*les*
'a' or 'some' (pl)	*un*	*une*	*des*

If a noun begins with a vowel or *h*, ***le*** or ***la*** shortens to ***l'***, e.g. ***l'église*** (the church).

4 À deux. Posez des questions et utilisez le plan de l'exercice 1 pour donner des réponses.

- *Où est le cinéma?* ■ *Il est devant le bowling.*
- *Où sont les magasins?* ■ *Ils sont en face du café.*

G *Prepositions*

dans	in
derrière	behind
devant	in front of
entre	between
en face de	opposite
à côté de	next to
près de	near

de + le → ***du***, e.g. *en face **du** cinéma*
de + les → ***des***, e.g. *près **des** magasins*

5 Traduisez ces phrases en français.

1. There is a cafe opposite the shops.
2. The swimming pool is near the bowling alley.
3. There is a shopping centre opposite the cinema.
4. The beach is behind the shopping centre.
5. The theatre is next to the shops.
6. There is a skating rink between the theatre and the night club.

Be sure to use the definite or indefinite article correctly.

6 écouter

Écoutez. Copiez et complétez le tableau en français. (1–6)

	où?	quand?	à quelle heure?
1	au cinéma	ce soir	20h

aujourd'hui	*today*
demain	*tomorrow*
après-demain	*the day after tomorrow*
ce matin	*this morning*
cet après-midi	*this afternoon*
ce soir	*tonight*

G ***The verb* aller** ***Page 208***

aller *(to go)*
je vais
tu vas
il/elle/on va
nous allons
vous allez
ils/elles vont

7 lire

Lisez le texte et traduisez-le en anglais.

Aujourd'hui, c'est mon anniversaire. Ce matin, je vais au bowling avec mon frère. Cet après-midi, je vais au café à seize heures avec ma grand-mère. Le café est dans le centre commercial. Ce soir, je vais à la patinoire à dix-neuf heures et puis je vais au cinéma avec mes parents. Le cinéma est en face du théâtre, près de la piscine.

8 parler

À deux. Parlez de vos activités pour aujourd'hui. Utilisez les notes.

Exemple: a
- Ce matin, à neuf heures et quart, je vais à la patinoire dans le centre commercial.
- Cet après-midi, à trois heures, je vais au cinéma avec Alex.
- Ce soir, à huit heures et demie, je vais au théâtre, en face du café.

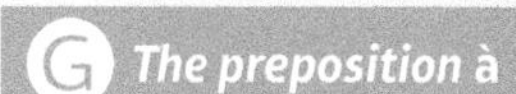

G ***The preposition* à**

The preposition *à* means 'at' or 'to'.
à + *le* → ***au***, e.g. ***au*** *cinéma* (at/to the cinema)
à + *la* → ***à la***
à + *l'* → ***à l'***
à + *les* → ***aux***, e.g. ***aux*** *magasins* (at/to the shops)
à *8 heures/20 heures* (at 8 p.m.)

a

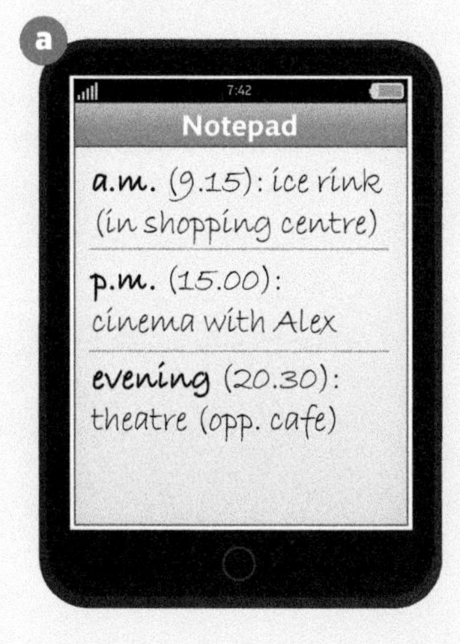

b

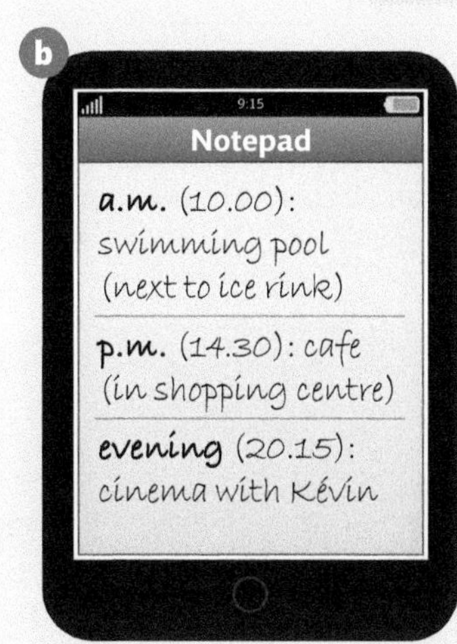

c

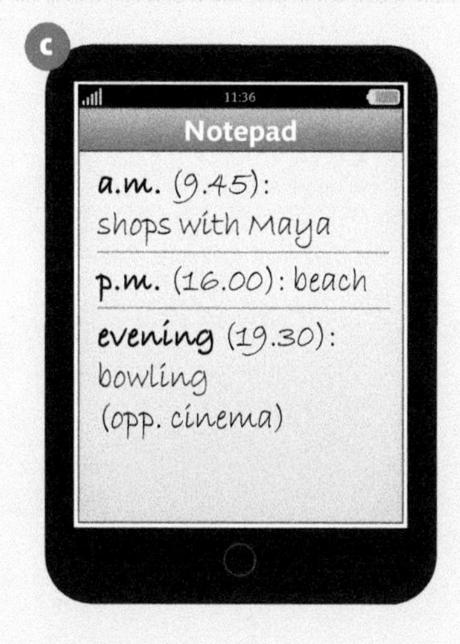

1 A comme amitié

- *Talking about friends and what makes a good friend*
- *Using irregular verbs in the present tense*

Lisez le forum et identifiez le(s) trait(s) de personnalité le(s) plus important(s) pour chaque personne.

prendre soin de	*to take care of*
la vérité	*the truth*
un défaut	*a fault*

C'est quoi un bon ami, pour toi?

Un bon ami est sympa et gentil, mais aussi modeste. **Louloute66**

Pour moi, un bon ami est amusant et me fait rire, surtout si je suis triste. **An@nas**

À mon avis, un bon ami est quelqu'un qui est généreux. **JeSuisBill**

Je pense qu'un bon ami est une personne honnête qui dit la vérité, même quand c'est difficile à entendre. J'ai des défauts mais il croit en moi. **Mayleen**

Un bon ami est patient et fidèle. Il ou elle prend soin de moi. **Sushi101**

À mon avis, un bon copain voit le bon côté des choses et n'est pas pessimiste, même si ça ne va pas. **Legeek**

la patience | **le sens de l'humour** | **l'honnêteté** | **l'optimisme**

la générosité | **la fidélité** | **la gentillesse** | **la modestie**

Écoutez. Identifiez le trait de personnalité le plus important pour chaque personne. (1–8)

Exemple: **1** la générosité

Adjectives are used to describe somebody, e.g. *il est* ***honnête*** (he is **honest**).

Abstract nouns are used to talk about qualities, e.g. ***l'honnêteté*** *est importante* (**honesty** is important).

À deux. Discutez des qualités les plus importantes chez un(e) ami(e).

- Quel est ton avis?
- Tu es d'accord?
- Je suis d'accord.
- Je ne suis pas d'accord.

Je pense que Pour moi, À mon avis,	les qualités importantes chez un ami sont	le sens de l'humour/la patience/la générosité/ la fidélité/la gentillesse/la modestie/ l'honnêteté/l'optimisme.
	un bon ami est	compréhensif/de bonne humeur/énergique/ équilibré/fidèle/gentil/généreux/honnête/ indépendant/modeste/patient/sûr de lui/sensible.
	un bon ami n'est pas	de mauvaise humeur/déprimé/impatient/ jaloux/prétentieux/raciste/sexiste/vaniteux.
Un bon ami (est quelqu'un qui)		croit en moi. dit toujours la vérité. me fait rire. prend soin de moi. voit le bon côté des choses.

G ***Irregular verbs*** ***Page 208***

Many French verbs are irregular and don't follow the usual pattern, e.g.

prendre (to take) → *il* ***prend***
faire (to do/make) → *il* ***fait***
dire (to say) → *il* ***dit***
voir (to see) → *il* ***voit***
croire (to believe) → *il* ***croit***
rire (to laugh) → *il* ***rit***
mettre (to put) → *on* ***met***
sortir (to go out) → *on* ***sort***

Écrivez votre réponse pour le forum «C'est quoi un bon ami, pour toi?».

5 lire Lisez et trouvez les expressions dans les textes.

Guillaume **Moreen** **Florence** **Esther** **Adam**

1 Il est extrêmement grand: il mesure 1,80 mètre! Il est maigre comme un clou mais plutôt fort.

2 Quelquefois, elle semble timide mais la plupart du temps, elle est bavarde. Elle a un joli sourire et elle est généreuse.

3 Il a des yeux marron qui inspirent confiance et les cheveux bruns avec des reflets roux. Il est un peu rond mais il a l'air cool.

4 Elle rit beaucoup en classe, parfois c'est agaçant. Mais elle est vraiment drôle et très jolie.

5 Elle a un appareil dentaire. Je m'entends bien avec elle parce qu'on a les mêmes centres d'intérêt. On joue ensemble dans un groupe et on diffuse nos vidéos en ligne.

a he is 1m 80cm tall
b as thin as a rake
c she seems shy
d most of the time
e she has a pretty smile
f he looks cool
g she laughs a lot
h she has a brace
i I get on well with her
j we have the same interests

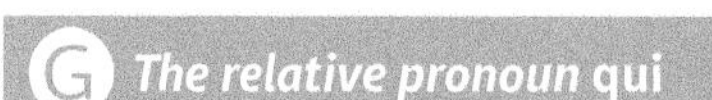

G *The relative pronoun* qui Page 232

Qui means 'who', 'which' or 'that'. It is a relative pronoun that refers to the **subject** of a sentence.

It is very useful for creating longer, more complex sentences, e.g.

Un bon ami est quelqu'un ***qui croit*** *en moi.*
A good friend is someone **who believes** in me.

Il a des yeux ***qui inspirent*** *confiance.*
He has eyes **that inspire** confidence.

6 lire Relisez les descriptions de l'exercice 5. Devinez qui c'est.

Exemple: Je pense que le numéro 1, c'est Guillaume.

7 écouter Écoutez pour vérifier qui c'est. Notez aussi si la personne est d'accord ou pas d'accord avec la description. (1–5)

Exemple: **1** Guillaume, pas d'accord.

8 parler À deux. Discutez des jeunes sur les photos.

Éric

Maryse

Mohamed

Je pense que Pour moi, À mon avis,	X	est semble a l'air	très assez extrêmement vraiment plutôt	agaçant(e). fort(e). puissant(e). maigre.
		est	maigre comme un clou. léger (légère) comme une plume. laid(e) comme un pou.	
		a	des yeux qui inspirent confiance. les mêmes centres d'intérêt que moi.	

- *Éric semble très intelligent et très drôle.*
- *Je ne suis pas d'accord. Éric a l'air plutôt agaçant.*
- *Ah non, à mon avis, Éric a des yeux qui inspirent confiance.*

9 écrire Écrivez la description d'un(e) ami(e) à vous ou d'une des photos de l'exercice 8.

- *Talking about family relationships*
- *Using reflexive verbs in the present tense*

1 lire **Lisez le texte et trouvez l'équivalent français de chaque phrase.**

Les téléspectateurs britanniques adorent *EastEnders*; les Français regardent *Plus belle la vie* ou *Fais pas ci, fais pas ça*. Ici on présente un nouveau feuilleton: *C'est de famille!*

C'est de famille! **met en scène les familles d'un quartier imaginaire de Bordeaux. La famille Bonnet est une famille importante dans la série.**

Édith Bonnet est une femme travailleuse et dynamique. Elle s'occupe de sa famille et travaille comme coiffeuse. Son ex-mari s'appelle Jean-Paul mais il habite maintenant en Angleterre. Elle s'entend bien avec ses deux enfants, Adrien et Pricillia.

Michel Bonnet est le grand-père de la famille Bonnet et le patron du café local. C'est un homme fort et sympathique. Sa femme est morte. Il s'intéresse beaucoup à ses petits-enfants mais quelquefois il se dispute avec Édith, sa belle-fille.

Pricillia Bonnet est adorable mais instable; elle se fâche parfois contre sa mère mais se confie à elle quand elle a des problèmes. Par contre, son frère, **Adrien**, est un garçon sérieux. Pricillia et Adrien s'aiment beaucoup mais ils se chamaillent de temps en temps.

Thomas Bonnet est le fils de Michel et le beau-frère d'Édith. Poli et charmant, il s'entend bien avec tout le monde. Il habite au centre-ville avec son compagnon.

1. she looks after
2. her ex-husband is called
3. she gets on well with
4. he is interested in
5. he argues with
6. she gets angry with
7. she confides in
8. Pricillia and Adrien love each other
9. they bicker with each other

G *Possessive adjectives* › *Page 225*

	masc	fem	plural
my	*mon*	*ma*	*mes*
your	*ton*	*ta*	*tes*
his/her	*son*	*sa*	*ses*

2 lire **Relisez le texte. Qui parle?**

1. Je me fâche parfois contre ma mère.
2. Je m'entends bien avec toute la famille.
3. Ma belle-fille et moi, nous nous disputons quelquefois.
4. Je m'occupe de mes enfants.
5. Je me confie à maman quand j'ai des difficultés.
6. Je me chamaille avec ma sœur de temps en temps, mais nous nous aimons quand même!
7. Je m'intéresse à mes petits-enfants.

G *Reflexive verbs* › *Page 207*

These verbs have a reflexive pronoun in front of the verb. Example: ***se*** *disputer* (to argue)

je **me** dispute	nous **nous** disputons
tu **te** disputes	vous **vous** disputez
il/elle/on **se** dispute	ils/elles **se** disputent

The reflexive pronoun can be used to mean 'each other', e.g. *ils **s'**aiment* (they love each other).

Some of these reflexive verbs are followed by a preposition. This is not always the same preposition that is used in English:

s'entendre bien ***avec***	to get on well with
s'intéresser ***à***	to be interested in
se confier ***à***	to confide in
s'occuper ***de***	to look after
se fâcher ***contre***	to get angry with

3 écouter **Écoutez. Il y a de nouveaux personnages dans la série. Copiez et complétez le tableau en anglais. (1–4)**

	character	family information
1	Gaspard	

1 Gaspard **2 Agathe** **3 Dylan** **4 Sara**

4 lire **Lisez l'interview. Écrivez V (vrai) ou F (faux) pour chaque phrase.**

L'actrice Nina Charpentier va jouer dans le nouveau feuilleton *C'est de famille!*

Q: Vous allez jouer quel rôle dans *C'est de famille!*?

R: Je vais jouer le rôle de Juliette Beregi.

Q: Comment êtes-vous?

R: Je suis forte, énergique et débrouillarde.

Q: Il y a combien de personnes dans votre famille?

R: Dans ma famille, il y a cinq personnes: mon mari, qui s'appelle Olivier; mes filles, les jumelles Océane et Noémie; mon fils, Mathys; et moi. J'ai aussi un ex-mari qui est le père de mes filles.

Q: Est-ce que vous vous entendez bien avec votre famille?

R: Océane est travailleuse et sage, je m'entends donc bien avec elle. Elle se confie à moi quand elle a des problèmes. Noémie est extravertie et têtue: je me dispute avec elle presque tous les jours! Mathys est timide et plutôt introverti. Noémie s'entend très bien avec lui mais je me fâche contre lui car nous sommes très différents.

1. Nina Charpentier va jouer le rôle de Juliette.
2. Elle a plein d'énergie.
3. Juliette est la femme d'Olivier.
4. Elle a quatre enfants.
5. Elle est divorcée.
6. Océane est paresseuse et méchante.
7. Noémie et sa mère se disputent souvent.
8. Noémie et Mathys s'entendent bien.

5 écrire **Traduisez ces phrases en français.**

1. I get on well with her.
2. I argue with them (m).
3. I look after him.
4. I am interested in them (f).
5. I confide in him.
6. We get angry with him.
7. She is interested in me.
8. They (m) look after us.

Emphatic pronouns

These are used after prepositions like *avec*, *de* and *à*.

avec ***moi***	with me	*avec* ***nous***	with us
avec ***toi***	with you	*avec* ***vous***	with you
avec ***lui***	with him	*avec* ***eux***	with them
avec ***elle***	with her	*avec* ***elles***	with them

You can't always translate word for word from English into French. Make sure you use the correct preposition with each reflexive verb.

6 parler **À deux. Posez les quatre questions de l'interview de l'exercice 4 et répondez-y en utilisant ces notes.**

Personnage 1: Adèle Barre
Caractère: aimable/sympathique
Famille: beau-père (Jérôme)/ mère (Laure)/demi-frère(Nolan)
Rapports: + parents − Nolan

2

Personnage 2: Boukary Bangoura
Caractère: fort/débrouillard
Famille: grand-mère (Awa)/sœur (Amina)/beau-frère (Joseph)
Rapports: + Awa − Amina et Joseph

7 écrire **Inventez une nouvelle famille pour *C'est de famille!* Écrivez une description de chaque membre de la famille.**

X est	le beau-père/la belle-mère/le frère/la demi-sœur/l'ex-mari/la femme	de Y.
Il/Elle est	fort(e)/extraverti(e)/introverti(e)/débrouillard(e)/têtu(e)/adorable/instable/énergique/sage/dynamique/fragile/ adopté(e)/divorcé(e)/séparé(e)/mort(e)/décédé(e).	
Il/Elle	s'entend bien avec/se dispute avec/se confie à/s'intéresse à/s'occupe de/ se fâche contre	sa famille/son frère/sa belle-mère/ ses parents/ses enfants.
Ils/Elles	s'aiment beaucoup/se chamaillent.	

3 On va voir un spectacle?

- *Making arrangements to go out*
- *Using the near future tense*

1 lire **Reliez les messages et les sites web.**

Ce soir, je vais aller à un match de foot avec ma mère, tu veux venir? On va arriver au stade à 20h. Regarde ici: **1** ______.

Tu es libre demain? Je vais faire les magasins en ville. Je vais aller ici: **2** ______. Dis-moi si tu veux venir!

On va faire du patin à glace ce week-end, tu veux venir? C'est ici: **3** ______. Après on va manger au fast-food.

Qu'est-ce que tu vas faire cet après-midi? Mes parents vont aller au cinéma. Je vais faire du skate, tu peux venir? Voici le site: **4** ______.

Tu as des projets pour dimanche soir? On va voir ce spectacle au Palais Nikaia: **5** ______. Ça va être top! Ce sont des acrobates franco-canadiens. Tu veux venir?

Je vais jouer à des jeux vidéo ce soir, tu veux venir chez moi? Au fait, tu veux voir mon nouveau portable? Le voilà: **6** ______.

a CENTRE COMMERCIAL NICÉTOILE

b Ordinateurs portables dernier cri

c L'OGC de Nice

d SKATEPARK DE NICE

e Complexe sportif Jean Bouin

f CIRQUE DU SOLEIL EN FRANCE

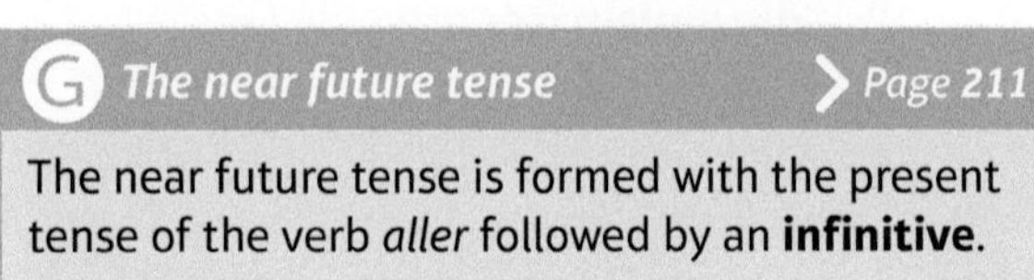

G *The near future tense* > *Page 211*

The near future tense is formed with the present tense of the verb *aller* followed by an **infinitive**.

je vais tu vas il/elle/on va nous allons vous allez ils/elles vont	**aller** au match **voir** un spectacle **faire** du patin à glace/ du skate/les magasins **jouer** à des jeux vidéo

2 écouter parler **Écoutez les conversations. Notez le site pour l'activité proposée (a–f de l'exercice 1) et l'adjectif qui décrit la réaction de l'invité(e). (1–6)**

Exemple: **1** f, déçu

paresseux | **surpris** | **déçu** | **pessimiste** | **sarcastique** | **content**

3 parler **Décrivez vos projets pour le week-end. Utilisez l'agenda.**

Exemple: *Vendredi soir, je vais aller au bowling. Samedi matin, …*

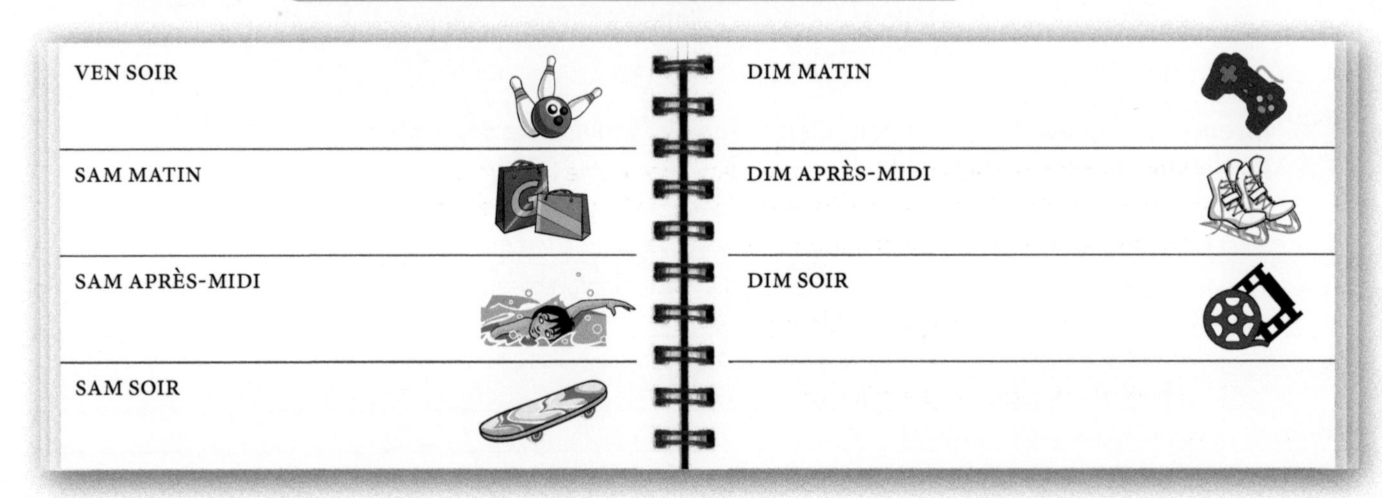

4 lire **Lisez la conversation et choisissez le bon mot pour compléter chaque phrase.**

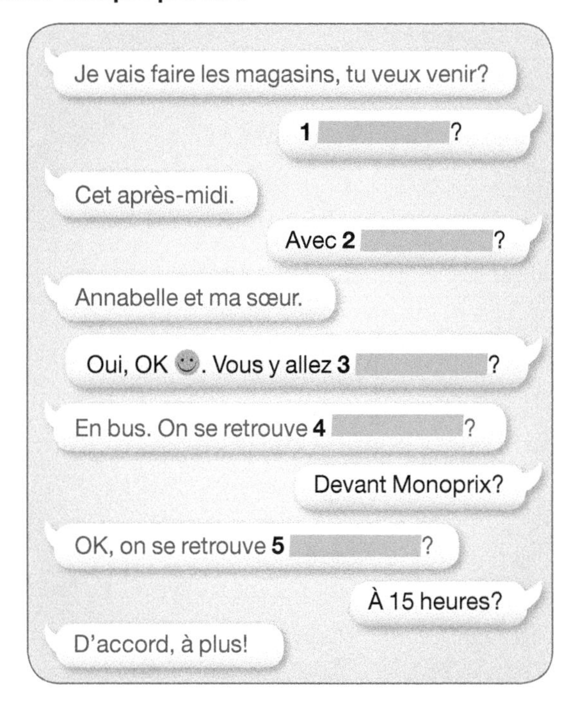

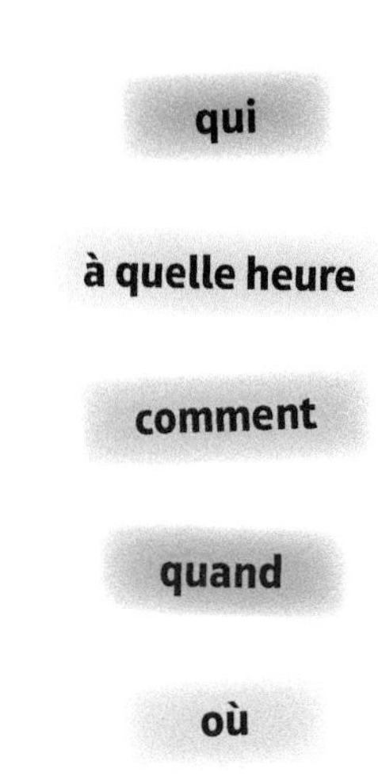

5 écouter **Écoutez et répondez aux questions a–d pour chaque conversation. (1–4)**

a Qu'est-ce qu'ils vont faire?
b Quand est-ce qu'ils vont sortir?
c Où est-ce qu'ils vont se retrouver?
d À quelle heure est-ce qu'ils vont se retrouver?

Exemple: **1 a** Ils vont aller en boîte.

6 parler **À deux. Utilisez ces détails pour préparer des conversations sur Skype.**

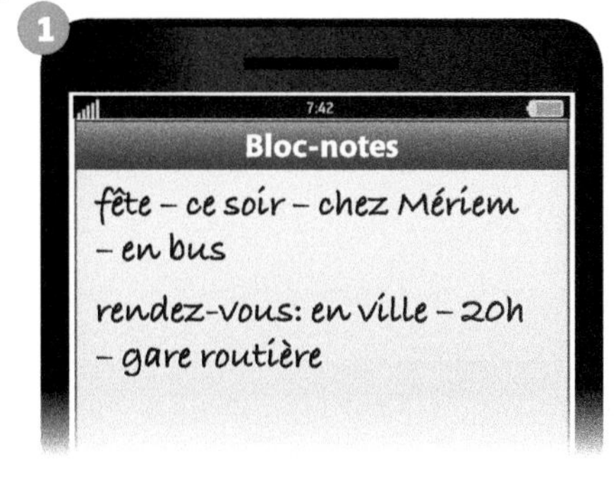

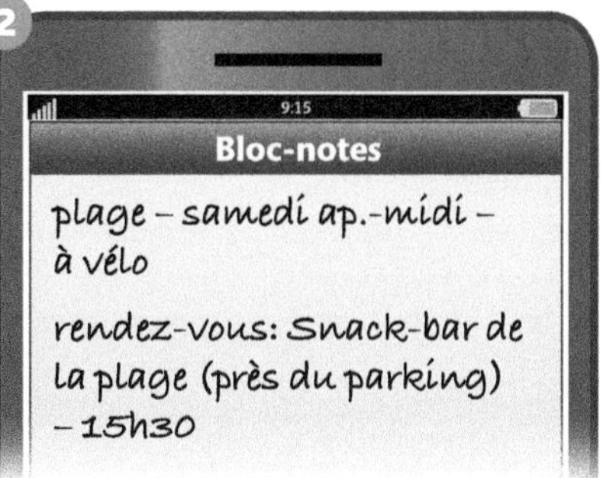

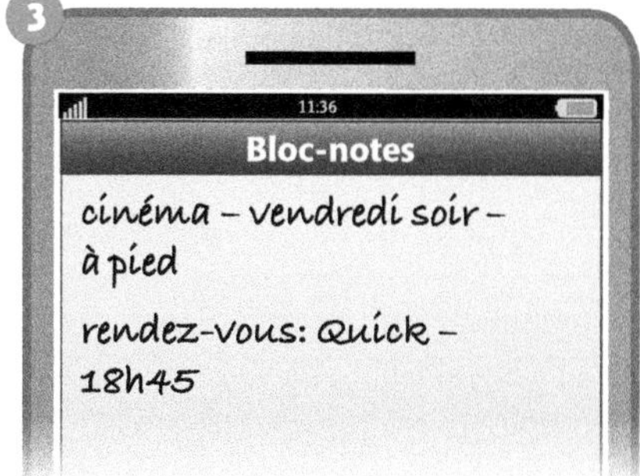

7 écrire **Vous allez passer le week-end prochain à Nice avec votre famille/vos amis. Écrivez ce que vous allez faire. Utilisez les idées de l'exercice 1 et trouvez d'autres idées sur Internet, si possible.**

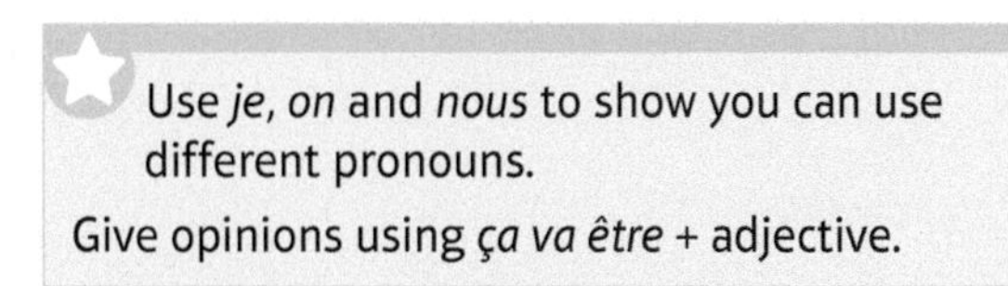

4 Quelle soirée!

- *Describing a night out with friends*
- *Using the perfect tense*

1 lire **Lisez l'article et choisissez la bonne option pour compléter chaque phrase.**

LA PREMIÈRE RENCONTRE ...♥

Cédric, architecte, 25 ans, a rencontré **Amélie**, professeur, 26 ans, pour un rendez-vous arrangé.

Décrivez en trois mots la personne avec qui vous êtes sorti(e).

Cédric: Amélie est belle, gentille et adorable.

Amélie: Cédric est égoïste, agaçant et ennuyeux.

Qu'est-ce que vous avez fait pendant votre soirée ensemble?

C: D'abord, nous avons visité le musée où il y avait une exposition fascinante. Puis nous sommes allés à un pub irlandais où j'ai vu un match de rugby. À 22 heures, nous avons mangé dans un restaurant. C'était une super soirée.

A: C'était une soirée totalement nulle. Je suis allée au musée avec Cédric mais l'exposition était ennuyeuse. Au pub, je suis restée dehors sur la terrasse parce que je déteste le rugby. Nous sommes entrés dans un très bon restaurant mais nous sommes sortis immédiatement parce que Cédric a décidé que c'était trop cher. Finalement, nous avons mangé dans un fast-food. Top, non?

Qu'est-ce que vous avez mangé?

C: J'ai mangé un hamburger avec des frites et j'ai bu un coca énorme. C'était délicieux.

A: Quand nous sommes arrivés au fast-food, il n'y avait pas de plats végétariens. J'ai refusé de manger. Je suis partie immédiatement.

Qu'est-ce que vous avez fait à la fin de la soirée?

C: C'était curieux. Amélie est montée dans le bus et elle ne m'a pas dit «au revoir».

A: Je suis montée très vite dans le bus et le bus est parti. Je suis rentrée à la maison. Ouf!

Est-ce que vous allez revoir l'autre personne?

C: Je vais revoir Amélie. Je pense que c'est ma femme idéale. Je suis tombé amoureux!

A: Je ne vais absolument pas revoir Cédric. Il est tombé amoureux ... mais pas moi.

1. Cédric a rencontré Amélie **plusieurs fois** / **pour la première fois**.
2. Cédric **aime** / **n'aime pas** Amélie mais Amélie **aime** / **n'aime pas** Cédric.
3. Ils sont allés à **une exposition** / **un match de rugby**.
4. **Cédric** / **Amélie** est entré(e) dans le pub.
5. Le premier restaurant était **un restaurant cher** / **un fast-food**.
6. Amélie a trouvé le fast-food **excellent** / **nul**.
7. À la fin de la soirée, Amélie **est partie en bus** / **a embrassé Cédric**.
8. Cédric est tombé **amoureux** / **dans le bus**.
9. Pour Amélie, c'était une soirée **fabuleuse** / **désastreuse**.

2 lire **Cherchez les verbes au passé composé dans le texte de l'exercice 1. Copiez et complétez le tableau.**

verbes avec *avoir*	verbes avec *être*
Cédric a rencontré	vous êtes sorti(e)

G *The perfect tense* > *Page 212*

You use the perfect tense to talk about the past.
It is formed of two parts:
1 the auxiliary verb (part of ***avoir*** or ***être***)
2 the past participle.

***j'ai** mangé* (I ate) ***je suis** entré(e)* (I entered)

For verbs with *être*, the past participle must agree with the subject.
nous sommes allés (we went)

Écoutez. Copiez et complétez le tableau en anglais. (1–4)

	what they did	reaction (P = positive, N = negative, PN = both)	why?
1	went to cinema with friends (new James Bond film), went home while friends went to fast-food restaurant	N	film was rubbish and doesn't like fast food

Dites une phrase au passé composé pour chaque image. Utilisez *nous*.

Exemple: **1** — *Nous sommes allés en ville.*

1 

2 

3 

4 

5 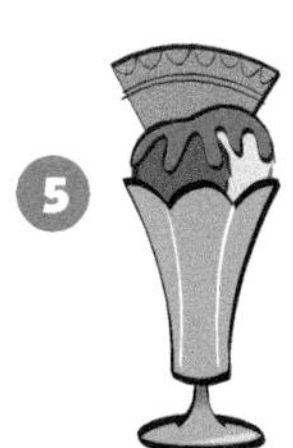

6 

7 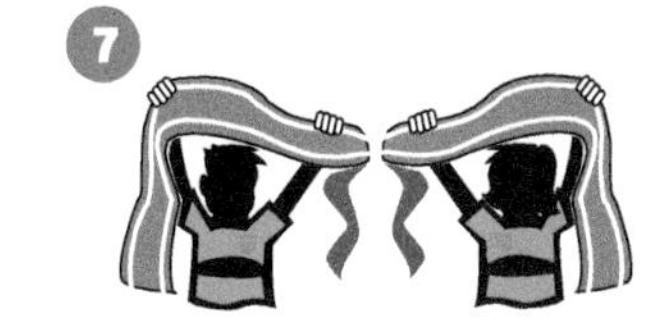

8 

9 

10 

À deux. Parlez pendant une minute d'un rendez-vous arrangé avec un(e) ami(e). Choisissez des images de l'exercice 4. Utilisez aussi les mots du tableau.

time phrases	connectives	opinions
hier soir à 20 heures d'abord après	puis ensuite mais parce que où	c'était … *(it was …)*

Traduisez ce texte en français.

Look ahead to the last sentence. Is the friend here a girl or a boy?

In this sentence, you need to use a *nous* form, a *je* form and an *il/elle* form. Get them right!

Is *café* masculine or feminine? Do you need ***au*** or ***à la***?

Last night I went out with my friend. First of all we went to the cafe where I ate an ice cream and my friend drank cola. Then we went to the cinema where we saw a James Bond film. It was really good. Afterwards my friend went to a restaurant with her dad but I got on the bus and went home.

Remember, you can't always translate word for word. In French you say 'got up into'.

Pay special attention to your perfect tense verbs. Check that:

- each perfect tense verb has two parts: part of *avoir* or *être* + the past participle.
- for *être* verbs, the past participle agrees with the subject. This is particularly important when using the pronoun *je* if you are a girl.

Écrivez une description d'une soirée parfaite ou désastreuse. Utilisez les images de l'exercice 4 ou vos propres idées.

5 Il était une fois …

- *Talking about your life when you were younger*
- *Using the imperfect tense*

1 lire **Lisez et trouvez la bonne fin pour chaque phrase.**

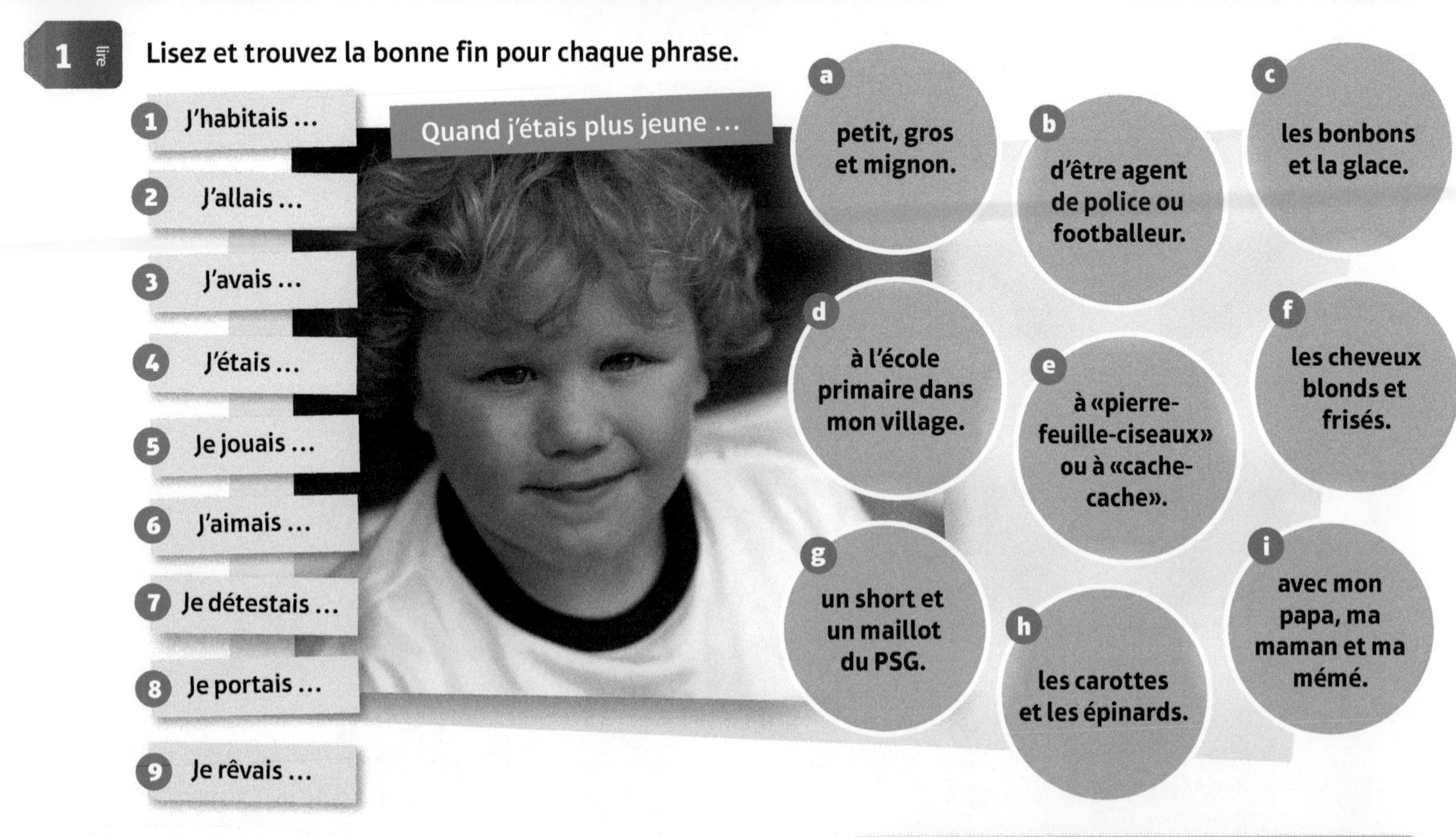

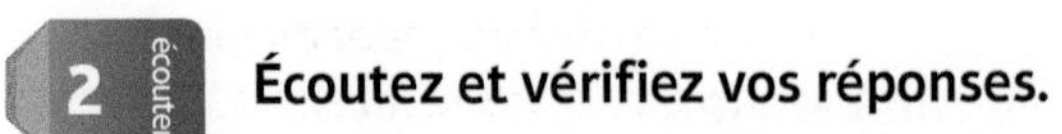

2 écouter **Écoutez et vérifiez vos réponses.**

3 écouter **Écoutez. Copiez et complétez le tableau pour chaque personne. (1–8)**

	Dans le passé, il/elle …	Maintenant, il/elle …
1	aimait la géographie	aime le dessin

4 parler **Comment étiez-vous quand vous étiez plus jeune? Trouvez une photo et préparez une présentation.**

Quand j'étais plus jeune,	
J'habitais	à Manchester/dans un petit village/dans une grande maison/avec mon beau-père.
J'allais	à l'école primaire/à la maternelle.
J'avais	les cheveux noirs/un petit nez/un beau sourire.
J'étais	mignon(ne)/adorable/sage/agaçant(e).
Je jouais	au foot dans le jardin/aux Lego®.
J'aimais	le chocolat/les animaux/les peluches/les poupées.
Je détestais	les légumes/les filles/les garçons/les chiens.
Je portais	un uniforme scolaire/une casquette/une queue de cheval.
Je rêvais	d'être pompier/instituteur(trice)/danseur(euse).

G ***The imperfect tense*** > *Page 216*

The imperfect tense is used to describe what things **were like** in the past/what **used to** happen.

To form the imperfect tense:
- take *-ons* off the present tense *nous* form of the verb, e.g. *aim~~ons~~*
- add the **imperfect endings**:

*j'aim**ais***	*nous aim**ions***
*tu aim**ais***	*vous aim**iez***
*il/elle/on aim**ait***	*ils/elles aim**aient***

The verb *être* has the stem ***ét-***, e.g. *j'**ét**ais* (I was).

5 lire **Lisez l'article et traduisez-le en anglais.**

L'ENFANCE DE ... *Napoléon Bonaparte: ancien Empereur de France*

Quand il était petit, Napoléon habitait à Ajaccio en Corse. Il avait quatre frères et trois sœurs, et habitait avec ses parents. Il était sérieux et travailleur mais il n'avait pas beaucoup d'amis. Entre 15 et 16 ans, il était dans une école militaire en France où il aimait les mathématiques. Selon la légende, Napoléon commandait ses camarades de classe pendant les batailles de boules de neige.

selon *according to*

When translating from French to English, you have to translate every word in the text. Sometimes you have to work out what new words mean. Use what the word looks like and the context to help you.

6 écrire **Écrivez deux articles pour décrire l'enfance de ces personnes. Utilisez l'imparfait.**

Exemple: Quand il était petit, Victor Hugo habitait à Paris. Il ...

L'ENFANCE DE ...

Victor Hugo: auteur des *Misérables*
Ville: Paris
Famille: 2 frères
Personnalité: turbulent, intelligent, travailleur
Passe-temps: jouer dans le jardin avec ses frères
Passions: la poésie, la lecture

L'ENFANCE DE ...

Marie-Antoinette: ancienne reine de France
Ville: Vienne, Autriche
Famille: 10 sœurs et 5 frères
Personnalité: pleine de vie, active
Passe-temps: danser, jouer du piano
Passions: la couture, la musique

7 écouter **Écoutez. Copiez les catégories de l'exercice 6 et complétez pour ce personnage historique.**

8 lire **Lisez le poème à haute voix puis mettez les images dans le bon ordre.**

«L'épouvantail»

Il n'avait pas de tête
Mais portait un chapeau.
Il était à la fête
Au milieu des oiseaux.
Il avait de longs bras
Mais ne s'en servait pas.
Il n'avait pas de pieds
Mais chaussait des sabots.
Il était drôle et laid.
Moi, je le trouvais beau.
Le jour où le tonnerre
Le brisa en morceaux,
On vit pleurer la terre
Et pleurer les oiseaux.
Il n'avait pas de tête.
J'ai gardé le chapeau.

Pierre Coran

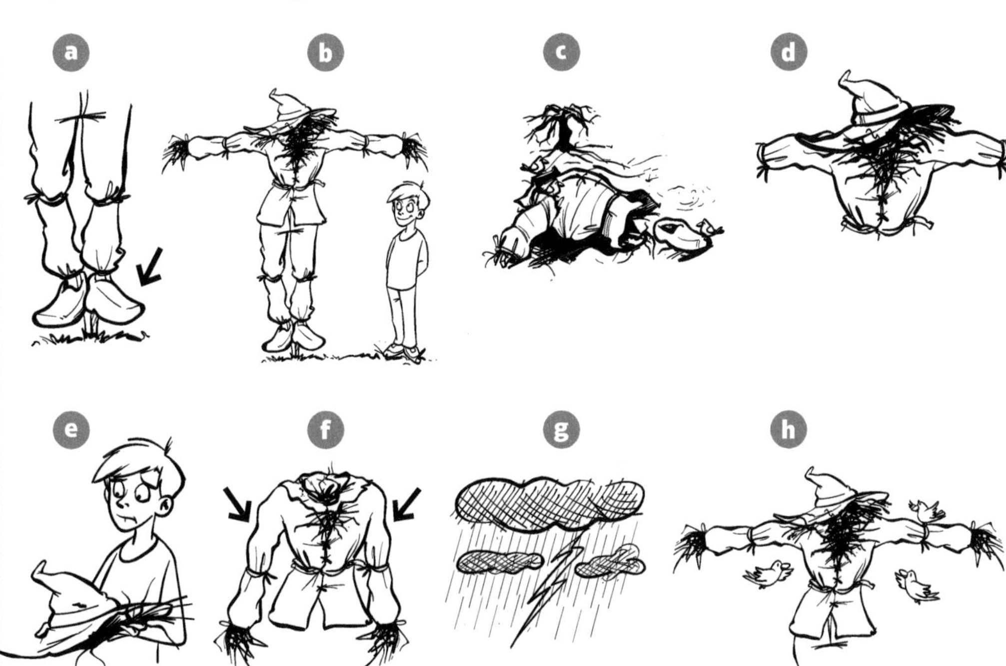

6 La personne que j'admire

- *Discussing role models*
- *Using the present, perfect and imperfect tenses*

1 écouter **Écoutez. Notez: a) le nom du modèle de chaque personne, b) les adjectifs utilisés et c) les qualités mentionnées. (1–4)**

Exemple: **1 a** Bradley Wiggins **b** travailleur, … **c** la détermination, …

2 lire **Lisez et identifiez la bonne photo pour chaque description.**

Quelle personne française admires-tu le plus?

1 Mon modèle s'appelle Olivier Rousteing. Il est jeune, métisse, et c'est un enfant adopté, comme moi. Il a travaillé très dur dans la vie pour devenir créateur de mode, puis il est devenu responsable d'une maison de couture à un très jeune âge. Les grandes stars comme Beyoncé et Rihanna portent ses vêtements. J'aimerais bien être comme lui. **Demba**

2 De mon côté, mon héroïne, c'est ma grande sœur. Elle m'impressionne énormément. Elle est à la fois travailleuse et intelligente. Elle va bientôt terminer ses études en informatique. Elle est très débrouillarde. Je pense que tout le monde devrait suivre l'exemple d'une autre personne. **Annie**

3 Pour ma part, mon héros est un grand auteur de romans, Marc Lévy. Je trouve ses livres vraiment fabuleux. Il captive ses lecteurs et choisit des thèmes émouvants et fascinants. C'est l'auteur francophone le plus populaire au monde et je respecte ça. Pour encourager les jeunes à lire, il a publié un de ses livres sur le dos d'un paquet de céréales! J'admire sa créativité. **Alison**

4 Moi, j'admire Andrée Peel, ou «l'Agent Rose». C'était une héroïne de la Résistance française pendant la Seconde Guerre mondiale. Elle a sauvé la vie de 102 jeunes soldats et aviateurs et a aidé plus de 20 000 personnes. Elle a été envoyée dans un camp de concentration en 1944 mais l'armée américaine a libéré les prisonniers juste avant son exécution. Elle était courageuse face à des dangers terribles. **Markus**

a

b

c

d

métisse *mixed-race*

3 lire **Relisez les descriptions de l'exercice 2. Qui dit ça?**

1. She hugely impresses me.
2. I would like to be like him.
3. I admire his creativity.
4. Everyone should follow the example of another person.
5. She was brave when faced with terrible dangers.
6. He worked very hard to become …

G ***Using a variety of tenses***

Use the **imperfect tense** to say what somebody **used to do**, or what they **were** like when they were alive, e.g. *elle **était** courageuse.*

Use the **perfect tense** to say what somebody **did** or **has done**, e.g. *il **a travaillé** très dur.*

Use the **present tense** to talk about **now**, e.g. *J'**admire** sa créativité.*

4 écrire **Traduisez ce texte en français. Utilisez les textes de l'exercice 2 pour vous aider.**

For me, my hero is my dad. He really impresses me. He worked very hard to become a soldier and I respect that. He is brave when faced with terrible dangers. I admire his courage. I would like to be like him.

- Use the present tense here … (impresses)
- … and the perfect tense here. (worked)
- Use ***pour*** + the infinitive. (to become)
- Do you need to use ***son*** or ***sa*** with *courage*?
- Use the masculine version of the adjective. (brave)

5 lire **Reliez chaque question à une ou plusieurs réponses.**

1 Qui est-ce que tu admires?

2 Fais-moi sa description physique.

3 Quelle est sa personnalité?

4 Quelle est son histoire?

5 Pourquoi est-ce que tu admires cette personne?

a Elle a obtenu le prix Nobel de la paix à l'âge de dix-sept ans.

b Elle est assez mince et petite.

c Elle est née au Pakistan en 1997.

d Elle porte le foulard parce qu'elle est musulmane.

e Les talibans ont essayé de l'assassiner à la sortie de son école.

f Elle a lutté pour le droit des jeunes filles à l'éducation.

g Elle est courageuse, forte et modeste.

h Elle a les cheveux noirs et les yeux marron.

i La personne que j'admire s'appelle Malala Yousafzai.

6 écouter **Écoutez l'interview sur Stromae. Notez en anglais les réponses aux cinq questions de l'exercice 5.**

Stromae

7 parler **À deux. Préparez des réponses aux cinq questions de l'exercice 5 pour une de ces photos, ou pour une personne de l'exercice 2.**

Anne Frank

J.K. Rowling

Moi, j'admire X parce qu'	il elle	a avait	du courage/de la créativité/ de la détermination/ de l'optimisme/de l'intelligence.

8 écrire **Trouvez une photo d'une personne que vous admirez. Écrivez une description de cette personne.**

Use the five questions from exercise 5 to structure your writing.

1 lire **Lisez ces posts sur un forum.**

La première sortie
Tout allait bien jusqu'à notre arrivée au restaurant. Il était 15 heures et ils ont refusé de nous servir. On avait faim quand on est rentrés à la maison. **Éric**
Je suis restée une heure devant le cinéma mais j'ai été très déçue. Pourquoi? Mon ami m'attendait devant le centre commercial. **Anna**
En arrivant au concert avec ma petite copine, j'ai retrouvé un groupe d'anciens amis. Ma copine a trouvé un de ces garçons super gentil et elle est partie avec lui. **Thomas**
Mon père m'a dit «Tu vas rester à la maison ce soir pour faire tes devoirs», mais je suis quand même allée en boîte. Il est entré dans la discothèque pour me chercher… la honte! **Hassiba**

Qui est la bonne personne? Choisissez entre Éric, Anna, Thomas et Hassiba.

Exemple: Anna attendait devant le cinéma.

(a) ______ n'était pas autorisé(e) à sortir.
(b) ______ voulait écouter de la musique.
(c) ______ n'a pas pu manger.
(d) ______ est rentré(e) à la maison sans sa petite amie.
(e) ______ n'a pas retrouvé son copain.

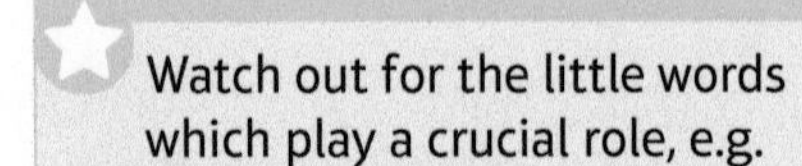

Watch out for the little words which play a crucial role, e.g.

- ***ne … pas***, which makes a sentence negative
- ***sans***, which means 'without'.

2 lire **Read the literary extract. Doria, the narrator, is talking about her Aunt Zohra.**

Kiffe kiffe demain by Faïza Guène (abridged)

> Vendredi. Maman et moi, on est invitées chez Tante Zohra pour manger son couscous. On a pris le train tôt le matin pour passer toute la journée chez elle.
>
> Tante Zohra, elle a de grands yeux verts et elle rit tout le temps. C'est une Algérienne de l'Ouest, de la région de Tlemcen. En plus, elle a une histoire marrante, parce qu'elle est née le 5 juillet 1962, le jour de l'indépendance de l'Algérie. Dans son village, elle était l'enfant symbole de la liberté pendant des années. C'était le bébé porte-bonheur et c'est pour ça qu'on l'a appelée Zohra. Ça veut dire «chance» en arabe.
>
> Je l'aime beaucoup, parce que c'est une vraie femme. Une femme forte. Son mari, il est retraité des travaux publics et il a épousé une deuxième femme là-bas au pays, alors il reste six mois là-bas et six mois en France.

What does the extract tell us? Write down the letters of the other three correct statements.

Example: A, …

A The narrator's aunt invited her and her mum.
B They had a long journey there.
C Aunt Zohra likes to laugh.
D Her birthday is on the day Algeria became independent.
E Her name means 'Symbol of Freedom'.
F The narrator doesn't get on with her aunt.
G Aunt Zohra is a strange woman.
H Aunt Zohra's husband has two wives.

3 lire **Translate this passage into English.**

Beaucoup de jeunes Canadiens admirent Terry Fox. Il avait dix-huit ans quand il est tombé malade. Cependant, Terry Fox était quelqu'un qui avait du courage face au cancer. Aujourd'hui, il y a des douzaines de marathons à son nom au Canada. Dans le futur, la Fondation Terry Fox va continuer à collecter de l'argent pour la recherche sur le cancer.

Translations may contain words you don't know. Try to translate the rest of the sentence, and use the word *BEEP* to replace the missing word. Then try to work out the word from the context.

Écoutez. David parle de sa famille. Que dit-il? Choisissez la bonne fin de chaque phrase.

Exemple: David a … B

- **A** 1 sœur et 1 frère.
- **B** 2 sœurs et 2 frères.
- **C** 1 sœur et 2 frères.
- **D** 2 sœurs et 1 frère.

1 Le rapport entre David et Luc est …
- **A** très bon.
- **B** assez bon.
- **C** fragile.
- **D** affreux.

2 David …
- **A** a deux ans.
- **B** a le même âge que Luc.
- **C** est plus âgé que Luc.
- **D** est moins âgé que Luc.

3 David et Luc …
- **A** se disputent souvent.
- **B** se disputent parfois.
- **C** se disputent rarement.
- **D** ne se disputent jamais.

4 Leur mère est …
- **A** compréhensive.
- **B** handicapée.
- **C** divorcée.
- **D** célibataire.

5 Le soir, David et Luc …
- **A** sortent ensemble.
- **B** sortent séparément.
- **C** sortent avec des amis.
- **D** restent à la maison.

Before you listen, focus on the sets of statements which look similar (e.g. question 3). Try to spot what the key difference is between them.

An older French woman is talking about herself when she was younger. What does she talk about? Listen and write down the letters of the three correct statements.

- **A** her family
- **B** where she used to live
- **C** her friends
- **D** what she used to do at weekends
- **E** what she does on Sundays
- **F** what she used to dislike
- **G** how she feels about her life

You hear a report on French radio about friendship. Answer the questions in English. You do not have to write full sentences.

- **a** Give one reason why some people think that online friends are not real friends.
- **b** Give one detail about Patrick's friendships at school.
- **c** What aspects of friendship are important to him? Give two details.
- **d** Who is Amanda?

Module 1 Contrôle oral

A – Role play

1 parler **Look at the role play card and prepare what you are going to say.**

Topic: Using languages beyond the classroom

Situation: Arranging an outing to a concert with your French friend. Your teacher will play the role of your friend and will introduce the situation. Then you **must**:

- begin the role play
- use the points below to help you prepare what you have to say:
  - (**salutation**) means that you must greet the other person
  - **?** means that you will have to ask a question
  - **!** means that you will have to answer an unexpected question.

Au concert. Tu organises une prochaine sortie à un concert de Stromae avec ton ami(e) français(e).

1 Dire: (salutation)
2 Demander **?**: concert de Stromae?
3 **!**
4 Demander **?**: la musique de Stromae – déjà entendu?
5 **!**
6 Dire: lieu et heure du rendez-vous
7 Dire: comment on va aller au concert

Should you address your teacher as ***tu*** or ***vous*** in this role play?

What might the unexpected questions be? When you have prepared your other answers, try to predict different possibilities, and think how you would answer them.

First of all, identify the question you need to ask. Then work out how to ask it. You could start with ***Tu veux...?***

What tense do you need to use here?

What tense is needed here?

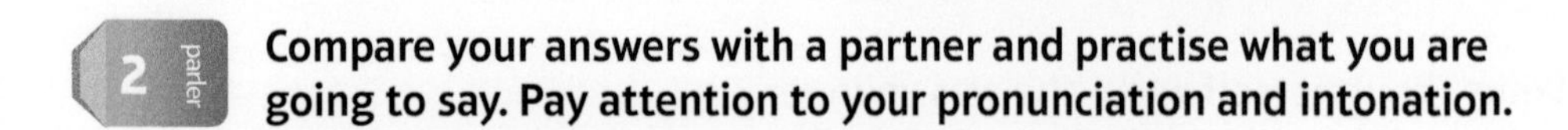

2 parler **Compare your answers with a partner and practise what you are going to say. Pay attention to your pronunciation and intonation.**

Use rising intonation for questions, and falling intonation for statements.

3 écouter **Using your notes, listen and respond to the teacher.**

Listen carefully to the two unexpected questions **!**. You have thought about what the teacher might ask. But be sure to answer the question he/she actually asks.

4 écouter **Now listen to Sam performing the role play task.**

B – Picture-based discussion

Topic: Family

Look at the picture and the bullet points below.
– ! means you must answer an unexpected question.

On va discuter de:
- la photo
- ton opinion sur les familles nombreuses
- comment tu étais quand tu étais petit(e)
- ce que tu vas faire avec ta famille ce week-end
- !

There might be some unfamiliar words on the task card. Don't panic: try to work out what you think they might mean. Remember that the bullet points follow on from what is in the photo.

1 écouter **Look at the photo and read the task. Then listen to Sarah's answer to the first bullet point.**

1. In what order does Sarah mention the following?
   a what they look like **b** who is in the picture **c** her opinions about them **d** where they are
2. What reflexive verb does Sarah use to say that they look like each other?
3. What two expressions does she use to say what they seem to be like?
4. What is the main subject pronoun that she uses, and the corresponding word for 'their'?

2 écouter **Listen to and read how Sarah answers the second bullet point.**

1. Write down the missing word for each gap.

À mon avis, c'est **1** ______ d'avoir beaucoup de frères et de sœurs, mais il y a aussi des **2** ______. Si on a beaucoup de frères et de sœurs, on joue et on rit **3** ______. Un frère ou une sœur, c'est aussi un **4** ______ copain ou une meilleure copine. On n'est jamais **5** ______. Mais c'est très **6** ______ pour les parents, par **7** ______ quand on va au restaurant ou à un concert. Aussi, les enfants se **8** ______ souvent.

2. Find the French for:
   a it's good to have **b** there are also disadvantages **c** you laugh together
   d you are never alone **e** it's very expensive for the parents **f** the children argue

3 écouter **Listen to Sarah's response to the third bullet point.**

1. Make a note in English of the details she gives.
2. What tense does she mostly use? What other tense does she use a couple of times?

4 écouter **Listen to Sarah's response to the fourth bullet point and look at the Answer booster on page 26. Make a note of eight things Sarah says to make her answer a good one.**

5 parler **Prepare your own answers to the first four bullet points. Try to predict which unexpected question you might be asked. Then listen and take part in the full picture-based discussion with your teacher.**

Answer booster	Aiming for a solid answer	Aiming higher	Aiming for the top
Verbs	**Different tenses:** present, perfect and near future	**Different tenses and persons of the verb:** not just *je* but *il/elle/on/nous/ils/elles* **Reflexive verbs**	**Different tenses:** present, perfect, near future **and imperfect**
Opinions	*Je pense que …* *J'aime/Je n'aime pas … parce que …* *C'est …/C'était …/Ça va être … (super, nul, etc.)*	*À mon avis, …* *Je trouve que …* *Pour moi, …* *Moi, j'admire …*	*Pour ma part, …* *De mon côté, …* *J'aimerais …* (+ infinitive)
Connectives	*et, mais, aussi, parce que*	*puis, ensuite, quand, où, car*	*En plus, …* *Comme…*
Other features	**Qualifiers:** *très, assez, extrêmement, plutôt, vraiment* **Time phrases**: *le week-end dernier, récemment, samedi soir*	**The emphatic pronoun *moi* after prepositions e.g.** *pour moi* **Negatives:** *ne … pas, ne … jamais*	**Other emphatic pronouns after prepositions** e.g. *avec lui, comme nous, pour eux* **Abstract nouns** e.g. *le courage, la créativité, l'amitié* **The relative pronoun *qui*** (e.g. *Un bon ami est quelqu'un qui…)*

A – Short writing task

1 lire

Look at the task. For each bullet point, make notes on:

- the main tense you will need to use (the task will probably need you to show that you can use the **past, present** and **future!**)
- the verbs and structures you could include
- any details and extra information you could include to develop your answer.

Les amis

Un site Internet français pour les jeunes demande ton opinion sur l'amitié.

Écris à ce site Internet.

Tu **dois** faire référence aux points suivants:

- la sorte d'ami(e) que tu préfères
- la personnalité de ton/ta meilleur(e) ami(e)
- ce que tu as fait récemment avec tes amis
- tes projets pour ce week-end avec tes amis.

Écris 80–90 mots environ en français.

2 lire **Look at how Emily has responded to the task. In her answer, find examples of:**

- **a** the different tenses and pronouns she uses
- **b** opinions she expresses, and opinion phrases she includes
- **c** details she adds to make her answer more interesting
- **d** connectives
- **e** impressive vocabulary and structures she uses.

À mon avis, les traits de personnalité importants chez un ami sont la patience et le sens de l'humour. Je pense qu'un bon ami est quelqu'un qui voit le bon côté des choses.

Ma meilleure amie, Anna, est très compréhensive. Je m'entends bien avec elle parce qu'elle n'est jamais de mauvaise humeur et parce qu'elle me fait rire!

Hier, je suis allée faire les magasins à Norwich avec deux copines. Comme nous adorons faire du shopping, nous avons passé une bonne journée ensemble. Le soir, nous avons mangé dans un restaurant et c'était bien.

Samedi soir, je vais sortir avec mes copains. Nous allons voir un spectacle en ville et je pense que ça va être vraiment super.

Make sure that you:

- **cover all four of the bullet points**, writing a couple of sentences for each one
- vary your language – try to **showcase what you know** and **avoid repetition**
- **proofread your work:** in particular, check your verb forms and tenses.

Now write your own answer to the task. Use ideas from Emily's response and the Answer booster for help.

B – Translation

Read the English text and Matthew's translation of it. Write down the missing verb for each gap.

My sister, Amélie, is very kind and I get on well with her. She often goes out with her boyfriend, but last night she stayed at home and we made a pizza. Amélie used to work very hard when she was at primary school. She loves children; I think she is going to be an excellent mother one day.

Ma sœur, Amélie, **1** ______ très gentille et je **2** ______ bien avec elle. Elle **3** ______ souvent avec son petit ami, mais hier soir, elle **4** ______ à la maison et nous **5** ______ une pizza. Amélie **6** ______ très dur quand elle **7** ______ à l'école primaire. Elle **8** ______ les enfants; je **9** ______ qu'elle **10** ______ une excellente mère un jour.

The exam translation will include a range of tenses.

When you read through the English text, pay close attention to the **verbs**. Ask yourself:

- what tense do I need?
- how do I form the verb?

If you need …

the present tense, is the verb regular, irregular or maybe a reflexive verb?

the past tense, should you use the perfect or the imperfect? If you use the perfect, is the auxiliary *avoir* or *être*? Watch out for irregular past participles and agreement with *être* verbs!

the near future, use *aller* + an infinitive.

Translate the following passage into French.

My friend Georges is very hard-working and funny and I get on well with him. He used to like football when he was little. Now he plays video games. Yesterday I went into town with Georges and we saw a film at the cinema. Tomorrow night we are going to eat in a restaurant with my family.

Module 1 Vocabulaire

La famille	Family members
le beau-père	*stepfather/father-in-law*
la belle-mère	*stepmother/mother-in-law*
le beau-frère	*brother-in-law*
la belle-sœur	*sister-in-law*
le demi-frère	*half-brother/stepbrother*
la demi-sœur	*half-sister/stepsister*
la fille	*daughter*
le fils	*son*
l'enfant/le petit-enfant	*(grand)child*
le mari/l'ex-mari (m)	*(ex)husband*
la femme/l'ex-femme (f)	*(ex)wife*

Les adjectifs de personnalité	Personality adjectives
Il/Elle est …	*He/She is …*
agaçant(e)	*annoying*
aimable	*likeable*
amusant(e)	*amusing/funny*
arrogant(e)	*arrogant*
bavard(e)	*talkative/chatty*
charmant(e)	*charming*
drôle	*funny*
égoïste	*selfish*
fidèle	*loyal*
fort(e)	*strong*
généreux/-euse	*generous*
gentil(le)	*kind*
impatient(e)	*impatient*
jaloux/-ouse	*jealous*
méchant(e)	*nasty/mean*
paresseux/-euse	*lazy*
poli(e)	*polite*
sage	*well-behaved, wise*
sensible	*sensitive*
sérieux/-euse	*serious*
sympa(thique)	*nice*
têtu(e)	*stubborn/pig-headed*
travailleur/-euse	*hard-working*
triste	*sad*

Ma description physique	My physical description
J'ai les cheveux …	*I have … hair*
courts/longs/mi-longs	*short/long/mid-length*
raides/bouclés/frisés	*straight/curly*
noirs/bruns/châtains	*black/brown/chestnut*
blonds/roux/gris/blancs	*blond/red/grey/white*
J'ai les yeux …	*I have … eyes*
bleus/verts	*blue/green*
gris/marron	*grey/brown*
J'ai …	*I have …*
des boutons	*spots*
une barbe/une moustache	*a beard/a moustache*
Je suis …	*I am …*
petit(e)/grand(e)	*short/tall*
de taille moyenne	*of average height*
mince/gros(se)	*slim/fat*
beau/belle	*beautiful*
joli(e)	*pretty*
moche	*ugly*
Je porte des lunettes.	*I wear glasses.*

En ville	In town
la boîte de nuit	*night club*
le bowling	*bowling alley*
le café	*cafe*
le centre commercial	*shopping centre*
le cinéma	*cinema*
les magasins (m)	*shops*
la patinoire	*ice rink*
la piscine	*swimming pool*
la plage	*beach*
le théâtre	*theatre*
dans	*in*
derrière	*behind*
devant	*in front of*
entre	*between*
en face de	*opposite*
à côté de	*next to*
près de	*near*

Quand?	When?
aujourd'hui	*today*
demain	*tomorrow*
après-demain	*the day after tomorrow*
ce matin	*this morning*
cet après-midi	*this afternoon*
ce soir	*tonight*

L'amitié	Friendship
Un(e) bon(ne) ami(e) est …	*A good friend is …*
de bonne humeur	*in a good mood*
compréhensif/-ive	*understanding*
équilibré(e)	*balanced/level-headed*
honnête	*honest*
indépendant(e)	*independent*
modeste	*modest*
patient(e)	*patient*
sûr(e) de lui/d'elle	*self-confident*
Un(e) bon(ne) ami(e) n'est pas …	*A good friend is/is not …*
de mauvaise humeur	*in a bad mood*
déprimé(e)	*depressed*
pessimiste	*pessimistic*
prétentieux/-euse	*pretentious*
vaniteux/-euse	*conceited*
Il/Elle …	*He/She …*
croit en moi	*believes in me*
dit toujours la vérité	*always tells the truth*
me fait rire	*makes me laugh*
prend soin de moi	*takes care of me*
voit le bon côté des choses	*sees the positive side of things*

Les traits de personnalité / *Qualities*

Les traits de personnalité	*Qualities*
le sens de l'humour	*a sense of humour*
la patience	*patience*
la générosité	*generosity*
la gentillesse	*kindness*
la fidélité	*loyalty*
la modestie	*modesty*
l'honnêteté (f)	*honesty*
l'optimisme (m)	*optimism*

On décrit un(e) ami(e) / *Describing a friend*

On décrit un(e) ami(e)	*Describing a friend*
Il/Elle …	*He/She …*
mesure 1,68 mètre	*is 1m 68cm tall*
semble timide	*seems shy*
porte un appareil dentaire	*has a brace*
a l'air cool	*looks cool*
a des yeux qui inspirent confiance	*has eyes which convey confidence*
On a les mêmes centres d'intérêt.	*We have the same interests.*

Les rapports en famille / *Family relationships*

Les rapports en famille	*Family relationships*
se confier à	*to confide in*
se disputer avec	*to argue with*
s'entendre bien avec	*to get on well with*
se fâcher contre	*to get angry with*
s'intéresser à	*to be interested in*
s'occuper de	*to look after*
s'aimer	*to love each other*
se chamailler	*to bicker with each other*
mort(e)/décédé(e)	*dead*
divorcé(e)(s)	*divorced*
séparé(e)(s)	*separated*

On décrit sa famille / *Describing family members*

On décrit sa famille	*Describing family members*
adorable	*adorable*
débrouillard(e)	*resourceful*
dynamique	*lively*
énergique/plein(e) d'énergie	*energetic*
extraverti(e)	*outgoing*
fragile	*fragile*
instable	*unstable*
introverti(e)	*introverted*

On va sortir / *Going out*

On va sortir	*Going out*
Je vais/Tu vas/On va…	*I'm going/You're going/We're going…*
aller au match	*to go to the match*
faire les magasins	*to go shopping*
faire du patin à glace/du patinage	*to go ice-skating*
manger au fast-food	*to eat in a fast-food restaurant*
aller au cinéma	*to go to the cinema*
faire du skate	*to go skateboarding*
voir un spectacle	*to see a show*
jouer à des jeux vidéo	*to play video games*
venir chez moi	*to come to my house*
Tu veux venir?	*Do you want to come?*
Tu peux venir?	*Can you come?*
On se retrouve quand?	*When will we meet?*
… où?	*Where …?*
… à quelle heure?	*At what time …?*
Tu y vas avec qui?	*Who are you going there with?*
… comment?	*How …?*
D'accord.	*OK.*
À plus!/À plus tard!	*See you later!*

On décrit une sortie / *Describing a night out*

On décrit une sortie	*Describing a night out*
hier soir	*last night*
à 20 heures	*at 8 p.m.*
d'abord	*first of all*
après	*afterwards*
puis/ensuite	*then*
J'ai …/Il/Elle a …/Nous avons …	*I …/He/She …/We …*
visité le musée	*visited the museum*
vu un match/une exposition	*saw a match/an exhibition*
mangé dans un restaurant	*ate in a restaurant*
refusé de manger	*refused to eat*
bu un coca	*drank a cola*
dit «au revoir»	*said 'good-bye'*
embrassé …	*kissed …*
Je suis …/Il/Elle est …/Nous sommes …	*I …/He/She …/We …*
allé(e)(s) à un pub	*went to a pub*
resté(e)(s) dehors sur la terrasse	*stayed outside on the terrace*
entré(e)(s) dans un restaurant	*went into a restaurant*
sorti(e)(s)	*went out*
parti(e)(s)	*left*
monté(e)(s) dans le bus	*got on the bus*
rentré(e)(s) à la maison	*went home*
tombé(e)(s) amoureux/-euse(s)	*fell in love*

Parler de son enfance / *Talking about your childhood*

Parler de son enfance	*Talking about your childhood*
Quand j'étais plus jeune, …	*When I was younger, …*
j'habitais avec (mon papa et ma maman)	*I lived with (my mum and dad)*
j'allais à l'école primaire	*I went to primary school*
j'avais (les cheveux blonds)	*I had (blond hair)*
j'étais (mignon(ne))	*I was (cute)*
je jouais (à «cache-cache»)	*I played ('hide and seek')*
j'aimais (les bonbons)	*I liked (sweets)*
je détestais (les épinards)	*I hated (spinach)*
je portais (un maillot du PSG)	*I wore (a PSG shirt)*
je rêvais d'être …	*my dream was to be a …*

Qui est-ce que tu admires? / *Who do you admire?*

Qui est-ce que tu admires?	*Who do you admire?*
Mon modèle s'appelle …	*My role model is called …*
Moi, j'admire …	*Personally I admire …*
Mon héros/mon héroïne, c'est …	*My hero/heroine is …*
J'aimerais bien être comme lui/elle.	*I would like to be like him/her.*
J'admire sa créativité.	*I admire his/her creativity.*
Il/Elle …	*He/She …*
m'impressionne énormément	*impresses me a lot*
a travaillé très dur pour devenir …	*worked very hard to become …*
est devenu(e) …	*became …*
aide/a aidé …	*helps/helped …*
a/avait du courage/de la détermination	*has/had courage/determination*
est/était courageux/-euse face à des dangers terribles	*is/was brave when faced with terrible danger*
lutte/a lutté pour …	*fights/fought for …*
a obtenu …	*obtained/got …*
a sauvé la vie de…	*saved the life of …*
C'est un enfant adopté, comme moi.	*He/She is adopted, like me.*

2 Le temps des loisirs

Point de départ 1

- *Revising sport and music*

1 lire **Reliez les images et les activités.**

Exemple: **a** Je fais du footing.

Qu'est-ce que tu fais pendant ton temps libre?	
Je fais	du vélo/cyclisme. du roller. du footing. du patinage. du hockey sur glace. du canoë-kayak. du surf.
	de la musculation. de la danse. de la natation. de la boxe. de la planche à voile.
	de l'escalade. de l'équitation.
	des randonnées.

G *The verb* **faire**

faire (*to do/make*)
je fais tu fais il/elle/on fait nous faisons vous faites ils/elles font
(*perfect tense*) **j'ai fait**

2 parler **À deux. Demandez l'opinion de votre partenaire sur chaque activité.**

Exemple:

- *Que penses-tu de la natation?*
- *Je trouve ça génial.*

	🙂	☹
Je trouve ça	super. génial. passionnant. cool. bien.	ennuyeux. barbant. nul. stupide.

3 lire **Copiez et complétez les phrases avec la partie correcte du verbe *jouer* au présent. Ensuite, traduisez les phrases en anglais.**

Exemple: **1** Je joue de la flûte. *I play the flute.*

1. Je ______ de la flûte.
2. Elle ______ du saxophone.
3. Nous ______ de la trompette.
4. Tu ______ de la guitare?
5. Vous ______ du violon?
6. Elles ______ de l'accordéon.
7. Il ______ du piano.
8. Ils ______ quelquefois de la batterie.
9. On ______ de la clarinette.

When you are talking about a sport, use ***jouer à***: *Je **joue au** football.* (I play football.)

When you are talking about a musical instrument, use ***jouer de***: *Je **joue de** la flûte.* (I play the flute.)

4 écouter Écoutez et écrivez la bonne lettre. (1–5)

a

Normalement, j'écoute ma musique sur mon ordi.

b

Moi, j'écoute ma musique sur mon téléphone portable avec mes écouteurs.

c

Je crée des playlists que je partage avec mes amis sur les réseaux sociaux.

d

Je regarde de plus en plus de clips vidéo pour écouter ma musique.

e

En général, j'écoute ma musique sur une tablette.

5 lire Lisez le texte. Copiez et complétez le tableau.

L'année dernière, je suis allée à un concert de Taylor Swift avec ma mère. Ma mère adore la musique de Taylor Swift, et moi j'aime bien aussi. L'ambiance était fantastique et on a dansé toute la soirée. Après, nous sommes allées au restaurant et j'ai mangé une pizza. Miam-miam!

Un de mes chanteurs préférés, c'est Julien Doré. Je le trouve G-É-N-I-A-L! J'ai téléchargé toute sa musique. J'aime les paroles de ses chansons et en plus, il me donne envie de danser. L'année prochaine, je vais voir Julien Doré en concert. Ça va être le top du top! Je suis impatiente!

Alicia

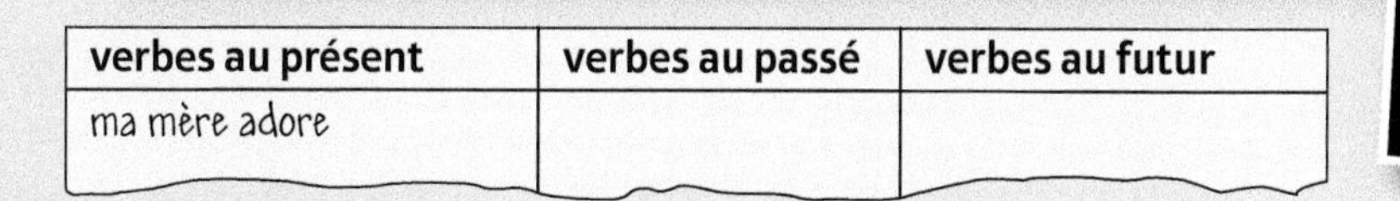

verbes au présent	verbes au passé	verbes au futur
ma mère adore		

6 lire Relisez le texte. Écrivez V (vrai) ou F (faux) pour chaque phrase.

1. L'année dernière, Alicia est allée à un concert de Taylor Swift avec son père.
2. Sa mère est fan de la musique de Taylor Swift.
3. Alicia n'aime pas trop la musique de Taylor Swift.
4. Un des chanteurs préférés d'Alicia, c'est Julien Doré.
5. La semaine prochaine, elle va aller à un concert de Julien Doré.

7 écrire Quelle musique écoutez-vous? Écrivez un paragraphe en utilisant le vocabulaire à droite.

Mon chanteur préféré, c'est … car j'aime ses paroles/ses mélodies.
Et j'aime aussi la musique de …
Ça me donne envie de …
Ça me rend …
J'ai téléchargé …
J'ai acheté …
Mais je n'aime pas du tout la musique de …
Et je déteste …
Ça me donne envie de …
Ça me rend …

À deux. Faites le quiz.

1 Tu préfères …
- **a** faire des selfies avec ton portable?
- **b** faire des vidéos avec ton portable?

2 Tu préfères …
- **a** jouer sur ta Xbox?
- **b** jouer au foot?

3 Tu préfères …
- **a** surfer sur Internet?
- **b** surfer sur la mer?

4 Tu préfères …
- **a** retrouver tes amis sur les réseaux sociaux?
- **b** discuter avec tes copains dans un café?

5 Tu préfères …
- **a** regarder des vidéos sur ton ordi?
- **b** regarder des vidéos sur ton portable?

6 Tu préfères …
- **a** poster des photos ou des vidéos?
- **b** commenter des photos ou des vidéos?

7 Tu préfères …
- **a** envoyer des SMS?
- **b** envoyer des e-mails?

8 Tu préfères …
- **a** écouter la radio?
- **b** télécharger de la musique pour en faire des playlists?

2 lire **Que fais-tu quand tu es connecté(e)? Reconstituez ces réponses correctement.**

Exemple: **1** Je fais beaucoup de choses.

1. fais choses Je beaucoup de.
2. achats Je fais des.
3. des fais quiz Je.
4. sites vais sur mes Je préférés.
5. Je pour des recherches devoirs mes fais.
6. sur Je blogs des vais.
7. vais des Je forums sur.
8. e-mails des J'envoie.
9. des jeux joue à Je en ligne.

3 écouter **Écoutez. Écrivez la lettre de l'opinion et du film mentionné. (1–6)**

Exemple: **1** c, j

Qu'est-ce que tu aimes comme films?

- **a** J'aime les …
- **b** J'adore les …
- **c** Je suis fan de …
- **d** J'ai une passion pour les …
- **e** Je ne suis pas fan de …
- **f** J'ai horreur des …

g films de gangsters

h films d'action

i films d'arts martiaux

j films d'aventure

k films d'horreur

l films de science-fiction

À deux. Discutez des genres de films de l'exercice 3.

Exemple:
- ● *Comment trouves-tu les films d'aventure?*
- ■ *Je suis fan de films d'aventure. Et toi?*
- ● *Moi, j'ai horreur des films d'aventure.*

Écrivez quatre textes qui résument un avis personnel sur les différentes émissions de télévision.

Exemple:

J'aime les jeux télévisés et aussi les séries, mais je n'aime pas les émissions de télé-réalité. Mon émission préférée, c'est *Money Drop*.

J'aime J'adore Je préfère Je n'aime pas	les documentaires les jeux télévisés les magazines les séries les actualités les émissions de musique les émissions de sport les émissions pour la jeunesse les émissions de télé-réalité	et aussi … mais …
Mon émission préférée/Une émission que je ne rate jamais, c'est …		

Faites un sondage dans votre classe. Posez ces questions:

1. Qu'est-ce que tu regardes à la télé?
2. Qu'est-ce que tu ne regardes jamais?
3. Quelle est ton émission préférée?
4. Est-ce que tu aimes (les séries)?
5. Qu'est-ce que tu ne rates jamais?

Lisez le texte. Copiez et complétez le tableau.

verbes au présent	verbes au passé composé
c'est	

Hier soir, j'ai regardé un épisode de mon émission préférée, *Mentalist*, à la télé. J'ai adoré. C'est une série américaine que je ne rate jamais! Je suis fan. ☺

En ce qui concerne les films, mon acteur préféré, c'est Gad Elmaleh parce qu'il est charismatique et très intelligent.

Je n'aime pas du tout Russell Crowe. Je trouve qu'il est nul et qu'il ne joue pas bien. Quelquefois, avec ma famille, nous regardons des films, surtout des films d'action ou d'aventure car mon père aime beaucoup ce genre de films.

Gad Elmaleh

Écrivez un texte sur ce que vous avez fait hier soir.

- Say what you did last night (at least three activities).
- Give opinions.
- Say what you did before you went to bed.

Hier soir, D'abord, Et puis Ensuite,	j'ai … j'ai joué … j'ai fait …	J'adore …, je trouve ça … J'aime jouer …, je pense que c'est … J'adore faire …, c'est …
Avant de me coucher, j'ai …		

1 Tu es plutôt foot, tennis ou basket?

- *Talking about sport*
- *Using* depuis + *the present tense*

Écoutez et lisez. Copiez et complétez le tableau en anglais.

name	activity	length of time	opinion	extra details
Léa				

Personnellement, je préfère les sports individuels. Je fais de l'escrime depuis quatre ans. C'est un beau sport qui demande de la souplesse et une bonne coordination. C'est bon pour le corps et le mental. **Léa**

Voici mon équipe. On joue au basket ensemble depuis trois ans. C'est super sympa. Le basket, c'est un sport rapide qui demande beaucoup d'efforts et de très bons réflexes. Travailler en équipe, c'est motivant. **Arthur**

Je fais du footing tous les jours depuis un an. C'est un sport qui développe l'endurance. Cela demande une excellente forme physique. J'adore courir. Je prends l'air, je respire et je me fixe des objectifs. Ça me fait du bien. **Erwann**

oublier ses soucis	*to forget your worries*
décompresser	*to decompress, relax*
ludique	*fun*

Je pratique le trampoline depuis deux ans et ça me passionne! C'est facile et c'est ludique. Lorsque je saute, j'oublie mes soucis et je décompresse. C'est un sport qui est bon pour la concentration et aussi bon pour le cœur. **Mariam**

G depuis + *the present tense*

Page 234

Use ***depuis*** + **the present tense** to say how long something has been happening.

*Je joue au tennis **depuis** cinq ans.*
I have been playing tennis for five years.

2 parler

À deux. Inventez une présentation pour chaque personne.

1

2

3

4

Je fais du/de la/de l'... Je pratique le/la/l'...	depuis x mois/ans.
J'aime beaucoup ça car c'est	facile/ludique/sympa/rapide/beau.
C'est un sport qui est bon pour	le corps/le mental/le cœur/la concentration
... et qui demande	une excellente forme physique/une bonne coordination/de l'endurance/de bons réflexes.
Ça m'aide à décompresser. Ça me fait du bien.	

G *The position of adjectives*

Page 224

Most adjectives come after the noun:

*C'est un sport **rapide**.*

However, some adjectives come in front of the noun, e.g. ***beau*** and ***bon***:

*C'est un **beau** sport.*
*Cela demande ... une **bonne** coordination.*
*de **bons** réflexes.*

Refer to page 224 for a list of other adjectives that come before the noun.

3 écouter **Écoutez. Complétez les phrases en français.**

1 Noah fait du karaté …
2 Le karaté est un sport … qui demande … et …
3 Noah préfère … car … indépendant.
4 Le karaté aide Noah à …
5 Depuis un moment, la France est …

You may hear someone talking in the first person (the *je* form), and be required to change the verb into the third person (the *il/elle* form) in order to answer a question correctly. Look out for this!

*je **fais** … → Noah **fait** …*

4 lire **Lisez le texte. Écrivez les lettres des trois phrases qui sont vraies.**

Le sport en France

Tout le monde sait que le Sud-Ouest est le pays du rugby, qu'en Bretagne on joue beaucoup au foot, que les Alpes et les Pyrénées produisent des champions de ski. Mais quels sont les sports les plus pratiqués en France?

Le foot est le sport national de la France. On trouve le foot partout. C'est un sport fédérateur qui unit les gens. Chaque petit village a son équipe de foot tandis qu'on joue au tennis, premier sport individuel en France, surtout dans des zones urbaines, notamment à Paris, Lyon et Bordeaux.

Le basket est le deuxième sport collectif le plus pratiqué en France. On le pratique un peu partout dans l'Hexagone.

Les événements sportifs majeurs en France sont les suivants: Roland Garros, le marathon de Paris, les 24 Heures du Mans et, bien sûr, le Tour de France.

fédérateur *unifying*
tandis que *while, whereas*

a Le Sud-Est est une région où on joue beaucoup au rugby.
b Beaucoup de champions de ski viennent de Bretagne.
c Le foot est le sport le plus populaire en France.
d On joue beaucoup au tennis dans les grandes villes.
e Le basket est populaire dans toute la France.
f Il y a très peu d'événements sportifs en France.

5 lire **Traduisez en anglais le paragraphe en rouge du texte de l'exercice 4.**

6 écrire **Traduisez ce texte en français.**

Ronan has been playing ice hockey for six years. It's a fast sport which requires good reflexes. It's fun and when he plays, he forgets his worries. Ronan likes individual sports, but he prefers team sports. It's motivating to play in a team.

Use the third person (***il/elle***) verb form. (Ronan)
What tense should you use? (has been playing)
What word will you use here? (which)
Will you use ***son***, ***sa*** or ***ses*** here? (his)
Use Arthur's text for help. (It's motivating to play in a team.)

- *Talking about your life online*
- *Using the comparative*

1 Lisez les textes et répondez aux questions.

J'adore la musique depuis toujours. C'est ma passion! J'ai créé une station de radio qui s'appelle La Reine de la Musique. Ça marche très bien et ça m'amuse. J'ai beaucoup d'abonnés et beaucoup de mentions «J'aime». L'année prochaine, je vais travailler avec ma prof de français et nous allons monter une station de radio pour notre classe. Je suis moins technophobe que ma prof mais elle est plus sérieuse et plus créative que moi. Ça va être un projet intéressant, certainement plus intéressant que les cours! **Emma**

Je suis passionnée de photographie depuis quelques années et l'an dernier, j'ai créé une page Facebook pour mes photos. J'y mets toutes les photos que j'aime et que je veux partager avec les autres. Je mets aussi mes photos sur Instagram parce que c'est plus simple à utiliser et plus professionnel que Snapchat. Je vais aussi travailler avec ma sœur sur un projet ludique car elle est plus organisée que moi. On va bien s'amuser ensemble! **Jade**

Mon meilleur ami est YouTubeur. Il a créé sa chaîne il y a six mois, mais ça ne marche pas très bien. Il n'a pas beaucoup d'abonnés, pas beaucoup de mentions «J'aime» mais il continue malgré tout 🙂. Il est plus énergique, plus optimiste, plus patient et plus créatif que moi, c'est certain. Il est aussi moins arrogant et plus modeste. J'admire sa persévérance.
Lucas

créer	*to create*
beaucoup d'abonnés	*lots of subscribers*

1. Who has a Facebook page?
2. Who has lots of subscribers and lots of likes?
3. Whose friend has a YouTube channel?
4. Whose teacher is more serious and more creative than he/she is?
5. Whose friend is more energetic, more patient, more optimistic and more creative than he/she is?
6. Whose sister is more organised than he/she is?

G ***Comparative adjectives*** > *Page 226*

You use comparative adjectives to compare things:

plus + **adjective** + ***que***	more … than
plus simple que	more simple than
moins + **adjective** + ***que***	less … than
moins arrogant que	less arrogant than

2 Traduisez le texte de Lucas (exercice 1) en anglais.

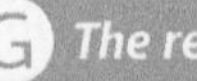

G ***The relative pronoun* que** > *Page 232*

Que means 'who', 'which' or 'that', when 'who', 'which' or 'that' is the object of a verb. It is very useful for creating longer, more complex sentences:

*J'y mets toutes les photos **que** j'aime et **que** je veux partager avec les autres.*

I put all the photos **which** I like and **which** I want to share with other people there.

3 Écoutez Fatimatou qui parle de son projet. Notez en anglais ce qu'elle dit à propos de: **a)** son projet, **b)** son frère et **c)** l'été.

animation image par image	*stop motion*

4 Traduisez ces phrases en français.

1. I am more patient than my brother.
2. My teacher (f) is more organised than me.
3. Snapchat is more fun than Instagram.
4. My best friend (f) is more optimistic and more energetic than me.
5. My teacher (m) is less arrogant and less technophobic than me.

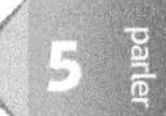

5 parler — À deux. Préparez ces présentations.

Exemple: **1** Je suis passionné(e) de photographie depuis deux ans. Il y a six mois, j'ai…

1
photographie – 2 ans
6 mois – blog
☺ – 👍 👍
cet été – mon copain:
+ optimiste – technophobe

2
cinéma – 5 ans
1 an – station de radio
☹ – 👍 👍
cet été – ma copine:
+ patiente – arrogante

Je suis passionné(e) de … depuis … Il y a … j'ai créé …		
Ça marche très bien./Ça ne marche pas très bien.		
J'ai/Je n'ai pas beaucoup d'abonnés/beaucoup de mentions «J'aime».		
L'été prochain, je vais travailler avec …		
car il/elle est	plus	énergique. optimiste. patient(e). créatif/-ive.
et il/elle est	moins	arrogant(e). technophobe.
Nous allons créer …		

6 écouter — Écoutez et choisissez la bonne fin de chaque phrase.

1 Enzo a créé sa chaîne … **a** avec ses copains. **b** avec son frère. **c** seul.
2 Enzo teste … **a** des robots. **b** des objets télécommandés. **c** des appareils électroménagers.
3 Pour les voitures, il veut savoir si un modèle est …
a plus simple qu'un autre. **b** plus rapide qu'un autre. **c** plus cher qu'un autre.
4 Récemment, Enzo a testé … **a** des drones. **b** des sous-marins. **c** des avions.
5 Enzo a choisi de créer sa chaîne sur YouTube car … **a** il préfère le look.
b c'est plus pratique. **c** c'est moins facile d'avoir beaucoup de vues.

7 écrire — Réécrivez ce texte à la troisième personne.

Exemple: **1** Elle est …

1 Je suis passionnée de généalogie depuis un an. Il y a cinq mois, **2** j'ai créé un blog qui marche très bien. **3** J'ai beaucoup d'abonnés et pas mal de mentions «J'aime». **4** Je prends plaisir à écrire **5** mon blog car **6** j'apprends beaucoup de choses. L'année prochaine, **7** je vais travailler avec **8** ma mère sur **9** mon nouveau projet.

Think carefully about how you will change the highlighted verb forms, pronouns and possessive adjectives.

8 parler — À deux. Regardez la photo et préparez vos réponses aux questions.

- Qu'est-ce qu'il y a sur la photo?
- Qu'est-ce que le garçon à droite fait?
- Qu'est-ce qu'il a fait hier soir, à ton avis?
- À ton avis, est-ce qu'il aime créer des vidéos?
- Et toi? Aimes-tu créer des vidéos? Quel genre de vidéos aimes-tu regarder?
- Que fais-tu sur Internet?

1 lire **Lisez le texte. Copiez et complétez le tableau en anglais.**

Léopold, 16 ans

Lorsque j'étais petit, mes parents lisaient des histoires avec moi tous les soirs et quand j'avais six ans, je lisais beaucoup de livres illustrés, comme *Chien bleu*. J'aimais le format et les illustrations colorées. Maintenant, je lis tout sur ma tablette ou sur Internet. Je trouve que c'est un peu dommage. Je regrette mes livres d'avant.

Myriam, 15 ans

Moi, j'adore les livres. À travers les livres, je découvre des mondes différents. Avant, je lisais des livres pour enfants, mais maintenant je lis surtout des biographies et des romans comme *Bonjour tristesse*. Je fais partie d'un club de lecture et chaque année, je participe au concours de lecture de mon lycée. Cette année, j'ai gagné le troisième prix. On dit que les jeunes ne lisent plus. À mon avis, ce n'est pas vrai!

Véronique, 42 ans

Quand j'avais l'âge de mon fils, je lisais des livres classiques. J'adorais les personnages et les histoires, c'était toute ma vie! Mais mon fils ne lit jamais. Il passe tout son temps sur la Toile à regarder des vidéos ridicules. Pour moi, c'est une perte de temps. Il n'apprend strictement rien! Ça m'énerve! À mon avis, Internet a tué les joies de la lecture.

Jean-Pierre, 72 ans

Avant, avec mes enfants, on lisait des livres et les journaux tous les soirs. C'était normal! Maintenant, mes petits-enfants sont tout le temps connectés et lisent énormément sur leur écran: des blogs, des textos, des tweets, etc. Dans le passé, on n'avait pas ça. Le numérique a changé notre façon de lire. Moi, je trouve que c'est bien.

lorsque *when*
la Toile *the web*

	past reading habits	now	opinion
Léopold	When he was little, parents read with him every day ...		

1 **Léopold** **2** **Véronique and her son**

3 **Myriam** **4** **Jean-Pierre and his grandchildren**

G ***The imperfect tense*** ***> Page 216***

The imperfect tense is used to describe what things **were like** in the past or what **used to** happen.

*Avant, **je lisais** des livres, maintenant je lis sur mon écran.*

*Dans le passé, **nous lisions** les journaux, maintenant nous lisons la presse sur ordi.*

2 parler **À deux. Lisez les textes de l'exercice 1 à haute voix. Repérez cinq phrases que vous allez réutiliser à l'oral ou à l'écrit dans les catégories ci-dessous.**

Expressions avec l'imparfait **Expressions avec le présent** **Opinions**

3 écouter **Écoutez Laure. Écrivez V (vrai) ou F (faux) pour chaque phrase.**

1. Quand elle avait cinq ou six ans, ses parents lisaient avec elle tous les soirs.
2. Elle n'aimait pas du tout lire avec ses parents.
3. Maintenant, elle lit indépendamment tous les soirs.
4. Elle n'aime pas lire sur une tablette.
5. À son avis, Internet a tué les joies de la lecture.

À deux. Préparez une présentation d'une minute sur vos habitudes de lecture.

Quand j'avais x ans, je lisais … J'aimais …	
Maintenant, je lis …	sur ma tablette. sur Internet. sur mon ordi.
Maintenant, les jeunes lisent …	
Je trouve ça génial. Je trouve que c'est bien. Je trouve que c'est un peu dommage. À mon avis, Internet a tué les joies de la lecture.	

Écoutez l'enquête sur les jeunes et la lecture. Répondez aux questions en anglais.

1. How many books do avid readers read on average per year?
2. How many books do less enthusiastic readers read on average per year?
3. Name two factors which influence young people's reading habits.
4. What percentage of young people between 12 and 16 read the press each day?
5. What percentage of those young people read the press on a computer screen?
6. What type of publication interests young people most?

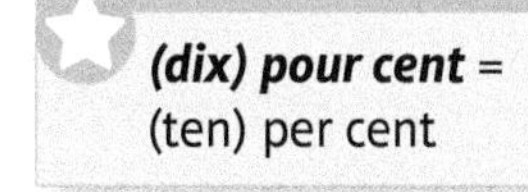

Lisez le texte et complétez les phrases en anglais.

QU'EST-CE QUE LA BANDE DESSINÉE?

Les BD sont composées d'une suite d'images dans lesquelles les personnages parlent à l'aide de bulles. Dans les BD, les images sont aussi importantes que le texte. Normalement, un scénariste collabore avec un dessinateur pour créer une BD, mais quelquefois, la même personne est à la fois scénariste et dessinateur.

La bande dessinée est en pleine expansion en France. Les BD ne sont pas simplement ludiques mais aussi éducatives. Il existe des BD historiques, fantastiques, biographiques, autobiographiques. La diversité des styles et des genres est extraordinaire!

Drôles, bien dessinées, les BD n'ont jamais été aussi créatives. Le public français est accro.

un scénariste	*scriptwriter*
à la fois	*both*

1. BDs are cartoon books where people speak in …
2. In BDs, the … are as important as the text.
3. To create a BD, a graphic artist collaborates with a …
4. BDs are not just fun, they are also …
5. The diversity of styles and genres is …
6. The French public is …

Écrivez un paragraphe qui compare les habitudes de lecture de vos copains, vos parents ou vos grands-parents avec vos habitudes.

Avant, mes parents/ grands-parents/copains	étaient/faisaient/lisaient/jouaient/ discutaient/regardaient …
Aujourd'hui, les jeunes	sont/font/lisent/jouent/ discutent/regardent …
Je trouve que c'est	bien/mieux/un peu dommage.

4 Mes émissions préférées

- *Talking about television programmes*
- *Using direct object pronouns* (le, la, les)

Lisez les textes et répondez aux questions en français.

Exemple: **1** Yann le regarde depuis toujours.

Qu'est-ce que tu aimes regarder à la télé?

Yann

Mon émission préférée, c'est *D'art d'art*. C'est un magazine sur l'art. Je le regarde toutes les semaines. Je l'adore depuis toujours mais quand j'étais petit, je crois que je ne comprenais pas tout!

Hélio

Mon émission préférée est un jeu télévisé qui s'appelle *Slam*. Je le regarde tous les jours. Je ne le rate jamais. C'est très ludique!

Clémentine

Moi, je suis fan de *Téléfoot*. J'adore cette émission. Je la regarde tous les dimanches. J'adore les animateurs et les animatrices. Je les trouve sympa.

Karima

Moi, j'ai horreur des émissions de télé-réalité comme *Koh-Lanta*. Je les trouve totalement nulles. Nullissimes, même!

Honoré

Moi, j'aime regarder *Rendez-vous en terre inconnue*. C'est un docu-réalité. Je ne le manque jamais. J'aime beaucoup les documentaires. Je les trouve hyper-intéressants.

G *Direct object pronouns* > *Page 230*

A direct object pronoun replaces a noun that is the object in a sentence. It comes directly before the verb.

masc ('it')	*Je regarde* ***un documentaire***.	*Je* ***le*** *regarde.*
fem ('it')	*Je regarde* ***une série***.	*Je* ***la*** *regarde.*
pl ('them')	*J'aime* ***les documentaires***.	*Je* ***les*** *aime.*

Mon émission préférée est ***un jeu télévisé***.
Je ***le*** *regarde tous les samedis.*
My favourite TV programme is a game show.
I watch **it** every Saturday.

J'adore ***cette émission***.
Je ***la*** *regarde toutes les semaines.*
I love this programme.
I watch **it** every week.

J'ai horreur ***des émissions de télé-réalité***.
Je ***les*** *trouve totalement nulles.*
I hate reality TV shows.
I find **them** totally rubbish.

1 Depuis combien de temps est-ce que Yann regarde *D'art d'art*?
2 Quand est-ce qu'Hélio regarde son émission préférée?
3 Que pense Clémentine des animateurs de *Téléfoot*?
4 Que pense Karima des émissions de télé-réalité?
5 Que pense Honoré des documentaires?

Start your answers to questions 3, 4 and 5 with *Il/Elle le/la/les trouve …*

2 parler

Faites un sondage dans votre classe. Posez cette question:

Qu'est-ce que tu aimes regarder à la télé?

Mon émission préférée à la télé, c'est … C'est un/une …	
Je le/la regarde	toutes les semaines. tous les jours. tous les mois.
Je le/la trouve	formidable/super/génial(e).

3 lire **Lisez les textes. Copiez et complétez le tableau en anglais.**

1 Avec mon père, notre série préférée, c'est *Engrenages*. C'est une série française qui parle de la vie quotidienne au Palais de justice à Paris. Je la regarde depuis le début. Les acteurs sont excellents, surtout Audrey Fleurot! C'est une série géniale!

2 Ma série préférée, c'est *Sherlock*. C'est une série anglaise qui parle des exploits du fameux détective Sherlock Holmes. Je la regarde en version originale et je vous conseille de faire la même chose. D'abord, ça va vous aider avec votre anglais et de toute manière, c'est plus authentique. Benedict Cumberbatch est super. Je l'adore!

3 Une série que je n'aime pas, c'est *Section de recherches*. C'est une série policière française qui est franchement nulle! Je la déteste. Les acteurs ne sont pas crédibles et le scénario n'a aucun rapport avec la réalité. Je ne la recommande pas du tout!

	name of series	subject matter	opinion	extra details
1				

4 écouter **Écoutez. Répondez aux questions en anglais pour chaque personne. (1–3)**

a What type of programme is mentioned?
b How often does the person watch it?
c What does the speaker think of the programme?
d Does the speaker recommend the programme?

5 lire **Lisez les textes. Copiez et complétez le tableau en anglais.**

Avant, je regardais beaucoup la TNT, mais maintenant, j'ai tendance à regarder des webséries car les thèmes sont plus originaux pour la plupart. On peut les regarder gratuitement et autant de fois qu'on veut. **Benjamin**

Chez moi, nous regardions souvent nos émissions préférées en direct sur la TNT, mais maintenant, nous les regardons de plus en plus en replay car on peut décider de l'horaire. Cela donne plus de possibilités. **Mohamed**

Avant, je regardais beaucoup TF1, mais maintenant, je visionne beaucoup de choses en streaming. Il faut payer, oui, mais on peut regarder des séries complètes et j'adore faire ça. **Inès**

	used to …	now …
Benjamin		

la TNT *terrestrial channels*

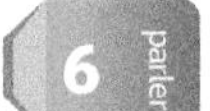

6 parler **À deux. Regardez les opinions des personnes de l'exercice 5. Vous êtes d'accord ou vous n'êtes pas d'accord?**

- *Tu es d'accord ou tu n'es pas d'accord avec l'avis de … ?*
- *Je suis d'accord/Je ne suis pas d'accord avec … Comme …, avant, je … Mais maintenant, …*

7 écrire **Traduisez ce texte en français.**

Will you use ***qui*** or ***que***?

And here, will you use ***qui*** or ***que***?

One series that I don't like is *Les Revenants*. It's a French series which is about zombies. I find it ridiculous. In my opinion, the story is just absurd. The actors are not credible and the script has no connection to reality. I do not recommend it at all.

Think about what you would say in French here. Use the models in this unit to help you.

Remember the position of direct object pronouns. Will you use ***le***, ***la*** or ***les***?

8 écrire **Choisissez une série anglaise, française ou américaine et écrivez une description.**

5 Zoom sur le cinéma

- *Talking about actors and films*
- *Using superlative adjectives*

Lisez l'article et complétez les phrases en anglais.

Le Festival de Cannes

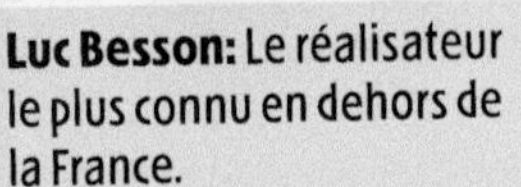

Luc Besson: Le réalisateur le plus connu en dehors de la France.

Marion Cotillard: L'actrice la plus belle, la plus élégante et la plus douée.

Le Festival de Cannes, c'est le festival de cinéma le plus célèbre au monde.

Françaises et internationales, les plus grandes stars sortent leurs robes les plus originales, leur sourire le plus charmant et le reste du monde les observe …

On y voit les plus beaux looks et les plus belles coiffures.

Les photographes se battent pour prendre les meilleures photos des stars.

Qui était la plus chic? Quel acteur avait le plus beau look? Qui portait le plus beau costume? À vous de choisir!

1. The Cannes Film Festival is the most …
2. French and international stars put on their most … and their most …
3. You can see the nicest … and the most …
4. Photographers fight to …
5. Luc Besson is the best … outside of France.
6. Marion Cotillard is the most beautiful, the most elegant and …

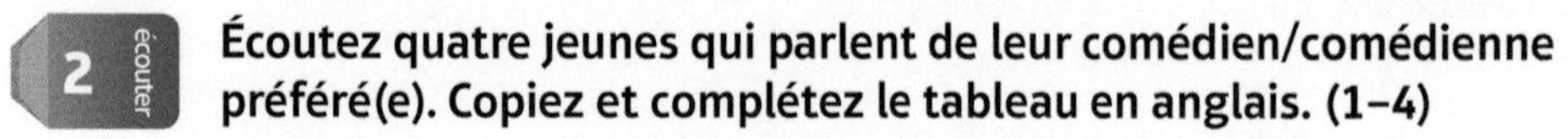

Écoutez quatre jeunes qui parlent de leur comédien/comédienne préféré(e). Copiez et complétez le tableau en anglais. (1–4)

	fan of …	for how long?	he/she is …	he/she is not …	in past life he/she …
1	Audrey Tautou	5 years	the most elegant and intelligent extremely modest	pretentious	had a complex

Jamel Debbouze

Bérénice Bejo

Audrey Tautou

Omar Sy

G The superlative

Page 226

The superlative is formed as follows:

- the most … ***le/la/les plus*** + adjective
  - l'acteur ***le plus*** *talentueux* — the most talented actor
  - l'actrice ***la plus*** *élégante* — the most elegant actress
  - les réalisateurs ***les plus*** *connus* — the best known directors
- the best … ***le*** *meilleur*/***la*** *meilleur**e***/***les*** *meilleur**s***/***les*** *meilleur**es***
  - ***les meilleures*** *photos* — the best photos
- the least … ***le/la/les moins*** + adjective
  - *la série* ***la moins*** *intéressante* — the least interesting series

Note that the superlative comes before or after the noun, depending on where the adjective would normally come:

le festival le ***plus célèbre*** — the most famous festival
les ***plus grandes*** *stars* — the biggest stars

3 écrire Traduisez ce texte en français.

I am a fan of cinema and I love Marion Cotillard. She is the most elegant and the most talented. I really like the Cannes Film Festival because it is the most famous in the world.

You see the biggest stars there, and the rest of the world watches them.

Use a superlative. Remember to make the adjective feminine.

Check the text in exercise 1.

Which subject pronoun will you use here?

Which object pronoun will you use here?

4 lire Lisez le texte et remplissez les blancs avec les mots donnés en dessous.

Exemple: **1** nul

Je suis fan de cinéma mais je n'aime pas du tout Martin Lamouroux. Il est **1** ________. C'est l'acteur le moins **2** ________ et le **3** ________ talentueux.

Chez lui, il y a très peu d'humilité. Il est **4** ________ et vaniteux. J'ai vu le film *Moi, je …* et depuis, je ne le supporte pas.

Apparemment, quand il **5** ________ jeune, il voulait déjà être comédien. Quelle blague! Je déteste ses films. Je ne **6** ________ recommande pas du tout!

arrogant | **moins** | **élégant** | **nul** | **les** | **était**

5 parler Choisissez un acteur ou une actrice que vous aimez et préparez une présentation.

6 écrire Écrivez un profil de votre comédien/comédienne préféré(e).

- Say you are a cinema fan.
- Say who you like and why.
- Say how long you have been a fan (use *depuis*).
- Say what the actor/actress is like (use superlatives).
- Say what the last film you saw was (use the perfect tense).
- Give your opinion (use the imperfect tense).
- Give reasons for your opinions.
- Say you love this person's films and that you recommend them.
- Say you're going to see their next film very soon.

Je suis passionné(e) de cinéma. J'adore … J'admire … Je suis fan de … depuis …	
Il est le plus Elle est la plus	beau/belle. intelligent/intelligente. talentueux/talentueuse. élégant/élégante. doué/douée.
Chez lui/elle, il y a très peu	de prétention. de vanité. d'arrogance.
Il/Elle est extrêmement modeste/sincère/humble.	
J'ai vu le film … il y a un moment et depuis, je suis fan. Apparemment, quand il/elle était jeune …	
Il/Elle compte parmi les acteurs les plus connus et les plus appréciés au monde. J'adore ses films et je les recommande. Je vais voir son prochain film très bientôt.	

Module 2 Contrôle de lecture et d'écoute

Read what these teenagers say about privacy on the internet.

Protège ta vie privée sur Internet!

Aïcha explique qu'il est important de protéger ses données personnelles sur Internet. Elle dit: «Je fais très attention à ce que je révèle de mon identité sur Internet. Par exemple, je ne mets jamais mon nom de famille, ni ma date de naissance. Je choisis aussi avec soin mon mot de passe.»

Salim a déjà été victime de harcèlement sur le net. Il explique ce qui s'est passé: «J'ai prévenu mes parents et la direction du collège et cela s'est réglé, mais j'étais très déprimé. Ces personnes se sont attaquées à ma personnalité. Il faut toujours signaler les provocations.»

Maude dit qu'elle adore les réseaux sociaux: «J'apprécie de communiquer avec beaucoup de personnes. On partage et on échange. Mais je prends des précautions: je sais que les contacts en ligne ne sont pas forcément de vrais copains. Je ne publie jamais de photos compromettantes.»

Selon **Lucas**, c'est bien d'être connecté mais on peut aussi quelquefois être connecté au danger. Il continue: «Moi, je ne veux pas transmettre sur Internet l'endroit où je suis avec mes amis, donc je contrôle ma géolocalisation.»

1 What information is given in the text? Complete each sentence with the correct name: Aïcha, Salim, Maude or Lucas.

Example: Maude loves social media.

A ______ is careful not to reveal their whereabouts online.
B ______ chooses their password carefully.
C ______ says there can be a difference between online friends and real friends.
D ______ had to tell people about a problem they had online.

Answer the following questions in English.

2 What two things does Aïcha say she never puts on the web?
3 What point does Lucas make about being connected?

Translate this passage into English.

Avant, la plupart des enfants suisses pratiquaient une activité physique. Ils ne dépendaient pas autant de leur téléphone portable ou de leur ordinateur. Les choses ont changé. Aujourd'hui, près d'un quart des enfants suisses sont en surpoids. Le manque de sport, une alimentation déséquilibrée et l'attrait des nouvelles technologies sont responsables.

Read this literary extract. Maya, the narrator, tells us about reading with her father when she was younger.

La Fille qui n'aimait pas les fins by Yaël Hassan and Matt7ieu Radenac (abridged)

Pour mes neuf ans, une copine m'avait offert un livre: *Vendredi ou la vie sauvage* de Michel Tournier. Quand je l'avais montré à Papa, ses yeux étaient devenus tout brillants …

– Ce livre, Maya, est une adaptation de *Robinson Crusoé* qui était mon livre préféré quand j'étais petit. C'était mon père qui me l'avait offert. Si tu savais le nombre de fois où je l'ai lu et relu. Je devenais alors, tour à tour, explorateur, navigateur, aventurier … Il était toujours posé sur ma table de chevet et je ne pouvais m'endormir sans en lire quelques pages.

Depuis que j'étais toute petite, Papa me lisait des histoires le soir. C'était notre moment à nous. Il s'installait sur un tabouret et commençait son récit de sa voix grave et posée. Je l'écoutais en frémissant de bonheur. Ce rituel a perduré même après que j'avais su lire toute seule.

Answer the questions in English.

1. Who gave Maya *Vendredi ou la vie sauvage* and what was the occasion?
2. What is the link between this book and Maya's father's favourite book?
3. What does Maya's father say he used to become when reading this book? Give one example.
4. How did Maya feel when her father used to read to her?

You hear this advert on the radio for the historical theme park *Puy du Fou*. Listen and write the letter of the correct ending for each sentence.

Example: At *Puy du Fou*, the attractions change … D

A every month. **B** every year. **C** every two years. **D** according to the season.

1 During the summer, the park is …
- **A** open at weekends.
- **B** open every day.
- **C** closed on Mondays.
- **D** closed on Mondays and Tuesdays.

2 In June and July, *Cinéscénie* …
- **A** begins at 10.00 p.m.
- **B** ends at 10.00 p.m.
- **C** begins at 10.30 p.m.
- **D** ends at 10.30 p.m.

3 Spectators are asked …
- **A** to arrive an hour ahead of the start time.
- **B** to switch off their mobile phones.
- **C** not to eat and drink during the show.
- **D** not to take photos.

4 At *Cinéscénie*, there have been more than …
- **A** 16 thousand spectators.
- **B** 6 million spectators.
- **C** 10 million spectators.
- **D** 11 million spectators.

Listen to the interview with Martin, a French sportsman, and answer the following questions in English.

(a) What was his ambition when he was little?
(b) What happened when he was 11?
(c) What does he say it is difficult to think about when you are young?
(d) What does he say about his life as a football player? Give one detail.
(e) How does he say about his job now? Give one detail.

A – Picture-based discussion

Topic: Leisure activities

Look at the picture and the bullet points below.

– **!** means you must answer an unexpected question.

On va discuter de/d':

- la photo
- ton opinion sur les livres numériques
- ce que tu lisais quand tu étais petit(e)
- un projet que tu vas faire avec l'aide de la technologie
- **!**

Look at the picture and read the task. Then listen to Tom's answer to the <u>first</u> bullet point.

1. In addition to describing what the girl looks like, where she is and what she is doing, what else does Tom say to expand his answer?
2. What word does Tom use for the device that the girl is holding?
3. What phrase does Tom use to say he thinks that the girl really likes reading?
4. What do you think the word *allongée* means in this context?

2 écouter

Listen to and read how Tom answers the <u>second</u> bullet point.

1. Write down the missing word(s) for each gap.
2. From the context, what do you think *feuilleter les pages* and *de toute façon* mean?
3. Look at the Answer booster on page 48. Note down <u>at least four</u> things that he does to make his answer a good one.

Je **1** ______ votre point de vue. À mon avis, c'est vraiment un **2** ______ de tenir un livre dans les **3** ______. Avec un livre numérique, c'est **4** ______ de feuilleter les pages! Cependant, les livres numériques sont parfois **5** ______: quand on part **6** ______, par exemple. Mon meilleur ami a une liseuse **7** ______ quelques mois et il la trouve **8** ______. Je vais sûrement **9** ______ une liseuse bientôt. De toute façon, c'est **10** ______ qui compte!

3 écouter **Listen to Tom's response to the third bullet point.**

1 Make a note in English of the details he gives.
2 What tense does he start off using?
3 What two other tenses does he take the opportunity to use?

4 écouter **Listen to Tom's response to the fourth bullet point. Note down examples of how he justifies what he says.**

Listen for phrases with *parce que* and *car* (because), *alors* and *donc* (therefore, so) and *comme* (as), which Tom uses to justify his opinions.

5 parler **Prepare your own answers to the first four bullet points. Try to predict which unexpected question you might be asked. Then listen and take part in the full picture-based discussion with your teacher.**

B – General conversation

1 écouter **Listen to Hannah introducing her chosen topic. In what order does she mention the following things?**

A what instrument she used to play
B what sort of music she likes listening to
C how she feels when she plays
D who her favourite singer is
E what instrument she plays
F what she and a friend are going to do next year

2 écouter **The teacher then asks Hannah: «Qu'est-ce que tu aimes, comme films?» Listen to how she develops her answer. What 'hidden questions' does she also answer?**

Example: What makes a good film for you?

A good way of developing your answer is to think about what 'hidden questions' you could also respond to in order to give a full, well developed answer.

Listen to how Hannah answers the next question: «Quel est ton sport préféré?» Look at the Answer booster on page 48. Write down six examples of what she does to give her best possible answer.

Prepare answers to these questions. Then practise with your partner.

1 Est-ce que tu joues d'un instrument?
2 Qu'est-ce que tu aimes, comme films?
3 Quel est ton sport préféré?
4 Que fais-tu quand tu es connecté(e)?
5 Quelles sont tes habitudes de lecture?
6 Parle-moi de la dernière fois que tu es allé(e) à un concert.
7 Est-ce que tu aimes les réseaux sociaux?

Answer booster	Aiming for a solid answer	Aiming higher	Aiming for the top
Verbs	**Different tenses:** past (perfect or imperfect), present, near future	**Different tenses and persons of the verb:** not just *je* but *il/ elle/on/nous/vous*	**Different tenses:** present, perfect, near future **and imperfect**
Opinions and reasons	*J'aime/J'adore …* *Je n'aime pas/Je déteste/* *Je préfère …* *parce que …* *C'est/c'était/ça va être …*	*À mon avis, …* *Je crois que …* *Personnellement, …* *Pour ma part, …* *Je suis passionné(e) de …* *J'ai horreur de(s) …*	**Comparatives:** *X est plus/moins intéressant(e)/ sympa/ludique que Y.* **Superlatives:** *C'est la meilleure actrice/c'est l'acteur le plus talentueux.*
Connectives	*et, mais, aussi, parce que, quand*	**More variety:** *car, où, lorsque, donc, alors*	*Par contre* *C'est pour ça que …*
Other features	**Negatives:** *ne … pas* *ne … jamais* **Qualifiers:** *très, un peu, assez, vraiment* **Frequency phrases:** *tous les soirs, deux fois par semaine, parfois, toujours*	***depuis* + the present tense:** *Je joue au tennis depuis toujours/ un an.*	**The relative pronoun *qui*:** *C'est un sport qui m'intéresse.* **The relative pronoun *que*:** *C'est une émission que j'aime.* **Direct object pronouns:** *Je le/la/les trouve formidable(s)/ intéressant(e)(s).*

A – Short writing task

Look at the task. For each bullet point, make notes on:

- which tense(s) you will need to use (you will need to make reference to three time frames: **past**, **present** and **future**)
- the structures and vocabulary you could use
- any details and extra information you could include to improve your answer.

La télé

Ton ami(e) français(e) t'a envoyé un e-mail pour demander ton opinion sur la télé.

Écris une réponse à ton ami. Tu **dois** faire référence aux points suivants:

- le genre d'émissions que tu préfères et pourquoi
- ce que tu as regardé hier soir
- pourquoi tu aimes regarder la télévision ou non
- ce que tu vas faire demain soir.

Écris 80–90 mots environ en français.

Read Connor's answer on the next page and answer the questions below.

1 How many different persons of the verb does he use?
2 Which tense does he use in addition to the present, perfect and near future tenses?
3 What extra information does he give to extend his writing?
4 What structures does he use to really impress?

Je suis fan de séries américaines depuis longtemps. Une série que je ne rate jamais, c'est *The Big Bang Theory*. Je la trouve très marrante, mais malheureusement, mon père ne la supporte pas!

Hier soir, ma famille et moi avons regardé une série policière qui parlait d'un meurtre en Écosse. Pour moi, l'histoire n'était pas du tout crédible.

Personnellement, j'aime bien regarder la télévision parce que ça m'aide à décompresser. Cependant, je ne regarde pas la télé tous les jours. Il est important d'avoir d'autres passe-temps, à mon avis.

Demain soir, je vais aller au centre de loisirs avec un ami. Nous allons faire de la musculation. Ça va être sympa. Je vais être moins paresseux qu'hier!

3 écrire **Now write your own answer to the question. Use ideas from Connor's response and the Answer booster for help.**

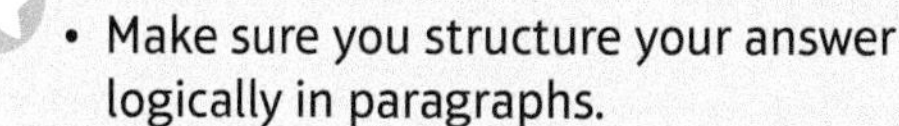

- Make sure you structure your answer logically in paragraphs.
- Give opinions and reasons.
- Don't be afraid to use language in new contexts, but make sure that you use it accurately! For example, Connor has used *ça m'aide à décompresser*, which you learnt in Unit 1 (on the subject of sport), to talk about TV.

B – Translation

1 lire **Read the English text. Look at the phrases that are numbered and compare them with the French translation. What structures do you need to use in French to translate each of them?**

Example: **1** Use 'depuis ...' plus the present tense.

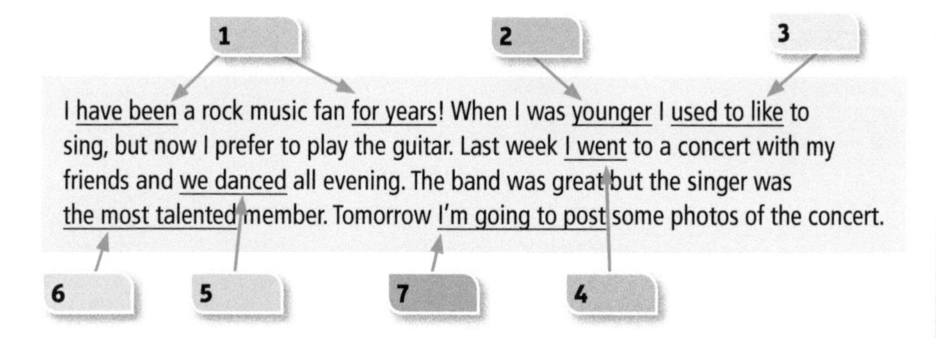

Remember, translation into French is a test of your knowledge of grammar. As you are reading, try to work out what structures the translation is testing you on, e.g. different tenses, different persons of the verb, the comparative, the superlative, etc.

Je suis fan de musique rock depuis des années! Quand j'étais plus jeune, j'aimais chanter, mais maintenant, je préfère jouer de la guitare. La semaine dernière, je suis allé à un concert avec mes amis et on a dansé toute la soirée. Le groupe était génial mais le chanteur était le membre le plus talentueux. Demain, je vais poster des photos du concert.

2 écrire **Translate the following passage into French.**

When I was little, I used to like watching TV, but now I prefer to watch films. I've been a fan of Romain Duris for a long time. I think he's the most original actor of the moment. Last week, I went to the cinema with my brother and we saw a great film. Tomorrow I'm going to write an article for my blog.

Module 2 Vocabulaire

Le sport — *Sport*

Le sport	*Sport*
Je fais …	*I do/go …*
du canoë-kayak	*canoeing/kayaking*
du footing	*jogging*
du hockey sur glace	*ice hockey*
du patinage	*skating*
du roller	*roller skating*
du vélo/cyclisme	*cycling*
de la boxe	*boxing*
de la danse	*dancing*
de la musculation	*weight-lifting*
de la natation	*swimming*
de la planche à voile	*wind-surfing*
de la voile	*sailing*
de l'escalade	*climbing*
de l'équitation	*horse-riding*
des randonnées	*for walks*
Je trouve ça …	*I think it's …*
bien/cool	*good/cool*
génial/super	*great/super*
passionnant	*exciting*
barbant/ennuyeux	*boring*
nul/stupide	*rubbish/stupid*

La musique — *Music*

La musique	*Music*
Je joue …	*I play …*
du piano	*the piano*
du saxophone	*the saxophone*
du violon	*the violin*
de la batterie	*drums*
de la clarinette	*the clarinet*
de la flûte	*the flute*
de la guitare	*the guitar*
de la trompette	*the trumpet*
de l'accordéon	*the accordion*
Mon chanteur/Ma chanteuse préféré(e), c'est …	*My favourite singer is …*
car j'aime ses paroles/ses mélodies	*because I like his/her lyrics/tunes*
J'aime aussi la musique de …	*I also like …'s music.*
Ça me donne envie de …	*It makes me want to …*
Ça me rend …	*It makes me …*
J'ai téléchargé/acheté …	*I downloaded/bought …*
Je n'aime pas du tout la musique de …	*I don't like …'s music at all.*
Je déteste …	*I hate …*

La technologie — *Technology*

La technologie	*Technology*
Je fais …	*I do …*
beaucoup de choses	*lots of things*
des quiz/des recherches pour mes devoirs	*quizzes/research for my homework*
Je fais des achats.	*I buy things/make purchases.*
Je vais sur mes sites préférés/des blogs/des forums.	*I go on my favourite sites/blogs/forums.*
J'envoie des e-mails/mails.	*I send emails.*
Je joue à des jeux en ligne.	*I play games online.*

Films et télé — *Films and TV*

Films et télé	*Films and TV*
J'aime/J'adore les …	*I like/love …*
Je (ne) suis (pas) fan de …	*I am (not) a fan of …*
Je n'aime pas …	*I don't like …*
J'ai une passion pour les …	*I am passionate about …*
J'ai horreur des …	*I hate/can't stand …*
films de gangsters/d'action	*gangster/action films*
films d'aventure/d'horreur	*adventure/horror films*
films d'arts martiaux	*martial arts films*
films de science-fiction	*science-fiction films*
Je préfère …	*I prefer …*
les documentaires	*documentaries*
les jeux télévisés	*game shows*
les magazines	*magazine programmes*
les séries	*series*
les actualités	*current affairs programmes*
les émissions de musique/de sport/de jeunesse/de télé-réalité	*music/sports/youth/reality TV programmes*
Mon émission préférée, c'est …	*My favourite programme is …*
Je trouve ça …	*I find it …*
Je pense que c'est …	*I think that it's …*

Parler de sport — *Talking about sport*

Parler de sport	*Talking about sport*
Je fais de l'escrime/du footing depuis (quatre ans).	*I've been doing fencing/jogging for (four years).*
Je pratique le trampoline depuis (trois mois).	*I've been trampolining for (three months).*
On joue au basket ensemble depuis (trois ans).	*We've been playing basketball together for (three years).*
J'aime beaucoup ça car c'est …	*I like it a lot because it's …*
élégant/facile	*elegant/easy*
ludique/sympa	*fun/ nice*
rapide/beau	*fast/pleasant*
C'est un sport qui est bon pour …	*It's a sport that is good for …*
le corps/le cœur	*the body/the heart*
le mental/la concentration	*the mind/concentration*
… et qui demande …	*… and which requires …*
une excellente forme physique	*excellent physical condition*
une bonne coordination	*good coordination*
de l'endurance	*endurance*
de bons réflexes	*good reflexes*
Ça m'aide à décompresser.	*It helps me to relax.*
Ça me fait du bien.	*It does me good.*
Je préfère les sports individuels.	*I prefer individual sports.*
Je respire.	*I breathe.*
Je me fixe des objectifs.	*I set goals for myself.*
J'oublie mes soucis.	*I forget my worries.*

Ma vie d'internaute / *My life online*

Je suis passionné(e) de …	*I am passionate about/a huge fan of …*	Je vais travailler avec mon ami/ma sœur/ mon prof …	*I'm going to work with my friend/ sister/teacher …*
photographie/cinéma/musique	*photography/cinema/music*	car il/elle est plus/moins … que moi	*because he/she is more/less … than me*
Il y a (deux mois), j'ai créé …	*(Two months) ago, I created …*	arrogant(e)/créatif/-ive	*arrogant/creative*
une page Facebook	*a Facebook page*	modeste/patient(e)	*modest/patient*
une chaîne YouTube	*a YouTube channel*	optimiste/organisé(e)	*optimistic/organised*
une station de radio	*a radio station*	sérieux/-euse/technophobe	*serious/technophobic*
un blog	*a blog*	Nous allons créer …	*We're going to create …*
Ça (ne) marche (pas) très bien.	*It's (not) working very well.*		
J'ai beaucoup d'abonnés et de mentions «J'aime».	*I have lots of subscribers and likes.*		

La lecture / *Reading*

Français	English	Français	English
Quand j'avais X ans, je lisais …	*When I was X years old, I read …*	Maintenant/Aujourd'hui, les jeunes …	*Now/Today, young people …*
J'aimais …	*I liked …*	lisent des blogs/des textos/des tweets	*read blogs/texts/tweets*
Avant, avec mes enfants, on lisait …	*In the past, I read … with my children.*	passent tout leur temps sur leur portable	*spend all their time on their mobile*
des histoires/des romans	*stories/novels*	Je trouve ça génial.	*I find that great.*
des livres illustrés/classiques	*illustrated books/classics*	Je trouve que c'est bien/mieux/un peu dommage.	*I find that it's good/better/a bit of a shame.*
des livres pour enfants/des journaux	*children's books/newspapers*	À mon avis, Internet a tué les joies de la lecture.	*In my opinion, the internet has killed the joy of reading.*
Maintenant, je lis …	*Now I read …*		
sur ma tablette/mon ordi	*on my tablet/my computer*		
sur Internet	*on the internet*		

Mes émissions préférées / *My favourite TV programmes*

Français	English	Français	English
Mon émission de télé préférée, c'est …	*My favourite TV programme is …*	Les acteurs sont excellents/ne sont pas crédibles.	*The actors are excellent/not credible.*
C'est (un docu-réalité) qui parle de …	*It's (a reality documentary) about …*	Le scénario n'a aucun rapport avec la réalité.	*The script has no connection to reality.*
Je le/la regarde …	*I watch it …*	Je le/la regarde en version originale.	*I watch it in the original language.*
toutes les semaines	*every week*	Avant, je regardais/nous regardions …	*Before, I/we used to watch …*
tous les jours/mois	*every day/month*	Maintenant, j'ai tendance à regarder …	*Now, I tend to watch …*
Je le/la trouve formidable/super/génial(e).	*I find it amazing/fantastic/great.*	en direct sur la TNT	*live on terrestrial TV*
Je ne le rate/manque jamais.	*I never miss it.*	en replay/streaming	*on catch-up/streamed*
Je ne le/la regarde jamais.	*I never watch it.*		
Je le/la trouve débile/vulgaire.	*I find it idiotic/crude.*		
J'adore les animateurs/animatrices.	*I love the presenters.*		

Le cinéma / *Cinema*

Français	English	Français	English
Je suis passionné(e) de cinéma.	*I'm passionate/mad about cinema.*	de vanité	*vanity*
J'adore …	*I love …*	d'arrogance	*arrogance*
J'admire …	*I admire …*	Il/Elle est extrêmement modeste/ sincère/humble.	*He/she is extremely modest/sincere/ humble.*
Je suis fan de … depuis …	*I'm a fan of … since …*	J'ai vu le film … il y a un moment et depuis, je suis fan.	*I saw the film … some time ago and since then, I've been a fan.*
Il est le plus …	*He is the most …*	Apparemment, quand il/elle était jeune …	*Apparently, when he/she was young …*
Elle est la plus …	*She is the most …*	X compte parmi les acteurs les plus connus et les plus appréciés au monde.	*X is one of the best-known and most popular actors in the world.*
beau/belle	*good-looking, beautiful*	J'adore ses films et je les recommande.	*I love his/her films and I recommend them.*
intelligent(e)	*intelligent*	Je vais voir son prochain film très bientôt.	*I'm going to see his/her next film very soon.*
talentueux/-euse	*talented*		
élégant(e)	*elegant*		
doué(e)	*gifted, talented*		
célèbre	*famous*		
chic	*chic*		
Chez lui/elle, il y a très peu …	*With him/her, there is very little …*		
de prétention	*pretentiousness*		

Les mots essentiels / *High-frequency words*

Français	English	Français	English
normalement	*normally, usually*	apparemment	*apparently*
quelquefois	*sometimes*	en général	*in general, generally*
souvent	*often*	de toute manière	*in any case*
tous les jours	*every day*	surtout	*especially*
hier soir	*yesterday evening*	en ce qui concerne	*with regard to*
récemment	*recently*	autant de	*so many*
depuis un moment	*for a while*	de plus en plus	*more and more*
lorsque	*when*	en dehors de	*outside (of)*
d'abord	*first(ly)*	ensemble	*together*
ensuite	*next*	notamment	*notably*
à mon avis	*in my opinion*	partout	*everywhere*
personnellement	*personally*	pas du tout	*not at all*
car	*because, as*	pour la plupart	*mostly*
cependant	*however*	tandis que	*while, whereas*

3 Jours ordinaires, jours de fête

Point de départ 1

- *Talking about food and meals*

À deux. Identifiez chaque image. Attention à la prononciation!

Exemple: Numéro trois, c'est du lait.

Écoutez et vérifiez la prononciation. (1–18)

du beurre/fromage/lait/pain/poisson/poulet/yaourt
de la confiture/glace/viande
de l'eau (minérale)
des bananes/fraises/œufs/poires/pommes/pommes de terre/pêches

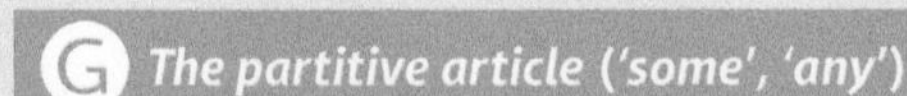

You use the partitive article (***de*** + the definite article) to say 'some':

de + le → ***du***   *de + l'* → ***de l'***
de + la → ***de la***   *de + les* → ***des***

But after a negative, or with containers and quantities, just use ***de***/***d'***:

Je ne mange pas ***de*** *viande.*
un kilo ***de*** *bananes/une bouteille* ***d'****eau*

3 lire

Trouvez la fin de chaque phrase et copiez la phrase complète.

1. D'habitude, pour le petit-déjeuner, …
2. Parfois, je prends du pain grillé avec …
3. À midi, je mange à la cantine. Mon plat préféré, …
4. Ensuite, je mange un fruit: …
5. Le soir, je dîne avec ma famille. D'abord, …
6. Ensuite, on mange souvent …
7. Ma sœur, qui est végétarienne, …
8. Comme dessert, on mange de la …

a on prend de la soupe ou des crudités.
b mousse au chocolat ou de la tarte au citron.
c je mange des céréales et je bois du café.
d du poulet avec du riz. En général, on boit de l'eau.
e c'est le steak haché avec des haricots verts.
f prend des nouilles ou des pâtes.
g une pêche, une poire ou une banane.
h de la confiture ou du miel.

Préparez une courte présentation sur vos repas.

Exemple:

D'habitude, pour le petit-déjeuner, je prends …

À midi, normalement, je mange … mais aujourd'hui, j'ai mangé … J'ai bu…

Le soir, je dîne avec … D'abord, on … Ensuite, … Comme dessert, …

Cet après-midi, à la sortie du collège, je vais manger …

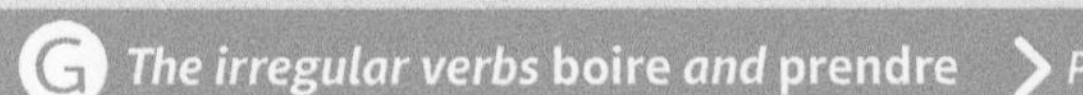

› Page 208

boire (*to drink*)	**prendre** (*to take*)*
je bois	je prends
tu bois	tu prends
il/elle/on boit	il/elle/on prend
nous buvons	nous prenons
vous buvez	vous prenez
ils/elles boivent	ils/elles prennent
(*perfect tense*) j'ai bu	(*perfect tense*) j'ai pris

* French people often use *prendre* with food or drink, to mean 'have':

Parfois, je ***prends*** *du pain grillé.* Sometimes, I **have** toast.

Votre cousin Maxime va vous rendre visite! Lisez le SMS de sa mère et faites deux listes.

Mon petit Maxime n'aime pas les fruits, à part les fraises et les framboises. Il a horreur des légumes, surtout des carottes et du chou-fleur, mais de temps en temps, il mange des petits pois. Il refuse de manger des œufs et il est allergique au fromage et aux champignons. En revanche, il adore le jambon et le saucisson.

Il faut acheter …
des fraises, …

Il ne faut pas acheter …

Il faut... > *Page 220*

You use ***il faut*** to say 'I/you/we need to' or 'must'. It is normally followed by the infinitive:

***Il faut** acheter du jambon.*
I/You/We need to buy some ham.

Faites une liste de provisions pour un pique-nique. Utilisez vos propres idées.

Exemple: deux baguettes, un kilo de…

un paquet de …	*a packet of …*
un kilo de …	*a kilo of …*
une bouteille de …	*a bottle of …*
un pot de …	*a jar/pot of …*
cinq cents grammes de …	*500 grams of …*
quatre tranches de …	*four slices of …*
un morceau de …	*a piece of …*
un litre de …	*a litre of …*
une boîte de …	*a tin/can of …*

À deux. Regardez la liste de votre partenaire. Où faut-il aller pour faire les courses? Il n'y a pas de supermarché!

Exemple: Deux baguettes. Pour ça, il faut aller à la boulangerie.

la boucherie	*butcher's*
la boulangerie	*baker's*
la charcuterie	*deli/pork butcher's*
la pâtisserie	*cake shop*
l'épicerie	*grocer's*
le marché	*market*

Remember, *à* + *le* = ***au***:
***au** marché* at/to the market

Écoutez et complétez la conversation au marché.

- *Bonjour. Vous désirez?*
- *Bonjour. Avez-vous des* **1** ______?
- *Ah non, je regrette. Je n'en ai plus.*
- *Alors, je prends* **2** ______ *grammes de* **3** ______, *s'il vous plaît.*
- *Et avec ça?*
- *Les* **4** ______ *sont mûres?*
- *Ah oui, elles sont bien mûres.*
- *J'en prends* **5** ______, *s'il vous plaît.*
- *Voilà. C'est tout?*
- *C'est tout, merci. Ça fait combien?*
- *Ça fait quatre euros* **6** ______.

mûr(e)	*ripe*

Écoutez et lisez. Reliez les descriptions et les images.

1. un polo, un short multicolore, un petit chapeau et des lunettes de soleil
2. une robe, un manteau, un collant, une écharpe et des gants en laine
3. un costume foncé avec une chemise blanche, une cravate en soie, des chaussures et des chaussettes de couleur vive
4. un pull, un pantalon en coton avec une ceinture en cuir et une veste habillée
5. une mini-jupe avec un blouson en cuir, des bottes et un petit sac à main
6. un tee-shirt avec un sweat à capuche, un jean moulant, une casquette et des baskets de marque

a 

b 

c 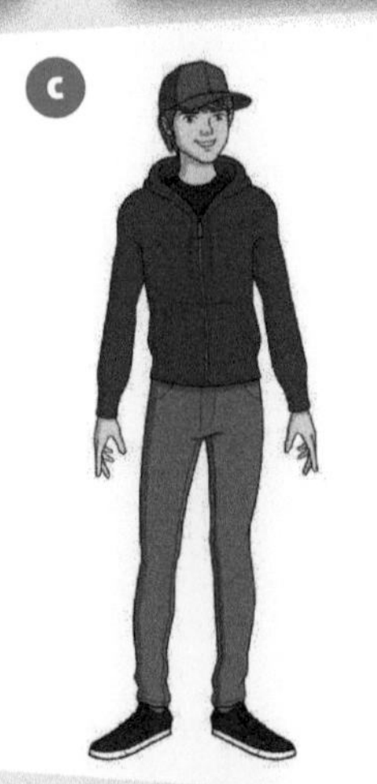

(en) coton/cuir/laine/soie	*(made of) cotton/leather/wool/silk*
rayé(e)	*striped*
à carreaux	*checked*
de marque	*designer*
habillé(e)	*smart*

d 

e 

f 

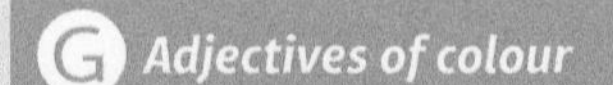

G *Adjectives of colour* > *Page 224*

Adjectives of colour go **after the noun**. Most follow the same patterns of agreement as other adjectives.

But remember that *blanc* is irregular:
*blanc**he*** (fem sg)
*blanc**s*** (masc pl)
*blanc**hes*** (fem pl)

Marron and *orange* are invariable (never change).

If you add *foncé* (dark) or *clair* (light), the adjective does not agree:
une jupe vert foncé (a dark green skirt)
des gants bleu clair (light blue gloves)

2 lire

Traduisez en anglais chaque description de l'exercice 1.

Écoutez les interviews et complétez le tableau en anglais. (1–4)

	clothes	colours/other details (pattern, fabric, etc.)
1		

When you add ***-e*** or ***-es*** after a final ***s*** or ***t***, you pronounce the consonant.

4 parler

À deux. Discutez. Qu'est-ce que vous portez normalement, le week-end? Et pour les occasions spéciales ci-dessous?

Exemple:

- *Qu'est-ce que tu portes normalement, le week-end?*
- *D'habitude, je porte un jean moulant avec …*
- *Qu'est-ce que tu vas mettre/tu as mis pour aller au barbecue sur la plage?*
- *Je vais mettre/J'ai mis un short à carreaux et …*

G ***The verbs* porter *and* mettre** Pages 236 and 239

	porter (to wear)	***mettre*** (to put/put on)
present tense	*je porte*	*je mets*
perfect tense	*j'ai porté*	*j'ai mis*
near future tense	*je vais porter*	*je vais mettre*

le barbecue sur la plage | **le mariage de ta cousine** | **la fête d'anniversaire de ton copain/ta copine** | **la journée *sans uniforme* au collège**

5 lire

Lisez et complétez le rôle du client/de la cliente. Choisissez des phrases à droite.

- *Bonjour, je peux vous aider?*
- **1** ______
- *De quelle couleur?*
- **2** ______
- *Vous faites quelle taille?*
- **3** ______
- *Voilà. Vous voulez l'essayer?*
- **4** ______
- *Elles sont là-bas, à gauche.*

(un peu plus tard)

- *Il vous va bien!*
- **5** ______
- *Oui, bien sûr. Voici la même chose en petit. Ça va?*
- **6** ______

a Noir ou rouge, s'il vous plaît.
b Il est trop grand pour moi. Avez-vous quelque chose de plus petit?
c Je voudrais un tee-shirt, s'il vous plaît.
d Une taille moyenne, je crois.
e Oui, ça va, merci. Je le prends.
f Oui, merci. Où sont les cabines d'essayage?

6 écouter

Écoutez et vérifiez.

When you are buying shoes, the word for 'size' is *la pointure*.

G ***Subject and object pronouns* (it, they, them)** Pages 206 and 230

	subject	**object**
masculine	***Il*** *est trop petit.*	*Je* ***le*** *prends.*
feminine	***Elle*** *est trop petite.*	*Je* ***la*** *prends.*
plural	***Ils/Elles*** *sont trop petit(**e**)**s**.*	*Je* ***les*** *prends.*

7 parler

À deux. Au magasin de vêtements: faites le jeu de rôle.

Le vendeur/La vendeuse

- Ask whether you can help the customer.
- Ask what size he/she wants.
- Ask what colour he/she prefers.
- Say they are over there, on the right.
- Offer the same item in a different size.

Le client/La cliente

- Greet the assistant and say what you would like to buy.
- Say what size you want (small, medium or large).
- Say what colour you prefer and ask whether they have any changing rooms.
- Say it's too big/small.
- Say you will take the item.

Use a direct object pronoun here. Do you need ***le***, ***la*** or ***les***?

- *Describing your daily life*
- *Using* pouvoir *and* devoir

1 écouter **Écoutez et lisez. Mettez les photos dans le bon ordre.**

le lycée	*secondary school (from 15 years old)*
ASSR	*Attestation Scolaire de Sécurité Routière (school road safety certificate)*

Ma vie quotidienne

Je m'appelle Olivia, j'ai quinze ans et je vais au lycée à Rouen. J'ai cours tous les jours sauf le dimanche.

Les jours d'école, je dois me lever tôt, à sept heures. Je prends vite mon petit-déjeuner et je quitte la maison. Je vais au lycée en scooter, parce que chez nous on peut rouler en scooter à quatorze ans, mais on doit avoir son ASSR, bien sûr!

Le soir, je fais mes devoirs, puis je mange avec ma famille. Si j'ai le temps, je regarde un peu la télé, mais d'habitude je suis trop fatiguée pour ça.

Le mercredi et le samedi après-midi, je n'ai pas cours (youpi!), alors je peux me détendre un peu. Normalement, je retrouve mes copains en ville. On traîne, on bavarde, on rigole … Ça me déstresse.

Le samedi soir, si j'ai de l'argent, je sors avec mes copains. Sinon, je dois rester chez moi et on se retrouve en ligne!

Le dimanche, c'est mon jour préféré parce que je peux rester au lit. Souvent, je fais la grasse matinée jusqu'à dix heures!

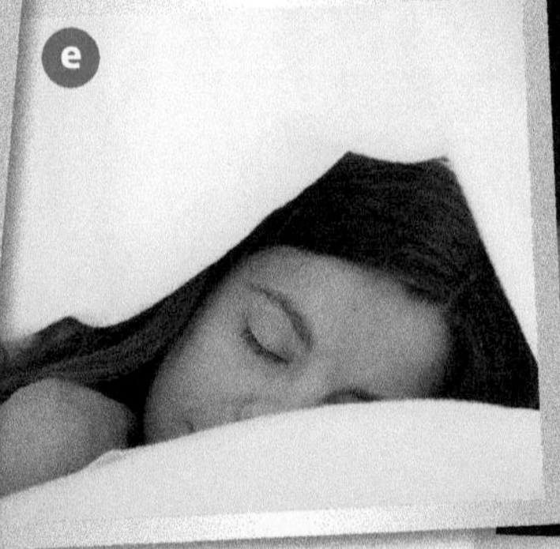

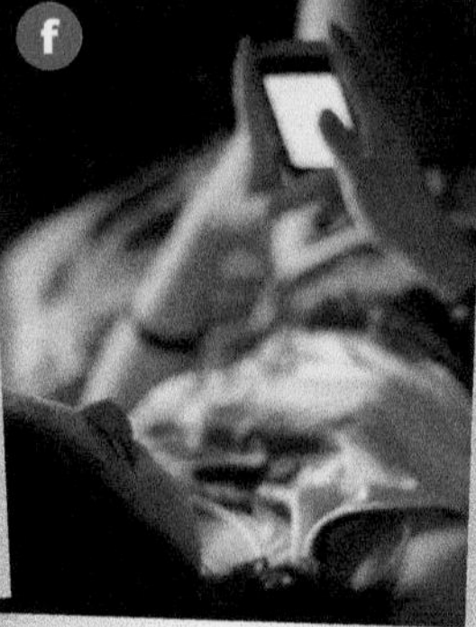

Chez can refer to someone's home, or someone's country.

*Je reste **chez** moi.* I stay at home.

***Chez** nous, on parle français.* In my country, we speak French.

2 lire **Traduisez en anglais le deuxième paragraphe du texte de l'exercice 1.**

3 écrire **Traduisez ces phrases en français.**

1. I must do my homework.
2. She can go to school by scooter.
3. On Sundays we (*on*) can have a lie in.
4. They (*ils*) have to stay at home.
5. In the evening, you (*tu*) can watch TV.
6. On Wednesdays, we (*nous*) have to go to school.

G *Modal verbs (pouvoir and devoir)* > *Page 220*

pouvoir (*to be able to/can*)	**devoir** (*to have to/must*)
je peux	je dois
tu peux	tu dois
il/elle/on peut	il/elle/on doit
nous pouvons	nous devons
vous pouvez	vous devez
ils/elles peuvent	ils/elles doivent

Écoutez Youssef, qui habite au Sénégal, en Afrique. Choisissez la bonne fin de chaque phrase.

1 Youssef va à l'école …
a tous les jours. **b** le samedi. **c** cinq jours par semaine.
d tous les jours sauf le dimanche.

2 Youssef et sa sœur doivent aller à l'école …
a à pied. **b** en bus. **c** en scooter. **d** en voiture.

3 Le week-end, Youssef …
a reste au lit. **b** joue avec sa sœur. **c** fait ses devoirs.
d doit aider son père.

4 S'il a le temps, il …
a joue au football. **b** mange chez un copain.
c regarde la télé. **d** va en ville.

aider	*to help*
dans les champs	*in the fields*

Listen carefully for negatives and words like *sauf* (except) – they can change the whole meaning of a sentence!

À deux. Formulez des questions en utilisant le tableau à droite, puis posez-les à votre partenaire.

1	Tu as cours …	**a**	tu vas au lycée?
2	Les jours d'école, …	**b**	ton jour préféré et pourquoi?
3	Comment …	**c**	quels jours de la semaine?
4	Qu'est-ce que …	**d**	tu fais, le soir?
5	Quel est …	**e**	tu dois te lever à quelle heure?

G Asking questions

Page 210

The simplest way to ask questions is to turn a statement into a question, by making your voice go up at the end of the sentence:

Tu te lèves tôt? Do you get up early?

You can add these words to the beginning or the end of the question:

Comment?	How?	*À quelle heure?*	At what time?
Où?	Where?	*À quel âge?*	At what age?
Quand?	When? (day or date)	*Pourquoi?*	Why?

Qu'est-ce que …? (What…? followed by a verb) and *Quel(le)(s) …?* (Which/What …? followed by a noun) can only go at the beginning of a question.

Écrivez un paragraphe sur votre vie quotidienne.

Mention:
- which days you go to school
- what your routine is like on school-day mornings
- what you do in the evenings after school
- how your life is different at the weekend

J'ai cours	(cinq) jours par semaine.
Les jours d'école, Le week-end,	je dois me lever tôt. je prends mon petit-déjeuner. je quitte la maison. je peux rester au lit/faire la grasse matinée.
Le soir,	je dois faire mes devoirs. je mange avec ma famille. je regarde un peu la télé.
Le samedi après-midi, Le week-end,	je peux me détendre un peu. je sors avec mes copains. je reste à la maison. je dois aider ma mère/mon père.

2 Regarde ce que je mange!

- *Talking about food for special occasions*
- *Using the pronoun* en

1 *lire* **Lisez. Reliez les messages et les photos.**

1 Voici notre repas de Noël! De la dinde, bien sûr (on en mange tous les ans), suivie de … devine quoi? Une bûche de Noël! C'est pareil chez toi? Tu as eu beaucoup de cadeaux? #Joyeux_Noël!

2 Coucou! Je suis à la crêperie avec ma famille pour fêter la Chandeleur. Ça, c'est ma troisième crêpe! Dedans, il y a des bananes, du chocolat et du sucre glace. Tu en veux?????

3 Regarde mon gâteau d'anniversaire! C'est un gâteau au chocolat avec de la crème dedans: trop bon! Ne t'en fais pas, j'en garde une tranche pour toi!

4 Coucou! On est en train de chercher les œufs en chocolat que Papa a cachés dans le jardin. J'en ai déjà trouvé trois! #Joyeuses_Pâques!

5 On fête le réveillon du jour de l'An à la maison! Voici notre buffet froid: assortiment de charcuterie, saumon fumé, salades composées, et comme dessert, mini-gâteaux et verrines! #Bonne_année!

6 On appelle ça une galette des Rois! C'est ce qu'on mange ici le 6 janvier, pour la fête des Rois. Vous fêtez ça en Angleterre aussi? On met une fève dedans et si tu la trouves, tu deviens le roi ou la reine!

la fève	*token, lucky charm*
le roi/la reine	*king/queen*

2 *lire* **Relisez les textes. Notez en français de quelle fête il s'agit dans chaque texte.**

Exemple: **1** Noël

G *The pronoun* en › *Page 230*

The pronoun *en* is often used to replace a partitive article. It can mean 'some', 'of it' or 'of them'. It goes in front of the verb.

*On mange **du** gâteau. J'**en** garde une tranche pour toi.*
We're eating cake. I'm keeping a slice (of it) for you.

*Il y a **des** champignons dedans. Tu **en** veux?*
There are mushrooms in it. Do you want some?

3 *écouter* **Écoutez Louis qui parle de Noël chez lui. Écrivez V (vrai) ou F (faux) pour chaque phrase.**

1. Sa fête préférée est Pâques, parce qu'il adore ce qu'on mange.
2. Dans sa famille, on fait un grand repas le vingt-quatre décembre.
3. Ils commencent le repas par des pâtes, suivies d'une dinde rôtie.
4. Il y a aussi des légumes, tels que des pommes de terre vapeur, des carottes, des choux de Bruxelles et des haricots verts.
5. La famille finit le repas avec une bûche au chocolat et aux poires.
6. Après, ils s'offrent des cadeaux et ils admirent le sapin de Noël que son père a décoré.

la veille de Noël	*Christmas Eve*
donner un coup de main	*to give a hand*
le sapin de Noël	*Christmas tree*

4 parler

À deux. Préparez votre réponse aux questions suivantes. Puis interviewez votre partenaire.

- Quelle est ta fête préférée et pourquoi?
- Comment est-ce que tu la fêtes et avec qui?
- Qu'est-ce que vous mangez et buvez?
- Qui prépare le repas/la nourriture?

Ma fête préférée est Noël/le 5 novembre/Hanoukka/Aïd-el-Fitr/Diwali … parce que j'adore …
D'habitude, je la fête en famille/chez nous/chez mon/ma/mes …/avec …
On fait/décore/se souhaite …
D'abord on mange/boit … suivi(e)(s) de/d' …
Dedans, il y a …
C'est mon/ma/mes … qui prépare(nt) …
Après le repas, on se donne/admire/chante/danse …

5 lire

Lisez le texte et répondez aux questions en anglais.

Chez nous, le 14 juillet, c'est la fête nationale et puisque je suis en vacances, j'aime préparer un grand repas pour toute la famille. Comme c'est une fête qui a lieu en été, souvent je fais un barbecue.

Le matin, je me rends au marché afin d'acheter des légumes, des fruits et des grillades telles que des saucisses ou des biftecks. Je sers aussi une salade verte, accompagnée d'une sauce vinaigrette, c'est-à-dire de la moutarde, du vinaigre, de l'huile, du sel et du poivre. L'après-midi, je prépare une salade de fruits comme dessert. Je coupe des pommes, des fraises, des bananes et des pêches en petits morceaux. J'y ajoute également du raisin et des framboises.

Comme boisson, je sers juste de la limonade. Pour faire vraiment fête nationale, j'ajoute du colorant bleu, blanc et rouge à la limonade (ce sont les couleurs du drapeau français) dans des bouteilles séparées. Et voilà, mon repas du 14 juillet est prêt! **Najoua**

ajouter *to add*

1. Why does Najoua have time to prepare a meal on 14th July?
2. How does the time of year affect what food she prepares on that day?
3. Name two types of meat she buys for the meal.
4. Which one of the following ingredients does she **not** put into her dessert: grapes, strawberries, raspberries, pears, peaches, apples, bananas?
5. What is special about the lemonade Najoua serves for the 14th July celebration?

6 écrire

Traduisez ce texte en français.

In France, the second of February is *la Chandeleur*. To celebrate it, Najoua likes to prepare pancakes for the whole family. First of all, she goes to the supermarket in order to buy eggs, milk, chocolate, bananas and strawberries. Then she makes the pancakes and adds the fruit and the chocolate. Usually, she makes six of them. There you are, her pancakes are ready!

Use ***pour*** or ***afin de*** + the infinitive.

Put a direct object pronoun in front of the infinitive. Will you use ***le***, ***la*** or ***les***?

Use the partitive article with each item of food.

Think adjectival agreement! Pancakes are feminine and plural.

Use ***en*** before the verb.

- *Using polite language*
- *Asking questions in the* tu *and* vous *forms*

1 écouter

Écoutez et lisez. Léo est invité chez sa petite copine pour la première fois. Trouvez dans le texte l'équivalent français de chaque phrase.

1 Pleased to meet you.
2 You shouldn't have!
3 Dinner's ready!
4 Enjoy your meal!
5 I must be polite.
6 You can call me *tu*.

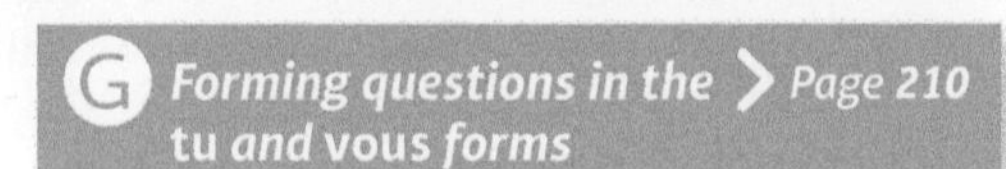

G ***Forming questions in the tu and vous forms*** > *Page 210*

- Use ***vous*** with people you don't know well or with more than one person.
- Use ***tu*** with younger people, or when someone invites you to call them ***tu***.

You can use inversion to form questions: put the verb before the subject pronoun, with a hyphen in between:

*Que **fais-tu** pendant ton temps libre?*
What do you in your spare time?

With *il/elle* questions, if the verb ends with a vowel, put **t** in between:

*A-**t**-il des tatouages?*
Does he have tattoos?

2 écrire

Formulez ces questions au présent. Écrivez chaque question deux fois: a) en utilisant *tu* et b) en utilisant *vous*.

Exemple: **1** **a** Aimes-tu la musique rock?
b Aimez-vous la musique rock?

1 (*Aimer*) la musique rock?
2 Depuis quand (*habiter*) ici?
3 Quel genre de livres (*lire*)?
4 D'habitude, où (*aller*) en vacances?
5 Que (*vouloir*) boire: de l'eau ou du vin rouge?
6 Que (*faire*) normalement, le samedi soir?

3 parler

À deux. Imaginez que vous êtes Léo et que vous posez des questions au père ou à la mère de Sarah. Utilisez vos questions de l'exercice 2. Inventez les réponses.

Exemple:
- *Quel genre de livres lisez-vous, monsieur/madame?*
- *Tu peux me tutoyer si tu veux. Je lis …*
- *Que fais-tu …?*

Ask the questions in any order. Start by using the ***vous*** form, then switch to ***tu*** when Sarah's father/mother invites you to do so.

4 *lire* **Lisez le texte et complétez les phrases en anglais avec les bons mots de l'encadré.**

L'ALIMENTATION EN FRANCE

Selon un sondage ...

Les Français restent attachés aux trois repas traditionnels: À 8h00, treize pour cent des Français prennent leur petit-déjeuner. À 13h00, la moitié des Français prend son déjeuner. À 20h15, un tiers des Français prend son dîner.

Malgré cela, vingt-neuf pour cent des jeunes déclarent grignoter très souvent à d'autres moments. Les Français prennent souvent leurs repas devant la télévision: une personne sur dix regarde la télévision en mangeant le matin. Une personne sur quatre regarde la télévision en mangeant le soir.

Mais le repas est pour les Français un des moments les plus agréables. Les repas pris en famille sont les plus appréciés. Les personnes âgées apprécient le plus ces moments de la journée.

grignoter	*to snack*
en mangeant	*while eating*

1 At 1.00 p.m., ________ of French people have their lunch.
2 At 8.15 p.m., ________ of French people have their dinner.
3 29% of ________ people say they snack at other times.
4 One in ________ people watches TV while eating in the morning.
5 ________ people appreciate family meals the most.

a quarter	a third	ten	men	young
half	two thirds	twelve	fifteen	elderly

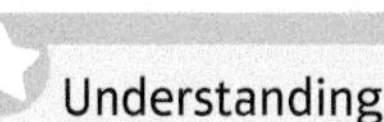

Understanding figures in French:

un quart de	a quarter of
la moitié de	half of
un tiers de	a third of
trois quarts de	three quarters of
une personne sur (cinq)	one person out of (five)

Percentages: *dix* ***pour cent*** 10%

5 *écouter* **Écoutez cette interview d'un père de famille. Identifiez les quatre phrases qui sont vraies.**

1 Du lundi au vendredi, il prend le petit déjeuner à 7h00.
2 Le week-end, il prend son petit déjeuner plus tard.
3 Il prend toujours son déjeuner à 13h00.
4 Il ne grignote jamais en dehors des repas.
5 D'habitude, dans sa famille, on ne regarde pas la télé en mangeant.
6 Ses enfants n'aiment pas manger à table mais il insiste.

6 *écrire* **Écrivez un paragraphe sur l'alimentation et les repas chez vous.**

Include the following:
- when you have breakfast, lunch and dinner (*je prends ...*)
- whether you snack at other times (*je grignote ...*)
- whether you watch TV while eating any of your meals (*je ... en mangeant ...*)
- how often you eat together as a family and whether you like doing this (*on ... en famille ...*).

- *Describing family celebrations*
- *Using* venir de + *infinitive*

1 écouter **Écoutez et lisez. Trouvez la bonne photo pour chaque message.**

1 Je suis devenu oncle! Ma sœur vient d'avoir son premier bébé. Il s'appelle William et il est adorable!

2 Je vais fêter mes seize ans dimanche prochain! Tu veux venir à ma fête?

3 Je suis à la mairie! Mon frère et son compagnon viennent de se pacser! Félicitations, Nathan et Hugo!

4 Ma cousine Zohra va se marier avec son fiancé, Nassim, en juin. Je vais être témoin. Trop cool!

5 Samedi dernier, mes grands-parents ont fêté leurs noces d'argent. Ils sont mariés depuis vingt-cinq ans!

6 Je vais avoir une belle-mère! Mon père et sa compagne se sont fiancés hier. Il a choisi la bague tout seul! Comme c'est romantique!

a

b

c

d

e
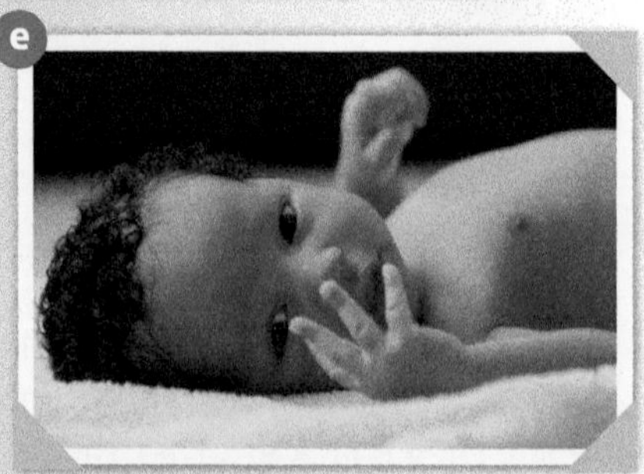

f

se pacser	*to become civil partners (Pacs = Pacte civil de solidarité)*
le témoin	*witness*

2 lire **Relisez les messages. C'est quand? Écrivez PR (présent), PA (passé) ou F (futur) pour chaque occasion spéciale.**

G venir de + *infinitive* 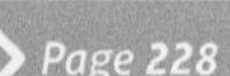 *Page 228*

You use the present tense of ***venir* + *de*** + an infinitive to say what has **just** happened:

*Je **viens de** fêter mon anniversaire.*
I've just celebrated my birthday.

*Ils **viennent de** se marier.*
They've just got married.

To see *venir* in full, refer to page 239.

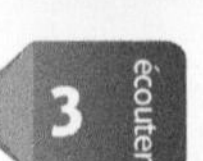

3 écouter **Écoutez Gabriel et choisissez la bonne option.**

1 Gabriel was born in …
a spring. **b** summer. **c** autumn. **d** winter.

2 On his last birthday, he was …
a thirteen. **b** fourteen. **c** fifteen. **d** sixteen.

3 His birthday celebration did not include …
a food. **b** dancing. **c** presents. **d** games.

4 Gabriel's best friend …
a lives next door. **b** did not like the music. **c** could not be there. **d** is going to Tunisia.

5 Next year, Gabriel is going to celebrate his birthday …
a at home. **b** abroad. **c** with his friends. **d** in the mountains.

6 If the weather is too hot, they will …
a eat in the garden. **b** go to a restaurant. **c** go swimming. **d** buy ice creams.

le voisin/la voisine	*neighbour*
supporter le bruit	*to put up with the noise*

4 parler — Préparez une courte présentation sur votre dernier anniversaire.

Je suis né(e) en …
Je viens de fêter …/Il y a (trois) mois, j'ai fêté …
C'était mon quatorzième/quinzième anniversaire …
J'ai reçu beaucoup de …
J'ai invité … à un barbecue/une fête chez moi.
Je suis allé(e) au …/à la … avec …
On a mangé/écouté/dansé/joué/fait/vu …
C'était …
Pour fêter mon prochain anniversaire, je vais …

Il y a can mean 'there is/are' or 'ago':
Il y a *six mois, j'ai fêté mon anniversaire.*
Six months **ago**, I celebrated my birthday.
Note that when it means 'ago', it goes before the number of days/years, etc.

Point culture
In France, you have to have a civil wedding ceremony, usually at *la mairie* (town hall). Some people also opt for a religious ceremony.

5 lire — Lisez le texte et répondez aux questions en français.

un croquembouche

Il y a deux ans, quand j'avais treize ans, je suis allée au mariage de mon cousin. Ça s'est passé à la mairie. Mon cousin portait un costume bleu foncé avec une chemise et une cravate blanches, tandis que la mariée était en robe traditionnelle blanche. Il y avait beaucoup d'invités: toute notre famille et les amis des mariés étaient présents.

À la fin de la cérémonie, quand les mariés sont sortis de la mairie, nous avons lancé des pétales, selon la tradition. Ensuite, tout le monde est allé dans une salle louée pour l'occasion. D'abord, on a participé au vin d'honneur. Mon frère et moi avons bu du coca, mais nos parents ont bu du champagne. On a aussi pris beaucoup de photos du couple marié.

Après le vin d'honneur, nous avons mangé. Il y avait de nombreux plats, y compris un énorme croquembouche traditionnel. C'était tellement bon que j'en ai mangé une deuxième portion! Entre les plats, il y a eu des discours et des jeux.

À la fin du repas, les mariés ont ouvert le bal par un slow et tout le monde a dansé jusqu'à tard dans la nuit. C'était une excellente soirée! **Noémie**

1. Noémie a quel âge maintenant? (*Elle a …*)
2. Le mariage était une cérémonie civile ou religieuse? (*C'était …*)
3. Pourquoi a-t-on lancé des pétales? (*Parce que c'est …*)
4. Où est-ce que le vin d'honneur s'est passé? (*Dans une …*)
5. Combien de portions de gâteau Noémie a-t-elle mangé? (*Elle en a mangé …*)
6. Qu'est-ce que les invités ont fait après le repas? (*Ils ont …*)

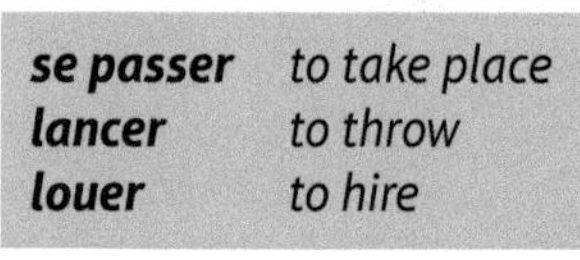
se passer	*to take place*
lancer	*to throw*
louer	*to hire*

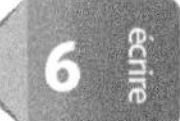

6 écrire — Écrivez la description d'une fête familiale.

Mention:
- where and when the celebration took place
- what you or other people wore
- what you and others did as part of the celebration
- your opinion of the celebration.

Use the perfect tense for single, completed actions in the past and the imperfect tense to say 'was/were/used to …' (see page 216). The imperfect of *il y a* is *il y avait* (there was).

1 lire **Lisez le texte et traduisez en anglais les mots en mauve. Utilisez un dictionnaire, si nécessaire.**

LES FÊTES EN FRANCE

janvier

1er janvier: le jour de l'An (*jour férié*)

6 janvier: la fête des Rois/l'Épiphanie
C'est l'occasion de manger la galette des Rois!

février

2 février: la Chandeleur
C'est la fête des crêpes! Bon appétit!

14 février: la Saint-Valentin
La fête de l'amour: les amoureux s'envoient des cartes et des fleurs.

février/mars

Mardi gras: il y a plusieurs carnavals en France, dont le plus célèbre est à Nice, avec des défilés de chars fleuris et une bataille de fleurs.

avril

1er avril
Attention! Les enfants vont essayer de te coller un poisson dans le dos: **Poisson d'avril**!

Pâques
Un jour férié: le lundi de Pâques.

mai

1er mai: la fête du Travail (*jour férié*)
On s'offre du muguet en geste d'amitié.

Le dernier dimanche du mois, c'est **la fête des Mères**: on donne un cadeau à sa maman, pour la remercier.

juin

21 juin: la fête de la Musique
Il y a de nombreux concerts gratuits où on peut écouter de la musique de toutes sortes.

juillet

14 juillet: la fête nationale (*jour férié*)
À Paris, on célèbre l'anniversaire de la Révolution française avec un défilé militaire sur les Champs-Élysées, suivi d'un discours fait par le président de la République. La journée se termine par un immense feu d'artifice près de la tour Eiffel. Certaines villes organisent aussi un bal.

août

Les entreprises sont parfois fermées. La circulation est souvent dense, parce que beaucoup de Français partent en vacances en même temps.

septembre

Quel dommage! C'est la rentrée scolaire!

octobre

Le premier samedi du mois, c'est **la Nuit blanche**. Beaucoup de musées et de galeries d'art restent ouverts toute la nuit et … c'est gratuit!

novembre

1er novembre: la Toussaint (*jour férié*)
C'est le jour où on pense aux membres de sa famille et aux amis qui sont morts.

décembre

25 décembre: le jour de Noël (*jour férié*)

31 décembre: la Saint-Sylvestre
On fête la fin de l'année. Allez, c'est presque minuit! Dix, neuf, huit, sept …

le muguet *lily of the valley*

2 lire **Relisez le texte et expliquez en anglais les fêtes suivantes:**

1 la Chandeleur **2** Mardi gras **3** le 1er avril **4** le 1er mai
5 le 14 juillet **6** la Nuit blanche **7** la Toussaint **8** la Saint-Sylvestre

3 écouter **Écoutez. On parle de quelle fête? (1–5)**

To refer to a whole day, morning, evening or year, use:
la journée, la matinée, la soirée, l'année.

À deux. Imaginez que vous parlez avec un(e) ami(e) français(e). Discutez des différences entre les fêtes en France et les fêtes dans votre pays.

Exemple:
- *Quelles fêtes françaises existent aussi chez toi?*
- *La fête des Mères, ça existe chez nous et …*
- *Il y a des traditions qui sont différentes chez toi?*
- *Oui, chez nous, à Pâques, on ne …*
- *Il y a des fêtes qui n'existent pas en France?*
- *Oui, chez nous, le cinq novembre, c'est …*

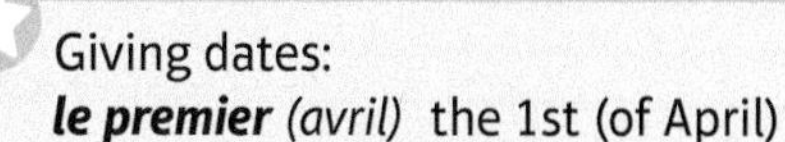

Giving dates:
***le premier** (avril)* the 1st (of April)
For all other dates, just say the number:
*le **deux** mai, le **quatorze** juillet*, etc.

Écoutez et complétez le texte en français.

Le Carnaval en Guadeloupe

Je m'appelle Emmanuel et j'habite en Guadeloupe, une belle île francophone aux Antilles. Ici, il y a deux mois de carnaval, du 6 janvier jusqu'à trois semaines avant **1** ______! Pendant cette période, il y a de nombreux défilés et partout, on **2** ______ et on **3** ______ dans la rue. Je trouve ça génial! La plupart des gens se déguisent avec des costumes élaborés et fantastiques qu'on commence à créer au début de l'année précédente.

D'habitude, ma famille et moi aimons regarder les **4** ______. Quand j'étais petit, je sortais souvent déguisé moi aussi (en clown ou en pirate). Mais **5** ______ que je suis plus grand, je préfère tout filmer et le mettre en ligne sur YouTube. L'année prochaine, ma petite sœur va participer au grand défilé pour la **6** ______ fois et bien sûr, toute ma famille va aller la regarder! Elle est déjà en train de préparer son déguisement, mais le thème, c'est un secret!

7 ______ dernier, j'ai eu la chance d'aller à Paris en échange scolaire et j'ai vu le défilé militaire et les **8** ______ du 14 juillet. C'était impressionnant! J'ai pris plein de photos que j'ai partagées sur Instagram.

se déguiser *to wear fancy dress*

Écrivez la description d'une fête dans votre pays.

Mention:
- when the festival takes place
- what you normally do to celebrate it
- what you did to celebrate it when you were younger
- how you are going to celebrate it next time.

Use:
- the **present tense** to say what you usually do
- the **imperfect tense** to say what you used to do
- the **near future tense** to say what you are going to do
- the **perfect tense** to refer to something that happened in the past.

Remember also to include some **opinions**.

Module 3 Contrôle de lecture et d'écoute

1 lire

Read the comments on the forum. Answer the questions in English. You do not need to write in full sentences.

Est-il important d'avoir une fête nationale?

Enzo: Pour moi, la fête nationale, c'est l'occasion de montrer que je suis fier de mon pays. Quand j'étais petit, j'habitais en Angleterre et il n'y a pas de fête nationale là-bas, je trouve ça triste.

Samira: Ce que j'apprécie le plus est d'avoir une journée sans cours! Un jour férié donne l'occasion d'être en famille ou entre amis. Nous ne manquons jamais les feux d'artifice sur la place de la ville.

Caspar: À mon avis, la fête nationale n'a plus d'importance aujourd'hui. Beaucoup de gens qui habitent en France ne sont pas nés ici. Moi-même, je viens de Pologne. Il est plus important pour moi de fêter la culture de mon pays natal.

(a) Who was not born in France?
(b) Who thinks you should show you are proud of your country?
(c) Who likes having a day off school?
(d) What does Samira say she never misses?
(e) What is Enzo's opinion on some countries not having a national day?

Always read the text thoroughly. Don't jump to conclusions. For question (a), for example, more than one person talks about a country other than France!

2 lire

Read the literary extract. Nicolas describes a visit by his granny to his home.

Le Petit Nicolas, c'est Noël! by Jean-Jacques Sempé and René Goscinny (abridged)

Il y avait des tas de bonbons dans le sac de mémé, des en chocolat et des en caramel. Elle est vraiment chouette, mémé. J'aime bien papa et maman, mais ils ne me donnent jamais autant de bonbons. [...]

Comme c'était l'heure du dîner, papa est redescendu dans le salon. Moi, j'avais fini les bonbons, et, c'est drôle, [...] j'avais la bouche toute sucrée et un peu mal au ventre.

– Le dîner est servi, a dit maman.

Nous nous sommes mis à table dans la salle à manger. Maman avait préparé un repas terrible avec des tas de hors d'œuvre et de la mayonnaise, que j'aime beaucoup. Mais là, je ne sais pas pourquoi, je n'avais plus faim. [...]

– Allons, mange un petit peu pour faire plaisir à mémé, a dit mémé.
– Il ne faut pas le forcer, a dit papa. [...]

Quand le dîner s'est terminé, maman m'a envoyé me coucher tout de suite, et j'ai été très malade. Très, très malade.

Answer the questions in English.

(a) What was in Nicolas's granny's bag?
(b) How does Nicolas feel about his granny?
(c) How does Nicolas feel when they sit down to dinner?
(d) What does Nicolas's mother do at the end of the meal?

Always start by reading the questions. As well as telling you what information you have to find, the questions will help give you an idea what the text is about. What information about the text do these questions give you?

3 lire **Translate this passage into English.**

Aujourd'hui, beaucoup de Français font leurs courses alimentaires sur Internet. On peut commander en ligne et choisir la livraison à la maison. Ou, si vous avez le temps, vous pouvez aller chercher les choses que vous avez déjà commandées. Cependant, certaines personnes disent qu'elles préfèrent se rendre au supermarché pour voir elles-mêmes ce qu'il y a dans les rayons.

Don't translate word for word – make your translation sound natural. But be careful not to miss out small, 'incidental' words like *déjà* and *elles-mêmes.*

1 écouter **You hear this radio advert for a cheese centre called *Le Temple du Fromage*. Listen to the recording and write the letter of the correct ending for each sentence.**

Example: Le Temple du Fromage is in … C

- **A** the north of France.
- **B** the south of France.
- **C** the east of France.
- **D** the west of France.

1 The first thing to visit is …
- **A** the restaurant.
- **B** the shop.
- **C** the museum.
- **D** the lake.

2 You can learn about cheese-making from …
- **A** a guided tour.
- **B** a video presentation.
- **C** a lesson.
- **D** a guidebook.

3 As well as cheese, the shop sells …
- **A** fruit and vegetables.
- **B** cold meats.
- **C** fish.
- **D** sweets and chocolate.

4 The restaurant has …
- **A** a self-service buffet.
- **B** air conditioning.
- **C** a vegetarian menu.
- **D** a view of the lake.

You may not yet have met all the vocabulary you hear, but use the context, common sense and your knowledge of French grammar to work out what any unfamiliar words mean.

2 écouter **You hear this report on TV about the popularity of pancakes in France. Listen to the report and answer the questions in English.**

Part 1

(a) What shows that pancakes are very popular in France? Give one detail.

(b) According to the report, why are pancakes popular? Give two details.

(c) What do you learn about the ingredients of *une crêpe complète*? Give two details.

Part 2

(a) Apart from *la Chandeleur*, how do the French celebrate their love of pancakes?

(b) Why does this event take place in Brittany?

(c) What kind of competition is mentioned?

(d) What was significant about 2015?

A – Role play

1 lire

Match up the sentence halves and translate these phrases for returning an item of clothing to a shop.

1	Je voudrais échanger …	**a**	hier.
2	Il y a un trou dedans et …	**b**	une tache dessus.
3	Je l'ai acheté …	**c**	un remboursement.
4	Avez-vous le …	**d**	ce tee-shirt.
5	Je voudrais …	**e**	ticket de caisse?

2 parler

Look at the role play card and prepare what you are going to say.

Topic: Daily life

Situation: In a clothes shop. Your teacher will play the role of the shop assistant and will introduce the situation. Then you **must**:

- begin the role play
- use the points below to help you prepare what you have to say:
  - (**salutation**) means that you must greet the other person
  - **?** means that you will have to ask a question
  - **!** means that you will have to answer an unexpected question.

Dans un magasin de vêtements. Vous voulez échanger un article que vous avez acheté récemment.

1 Dire: (**salutation**)
2 Dire: raison pour l'échange de l'article
3 Dire: acheté quand?
4 !
5 Demander **?**: une autre couleur?
6 Demander **?**: un remboursement?
7 !

Use the correct word for 'this'. Is the item of clothing masculine (***ce***), feminine (***cette***) or plural (***ces***)? With masculine nouns, use ***cet*** before a vowel or silent ***h***.

To say 'I bought it', use a direct object pronoun (***le*** or ***la***). Remember, they shorten to ***l'*** in front of a vowel.

How do you say 'the same thing in …' + a colour or size? Look back at page 55.

The final unexpected question is often about something different, so listen carefully. What sort of thing might a shopkeeper ask you as you leave, if you are a visitor?

3 parler

With a partner, practise what you have prepared. Give each other feedback on pronunciation, intonation and accuracy.

- Correct intonation includes making questions sound like questions (voice rising at the end of the sentence).
- Accuracy includes gender, adjectival agreement, verb endings and tenses.

4 écouter

Using your notes, listen and respond to what the teacher says or asks.

5 écouter

Now listen to Julie doing the role play and compare her answers with yours. Is there anything you could do differently to improve your performance?

B – General conversation

Listen to Sayed introducing his chosen topic and make notes on the following:

- what subject he talks about
- which tenses he uses
- details, including the adjectives he uses and any opinions he gives.

> When talking about a topic that involves a lot of similar vocabulary, such as food or clothes, it's important to avoid what you say sounding repetitive, or like a list. How does Sayed avoid this?

2 écouter

Next, the teacher says to Sayed: «Parle-moi de ta vie quotidienne.»

1. With your partner, brainstorm all the things you think he might mention.
2. Listen and note down what he says. How does he develop his answer? (See the tip, below.)
3. Jot down in French any useful words or expressions you could use to answer the same question.

> It's important to develop your answers. This means not just giving a basic reply, but volunteering information and adding extra details.

Look at the Answer booster on page 70. Listen to how Sayed answers the next question: «Comment préfères-tu fêter ton anniversaire?» Write down five examples of what he says to make his answer a good one.

4 parler

Prepare answers to the following questions. Then practise with your partner.

1. Quels vêtements aimes-tu porter?
2. Parle-moi de ta vie quotidienne.
3. Comment préfères-tu fêter ton anniversaire?
4. Décris-moi un repas type chez toi.
5. Parle-moi d'un événement spécial que tu as fêté en famille.
6. Quelles fêtes et traditions existent en France qui n'existent pas dans ton pays?

> All the questions can be answered using what you have learnt in this module. Look back through the units for ideas and use the Answer booster on page 70 to maximise your performance.

Module 3 Contrôle écrit

Answer booster	**Aiming for a solid answer**	**Aiming higher**	**Aiming for the top**
Verbs	**Different tenses:** present, perfect and near future **Modal verbs:** *pouvoir, devoir*	**Different persons of the verb:** not just *je* but *il/elle/on/nous/ils/elles* ***Il faut* + infinitive**	**Different tenses:** perfect, present, near future **and imperfect** ***venir de* + infinitive:** *Je viens de …*
Opinions and reasons	*C'est mon/ma … préféré(e)* *J'aime/J'adore … parce que c'est …*	**Use more variety:** *À mon avis, …* *Je crois que …* *Je pense que …*	**Opinions in different tenses:** *J'ai beaucoup/surtout aimé …* *J'ai adoré …* *C'était …* *Ça va être* (+ adjective)
Connectives	*et, mais, aussi, ou, parce que, quand*	**Add variety:** *où, car, donc, alors, puisque, comme, pourtant*	**Use interesting structures:** *Si … sinon, …* *suivi(e)(s) de/d' …*
Other features	**Sequencers:** *d'abord, ensuite, puis, après, finalement* **Time and frequency phrases:** *d'habitude, tous les ans, parfois, cette année, il y a deux ans*	***chez* + emphatic pronoun** *Chez moi/Chez nous, on …* **The relative pronoun *qui*:** *… avec mes grands-parents, qui habitent à …*	**The pronoun *en*:** *J'en mange trois.* *On en mange tous les ans.* **Direct object pronouns** *On le/la fête …/Je les invite …*

A – Extended writing task

1 lire **Look at the task. For each bullet point, make notes on:**

- whether you need to use the present, the perfect or the near future
- which verbs and other structures you could use
- how you could add detail and extra information to your answer.

Les fêtes traditionnelles

Vous avez lu un article dans un magazine sur les fêtes en France.

Écrivez un article pour ce magazine français pour intéresser les lecteurs à une fête dans votre pays.

Vous **devez** faire référence aux points suivants:

- comment on célèbre cette fête chez vous
- ce que vous avez aimé la dernière fois que vous avez célébré cette fête
- votre opinion sur l'importance des fêtes traditionnelles
- vos projets pour une autre fête dans le futur.

Justifiez vos idées et vos opinions.

Écrivez 130–150 mots environ en français.

2 lire **Read Nathan's answer on the next page. Find:**

1. which tenses and persons of the verb he uses
2. examples of how he expresses opinions, in different tenses
3. examples of other grammatical structures and phrases he uses to add interest to his writing.

Je viens de fêter Pâques avec ma famille. C'est une de mes fêtes préférées! Chez nous, le dimanche de Pâques, on s'offre des œufs en chocolat, et ensuite, on mange ensemble. D'habitude, on prépare de l'agneau rôti avec des légumes, suivis d'une tarte aux fruits. Après le repas, s'il fait beau, on fait une promenade ensemble. Sinon, on joue à des jeux de société ou on regarde un bon film à la télé.

Cette année, ma mère est allée à l'église, mais comme je ne suis pas croyant, je suis resté à la maison et j'ai aidé mon père à préparer le déjeuner. C'était très bon! J'ai surtout aimé passer du temps avec mes grands-parents et j'ai adoré jouer au Scrabble, puisque j'ai gagné!

À mon avis, c'est important de célébrer les fêtes traditionnelles parce que c'est l'occasion d'être en famille et de se détendre un peu.

Cette année, je vais fêter Noël chez mon oncle et ma tante qui habitent en Écosse. Ça va être génial, surtout s'il y a de la neige!

croyant *religious*

- Remember to justify your opinions (give reasons).
- Show you can use different parts of the verb: refer to other people: il/elle/ils/elles/on …
- Check your spelling, accents and grammatical accuracy.

3 écrire **Now write your own answer to the question. Borrow or adapt ideas from Nathan's answer and use the Answer booster to aim as high as possible.**

B – Translation

1 écrire **Read the English text and Mina's translation of it. Write down the missing word for each gap.**

Usually, my sister has to get up early, but at the weekend, she can stay in bed, then she goes out with her friends. Yesterday, she went to a restaurant where she ate chicken, followed by strawberry ice cream. She loves desserts and she often eats two of them! Next Saturday, she is going to my uncle's wedding and she is going to wear a blue dress.

D'habitude, ma sœur **1** ______ se lever tôt, mais le week-end, elle **2** ______ rester au lit, puis elle **3** ______ avec ses copines. Hier, elle **4** ______ allée au restaurant où elle a mangé **5** ______ poulet, suivi d'une glace à la fraise. Elle adore les desserts et souvent, elle **6** ______ mange deux! Samedi prochain, elle **7** ______ aller au mariage de mon oncle et elle va porter une robe **8** ______ .

The exam translation will test you on different tenses:

- Make sure you know the third person (*il/elle*) verb endings, especially in the present tense.
- Remember, some verbs take *être* in the perfect tense and the past participle must agree.

You may also be tested on:

- Adjectives: masculine or feminine? Singular or plural? Does it go before or after the noun?
- The partitive article: do you need *du, de la, de l'* or *des*?
- Pronouns, such as *en*: make sure you know where they go, in different tenses.

2 écrire **Translate the following passage into French.**

Every evening, my brother has to do his homework, but on Saturday afternoons, he can go out with his friends. Last weekend, he went to the shopping centre, where he bought a white shirt and black trousers. Tomorrow, he is going to eat pasta at a friend's house, but he also loves pizzas and sometimes he eats two of them!

Repas et nourriture — *Meals and food*

Je bois/mange/prends …	*I drink/eat/have …*
du café/lait/jus d'orange	*coffee/milk/orange juice*
du pain grillé/beurre	*toast/butter*
du yaourt/miel	*yogurt/honey*
du poulet/jambon/poisson	*chicken/ham/fish*
du saucisson/fromage	*sausage/cheese*
du pain/riz	*bread/rice*
du chou-fleur/raisin	*cauliflower/grapes*
de la confiture/glace	*jam/ice cream*
de la soupe/viande	*soup/meat*
de la mousse au chocolat/tarte au citron	*chocolate mousse/lemon tart*
de l'eau (minérale)	*(mineral) water*
des fruits (m)/bananes (f)	*fruit/bananas*
des fraises (f)/pêches (f)	*strawberries/peaches*
des pommes (f)/poires (f)	*apples/pears*
des légumes (m)/petits pois (m)	*vegetables/peas*
des champignons (m)/haricots verts (m)	*mushrooms/green beans*
des carottes (f)/pommes de terre (f)	*carrots/potatoes*
des céréales (f)/pâtes (f)	*cereal/pasta*
des crudités (f)/œufs (m)	*crudités/eggs*
Je ne mange pas de viande.	*I don't eat meat.*
Je suis végétarien(ne).	*I'm vegetarian.*
un paquet de …	*a packet of …*
un kilo de …	*a kilo of …*
une bouteille de …	*a bottle of …*
un pot de …	*a jar/pot of …*
cinq cents grammes de …	*500 grams of …*
quatre tranches de …	*four slices of …*
un morceau de …	*a piece of …*
un litre de …	*a litre of …*
une boîte de …	*a tin/can of …*
Il faut aller …	*You need to go …*
à la boucherie	*to the butcher's*
à la boulangerie	*to the baker's*
à la charcuterie	*to the deli/pork butcher's*
à la pâtisserie	*to the cake shop*
à l'épicerie (f)	*to the grocer's*
au marché	*to the market*

Les vêtements — *Clothes*

D'habitude, je porte …	*Usually I wear …*
Je vais mettre …	*I'm going to put on …*
J'ai mis …	*I put on …*
un blouson	*a jacket*
un chapeau	*a hat*
un collant	*tights*
un costume	*a suit*
un jean moulant	*skinny jeans*
un manteau	*a coat*
un pantalon	*trousers*
un polo	*a polo shirt*
un pull	*a sweater*
un sac à main	*a handbag*
un short	*shorts*
un sweat à capuche	*a hoody*
un tee-shirt	*a T-shirt*
une casquette	*a cap*
une ceinture	*a belt*
une chemise	*a shirt*
une cravate	*a tie*
une écharpe	*a scarf*
une mini-jupe	*a mini-skirt*
une robe	*a dress*
une veste	*a jacket*
des baskets (f)	*trainers*
des bottes (f)	*boots*
des chaussettes (f)	*socks*
des chaussures (f)	*shoes*
des gants (m)	*gloves*
des lunettes de soleil (f)	*sunglasses*
blanc(he)(s)	*white*
bleu(e)(s)	*blue*
gris(e)(s)	*grey*
jaune(s)	*yellow*
kaki	*khaki*
marron	*brown*
mauve(s)	*purple*
noir(e)(s)	*black*
orange	*orange*
rose(s)	*pink*
rouge(s)	*red*
vert(e)(s)	*green*
en coton/cuir/laine/soie	*(made of) cotton/leather/wool/silk*
rayé(e)	*striped*
à carreaux	*checked*
de marque	*designer*
habillé(e)	*smart*
de couleur vive	*brightly coloured*
multicolore	*multi-coloured*
clair(e)	*light*
foncé(e)	*dark*

La vie quotidienne — *Daily life*

J'ai cours …	*I have lessons …*
tous les jours sauf …	*every day except …*
(cinq) jours par semaine	*(five) days a week*
Je vais au lycée …	*I go to school …*
en bus/en scooter/en voiture/à pied	*by bus/by moped/by car/on foot*
Les jours d'école, …	*On school days …*
je dois me lever tôt	*I have to get up early*
je prends mon petit-déjeuner	*I have my breakfast*
je quitte la maison	*I leave the house*
Le dimanche, …	*On Sundays …*
je peux rester au lit/faire la grasse matinée	*I can stay in bed/have a lie in*
Le soir, …	*In the evening …*
je dois faire mes devoirs	*I have to do my homework*
je mange avec ma famille	*I eat with my family*
je regarde un peu la télé	*I watch a bit of TV*
Le mercredi/samedi après-midi, …	*On Wednesday/Saturday afternoon …*
je peux me détendre un peu	*I can relax a bit*
je reste à la maison/chez moi	*I stay at home*
Le week-end, …	*At the weekend …*
je sors avec mes copains	*I go out with friends*
je dois aider ma mère/mon père	*I have to help my mum/dad*
je vais au cinéma/au bowling	*I go to the cinema/bowling alley*

Les repas de fêtes / *Food for special occasions*

Ma fête préférée est …	*My favourite festival is …*	D'abord, on mange/boit … suivi(e)(s) d' …	*First we eat/drink …, followed by …*
Noël/le 5 novembre/ Hanoukka/Aïd el-Fitr/Divali	*Christmas/5 November/ Hanukkah/Eid al-Fitr/Diwali*	une dinde	*turkey*
parce que j'adore …	*because I love …*	une bûche de Noël	*a Yule log*
D'habitude, je le/la fête …	*I usually celebrate it …*	Dedans, il y a …	*Inside, there is …*
en famille/chez nous	*with my family/at home*	C'est mon/ma/mes … qui prépare(nt) …	*My … prepare(s) …*
chez mon/ma/mes …/avec …	*at my …'s house/with …*	Après le repas, on …	*After the meal we …*
On fait/décore/se souhaite …	*We do/decorate/wish each other …*	s'offre (des cadeaux)	*give each other (presents)*
		admire (le sapin de Noël)	*admire the (Christmas tree)*
		chante/danse	*sing/dance*

Les repas à la maison / *Meals at home*

Français	English	Français	English
Du lundi au vendredi, je prends le petit-déjeuner à … heures.	*From Monday to Friday I have breakfast at …*	Je ne grignote jamais en dehors des repas.	*I never snack between meals.*
Le week-end, je prends mon petit-déjeuner plus tard.	*At the weekend I have my breakfast later.*	Je regarde la télé en mangeant le soir.	*I watch TV while eating in the evening.*
Je grignote après l'école.	*I have a snack after school.*	Dans ma famille, on ne regarde pas la télé en mangeant.	*In my family, we don't watch TV while eating.*
		On dîne en famille tous les jours.	*We have dinner as a family every day.*

Félicitations! / *Congratulations!*

Français	English	Français	English
Je suis né(e) en …	*I was born in …*	Je suis allé(e) au mariage (de mon cousin) à la mairie avec toute ma famille.	*I went to (my cousin's) wedding at the town hall with all my family.*
Je viens de fêter …	*I have just celebrated …*	On a mangé/écouté/dansé/joué/fait/vu …	*We ate/listened to/danced/played/did/saw …*
Il y a (trois) mois, j'ai fêté …	*(Three) months ago I celebrated …*	C'était une excellente soirée!	*It was an excellent evening!*
C'était mon quatorzième/quinzième anniversaire …	*It was my fourteenth/fifteenth birthday.*	Pour fêter mon prochain anniversaire, je vais …	*To celebrate my next birthday, I'm going to …*
J'ai reçu beaucoup de …	*I received lots of …*		
J'ai invité … à un barbecue/une fête chez moi.	*I invited … to a barbecue/party at my house.*		

Les fêtes en France / *Festivals in France*

Français	English	Français	English
le jour férié	*public holiday*	la fête des Mères	*Mother's Day*
le jour de l'An	*New Year's Day*	la fête de la Musique	*music festival in France on 21 June*
la fête des Rois/l'Épiphanie	*Twelfth Night/Epiphany*	la fête nationale	*Bastille Day, 14 July*
la Chandeleur	*Candlemas*	la Nuit blanche	*first Saturday of October, when many museums and art galleries stay open all night*
la Saint-Valentin	*St Valentine's Day*		
Mardi gras	*Shrove Tuesday*		
le 1er avril	*April Fool's Day*	la Toussaint	*All Saints' Day*
Pâques	*Easter*	le jour de Noël	*Christmas Day*
la fête du Travail	*May Day/Labour Day*	la Saint-Sylvestre	*New Year's Eve*

Les mots essentiels / *High-frequency words*

Français	English	Français	English
à part	*apart from*	si	*if*
bien sûr	*of course*	sinon	*if not*
chez (moi)	*at (my) house*	tôt	*early*
d'habitude	*usually*	vite	*quickly*
de temps en temps	*from time to time*	la moitié de	*half of*
en revanche	*on the other hand*	trois quarts de	*three quarters of*
ensuite	*next, then*	un quart de	*a quarter of*
jusqu'à	*until*	un tiers de	*a third of*
parfois	*sometimes*	une personne sur (cinq)	*one person out of (five)*
sauf	*except*		

4 De la ville à la campagne

Point de départ 1

- *Talking about where you live, weather and transport*

1 lire **Reliez les phrases. Ensuite, traduisez chaque phrase en anglais.**

Exemple: **1** e I live in the countryside, in … Here, you can …

1 J'habite à la campagne, dans un petit village.
2 J'habite au bord de la mer.
3 On habite au centre-ville, alors il y a beaucoup de choses à faire.
4 Ma famille et moi habitons à la montagne.
5 J'habite dans une ville historique et touristique.

a C'est super parce qu'en hiver, on peut faire du ski, et en été, on peut faire de l'escalade.
b J'adore ça parce qu'on peut se baigner dans la mer ou se détendre sur la plage.
c Ici, on peut visiter les monuments, les musées, le château ou la cathédrale.
d On peut faire les magasins, aller au cinéma ou au théâtre.
e Ici, on peut faire des promenades à pied, à vélo ou à cheval.

How to say 'in'

J'habite … (I live …)
dans *une ville/un village* (in a town/village)
au *centre-ville* (in the town centre)
en *ville* (in town)
à la *campagne/montagne* (in the countryside/mountains)

NB: ***au*** *bord de la mer* (at the seaside).

Feminine countries (e.g. *Angleterre, Écosse, Irlande*): use ***en***.

Masculine countries (e.g *le pays de Galles*): use ***au***.

Plural countries (e.g. *les États-Unis*): use ***aux***.

Towns and cities (e.g. *Paris*): use ***à***.

Points of the compass (e.g. *l'est*): use ***dans***.

2 écouter **Écoutez et écrivez les deux bonnes lettres pour chaque personne. (1–4)**

Dans ma région, il y a …

a des vignobles
b des collines
c un port de pêche
d des forêts

e un lac
f des fermes et des champs
g des stations de ski
h une rivière/un fleuve

un fleuve *a river that flows into the sea*
une rivière *a river that flows into another river*

3 parler **À deux. Posez des questions et répondez-y à tour de rôle.**

- *Où habites-tu?*
- *J'habite (dans un petit village/au bord de la mer) …*
- *Qu'est-ce qu'il y a dans ta région?*
- *Dans ma région, il y a …*
- *Qu'est-ce qu'on peut faire?*
- *On peut …*

Include an opinion (plus a reason) about your region, or what you can do there.
C'est super/J'adore ça parce que …

Écoutez. Quel temps fait-il? Écrivez la (les) bonne(s) lettre(s) pour chaque dialogue. (1–6)

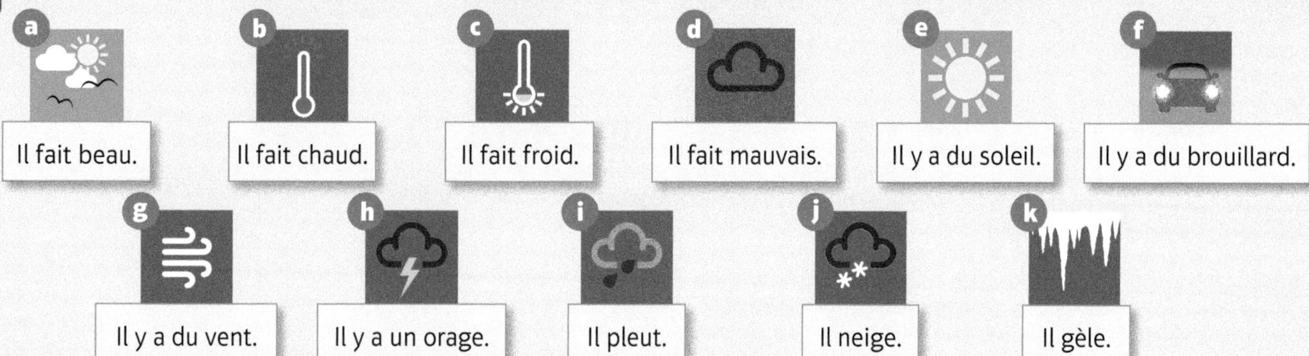

Lisez. Pour chaque texte, notez ces détails en anglais:

a the geographical location **b** what the climate is like **c** the weather in different seasons

1 J'habite à Dieppe, dans le nord-ouest de la France, près de la Manche. Ici, le climat est humide: en hiver, il pleut beaucoup et il y a souvent du vent. Quelquefois, il y a aussi du brouillard, surtout en automne.

2 Moi, j'habite à Marseille, dans le sud de la France. En général, le climat est sec et il peut faire très chaud en été. Mais au printemps, il y a parfois un vent froid très fort qui s'appelle le Mistral.

3 J'habite à Strasbourg, dans l'est de la France. Ici, le climat est doux et il ne fait pas trop chaud en été. Par contre, en hiver, il fait très froid et il neige souvent, ce qui est parfait pour les sports d'hiver.

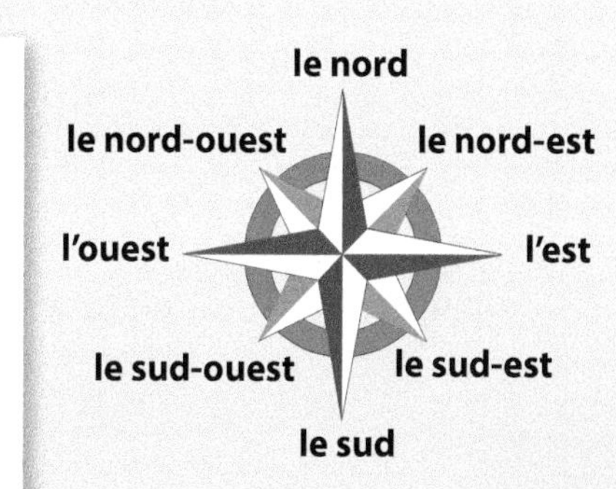

Écoutez et complétez les textes avec les bons moyens de transport de l'encadré.

Moi, j'habite en Guadeloupe, aux Antilles. Je vais au collège à **1** ________. Je n'ai pas le choix. Il n'y a pas de **2** ________!

J'habite à Paris. Ici, les transports en commun sont bons, alors je peux aller au lycée en **3** ________ ou en **4** ________.

J'habite à Bordeaux, dans le sud-ouest de la France. Quand il fait beau, je vais au collège à **5** ________, mais quand il pleut, ma mère m'emmène en **6** ________.

J'habite au Maroc, en Afrique du Nord. Je prends le **7** ________ de ramassage scolaire pour aller au lycée. C'est assez rapide.

bus train pied car voiture vélo métro

les Antilles *the West Indies*

Dans quel pays habitez-vous? Comment est le climat? Comment allez-vous au collège et pourquoi allez-vous au collège comme ça? Écrivez un paragraphe de 100 mots.

Point de départ 2

- *Describing a town and asking the way*

Écoutez. Qu'est-ce qu'il y a (✓) et qu'est-ce qu'il n'y a pas (✗) dans chaque ville ou village? Copiez et complétez le tableau en anglais. (1–4)

un/le (l')	une/la (l')	des/beaucoup de (d')
centre de loisirs château marché musée parc/jardin public stade supermarché théâtre	bibliothèque église gare (SNCF) mosquée poste (un bureau de poste)	hôtels magasins

	✓	✗
1	castle, ...	

Remember:

- there is a ...
  il y a ***un/une*** *...*
- there are some ...
  il y a ***des*** *...*
- there isn't a/there aren't any ...
  il n'y a pas ***de*** *...*

À deux. Parlez de chaque ville en utilisant les images.

Exemple:

- *Qu'est-ce qu'il y a dans ta ville?*
- *Il y a ..., mais il n'y a pas de ...*

Écoutez et notez en anglais: a) où ils veulent aller et b) les directions. (1–4)

Où est le/la/l' ...?

Où sont les ...?

Pour aller au/à la/à l'/aux ...?

Va/Allez	tout droit.
Tourne/Tournez	à droite. à gauche.
Prends/Prenez	la première rue à droite. la deuxième rue à gauche.

G The imperative

You use the imperative form to give instructions.

Take the ***tu*** or ***vous*** form of the verb in the present tense and drop the pronoun:

Tu prends (You take) → *Prends ...* (Take ...)
Vous prenez (You take) → *Prenez ...* (Take ...)

Drop the final '***s***' from ***-er*** verbs in the ***tu*** form:

Tu vas (You go) → *Va ...* (Go ...)
Tu tournes (You turn) → *Tourne ...* (Turn ...)

Écoutez, lisez et regardez le plan. Trouvez l'équivalent français des phrases anglaises.

1
- Excusez-moi. Où est l'arrêt de bus, s'il vous plaît?
- C'est assez loin. Descendez cette rue et traversez le pont. C'est sur votre gauche.

2
- Pardon, monsieur, est-ce qu'il y a une pharmacie par ici?
- Allez jusqu'au carrefour, puis tournez à gauche. Il y en a une à côté de la cathédrale.

3
- Excusez-moi, madame. Est-ce qu'il y a un distributeur de billets près d'ici?
- Va tout droit jusqu'aux feux. Il y a un distributeur au coin de la rue.

4
- Pardon, où sont les toilettes publiques, s'il te plaît?
- Elles sont tout près. Traversez la place, les toilettes publiques sont en face de la mairie.

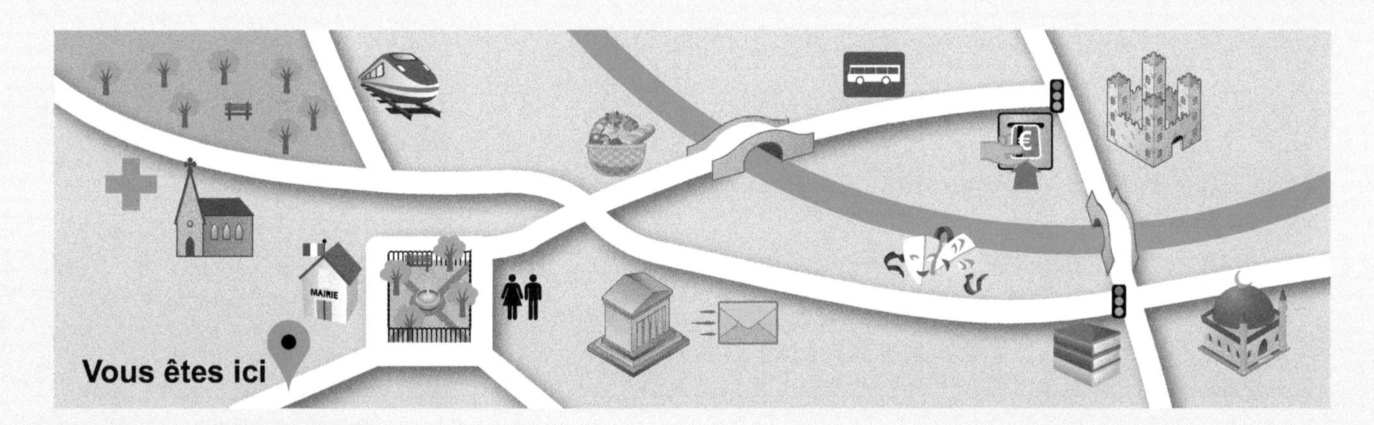

1 Where is the bus stop?
2 Is there a chemist nearby?
3 Go down this road and cross the bridge.
4 Cross the square, the toilets are opposite the town hall.
5 Go to the crossroads, then turn left.
6 There's a cash machine on the corner of the street.
7 It's quite far away.
8 Go straight on as far as the lights.

À deux. Inventez un dialogue en utilisant le plan de l'exercice 4.

Exemple:
- *Pardon. Est-ce qu'il y a un(e) …?/Pour aller au/à la/à l' …, s'il te plaît?*
- *Ce n'est pas loin. Va/Prends …*

Est-ce qu'il y a un/une/des … près d'ici/par ici?	
Va/Allez Continue/Continuez	jusqu'au carrefour. jusqu'aux feux.
Traverse/Traversez	la place/le pont.
Descends/Descendez	la rue.
C'est	(assez) loin/tout près. sur ta/votre droite. au coin.

Vous écrivez un message pour un(e) ami(e) français(e). Traduisez ce texte en français.

***au**, **à la**, **à l'** or **aux**?*

You are writing to a friend. Which form of the imperative should you use?

Use ***pour aller***.

To get to the town centre, go down the road and turn left at the lights. Go to the crossroads and go straight on. Cross the bridge and take the first road on the right. The ice rink is on the corner, opposite the museum.

What happens to ***de*** in front of ***le***?

1 Ma région est top!

- *Describing a region*
- *Using the pronoun y*

Écoutez et lisez. Mettez les photos dans le bon ordre.

Enzo Au secours! Mes parents viennent de me dire qu'on va déménager dans l'ouest de la France, en Bretagne! Je ne veux pas y aller! Qu'est-ce que je peux faire?? ☹

Yasmine Ne t'en fais pas! Je connais bien la Bretagne: on y va tous les ans en vacances. Tu vas adorer! Il y a plein de belles plages et de jolis ports de pêche sur la côte.

Thomas Yasmine a raison. Tu peux y faire de la voile, de la planche à voile … Tu peux même apprendre à faire du ski nautique. C'est c-o-o-l!

Chloé À part la mer, il y a la campagne: le paysage est magnifique! Des champs, des fermes, des forêts … On peut y faire des randonnées à vélo.

Enzo Oui, oui, je sais, mais les sports nautiques, ce n'est pas tellement mon truc. Faire des randonnées non plus.

Thomas Tu aimes aller voir des matchs? Les Bretons sont fans de foot! Ils ont trois équipes en Ligue 1: le FC Lorient, le Stade Rennais et l'EA Guingamp.

Chloé Il y a également un festival de musique, La Route du Rock, à Saint-Malo, en août. J'y suis allée l'année dernière. C'était génial!

Yasmine En plus, tu connais la chanteuse Nolwenn Leroy? Elle est née en Bretagne.

Enzo Hmm … les plages, les matchs de foot, un festival de rock … Peut-être que la Bretagne ne va pas être si nulle que ça! ☺

a

b

c

d

e

f

déménager *to move (home)*
pas tellement mon truc *not really my thing*

2 lire **Relisez le texte et complétez la fiche en anglais.**

Name of region:	Brittany
Location:	west of France
Geographical features:	
Outdoor activities:	
Most popular sport:	
Cultural activities:	
Celebrity from here:	

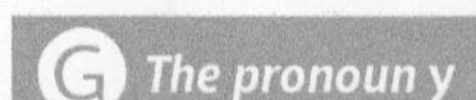

G ***The pronoun y*** > *Page 230*

The pronoun *y* means 'there'. It replaces *à* + a noun.

- In the present tense, *y* goes in front of the verb:
  *On **y** va tous les ans.* We go **there** every year.
- If the verb is followed by an infinitive, *y* goes in front of the infinitive:
  *Tu peux **y** faire de la voile.* You can go sailing **there**.
- In the perfect tense, *y* goes in front of the part of *avoir* or *être*:
  *J'**y** suis allée l'année dernière.* I went **there** last year.

Écoutez Manon qui décrit la région de l'Alsace. Complétez la fiche de l'exercice 2 en anglais.

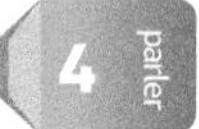

À deux. Imaginez que vous êtes Samir ou Alexia. Préparez une courte présentation sur votre région.

Exemple:
Une région que je connais bien, c'est (l'Aquitaine), dans le … de la France.

Samir
Region: *l'Aquitaine*
Lived there for 8 years.
Coast, beaches, forests, castles.
Surfing, hiking, sailing.
Garorock festival in June.

Alexia
Region: *la Normandie*
Goes there on holiday every year.
Countryside, fields, farms, fishing ports.
Cycling, horse-riding, historical towns.
Footballer Emmanuel Petit born here

> Ma région/Une région que je connais bien, c'est …
> C'est dans le nord/sud/est/ouest/nord-est (etc.) de …
> près de la Manche/la frontière allemande.
> J'y habite depuis …/J'y vais …
> Le paysage/La côte est vraiment magnifique.
> Il y a …/On peut y faire/visiter/voir …
> La région est connue pour …
> Une personne célèbre qui est née en …, c'est …

5 lire **Lisez la page web et trouvez les quatre phrases en anglais qui sont vraies. Ensuite, corrigez les phrases qui sont fausses.**

PROVENCE.COM vous propose son regard sur la **Provence**

La **Provence** est une région exceptionnelle sur le plan touristique: un climat superbe, des villages de caractère, des collines, des paysages et des plages qui ont fait sa réputation dans le monde entier.

Visitez nos villes et villages au bord de la Méditerranée ou dans les Alpes. Détendez-vous dans nos célèbres stations balnéaires. Découvrez nos traditions et notre cuisine, nos sardines grillées et nos herbes de Provence! Visitez les parfumeries de Grasse, le vignoble de Bandol, les îles d'Or ou le vieux port de Marseille, les musées de Saint Paul de Vence ou les poteries de Vallauris Golfe-Juan.

À ne pas manquer en **Provence**:

- La Côte d'Azur et ses plages de renommée internationale, de Cassis à Menton, en passant par la principauté de Monaco.
- Les gorges du Verdon, un panorama exceptionnel et des activités nature pour tous: on peut y faire du canyoning, du rafting, de la baignade, du saut à l'élastique ou de simples randonnées.

1. The climate in Provence is not good.
2. The beaches have a worldwide reputation.
3. You can relax in the famous seaside resorts.
4. Grilled salmon is a regional speciality.
5. They make pottery in the town of Grasse.
6. If you want to see grapes growing, visit Bandol.
7. You can't go swimming in the Verdon gorge.
8. The Verdon gorge is a good place for bungee-jumping.

Écrivez la description d'une région que vous connaissez bien, dans votre pays, ou ailleurs.

Mention:
- the location of the region and why you know it
- what the geography/landscape is like
- what you can see and do there
- any famous people who come from the region.

2 Ville de rêve ou ville de cauchemar?

- *Talking about your town, village or district*
- *Using negatives*

1 lire **Lisez les tweets. Trouvez l'équivalent français des phrases anglaises.**

Votre ville ou village est parfait(e) ou nul(le)? Il/Elle mérite combien d'étoiles? Dites-nous pourquoi!

1. ★☆☆☆☆ Mon quartier n'est jamais calme. Il y a plusieurs boîtes de nuit, qui mettent la musique trop fort. En plus du bruit, c'est sale: il y a toujours des déchets par terre. C'est déprimant.
2. ★★★★☆ Mon village est tout petit: il n'y a qu'une seule rue et un seul magasin, donc il n'y a pas grand-chose à faire. Pour moi, c'est parfait, mais pour d'autres, c'est trop tranquille. Le dimanche, on ne voit personne dehors!
3. ★☆☆☆☆ La ville où j'habite est complètement nulle. Plusieurs entreprises ont fermé, donc il y a peu de travail. D'ailleurs, il n'y a plus de cinéma. C'est vraiment triste.
4. ★★☆☆☆ J'habite en banlieue et il n'y a rien pour les jeunes: il n'y a ni parc ni aire de jeux où les enfants peuvent jouer. Et il y a peu de transports en commun pour aller en ville.
5. ★★★☆☆ J'habite en plein centre-ville et c'est très animé: il y a plusieurs cafés et quelques restaurants et aussi un centre commercial. Par contre, il y a trop de circulation et il n'y a aucune zone piétonne.

G *Negatives* > *Page 222*

Most negative expressions are in two parts and go **around** the verb:
ne … rien (nothing)
ne … jamais (never)
ne … personne (nobody, not anyone)
ne … plus (no longer, not any more)
ne … que (only)
ne … aucun(e) (no, not any, not a single …)

NB: ***aucun*** agrees with the noun.
ne … ni … ni … (neither … nor …) is in three parts: put a noun after each ***ni***.

a My district is never calm.
b There's only one street.
c There's not much to do.
d On Sundays, you don't see anyone outside.
e There's no longer a cinema.
f There's nothing for young people.
g There's neither a park nor a play area.
h There's no pedestrian precinct.

2 lire **Trouvez l'équivalent anglais de ces expressions. Utilisez un dictionnaire, si nécessaire.**

1 le bruit
2 des déchets par terre
3 plusieurs entreprises ont fermé
4 en banlieue
5 peu de transports en commun
6 trop de circulation

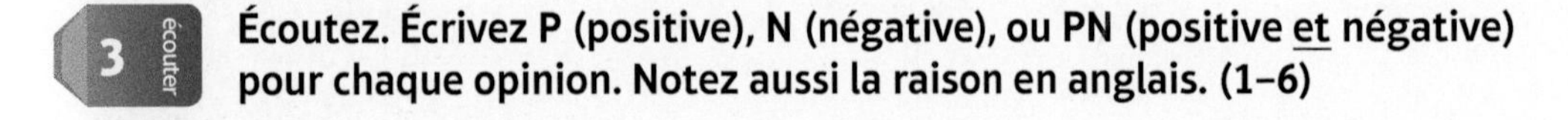

3 écouter **Écoutez. Écrivez P (positive), N (négative), ou PN (positive et négative) pour chaque opinion. Notez aussi la raison en anglais. (1–6)**

4 parler **À deux. Regardez les images et faites la description de chaque ville.**

Exemple:
Dans la ville où j'habite, il y a plusieurs/quelques … mais il y a trop de … Il n'y a plus de/ni … ni …

a

b

Reliez les phrases qui ont le même sens. Utilisez un dictionnaire, si nécessaire.

1 Il y a beaucoup de monde.
2 Il y a tellement de bruit!
3 Il y a trop de circulation.
4 Il n'y a pas assez de magasins.
5 Il n'y a aucun parc.
6 Le bowling et le ciné ont fermé.
7 C'est sale.
8 Il y a peu de travail.

a Ce n'est pas propre.
b Il y a beaucoup de voitures.
c Il y a trop de gens.
d Il n'y a pas assez d'espaces verts.
e Il y a tellement de gens au chômage.
f Ce n'est jamais tranquille.
g Il y a peu de commerces.
h Il n'y a plus de divertissements.

Écoutez Malik et choisissez la bonne fin de chaque phrase.

1 Dans le quartier où Malik habite, les transports en commun … **a** sont bons. **b** sont mauvais.
2 Au centre-ville, il y a … **a** beaucoup de circulation. **b** peu de voitures.
3 Le samedi, en ville, … **a** il y a peu de commerces. **b** ce n'est pas propre.
4 La nuit, dans sa ville, … **a** il y a trop de bruit. **b** c'est trop tranquille.
5 Dans sa ville, il n'y a plus de … **a** cinéma. **b** bowling.

In tasks like this, you often have to listen for **synonyms**: words which mean the same as other words in the questions. Also remember to listen carefully for negatives, which can change the whole meaning of a sentence.

Lisez l'opinion de Florence sur sa ville et notez <u>en anglais</u>: a) trois choses positives, b) trois choses négatives et c) son opinion générale sur sa ville.

J'habite à Montréal depuis toujours. C'est une grande ville de la province du Québec, au Canada. Ce qui me plaît ici, c'est qu'en été, il y a plusieurs festivals de musique, de théâtre et de danse. Ce n'est jamais difficile de trouver quelque chose à faire! En hiver, quand il fait très froid et quand il neige, beaucoup de gens se rendent à la campagne afin de faire du ski ou de la luge. Ceux qui préfèrent regarder plutôt que participer peuvent aller voir un match de hockey (sur glace, bien sûr!), car c'est le sport officiel du Québec.

Pourtant, Montréal n'est pas une ville parfaite. Il y a trop de circulation sur les routes et les transports en commun ne sont pas suffisamment développés. De plus, il y a souvent beaucoup de vent, ce qui est désagréable. Enfin, la ville attire tellement de touristes! Ils viennent pour les grands événements culturels et parfois, on ne peut presque plus bouger, surtout dans les petites rues du vieux quartier. Mais, en général, je suis très contente de ma ville et je ne voudrais pas habiter ailleurs. **Florence**

Écrivez un paragraphe sur ce qui est positif et négatif dans votre ville, quartier ou village.

J'habite à … C'est un petit village/une grande ville dans …
J'habite en banlieue/dans un quartier de …
Ce qui me plaît ici, c'est qu'il y a …/En été/hiver, on peut …
Le problème, c'est qu'il y a trop de/il n'y a pas assez de …
Il n'y a plus de/Il n'y a ni … ni …/Il n'y a aucun(e) …
Je trouve ça triste/déprimant/affreux/nul/désagréable …
En général, je (ne) suis (pas) content(e) de mon village/quartier/ma ville.
Je ne voudrais pas habiter ailleurs.

3 C'est pour un renseignement …

- *Discussing what to see and do*
- *Asking questions using* quel/quelle/quels/quelles

Écoutez. Baptiste et sa famille sont en vacances à Dinan, en Bretagne. Qui dit quoi? Écrivez B (Baptiste), P (son papa), M (sa maman) ou S (sa sœur).

1. J'ai téléchargé l'appli de l'office de tourisme.
2. Je veux absolument visiter l'aquarium de Saint-Malo.
3. J'ai envie de faire une promenade en bateau sur le canal.
4. C'est moins cher de louer un bateau soi-même.
5. Il y a une exposition sur les films d'animation en 3D que je ne veux pas manquer.
6. Je tiens à monter à la Tour de l'Horloge.
7. Il y a un panorama magnifique et je veux me servir de mon nouvel appareil photo.
8. Il ne faut pas rater le spectacle son et lumière au château.

le requin	*shark*
la Tour de l'Horloge	*Clock Tower*

2 *lire* **Traduisez les phrases de l'exercice 1 en anglais.**

3 *parler* **À trois ou à quatre. Discutez de ce que vous voulez faire à Dinan. Utilisez les images.**

Exemple:

- ● *Qu'est-ce qu'on va faire à Dinan?*
- ■ *Moi, je veux absolument … Et toi?*
- ▲ *Ça ne me dit rien. Moi, j'ai envie de …*

Je veux absolument J'ai envie de Ça m'intéresse de Je tiens à Je voudrais J'aimerais bien	visiter/voir/faire/ aller/monter à …
Je ne veux pas rater/manquer	le/la/l'/les …
☺ Bonne idée. Pourquoi pas? Je veux bien faire ça aussi. D'accord. Ça m'est égal.	☹ Ça ne me dit rien. Je n'en ai pas tellement envie. Ça a l'air nul!

Écoutez et lisez. On parle de quelle publicité: a, b, ou a <u>et</u> b? (1–6)

a

Promenade commentée

Durée: 1 heure environ
Accessible aux personnes handicapées
Du 2 avril au 30 septembre
Départs tous les jours sauf le lundi
• 11h • 14h30 • 16h • 17h30

Tarifs

Adulte: 13€
Enfant (-12 ans): 3,50€
Gratuit enfants de -2 ans
Nos amis les chiens sont acceptés.

b

Tarifs

Adulte (à partir de 18 ans): 7,50€
Tarif reduit: 4,50€ (jeune 12–17 ans, étudiant, demandeur d'emploi, handicapé)
Enfant (-12 ans): Gratuit
Famille (2 adultes + 2 jeunes): 19,50€

Parking: 200 places
Tables de pique-nique
Cafétéria en juillet-août
Boutique
Interdit aux animaux

le dépliant *leaflet*

Trouvez la fin de chaque question et copiez la question complète.

1 Vous êtes ouverts quels …
2 Quels sont …
3 Les promenades durent …
4 Est-ce que les chiens …
5 Quel est le …
6 Est-ce que c'est accessible …
7 Quelles sont les options …

a les horaires d'ouverture?
b combien de temps?
c sont admis?
d pour manger?
e aux personnes handicapées?
f prix d'entrée?
g jours de la semaine?

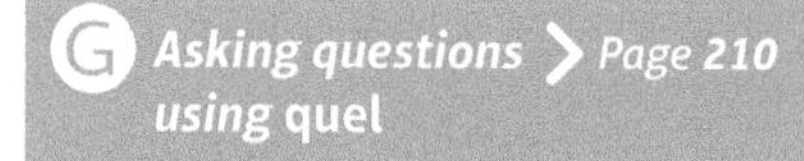

To ask 'which …?' or 'what …?', use the adjective ***quel** …?*

It must agree with the subject of the sentence.

masc sg	*quel*
fem sg	*quelle*
masc pl	*quels*
fem pl	*quelles*

À deux. Inventez un dialogue en vous inspirant des publicités de l'exercice 4. Utilisez ou adaptez les questions de l'exercice 5.

Exemple:

● *Bonjour. Pouvez-vous me donner des renseignements, s'il vous plaît?*
■ *Que désirez-vous savoir, monsieur/madame?*
● *C'est combien le prix d'entrée? Nous sommes deux adultes et …*

Make your speaking sound more authentic by using expressions like:

Tant mieux! So much the better!/That's good!
Tant pis! Too bad!/What a shame!
Ce n'est pas la peine. It's not worth it.
Ça ne fait rien. It doesn't matter./Never mind.
Je vous en prie. It's a pleasure.

Écoutez. Copiez et complétez le tableau avec les bonnes lettres. (1–4)

Quel temps fera-t-il?

Qu'est-ce qu'on fera?

	météo	activité
1	d	

a 
Il fera beau.

b 
Il fera chaud.

c 
Il y aura du vent.

d 
Il y aura de la pluie.

e 
On ira pique-niquer dans le parc. Ce sera génial!

f 
Je resterai à la maison. Je regarderai un film.

g 
On ne fera pas de barbecue. On mangera dans un restaurant marocain.

h 
J'irai à la piscine en plein air. Tu viendras?

G *The future tense* *Page 218*

You use the **future tense** to say 'will' or 'shall' do something.

To form this tense, use the **future stem** plus the appropriate ending.

For ***-er*** and ***-ir*** verbs, the future stem is the infinitive.

*je rester**ai*** (I will stay)	*nous rester**ons*** (we will stay)
*tu rester**as*** (you will stay)	*vous rester**ez*** (you will stay)
*il/elle/on rester**a*** (he/she/we will stay)	*ils/elles rester**ont*** (they will stay)

Some key verbs have irregular future stems, but use the same endings as above:

*aller – j'**ir**ai* (I will go)
*avoir – j'**aur**ai* (I will have)
*être – je **ser**ai* (I will be)
*faire – je **fer**ai* (I will do)
*venir – je **viendr**ai* (I will come)

2 lire **Traduisez ce texte en anglais.**

Voici mes projets pour les vacances: samedi, il fera un peu froid, alors je visiterai l'aquarium. Par contre, dimanche, il y aura du soleil, donc je ferai peut-être une randonnée à la campagne. Lundi matin, selon la météo, il y aura des averses mais l'après-midi il fera beau, donc je crois que j'irai au lac. Je louerai un bateau. Ce sera génial! Malheureusement, le lendemain, le temps sera orageux et il y aura beaucoup de vent, alors je resterai chez moi et je jouerai à des jeux vidéo. Tant pis!

À deux. Parlez de la météo et de ce que vous ferez. Utilisez les idées dans les cases.

Exemple:

- *Quel temps fera-t-il lundi?*
- *Selon la météo, il y aura du soleil.*
- *Qu'est-ce que tu feras, alors?*
- *J'irai à la plage. Ça t'intéresse?*
- *Oui! Ce sera génial/amusant/agréable.*

Monday: sun
Tuesday: rain
Wednesday: wind
Thursday: hot
Friday: cold

cinema
picnic
beach
TV
football
swimming pool

Écoutez les prévisions météo à la radio. Notez en anglais le temps qu'il fera dans chaque région sur la carte.

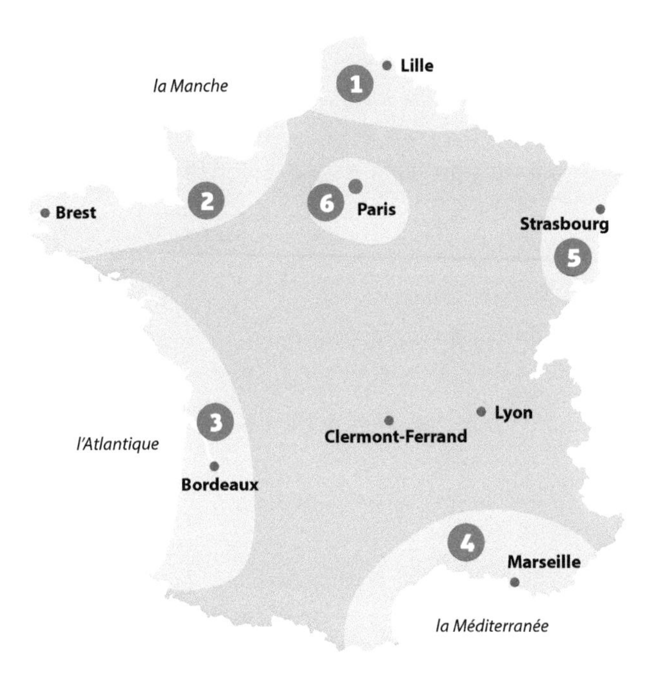

Il y aura … (*There will be …*) du tonnerre (*thunder*) de la grêle (*hail*) de la pluie (*rain*) des averses (*showers*) des éclairs (*lightning*) des éclaircies (*sunny intervals*)
Il fera … (*It will be …*) chaud/froid/frais (*hot/cold/cool*)
Le temps sera … (*The weather will be …*) brumeux (*misty*) ensoleillé (*sunny*) nuageux (*cloudy*) orageux (*stormy*) variable (*changeable*)
Le ciel sera … (*The sky will be …*) bleu/gris/couvert (*blue/grey/overcast*)
Les températures seront … (*The temperatures will be …*) en baisse/en hausse (*going down/going up*)

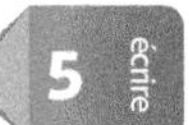

Un(e) ami(e) français(e) va venir passer une semaine chez vous. Écrivez-lui un message pour expliquer ce que vous ferez chaque jour.

Exemple: Lundi, selon la météo, il fera/il y aura/le temps sera …
Alors, on ira/fera/restera … Mardi, …

Lisez le texte et répondez aux questions en anglais.

Le changement climatique: quelles seront les conséquences en France?

Selon les scientifiques, la température mondiale augmentera de 2 à 6°C au cours du XXIème siècle.

En France, une des conséquences du changement climatique sera qu'on aura plus de pluie en hiver, mais moins de pluie en été. Il y aura plus de «canicules» ou vagues de chaleur. Enfin, il y aura moins de neige et les stations de ski situées à moins de 1 500 mètres d'altitude seront obligées de fermer leurs pistes.

Ailleurs dans le monde, les conséquences seront encore plus graves. Il y aura plus de tempêtes tropicales comme le cyclone Pam, un très violent ouragan qui a frappé les petites îles du Vanuatu, dans le Pacifique Sud, le 14 mars 2015. Il a causé d'énormes destructions et fait plusieurs morts.

Que ferons-nous pour arrêter le changement climatique?

augmenter *to increase*

1. According to scientists, what will happen during the course of the 21st century?
2. How will this affect the rainfall in France? Give two details.
3. What other type of weather will there be more of in France?
4. What will some ski resorts have to do and why?
5. What were the effects of cyclone Pam in Vanuatu? Give two details.

5 En pleine action!

- *Describing community projects*
- *Using the present, perfect and future tenses*

1 écouter **Écoutez et lisez. Dans les textes, trouvez l'équivalent français des expressions anglaises.**

Il n'y avait rien pour les jeunes dans mon village, donc mes amis et moi avons décidé de créer un foyer pour les jeunes dans un vieux bâtiment. D'abord, nous avons collecté de l'argent: nous avons vendu nos vieux jeux et jouets sur eBay et nous avons lavé des voitures. Puis nous avons acheté de la peinture, des posters, des meubles, etc. Le week-end prochain, nous irons là-bas pour ramasser les déchets, nettoyer la salle et repeindre les murs. Notre foyer sera bientôt ouvert et ce sera génial!
Antonin

la peinture *paint*

Dans ma rue, la circulation est très dense, surtout pendant l'heure de pointe. Souvent, les conducteurs ne respectent pas la limitation de vitesse, donc c'est très dangereux. Alors j'ai lancé une pétition en ligne et j'ai obtenu presque 2 000 signatures! J'ai aussi écrit un article dans notre journal local et ... victoire! La semaine prochaine, on finira d'installer un passage piéton et un panneau indiquant que la vitesse maximum est trente km/h!
Sonia

1 an old building **2** furniture **3** to pick up rubbish
4 the rush hour **5** speed limit **6** a pedestrian crossing

2 lire **Relisez les textes de l'exercice 1, puis copiez et complétez le tableau en anglais.**

	problem	what they've done about it	what will happen next
Antonin			

G ***The present, perfect and future tenses***

Make sure you know how to form different types of verbs across key tenses:

verb type	infinitive	present	perfect	future
regular **-er**	*collect**er***	*je collect**e***	*j'ai collect**é***	*je collecter**ai***
regular **-ir**	*fin**ir***	*je fin**is***	*j'ai fin**i***	*je finir**ai***
regular **-re**	*vend**re***	*je vend**s***	*j'ai vend**u***	*je vendr**ai*** *
key irregulars	*aller* *avoir* *être* *faire*	*je **vais*** *j'**ai*** *je **suis*** *je **fais***	*je **suis allé(e)*** *j'ai **eu*** *j'ai **été*** *j'ai **fait***	*j'**ir**ai* *j'**aur**ai* *je **ser**ai* *je **fer**ai*

* In the future tense, **-re** verbs drop the final '**e**' from the infinitive before adding the future endings: *vendre* → *je vendr**ai**, tu vendr**as**, il/elle/on vendr**a***, etc.

3 écouter **Écoutez. Que dit Kassem? Complétez les phrases en français.**

1 Dans mon quartier, il y avait ______, mais il était en mauvais état.
2 Le week-end dernier, mes amis et moi avons ramassé ______ et nous avons planté ______.
3 Ensuite, j'ai ______ que j'ai envoyées au journal local et un reporter a ______ sur notre initiative.
4 Bientôt, je ______ pour acheter des poubelles pour le parc.
5 Si j'obtiens assez d'argent, ______ aussi des tables de pique-nique. Ce sera ______!

Préparez une présentation sur un projet local auquel vous avez participé. Utilisez ces idées ou vos propres idées.

Dans ma ville …

Alors, j'ai …

1 000 signatures!

Victoire! Demain, on finira de construire …

Le week-end prochain, mes amis et moi …

Bientôt, je … →

pour …

Lisez le texte et répondez aux questions en français.

Qu'est-ce que le Service Civique?

Si vous avez entre seize et vingt-cinq ans, vous pouvez faire votre «Service Civique». Ça consiste en une mission de volontariat de six à douze mois, en France ou à l'étranger. On peut choisir, selon ses centres d'intérêt, parmi des centaines de missions dans des domaines différents: par exemple, culture et loisirs, éducation, santé, sports, environnement … Pour certains, c'est un tremplin pour trouver un emploi. Pour d'autres, il s'agit de vouloir rendre service à la société. Voici le témoignage de Laura, dix-sept ans:

«Je ferai mon Service Civique l'année prochaine parce que j'ai envie de montrer que les jeunes peuvent améliorer la vie en communauté. Mon amie Olivia a fait son Service Civique auprès de personnes âgées dans une maison de retraite. Elle s'occupait des résidents, leur lisait le journal, discutait avec eux, etc. Elle a vraiment aimé faire ça. Cependant, ma mission à moi sera d'être au contact d'élèves qui viennent d'un milieu défavorisé, et de leur faire découvrir les lieux culturels où ils n'ont pas l'habitude d'aller, par exemple le théâtre, les musées, la bibliothèque … J'espère que ce sera une expérience qui profitera à la communauté et qui me plaira aussi.»

1 Quel âge faut-il avoir pour faire le Service Civique?
2 Quelle est la durée du Service Civique?
3 Où peut-on faire son Service Civique?
4 Pourquoi Laura a-t-elle envie de faire ça?
5 Quel genre de «mission» son amie Olivia a-t-elle accompli? (Donnez deux détails.)
6 Que fera Laura lors de son Service Civique? (Donnez deux détails.)

Give short answers to questions 1 and 2. In questions where you need to use a verb to answer, remember that you may have to change the person of the verb from the one used in the text (e.g. questions 4 and 6).

6 écrire **Traduisez ce texte en français.**

Use the perfect tense.

My friend Medhi did his civic service last year in a primary school and he really loved doing it. He read books to the children and played with them. Next year, he will raise money for a hospital. He will wash cars and sell cakes to his friends and his family. He wants to improve community life and do something useful to society.

What pronoun do you need here? Look back at page 13.

Use the imperfect here

You need to repeat 'to' here.

1 lire

Read the text. In this story, the little prince is visiting another planet.

Le Petit Prince by Antoine de Saint-Exupéry

La sixième planète était une planète dix fois plus vaste. Elle était habitée par un vieux monsieur qui écrivait d'énormes livres.
– Tiens! Voilà un explorateur! s'écria-t-il, quand il aperçut le petit prince.
Le petit prince s'assit sur la table et souffla un peu. Il avait déjà tant voyagé!
– D'où viens-tu? lui dit le vieux monsieur.
– Quel est ce gros livre? dit le petit prince. Que faites-vous ici?
– Je suis géographe, dit le vieux monsieur.
– Qu'est-ce qu'un géographe?
– C'est un savant qui connaît où se trouvent les mers, les fleuves, les villes, les montagnes et les déserts.
– Ça c'est bien intéressant, dit le petit prince. Ça c'est enfin un véritable métier! Et il jeta un coup d'œil autour de lui sur la planète du géographe. Il n'avait jamais vu encore une planète aussi majestueuse.

There will be some verb forms in this text that you won't recognise. Many French literary texts use a tense called the simple past, or *le passé simple*. Don't panic! You do not need to understand this tense in order to answer the questions.

Write the letter of the correct answer for each question.

1 What does the old man think the little prince is?
A an expert **B** an explorer **C** a prince **D** a geographer

2 What does the old man ask the little prince?
A Where have you just been? **C** Where are you from?
B Where do you live? **D** What are you doing here?

3 Which geographical feature does the old man not mention?
A seas **B** towns **C** rivers **D** villages

4 How does the little prince feel when looking at the planet?
A impressed **B** disappointed **C** bored **D** worried

2 lire

Read what teenagers say about climate change and answer the questions on the next page.

Le changement climatique

Coralie dit qu'à cause de l'augmentation des gaz à effet de serre, la température moyenne sur la Terre a augmenté de presque un degré en un siècle. Elle explique que ce changement climatique affecte la nature, les animaux et les personnes. Il y a de plus en plus de vagues de chaleur et de tempêtes. Tout ça peut abîmer ou détruire les maisons, les champs ou les routes.

Malik explique que puisqu'il fait plus chaud, les glaciers fondent plus vite. Or quand la glace fond, elle se transforme en eau qui coule jusqu'à la mer. Résultat: le niveau de la mer monte.

Yanis continue: le changement climatique perturbe les animaux. Ceux qui aiment la chaleur voyagent vers des endroits nouveaux parce qu'il y fait plus chaud, et ceux qui aiment le froid sont obligés de quitter leur habitat.

Sophie ajoute qu'à cause de la sécheresse (manque de pluie) ou des inondations (trop de pluie), certaines personnes n'ont pas assez à manger. En France, quand l'été est trop sec, on a moins de maïs, par exemple, ou alors les clémentines perdent de leur goût et sont moins colorées.

le maïs *corn*

1 What information is given in the text? Complete each sentence with the correct name: Coralie, Malik, Yanis or Sophie.

> Don't worry if, for example, you don't know the French for 'ice caps'. When you read the text, you will find other words relating to water and ice that should help you make a guess.

Example: Coralie says that greenhouse gases have increased.

- **A** ________ says that due to global warming animals have to migrate.
- **B** ________ says that climate change can destroy houses, fields and roads.
- **C** ________ says that due to droughts and flooding some people don't have enough to eat.
- **D** ________ says that because it is hotter the ice caps are melting more quickly.

Answer the following questions in English.

2 By how much has the average temperature changed during the last hundred years?
3 How is the harvest in France affected during a dry summer? Give one detail.

1 écouter — Aline et Gabriel parlent de leur ville. Qu'est-ce qu'ils disent? Choisissez la bonne lettre pour compléter chaque phrase.

1 Selon Aline, les transports en commun …
- **A** sont mauvais.
- **B** sont bons.
- **C** sont chers.
- **D** ne sont pas réguliers.

2 Les touristes vont à Villelongue pour …
- **A** se détendre.
- **B** aller à la plage.
- **C** visiter la banlieue.
- **D** voir des événements sportifs.

3 Gabriel aime beaucoup …
- **A** faire du sport.
- **B** sortir au cinéma.
- **C** nager.
- **D** faire du théâtre.

4 Le soir, …
- **A** il y a trop de bruit.
- **B** c'est tranquille.
- **C** il y a beaucoup de circulation.
- **D** il n'y a rien à faire.

5 Quelques amis de Gabriel aiment …
- **A** aller au restaurant.
- **B** rester chez eux.
- **C** aller au cinéma.
- **D** sortir en boîte.

> Before you listen, work out the meaning of the sentences and each possible answer. Then try to predict what language you might hear. For question 1, for example, can you come up with any types of *transports en commun* that might be mentioned?

2 écouter — Lucie is comparing her old town with her new town. What does she talk about? Listen and write down the letter of the three correct statements.

- **A** what her old town was famous for
- **B** the weather where she used to live
- **C** what there was in the town where she used to live
- **D** how she used to get to school
- **E** what the traffic is like where she lives now
- **F** her opinion on where she used to live
- **G** facilities for young people where she lives now

3 écouter — You hear this news report and interview on French radio. Answer the following questions in English. You do not have to write full sentences.)

(a) When is the festival of St Vincent?
(b) How many people attend the festival?
(c) What two things are done to successfully manage the number of visitors to the town?
(d) What two negative things does Alex say about the festival?

A – Role play

1 parler **Look at the role play card and prepare what you are going to say.**

Topic: Town, region and country

Situation: In the tourist information office. Your teacher will play the role of the tourist office adviser and will introduce the situation. Then you **must**:

- begin the role play
- use the points below to help you prepare what you have to say:
  - (**salutation**) means that you must greet the other person
  - **?** means that you will have to ask a question
  - **!** means that you will have to answer an unexpected question.

À l'office de tourisme. Vous êtes un(e) touriste. Vous demandez des renseignements sur une visite touristique.

1 Dire: (**salutation**)
2 Dire: endroit à visiter
3 Demander **?**: heures d'ouverture?
4 !
5 Demander **?**: prix?
6 !
7 Dire: ce que vous allez faire demain

Should you address your teacher as ***tu*** or ***vous*** in this role play?

Remember, *endroit* means place. You could start with ***Je voudrais …***

Don't forget that you will have two 'unexpected' questions to answer. Be as prepared as you can be! When you have prepared your other answers, try to predict what might come up. Remember, you're in a tourist office in France.

What tense is needed here?

2 parler **Compare your answers with a partner and practise what you are going to say.**

- Pay attention to your pronunciation and intonation.
- Speak clearly without too much hesitation, but don't rush!

3 écouter **Using your notes, listen and respond to the teacher.**

Listen carefully to the two unexpected questions (**!**) and respond appropriately. For the other bullet points, don't get distracted by what the teacher says – stick to what you have prepared!

4 écouter **Now listen to Bill performing the role play task.**

B – General conversation

1 *écouter*

Listen to Lydia introducing her chosen topic. Which two of these things does she not mention?

A the location of the region
B a famous person from this region
C its geographical features
D the most popular sport in the region
E the climate
F how often she goes there
G what she did last weekend
H what the weather was like last time she went there

2 *écouter*

The teacher then asks Lydia: «Où habites-tu?» Listen to how she develops her answer. What 'hidden questions' does she also answer?

Example: How long have you lived there?

A good way of developing your answer is to think about how you can introduce different tenses. Refer to things that have happened in the past and things that are going to happen in the future as well as using the present tense. You should find 'hidden questions' in different tenses in Lydia's answer.

3 *écouter*

The teacher then asks Lydia: «Comment est ta maison ou ton appartement?» Listen and look at the transcript. What do the words in bold mean?

J'habite un grand appartement dans **un immeuble moderne**. Notre appartement est **au quatrième étage**, donc nous avons une belle vue sur **les alentours**. Ce qui me plaît, c'est que nous avons **une cuisine bien équipée** (mon père fait très bien la cuisine!) et **un grand salon confortable** avec trois **canapés**. Il n'y a pas de jardin mais nous avons **un petit balcon** où nous pouvons nous reposer ensemble en été. Cependant, ce que je n'aime pas, c'est que **je dois partager une chambre** avec ma petite sœur. Avant, quand nous habitions dans un village, nous avions une plus grande maison et **j'avais ma propre chambre**.

4 *écouter*

Listen to how Lydia answers the next question: «Qu'est-ce qu'il y a à faire à Newton?» Look at the Answer booster on page 92. Write down six examples of what she does to give her best possible answer.

5 *parler*

Prepare answers to these questions. Then practise with your partner.

1. Parle-moi de ta ville/ton village.
2. Comment est ta maison ou ton appartement?
3. Qu'est-ce qu'il y a à faire dans ta région?
4. Qu'est-ce que tu feras ce week-end dans ta ville/ton village?
5. Parle-moi d'une région que tu connais bien.
6. Est-ce que tu as participé à un projet local?
7. Que penses-tu du Service Civique?

Answer booster	**Aiming for a solid answer**	**Aiming higher**	**Aiming for the top**
Verbs	**Three time frames:** present, past, future	**Different persons of the verb** **The conditional of *aimer* and *vouloir*** (*j'aimerais* and *je voudrais*)	**Different tenses to talk about the past** (the perfect and imperfect tenses) **The future tense**
Opinions and reasons	*Je pense que …* *À mon avis, …* *Pour moi, …* *parce que …*	**More variety:** *Je trouve que, …* *Personnellement, …* *Pour moi, … mais pour d'autres …* **More sophisticated phrases:** *Ce qui me plaît ici, c'est …*	**Comparatives** *La ville est plus belle …* **Superlatives** *C'est la meilleure ville/C'est le plus beau village.*
Connectives	*et, mais, aussi, parce que, quand*	**More variety:** *car, où, lorsque, donc, alors*	*cependant* *c'est pour ça que …*
Other features	**Negatives:** *ne … pas, ne … jamais, ne … rien* **Qualifiers:** *très, un peu, assez, vraiment, trop, presque*	**More negatives:** *ne … personne, ne … plus, ne … aucun(e), ne … que, ne … ni … ni …* **The pronoun *y*:** *J'y vais …* **The relative pronoun *qui*:** *Une personne célèbre qui est née en … c'est …*	**The relative pronoun *que*:** *Une région que je connais bien, c'est la Bretagne.* **Direct object pronouns:** *Je le/la/les trouve intéressant(e)(s).* **The pronoun *y*:** *On peut y faire de la voile.*

A – Extended writing task

Look at the task. For each bullet point, make notes on:

- which tense(s) you will need to use (for the third bullet point, you will need to use *je voudrais* or *j'aimerais*)
- the structures and vocabulary you could use
- any details and extra information you could include to improve your answer.

Je participe!

Un magazine français cherche des articles sur des jeunes qui participent à la transformation de leurs villes pour son site Internet.

Écrivez un article sur un projet local auquel vous participez.

Vous **devez** faire référence aux points suivants:

- pourquoi vous participez à ce projet local
- ce que vous avez déjà fait pour améliorer la situation
- ce que vous voudriez avoir dans votre ville/village
- pourquoi la participation aux projets locaux est important pour les jeunes.

Justifiez vos idées et vos opinions. Écrivez 130–150 mots environ en français.

2 lire **Read Katie's answer. What do the phrases in bold mean?**

Dans la ville où j'habite **il y avait toujours des déchets par terre** parce qu'il n'avait qu'une seule poubelle! De plus, **la ville avait l'air triste** parce qu'il n'y avait ni parc ni fleurs. ***C'était* déprimant**! Donc j'ai décidé de faire quelque chose.

D'abord, mes amis et moi avons collecté de l'argent. Ensuite, nous avons ramassé les déchets et nous avons installé trois nouvelles poubelles. En plus, nous avons planté des fleurs près de l'arrêt de bus. Maintenant, notre ville, c'est vraiment **une ville fleurie** et je la trouve plus belle.

Personnellement, j'aimerais bien avoir un lieu culturel dans la ville parce que le cinéma a fermé il y a un an. La semaine prochaine, j'écrirai un article pour mon journal local et **j'aimerais aussi lancer une pétition en ligne**.

Je pense que c'est important de montrer que **les jeunes peuvent rendre service à la société**. C'est une expérience qui me plaît et qui profite à la communauté. Pour d'autres, ça peut être **un tremplin pour trouver un emploi** dans le futur.

3 lire **Look at the Answer booster. Note down eight examples of language that Katie uses to write a really impressive answer.**

4 écrire **Now prepare your own answer to the question.**

- Look at the Answer booster and Katie's text for ideas.
- Organise your answer in paragraphs.
- Write your answer and then check carefully what you have written.

Don't be afraid to use language in new contexts (but be careful to use it accurately!). For example, Katie uses the imperfect tense to describe her town before the project: *il y avait* and *c'était*. She also uses the conditional to say what she would like to see: *j'aimerais bien voir.*

B – Translation

1 écrire **Read the English text and compare it with the French translation. Correct the nine mistakes in the French translation.**

I live in Marseille, in the south of France. It's a big lively city by the sea. For me, there's always too much noise, which is unpleasant. But for others, it's never difficult to find something to do! A famous person who was born in Marseille is Samir Nasri. Tomorrow it will be windy so I will visit the aquarium.

J'habite à Marseille, dans le nord de la France. C'est une grande ville ennuyeuse au bord de la mer. Pour moi, il y a toujours trop de circulation, ce qui est désagréable. Mais pour moi, ce n'est jamais difficile de trouver quelque chose à voir! Une personne sympathique qui est née à Marseille, c'est Samir Nasri. La semaine prochaine, il y aura de la pluie alors je visiterai le zoo.

Translate the following passage into French.

I live in Metz, near the German border. What I like about here is the old quarter. You can visit the cathedral there, it's magnificent! However, my town isn't clean and there is not one park. A famous person born in Metz is Hugo Becker. This weekend it will be nice weather so I will go for a walk in the countryside.

Module 4 Vocabulaire

Où j'habite — *Where I live*

Où j'habite	*Where I live*
J'habite …	*I live …*
Ma famille et moi habitons …	*My family and I live …*
On habite …	*We live …*
dans une ville historique/touristique	*in an historic/touristy town*
dans un petit village	*in a small village*
au bord de la mer	*at the seaside*
au centre-ville	*in the town centre*
à la campagne/montagne	*in the countryside/mountains*
en ville	*in town*
en Angleterre/Écosse/Irlande (du Nord)/Afrique	*in England/Scotland/(Northern) Ireland/Africa*
au Maroc/pays de Galles	*in Morocco/Wales*
aux Antilles	*in the West Indies*
à Paris/Birmingham	*in Paris/Birmingham*
dans le nord-est du/de la/de l'/des …	*in the north-east of …*
le nord/le nord-est	*north/north-east*
l'est/le sud-est	*east/south-east*
le sud/le sud-ouest	*south/south-west*
l'ouest/le nord-ouest	*west/north-west*
Dans ma région, il y a …	*In my region there is/are*
des vignobles/stations de ski	*vineyards/ski resorts*
des collines/forêts	*hills/forests*
des fermes/champs	*farms/fields*
un port de pêche	*a fishing port*
un lac	*a lake*
C'est super parce qu'en hiver/en été, on peut (faire du ski/de l'escalade).	*It's great because in winter/summer, you can (go skiing/climbing).*

Le temps — *Weather*

Le temps	*Weather*
Il fait beau/mauvais.	*The weather's good/bad.*
Il fait chaud/froid.	*It's hot/cold.*
Il y a du soleil.	*It's sunny.*
Il y a du brouillard/du vent.	*It's foggy/windy.*
Il y a un orage.	*There's a storm.*
Il pleut/neige/gèle.	*It's raining/snowing/icy.*
Ici, le climat est humide/sec.	*Here, the climate is wet/dry.*
Il peut faire très chaud/froid/doux.	*It can be very hot/cold/mild.*
Il ne fait pas trop chaud/froid …	*It's not too hot/cold …*
au printemps	*in spring*
en été/automne/hiver	*in summer/autumn/winter*

Les transports — *Transport*

Les transports	*Transport*
Je vais/peux aller au collège …	*I go/can go to school …*
à pied/vélo	*on foot/by bike*
en train/métro/car/voiture/bus	*by train/underground/coach/car/bus*
Les transports en commun sont bons.	*The public transport is good.*

En ville — *In town*

En ville	*In town*
Il y a …	*There is/are …*
un château	*a castle*
un centre de loisirs	*a leisure centre*
un marché	*a market*
un musée	*a museum*
un parc/jardin public	*a park*
un stade	*a stadium*
un supermarché	*a supermarket*
un théâtre	*a theatre*
une bibliothèque	*a library*
une cathédrale	*a cathedral*
une église	*a church*
une gare (SNCF)	*a (train) station*
une mairie	*a town hall*
une mosquée	*a mosque*
une pharmacie	*a chemist*
une poste (un bureau de poste)	*a post office*
des hôtels	*hotels*
beaucoup de magasins	*lots of shops*
Il n'y a pas de …	*There isn't a/aren't any …*
Est-ce qu'il y a un/une/des … près d'ici/par ici?	*Is/Are there a/some … near here/round here?*
Va/Allez tout droit.	*Go straight on.*
Tourne/Tournez à droite/gauche.	*Turn right/left.*
Prends/Prenez la première/deuxième rue à droite/gauche.	*Take the first/second road on the right/left.*
Continue/Continuez jusqu'au carrefour/jusqu'aux feux.	*Continue as far as the crossroads/traffic lights.*
Traverse/Traversez la place/le pont.	*Cross the square/bridge.*
Descends/Descendez la rue.	*Go down the road.*
C'est …	*It's …*
(assez) loin/tout près	*(quite) a long way/very close*
sur ta/votre droite/gauche	*on your right/left*
au coin	*on the corner*
en face (du/de la/de l'/des)	*opposite*
à côté (du/de la/de l'/des)	*next to*

Ma région — *My region*

Ma région	*My region*
Ma région/Une région que je connais bien, c'est …	*My region/A region that I know well is …*
C'est dans le (nord/sud) de …	*It's in the (north/south) of …*
près de la Manche/la frontière allemande/espagnole	*near the English Channel/the German/Spanish border*
J'y habite depuis …/J'y vais …	*I have lived there since …/I have been going there …*
Le paysage/La côte est vraiment magnifique/impressionnant(e).	*The landscape/coast is really wonderful/impressive.*
On peut y faire/visiter/voir …	*You can do/visit/see … there.*
La région est connue pour …	*The region is known for …*
Une personne célèbre qui est née en …, c'est …	*A famous person who was born in … is …*

Les renseignements — *Information*

Les renseignements	*Information*
Qu'est-ce qu'on va faire à …?	*What are we going to do in …?*
Je veux absolument (faire une promenade en bateau).	*I definitely want to (go on a boat trip).*
J'ai envie de (louer un bateau).	*I feel like (hiring a boat).*
Ça m'intéresse de voir …	*I'm interested in seeing …*
Je tiens à (visiter l'aquarium).	*I'm keen on (visiting the aquarium).*
Je voudrais aller au/à la/à l'/aux …	*I would like to go to …*
J'aimerais bien monter à la/au …	*I would like to go up …*
Je ne veux pas rater/manquer (l'exposition sur) …	*I don't want to miss (the exhibition on) …*
Bonne idée. Pourquoi pas?	*Good idea. Why not?*
Je veux bien faire ça aussi.	*I want to do that too.*
D'accord. Ça m'est égal.	*OK. I don't mind.*
Ça ne me dit rien.	*I don't fancy that.*
Je n'en ai pas tellement envie.	*I don't really feel like it.*
Ça a l'air nul!	*That sounds rubbish!*

Ville de rêve ou ville de cauchemar? — *Dream town or nightmare town?*

J'habite à…	*I live in…*
C'est un petit village/une grande ville dans…	*It's a small village/big town in…*
J'habite dans la banlieue/un quartier de…	*I live in the suburbs/a district of…*
Ce qui me plaît ici, c'est qu'il y a…	*What I like is that…*
En été/hiver, on peut…	*In summer/winter, you can…*
Le problème, c'est que/qu'…	*The problem is that…*
il n'y a pas assez de (magasins/espaces verts)	*there is/are not enough… (shops/green spaces)*
il n'y a plus de (cinéma)	*there is/are no longer (a cinema)*
il n'y a ni (parc) ni (aire de jeux)	*there is neither (a park) nor (a playground)*
il n'y a aucun (bowling)	*there isn't a (single) (bowling alley)*
il n'y a aucune (zone piétonne)	*there isn't a (single) (pedestrian area)*
il n'y a qu'un seul (magasin)	*there is only one (shop)*
il n'y a qu'une seule (rue)	*there is just one (street)*
il n'y a rien pour les jeunes	*there is nothing for young people*
il n'y a pas grand-chose à faire	*there's not a lot to do*
Il y a…	*There is/are…*
beaucoup de monde/de voitures	*lots of people/cars*
trop de circulation/de gens	*too much traffic/too many people*
tellement de bruit/de gens au chômage	*so much noise/so many people out of work*
peu de travail/de transports en commun/commerces	*not much work/public transport/not many businesses*
toujours des déchets par terre	*always litter on the ground*
plusieurs boîtes de nuit/cafés/restaurants	*several nightclubs/cafés/restaurants*
Le bowling a fermé.	*The bowling alley has closed down.*
C'est sale/(trop) tranquille/très animé.	*It's dirty/(too) quiet/very lively.*
Ce n'est jamais tranquille.	*It's never quiet.*
Je trouve ça triste/déprimant/affreux/nul/désagréable.	*I find that sad/depressing/awful/rubbish/unpleasant.*
En général, je (ne) suis (pas) content(e) de mon village/quartier/ma ville.	*In general, I am (not) happy with my village/district/town.*

Les projets — *Plans*

Qu'est-ce qu'on fera?	*What shall we do?*
On ira pique-niquer dans le parc.	*We'll have a picnic in the park.*
Ce sera génial!	*That will be great!*
Je resterai à la maison.	*I will stay at home.*
Je regarderai un film.	*I will watch a film.*
Je jouerai à des jeux vidéo/au football.	*I will play video games/football.*
On ne fera pas de barbecue.	*We won't have a barbecue.*
On mangera dans un restaurant.	*We will eat in a restaurant.*

Quel temps fera-t-il? — *What will the weather be like?*

Il y aura…	*There will be…*
du vent	*wind*
du soleil	*sun*
du tonnerre	*thunder*
de la grêle	*hail*
de la pluie	*rain*
des averses	*showers*
des éclairs	*lightning*
des éclaircies	*sunny intervals*
Il fera…	*It will be…*
beau/chaud/froid/frais	*fine/hot/cold/cool*
Le temps sera…	*The weather will be…*
brumeux/ensoleillé	*misty/sunny*
nuageux/orageux	*cloudy/stormy*
variable	*changeable*
Le ciel sera bleu/gris/couvert.	*The sky will be blue/grey/overcast.*
Les températures seront en baisse/en hausse.	*The temperatures will be going down/going up.*

En pleine action! — *Taking action*

J'ai/Nous avons…	*I/We have…*
collecté de l'argent	*collected money*
vendu nos vieux jeux et jouets	*sold our old games and toys*
lavé des voitures	*washed cars*
acheté (de la peinture)	*bought (paint)*
planté des arbres	*planted trees*
lancé une pétition en ligne	*launched a petition online*
obtenu presque 2 000 signatures	*obtained nearly 2,000 signatures*
écrit un article dans le journal local	*written an article in the local newspaper*
Le week-end prochain, nous irons là-bas pour…	*Next weekend, we will go there to…*
ramasser les déchets	*pick up litter*
nettoyer la salle	*clean the room*
repeindre les murs	*repaint the walls*
La semaine prochaine, on finira d'installer/de construire…	*Next week, we will finish installing/building…*
un passage piéton	*a pedestrian crossing*
un panneau	*a sign*
une aire de jeux	*a playground*

Les mots essentiels — *High-frequency words*

ailleurs	*elsewhere*
ne… aucun(e)(s)	*not any, not a single*
ne… jamais	*never*
ne… ni… ni…	*neither… nor…*
ne… personne	*nobody, not anyone*
ne… plus	*no longer, no more*
ne… que	*only*
ne… rien	*nothing*
non plus	*nor/either*
alors	*so, therefore*
donc	*so, therefore*
de plus	*what's more, moreover*
en plus	*also*
également	*equally, also*
d'ailleurs	*moreover, besides*
par contre	*on the other hand*
malheureusement	*unfortunately*
enfin	*finally*
plein de	*lots of*
tellement	*really/so*
le lendemain	*the next day*
selon	*according to*
plusieurs	*several*
quelques	*some*
trop (de)	*too much/many*
peu (de)	*little/not much*
assez (de)	*enough*
tellement (de)	*so much/many*

5 Le grand large …

Point de départ 1

- *Talking about what you normally do on holiday*

1 parler **À deux. C'est le drapeau de quel pays? Discutez.**

la Belgique	le pays de Galles	l'Angleterre	les Pays-Bas	l'Espagne	la France	le Pakistan
l'Algérie	les États-Unis	le Japon	la Suisse	l'Allemagne	la Croatie	la Pologne	l'Autriche

Exemple:

● *Alors, le numéro 5, je pense que c'est l'Allemagne.*

■ *Oui, je suis d'accord. Tu as raison./Non, tu as tort. À mon avis, le numéro 5, c'est la Belgique.*

2 écouter **Écoutez et vérifiez vos réponses. (1–8)**

3 lire **Lisez les textes et répondez aux questions en français.**

Envoyer

Léonie: Normalement, je passe mes vacances en Italie. Je voyage en train et je fais du camping. J'adore ça! Je vais au bord de la mer avec ma famille.

Zoé: D'habitude, je vais à la campagne en France. Je passe mes vacances dans un petit hôtel avec mes grands-parents. C'est assez ennuyeux mais il fait toujours beau.

Karim: Tous les ans, je vais chez ma tante qui habite en Tunisie, à la montagne. Je voyage en avion. J'y passe tout le mois d'août. C'est génial!

Eliott: En juillet, je passe deux semaines en Angleterre avec mes parents et mon petit frère. Je loge dans un gîte, dans un petit village. Je voyage en ferry puis en voiture. C'est extra!

1 Qui passe ses vacances au bord de la mer?
2 Qui va en Grande-Bretagne?
3 Qui reste quatre semaines en vacances?
4 Qui aime faire du camping?
5 Qui voyage en bateau?
6 Qui s'ennuie en vacances?

4 parler **À deux. Les vacances: faites le jeu de rôle.**

a
● *Où vas-tu en vacances?*
● *Comment voyages-tu?*
● *Où loges-tu?*
● *Avec qui vas-tu en vacances?*
● *C'est comment?*

b
■ *Say where you spend your holidays.*
■ *Say how you travel.*
■ *Say where you stay.*
■ *Say who you go with.*
■ *Say what you think of your holidays.*

5 lire **Lisez les deux textes. Copiez et complétez le tableau.**

	reflexive verbs	English	holiday list
Jeanne	je me repose, je me lève ...	I rest, ...	swimsuit, ...
Thomas			

G Reflexive verbs Page 207

Reflexive verbs include a reflexive pronoun (***me***, ***te***, ***se***, etc.):

*Je **me** douche.* I am having a shower.
*Tu **te** coiffes?* Are you doing your hair?
*On **se** lève?* Shall we get up?

Moi, en vacances, je me repose, c'est le plus important. Je me lève tard, je me prépare, je vais à la plage, je me baigne dans la mer, je me promène un petit peu, je rentre à l'hôtel, je m'habille, je sors au restaurant … et voilà! Du coup, j'emporte avec moi un maillot de bain, des tongs, des lunettes de soleil, de la crème solaire, mon smartphone avec mes écouteurs, et beaucoup de bouquins. **Jeanne**

Moi, je pars souvent avec mon frère faire du ski dans les Alpes. On ne s'ennuie jamais en vacances, c'est tout ce qui compte! On se lève tôt, on se couche tard, et entre temps on fait du sport toute la journée. On s'amuse et on ne s'arrête pas! Alors, moi, quand je pars en vacances, j'emporte des gants, des bottes et une veste de ski. **Thomas**

6 écrire **Complétez la liste pour vous! Utilisez des idées de l'exercice 5 et un dictionnaire, si nécessaire.**

C'est indispensable! Moi, quand je pars en vacances, j'emporte ...

7 écouter **Écoutez. Écrivez la lettre de l'activité qui n'est pas mentionnée dans chaque cas. (1–2)**

1

2

On peut	faire	une visite de Paris. une balade en bateau. de la planche à voile. de la voile. de l'escalade. de l'accrobranche. du karaoké.
	visiter	les musées. les monuments.
	aller	à la pêche. à la plage.
	jouer	à la pétanque.

8 écrire **Imaginez que vous êtes une célébrité. Écrivez un texte sur vos vacances:**

Say:
- where you normally spend your holidays
- how you travel and who you go with
- what you do (use reflexive verbs)
- what you take with you
- where you stay
- what you can do there
- what you think of your holidays.

Point de départ 2

- *Talking about holidays (past, present and future)*

1 lire **Lisez le texte et complétez les phrases en anglais.**

Coucou!

C'est mon deuxième jour ici, à Marseille, et je m'amuse beaucoup! Je suis installé à la terrasse d'un café. Hier, je suis arrivé à l'hôtel à dix heures et puis je suis parti explorer la ville. J'ai vu la basilique Notre-Dame de la Garde et j'ai visité un musée. Ce matin, je suis allé à un petit marché où j'ai acheté un joli foulard pour ma mère. Cet après-midi, je crois que je vais faire une excursion en bateau pour voir le château d'If, et puis demain, je vais prendre le train pour rentrer chez moi. J'adore Marseille! C'est ma ville préférée dans le sud de la France.

À bientôt!
Samuel

1 Yesterday, Samuel … and then he …
2 This morning, he …
3 This afternoon, he …
4 Tomorrow, Samuel …
5 Marseille is …

G Using different time frames

present	perfect	near future
je visite	*j'ai visité*	*je vais visiter*
je fais	*j'ai fait*	*je vais faire*
je vois	*j'ai vu*	*je vais voir*
je prends	*j'ai pris*	*je vais prendre*
je vais	*je suis allé(e)*	*je vais aller*

2 écouter **Écoutez. On parle de chaque image à quel temps? Écrivez PR (présent), PA (passé) ou F (futur).**

1 
2 
3 
4 
5 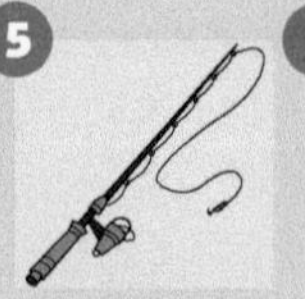
6 

★ Look and listen for time expressions as well as tenses to spot whether someone is referring to the present, past or future. For example:

present *tous les jours*
past *hier*
future *cet après-midi*

3 parler **À deux. Formez chacun six phrases à partir du tableau. Ensuite, traduisez les phrases de votre partenaire en anglais.**

Tous les ans, Normalement, Tous les étés,	j'achète je fais je vais	à la campagne. à la pêche. en colo avec mes copains. du camping. un stage de voile. un safari en Afrique. des cadeaux. une casquette pour mon frère. un tee-shirt pour ma sœur.
L'année dernière, Le week-end dernier, Hier,	j'ai acheté j'ai fait je suis allé(e)	
L'année prochaine, Le week-end prochain, Demain,	je vais acheter je vais faire je vais aller	

4 écrire **Copiez et complétez le texte avec les verbes au présent, au passé composé ou au futur proche.**

Normalement, je **1** (*passer*) les vacances au bord de la mer avec ma famille. Je **2** (*aller*) à la plage et je **3** (*nager*) dans la mer.	Mais l'année dernière, je **4** (*aller*) à la montagne où j' **5** (*faire*) un stage de ski et j' **6** (*essayer*) le snowboard. C'était cool!	L'année prochaine, je **7** (*aller*) en colo. Je **8** (*partir*) avec mes copains. Je **9** (*pratiquer*) toutes sortes de sports extrêmes, comme le parapente.

À trois. Regardez la carte. Inventez une conversation au café.

Serveur/euse: Bonjour monsieur/madame, vous désirez?

Client(e) 1: Je voudrais … , s'il vous plaît.

Serveur/euse: Et comme boisson?

Client(e) 1: … , s'il vous plaît.

Serveur/euse: Et pour vous, madame/monsieur?

Client(e) 2: Je voudrais … , s'il vous plaît.

Serveur/euse: Et comme boisson?

Client(e) 2: … , s'il vous plaît.

Café des Sports

Boissons:

un café	1,60€
un café-crème	1,90€
un thé (au lait/au citron)	2,30€
un jus d'orange	2,80€
une limonade	2,30€
un coca	2,60€

Casse-croûtes:

un sandwich jambon-beurre	2,80€
un croque-monsieur	3,70€
une crêpe (banane-chocolat/caramel au beurre salé)	4,00€

Lisez le texte. Trouvez l'équivalent français des phrases anglaises.

publié par Lionel — **Mes Vacances**

Cette année, je suis allé en vacances en Grèce. C'était un désastre! D'abord, mon père a oublié les billets et on a presque raté l'avion. Normalement, en Grèce, il fait très chaud, mais il a plu tout le temps. Ma mère a dit que l'année prochaine, elle emportera son parapluie. Le seul jour où il n'y avait pas de pluie, mon frère a pris un coup de soleil. Finalement, le dernier soir, on est allés manger dans un restaurant mais la viande n'était pas fraîche et ma sœur a vomi toute la nuit.

L'année prochaine, je partirai en Espagne avec mes copains. Ce sera plus amusant!

Lionel

1. My dad forgot the tickets.
2. We nearly missed the plane.
3. It rained all the time.
4. My brother got sunburnt.
5. My sister vomited.

7 lire

Relisez le texte de l'exercice 6. Écrivez V (vrai) ou F (faux) pour chaque phrase. Corrigez les phrases qui sont fausses.

1. Lionel est allé en Grèce.
2. Son père a perdu les billets.
3. Il y a eu du soleil tout le temps.
4. L'année prochaine, sa mère emportera un grand tube de crème solaire.
5. Un jour, sa sœur est restée trop longtemps au soleil.
6. Au restaurant, la viande était mauvaise.
7. L'année prochaine, Lionel partira en vacances avec ses amis.

Talking about the future *Page 218*

To talk about your future plans, you can use either the near future (*aller* + an infinitive) or the future tense (e.g. *je mangerai, je voyagerai, j'irai*).

Vous avez passé de bonnes vacances? Écrivez un paragraphe de 100 mots.

- Say where you went and what you did.
- Say how you normally spend your holidays.
- Say what you are going to do this year.

1 Des vacances de rêve

- *Talking about an ideal holiday*
- *Using the conditional*

1 écouter **Écoutez. Copiez et complétez le tableau en anglais. (1–4)**

Comment seraient tes vacances idéales?

	lodging	companions	activities	anything else?	impression
1 Lily					

Je logerais … dans une chambre d'hôte. dans un gîte à la campagne. dans un hôtel 4 étoiles. dans une auberge de jeunesse. dans une caravane. dans une tente, sur une île déserte. sur un bateau.	Je voyagerais … avec mes copains/copines. avec ma famille. avec mes parents. avec mes grands-parents. avec mon lycée. avec une organisation. seul/seule.	Je regarderais le coucher du soleil. Je nagerais avec les poissons tropicaux. Je ferais des randonnées. Je ferais du canoë-kayak. Je me reposerais. Je m'amuserais avec mes copains/copines. Je mangerais bien.
Il y aurait … une salle de jeux. un café qui serait ouvert toute la nuit. des feux d'artifice tous les soirs. des visites guidées. des spectacles son et lumière. Il n'y aurait aucun bruit! Il n'y aurait pas beaucoup d'adultes!	Ce serait … pittoresque. tranquille. reposant. passionnant. merveilleux. luxueux. formidable.	

G ***The conditional*** > *Page **219***

You use the conditional to say 'would'.
Je regarderais … I would watch …

Take the future stem and add the **imperfect endings**:

*je regarder**ais***	*nous regarder**ions***
*tu regarder**ais***	*vous regarder**iez***
*il/elle/on regarder**ait***	*ils/elles regarder**aient***

Some verbs, including *vouloir*, *faire*, *avoir* and *être*, have irregular stems:

je voudrais	I would like
je ferais	I would do
il y aurait	there would be
ce serait	it would be

2 parler **À quatre. Inventez des vacances de rêve. Écoutez attentivement! Il ne faut rien répéter.**

- *Bon, je vais inventer des vacances de rêve …*

3 écrire **Écrivez un paragraphe sur vos vacances de rêve:**

Say:
- where you would stay
- who you would travel with
- what you would do
- what it would be like.

Make your answers sound authentic.

Use these phrases:
Moi, je …
De préférence, je …
En plus, …
Je trouve que ce serait …

Écoutez et lisez. Écrivez les numéros des cinq phrases qui sont vraies.

Thibault: Mathilde, parle-moi de tes vacances de rêve. Où logerais-tu si tu avais le choix?

Mathilde: Voyons … Je crois que je logerais dans une simple caravane, à la montagne. Peut-être dans le Parc naturel des volcans d'Auvergne, près de Volvic. J'adore cet endroit! Les paysages sont à couper le souffle.

Thibault: Avec qui voyagerais-tu?

Mathilde: Je voyagerais avec mon copain ou bien seule, s'il était occupé.

Thibault: Qu'est-ce que tu y ferais?

Mathilde: Eh bien, je me reposerais! Je ferais des randonnées et peut-être aussi du canoë-kayak. Je profiterais du silence et je lirais aussi. Je ne regarderais mon portable qu'une fois par jour.

Thibault: Il y aurait autre chose?

Mathilde: Je vais plutôt te dire ce qu'il n'y aurait pas! Il n'y aurait pas beaucoup de monde, et il n'y aurait ni visites guidées ni spectacles. J'ai horreur de ça.

Thibault: Ce serait comment?

Mathilde: Ce serait calme, tout simplement parfait! Ce ne serait pas très luxueux mais ça ne me dérangerait pas. Je voudrais à tout prix passer des vacances comme ça.

1 Ideally, Mathilde would stay in a caravan.
2 She would travel with her boyfriend or maybe on her own.
3 She would listen to the radio and watch TV.
4 She would not read.
5 She would do some outdoor activities.
6 She would go on guided tours and see shows.
7 She would check her phone only once a day.
8 She is looking for peace and tranquility.

5 lire

Relisez l'interview. Traduisez les cinq questions de Thibault en anglais.

Exemple: Où logerais-tu si tu avais le choix? – If you had the choice, where would you stay?

À deux. Préparez des interviews en utilisant les questions de l'exercice 4.

● *Parle-moi de tes vacances de rêve. Où logerais-tu si tu avais le choix?*
■ *Je logerais dans une tente, sur une île déserte …*

a

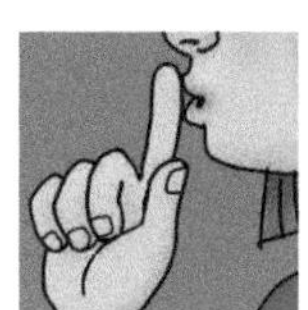

b

Traduisez ce texte en français.

Use the imperfect here.

Check the ending for the *nous* form in the grammar box.

If I had the choice, I would travel with my friends. We would stay in a 4-star hotel by the sea. It would be very luxurious. There would be a games room; I love to play! We would swim in the pool and we would eat well. There would be a cafe that would be open all night! There would be no adults!

Get this right!

Will you use ***qui*** or ***que***?

Use ***de/d'*** after the negative.

1 lire **Lisez les avis et répondez aux questions.**

Exemple: **1** Éric K

Écureuil curieux

Nos coups de cœur sur la côte Vermeille ❤

Chambres d'hôte Chez Mémé
★★★★
J'ai adoré mon séjour chez Mémé. La chambre était un peu démodée, mais il y avait la climatisation et le prix était correct. Et le repas du soir … miam-miam! On s'est régalés! Je le recommande.

Monica, Maroc

Hôtel Sables d'Or
★★★★
Cet hôtel était charmant et bien situé. Je l'ai choisi pour sa proximité de la plage, et je me suis baigné tous les jours pendant mon séjour. Il y avait un très bon rapport qualité–prix. La salle de bains était petite mais la douche était super. La vue était digne d'une carte postale! C'est un petit coin de paradis.

Chouchou, Reims

Résidence Napoléon
★★★★★
Nous avons opté pour une formule demi-pension et nous n'avons pas été déçus. Nous nous sommes bien reposés. Le grand lit était extrêmement confortable. En plus, le service était impeccable et le Wi-Fi fonctionnait très bien! Les propriétaires se sont bien occupés de nous, et nous avons passé un super séjour. À recommander!

Mimi35, Arcachon

Villa Régina
★★★★★
J'ai passé une semaine entière dans cet hôtel et ça s'est très bien passé. Le petit-déjeuner était offert. Il y avait un parking tout près et un micro-ondes dans la chambre. C'était propre et très pratique. Super et pas cher!

Éric K, Strasbourg

Who …

1 spent a week in the hotel?
2 found their room a little old-fashioned?
3 loved the food?
4 thought the service was good?
5 chose the hotel because it was near the beach?
6 chose half-board?
7 liked the view?
8 had a microwave?

G *Reflexive verbs in the perfect tense* › *Page 214*

All reflexive verbs use *être* as the auxiliary verb.
The past participle must agree with the subject.

je me suis reposé(e)	*nous nous sommes reposé(e)(s)*
tu t'es reposé(e)	*vous vous êtes reposé(e)(s)*
il/elle/on s'est reposé(e)	*ils/elles se sont reposé(e)(s)*

2 écrire **Écrivez la description d'un séjour dans un hôtel ou dans une chambre d'hôte.**

Nous avons passé X jours dans cet hôtel/cette chambre d'hôte. Ça s'est très bien passé.
C'était charmant/propre/bien situé.
Le service était impeccable.
Le Wi-Fi fonctionnait très bien.
Le petit-déjeuner était offert.
Il y avait un très bon rapport qualité prix/ un parking tout près/un micro-ondes dans la chambre.
Nous y avons passé un super séjour.
Nous nous sommes bien reposé(e)s.

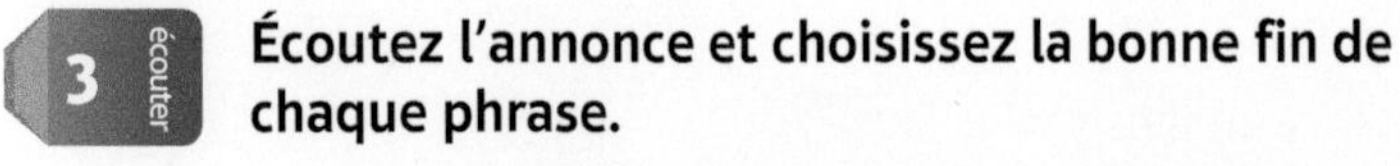

3 écouter **Écoutez l'annonce et choisissez la bonne fin de chaque phrase.**

1 Le village de vacances «Espace Liberté» se trouve … **a** en montagne. **b** sur la côte. **c** en pleine campagne.
2 La demi-pension comprend … **a** le petit-déjeuner. **b** le dîner. **c** le petit-déjeuner et le dîner.
3 On peut suivre des cours … **a** d'équitation. **b** de tennis. **c** de danse.
4 Le prix par adulte en demi-pension pour un séjour de huit jours est de … **a** 277 euros. **b** 287 euros. **c** 297 euros.

4 lire

Lisez ce dialogue. Copiez et complétez le tableau en anglais.

room? (details)	nights?	payment?	breakfast?

Client: Avez-vous une chambre de libre, s'il vous plaît?
Employé: Quelle sorte de chambre voulez-vous?
Client: Une chambre pour une personne avec salle de bains et un lit simple.
Employé: Pour combien de nuits, monsieur?
Client: Pour une nuit.
Employé: Oui, nous avons une chambre. Vous voulez payer comment?
Client: Avec ma carte bancaire.
Employé: Très bien. Veuillez saisir votre code. Avez-vous une pièce d'identité?
Client: Certainement. La voilà.
Employé: Merci, monsieur. Donc, chambre 215 au deuxième étage, avec une belle vue sur la mer. Le petit-déjeuner est servi entre 8h et 10h au restaurant.
Client: Parfait. Je vous remercie.
Employé: Passez un excellent séjour!

5 écouter

Écoutez. Écrivez les quatre bonnes lettres pour chaque conversation. (1–4)

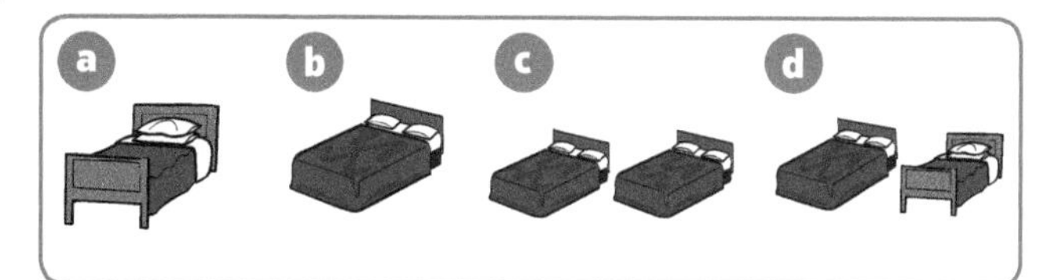

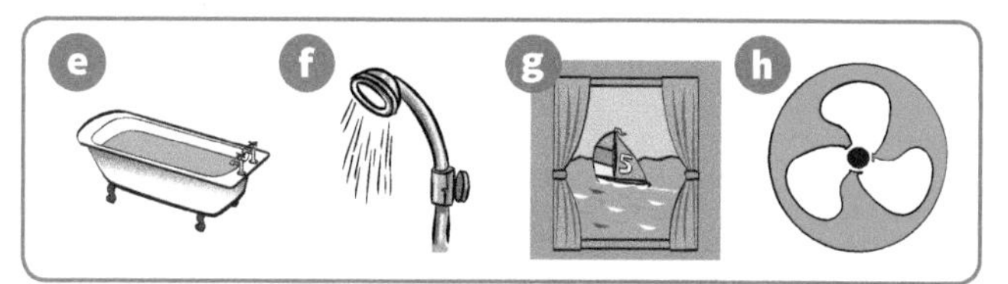

au rez-de-chaussée	*on the ground floor*
au premier/deuxième étage	*on the first/second floor*

À deux. Adaptez le dialogue de l'exercice 4 en utilisant ces détails.

1

2

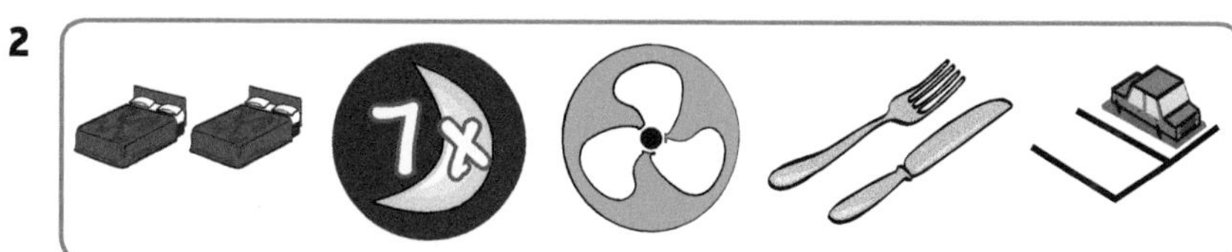

Regardez la photo. À deux, préparez des réponses aux questions.

- Aimeriez-vous loger dans cet hôtel?
- Avez-vous déjà logé dans un hôtel?
- Parlez un peu de votre séjour.

The last bullet point is an open-ended invitation to show off what you can do. Don't panic – always go from what you know. You are in charge!

3 Bon appétit!

- *Ordering in a restaurant*
- *Using en + the present participle*

1 écouter **Écoutez et lisez. Dans le dialogue, trouvez l'équivalent français des phrases anglaises.**

Serveur: Bonjour messieurs-dames, vous préférez une table en terrasse ou une table à l'intérieur?
Client: À l'intérieur, s'il vous plaît.
Serveur: Très bien. Voici la carte. J'attire votre attention sur le plat du jour. C'est un filet de loup de mer, avec des pommes de terre sautées.
…
Serveur: Vous avez fait votre choix?
Cliente: Oui, pour commencer, je vais prendre l'assiette de crudités et ensuite je voudrais le plat du jour, le loup de mer.
Serveur: Très bien, madame. Et pour vous, monsieur?
Client: Je vais prendre le menu à 30 euros avec les escargots en entrée et comme plat principal, le rôti de veau.
Serveur: Et comme boisson?
Cliente: Nous voudrions une bouteille d'eau gazeuse.
…
Serveur: Voici, messieurs-dames. Bon appétit!
…
Serveur: Un petit dessert?
Client: Pas de dessert pour moi.
Cliente: Qu'est-ce que vous avez, comme desserts?
Serveur: Je peux vous proposer une tarte aux pommes, des sorbets, un roulé au chocolat …
Cliente: Je vais prendre la tarte aux pommes.
…
Serveur: Il vous faut autre chose?
Cliente: Non, merci. Tout était délicieux. On peut avoir l'addition, s'il vous plaît?

le loup de mer *sea bass*

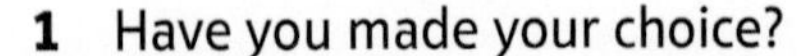

1 Have you made your choice?
2 I am going to have the 30-euro set menu.
3 What would you like to drink?
4 What desserts do you have?
5 Do you need anything else?
6 Can we have the bill, please?

You use the formal ***vous*** form with someone who is older than you or someone you don't know. In a restaurant situation, you will use this form.

2 parler **À trois. Utilisez le dialogue de l'exercice 1 comme modèle. Choisissez pour vous en changeant les éléments soulignés.**

Make sure you know what you're ordering! Check any dishes you aren't sure of on page 119.

Menu à 25 euros

Entrées

Soupe à la tomate
Brochettes de crevettes
Tarte à l'oignon

Plat du jour

Poulet basquaise au piment d'Espelette

Plats principaux

Épaule d'agneau et ses légumes
Cuisse de canard et gratin dauphinois
Lasagnes végétariennes

Desserts

Crème brûlée
Mousse au chocolat
Tarte au citron

Écoutez et choisissez la bonne fin de chaque phrase.

1. Les clients veulent une table … **a** en terrasse. **b** à l'intérieur. **c** près de la fenêtre.
2. Le père demande … **a** une bouteille d'Orangina. **b** une bouteille de soda. **c** une bouteille de vin.
3. La fille demande … **a** plus de pain. **b** un plat végétarien. **c** une limonade.
4. Le garçon n'a pas de … **a** couteau. **b** fourchette. **c** verre.
5. La mère cherche … **a** les toilettes. **b** sa serviette. **c** son sac à main.

Lisez les avis. Copiez et complétez le tableau en anglais.

Cuisine française traditionnelle dans un beau cadre. Les prix n'étaient pas excessifs et l'accueil était très chaleureux. Nous avons demandé une table à côté de la fenêtre pour profiter de la vue, et cela n'a posé aucun problème. L'ambiance était vraiment agréable. En partant, nous avons laissé un pourboire pour la serveuse, qui était très attentionnée. À recommander! J'y retournerai avec plaisir. **Yann Q**

Service attentionné? Service franchement médiocre, à mon avis. En arrivant, il n'y avait personne pour nous accueillir et nous avons dû attendre plus de cinq minutes. Puis en mangeant, j'ai trouvé un cheveu dans mon plat. Beurk! En plus, l'atmosphère était super bruyante: des enfants hurlaient partout. Finalement, en regardant l'addition, nous avons eu un choc, qu'est-ce que c'était cher. Je n'y retournerai jamais! **Catherine R**

	price	service (details)	atmosphere
Yann Q			
Catherine R			

G En + *the present participle* › Page 234

Use **en** plus the present participle to say 'on' or 'while' doing something.

To form the present participle, take the *nous* form of the present tense.
Take off the ***-ons*** and add ***-ant***.

*nous arriv**ons** → en arriv**ant***	on arriving
*nous part**ons** → en part**ant***	on leaving
*nous mange**ons** → en mange**ant***	while eating

À deux. Lisez l'article et préparez une réponse aux questions.

- Aimerais-tu manger dans un restaurant vietnamien?
- Que choisirais-tu?
- As-tu déjà mangé dans un restaurant étranger?
- C'était comment?

TROIS SPÉCIALITÉS VIETNAMIENNES

Le Pho: la célèbre soupe vietnamienne. Dégustez-la avec des morceaux de bœuf, de poulet ou avec des fruits de mer.

Le Mien Xao: vermicelles cuits une première fois et puis sautés au wok. Le Mien Xao s'accompagne de différentes viandes ou de légumes.

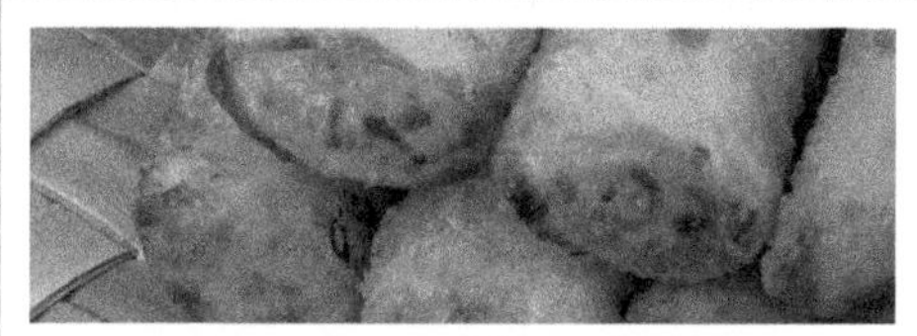

Les nems: rouleaux frits qui contiennent du poulet, du porc, des crevettes, du bœuf ou des légumes.

Écrivez votre avis sur un restaurant où vous avez mangé pour un forum en ligne.

- Say when you went to the restaurant.
- Say what the atmosphere was like.
- Say what the service was like.
- Say what you ate.
- Give an opinion.
- Say whether you would go back to the restaurant.

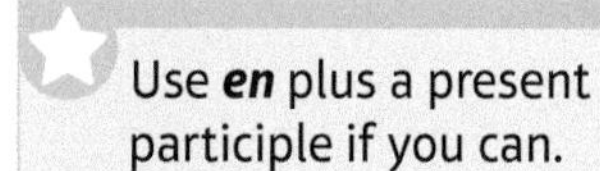

Use ***en*** plus a present participle if you can.

4 En route!

- *Talking about travelling*
- *Using* **avant de** *+ the infinitive*

1 lire **Lisez et trouvez la bonne fin de chaque phrase.**

1 Avant de prendre le train, …
2 Avant de prendre le métro, …
3 Avant d'aller sur l'autoroute, …
4 Avant de démarrer sa voiture, …
5 Avant de visiter un autre pays, …
6 Avant de monter dans l'avion, …

2 écouter **Écoutez et vérifiez vos réponses. (1–6)**

G avant de + *the infinitive* Page 234

Use ***avant de*** plus an infinitive to say 'before doing something'.
Avant de prendre le métro, … Before taking the metro, …

3 lire **Lisez les avis puis copiez et complétez le tableau en anglais.**

Si j'avais le choix, je voyagerais toujours en avion car c'est rapide et confortable et on arrive plus vite! Ce n'est pas du tout fatigant. J'aime beaucoup. **Zia**

Si j'avais le choix, je voyagerais toujours en montgolfière. C'est une aventure et on est libre. J'adore! Ce serait génial de se déplacer partout en montgolfière! **Camille**

Si j'avais le choix, je voyagerais toujours en bateau car c'est pratique et c'est la classe! Il y a beaucoup de place, ce n'est pas du tout ennuyeux, et, en plus, on vous sert les repas! **Amandine**

Moi, si j'avais le choix, j'irais toujours à vélo. C'est moins cher, c'est plus propre et donc c'est mieux pour notre planète. C'est beaucoup plus vert que tous les autres moyens de transport. Y'a pas photo! **Noé**

	preferred means of transport	**reasons**
Zia	plane	quick, …

Use this structure to impress:
si + imperfect tense + conditional
Si j'avais le choix, je voyagerais …
If I had the choice, I would travel …

4 écrire **Écrivez une phrase de 20 mots pour donner votre avis sur les moyens de transport.**

Si j'avais le choix, pour aller	en	Inde Russie Chine	je voyagerais	en car en train en avion	car	c'est	rapide/confortable/pratique. une aventure/la classe. bon pour l'environnement.
	au	Sénégal Brésil		à moto		ce n'est pas	ennuyeux/fatigant/cher.

5 écouter

Écoutez et lisez le quiz. Pour chaque question, notez la réponse de Maëlys et de Sasha puis notez leurs raisons en anglais.

	Maëlys	Sasha
1	a – she likes trains and they're more ecological	b – he ...

1. Si tu avais le choix, pour aller en Autriche, tu voyagerais plutôt …
   a en train? **b** en avion?
2. Si tu avais le choix, pour aller en Turquie, tu voyagerais plutôt …
   a à velo? **b** en voiture?
3. Si tu avais le choix, pour aller en Suisse, tu voyagerais plutôt …
   a à mobylette? **b** en taxi?
4. Si tu avais le choix, pour aller au Danemark, tu voyagerais plutôt …
   a en car? **b** à moto?

6 parler

À deux, faites le quiz. Donnez des raisons pour vos choix.

Exemple: Si j'avais le choix, pour aller en …, je voyagerais plutôt … car/parce que …

7 écouter

Écoutez ce témoignage d'un contrôleur à la retraite. Complétez le texte avec les mots de l'encadré.

Dans le passé, avant de prendre le train, il fallait aller au **1** ______ pour acheter un ticket. Maintenant, on peut l'acheter en ligne. Il y a même des machines à **2** ______ où on peut acheter un billet. Il n'est plus nécessaire de parler avec un être humain.

En plus, dans le passé, les voyageurs venaient au guichet et demandaient **3** ______ ou un aller-retour, une place en première classe ou une place **4** ______. Ils se renseignaient aussi sur **5** ______ des trains. Ils mangeaient au buffet. Ils attendaient dans **6** ______.

Maintenant, tout le monde est pressé. Chacun regarde son téléphone pour se renseigner. Les gens comme moi, on n'en aura bientôt plus besoin. C'est dommage …

la gare | les horaires | la salle d'attente | en deuxième classe | un aller simple | guichet

8 lire

Dans le texte de l'exercice 7, traduisez en anglais le paragraphe qui commence par *En plus* …

9 écouter

Écoutez. Copiez et complétez le tableau en anglais. (1–3)

	ticket type (single/return)	destination	class	price (euros)	platform number
1					

One of the travellers asks for a ticket to Metz – but it isn't pronounced how it looks!

- *Buying souvenirs*
- *Using demonstrative adjectives and pronouns*

1 lire

Lisez. Reliez les phrases et les photos.

1. Je pense acheter ce tagine … qu'est-ce que tu en penses?
2. Que penses-tu de cette théière? Je l'achète ou je laisse tomber?
3. Je crois que je vais acheter ces bijoux. Qu'en penses-tu? Trente dirhams, c'est une bonne affaire?
4. Je veux acheter un foulard. Tu préfères celui-ci ou celui-là?
5. Je cherche une lanterne pour ma sœur. Je prends celle-ci ou celle-là?
6. J'ai envie de m'acheter des babouches. Tu trouves celles-ci comment?

Point culture

Le souk est un marché couvert situé dans une médina (la partie ancienne d'une ville arabe). On y trouve de tout: babouches (chaussures en cuir), djellabas (tuniques traditionnelles), miroirs, instruments de musique …

2 écouter

Écoutez. Copiez et complétez le tableau en anglais. (1–4)

	object	price wanted	price offered	price agreed
1	bag	55	30	35

dirhams *Moroccan currency (£1 ≈ 15 dirhams)*

Using demonstrative adjectives and pronouns *> Page 233*

Demonstrative adjectives (*ce*, *cet*, *cette*, *ces*) and pronouns (*celui-ci*, *celle-là*, etc.) must agree with the noun they refer to or replace.

	masc sg	**fem sg**	**masc pl**	**fem pl**
this/these	*ce (cet in front of a vowel)*	*cette*	*ces*	*ces*
this one/ these ones	*celui-ci*	*celle-ci*	*ceux-ci*	*celles-ci*
that one/ those ones	*celui-là*	*celle-là*	*ceux-là*	*celles-là*

3 écrire

Traduisez les messages en français.

1. I'm going to buy this musical instrument.
2. I love these scarves. What do you think of them?
3. I want to buy a mirror. Do you prefer this one or that one?
4. I like these *djellabas*. Do you prefer these ones or those ones?

4 parler

À deux, adaptez le dialogue au souk en changeant les détails soulignés. Utilisez les détails du tableau.

- *Bonjour, monsieur, c'est combien pour ce sac?*
- ■ *Celui-ci?*
- *Non, celui-là.*
- ■ *Celui-là … cinquante-cinq dirhams, monsieur/madame.*
- *Cinquante-cinq dirhams! Ça ne m'intéresse pas à ce prix, c'est beaucoup trop cher. Je suis prêt(e) à payer trente dirhams.*
- ■ *Trente-cinq?*
- *D'accord! Voici trente-cinq dirhams.*

objet	**prix demandé**	**prix du client**	**prix négocié**
tagine (m)	23	10	18
théière (f)	25	15	22
miroir (m)	70	35	50
babouches (fpl)	55	30	35

5 lire Lisez les textes et répondez aux questions.

1 **L'été dernier, j'ai visité Madagascar. On y trouve de jolies bouteilles remplies de sable, et j'en ai acheté beaucoup! J'aime bien faire les boutiques quand je suis en vacances. On parle avec les marchands et on découvre des choses qu'on n'a pas chez nous. Et j'aime bien avoir quelque chose qui me rappelle un bon moment passé en vacances!** **Yann**

2 Il y a deux ans, je suis allée à **New York** et j'ai adoré! En général, j'ai horreur de faire les magasins. À mon avis, les vacances, c'est pour essayer des activités qui sortent du quotidien et ça ne se fait pas dans les magasins! Mais j'ai quand même rapporté des mini-marshmallows de la «Grande Pomme»: tu ne trouveras jamais ça en France! **Karima**

3 Il y a trois ans, j'ai visité **Tahiti** et c'était sensationnel. J'aurais pu rapporter des souvenirs mais j'ai préféré tout simplement prendre des photos. Souvent, on achète des objets inutiles pour les oublier après, et ce n'est pas responsable. Du coup, je n'ai rien acheté. **Arthur**

4 En août, je vais passer quinze jours à **Milan**. J'y vais uniquement pour faire du shopping. La mode me passionne et j'ai l'intention de travailler dans cette industrie, peut-être comme journaliste. Je vais faire les boutiques et prendre des photos, et après j'en parlerai sur mon blog. C'est tout le but du voyage! **Coralie**

Arthur says *J'aurais pu rapporter …* which means 'I could have brought back'. ***J'aurais pu*** is an example of the perfect form of the conditional and it means 'I could have'.

Qui …

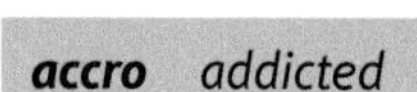

accro *addicted*

1. déteste faire du shopping?
2. est accro au shopping?
3. a choisi de ne pas ramener de souvenirs de vacances?
4. pense à ses vacances en regardant ses souvenirs?
5. pense qu'il ne faut pas acheter quelque chose si on ne va pas l'utiliser?
6. aime discuter avec les gens dans les magasins?
7. préfère essayer de nouvelles choses plutôt que passer du temps dans les magasins?
8. va parler de son expérience shopping en ligne?

6 lire Trouvez dans les textes de l'exercice 5 l'équivalent français de ces phrases.

1. to try activities that are a bit out of the ordinary
2. you discover things that we don't have at home
3. I'm going there just to go shopping
4. you can't do that in shops
5. it's the whole point of the trip
6. you will never find that in France

7 écrire Où êtes-vous allé(e) pour vos dernières vacances? Écrivez un paragraphe sur vos vacances et le shopping.

- Qu'est-ce qu'on y trouvait?
- Qu'est-ce que tu as acheté?
- Tu aimes faire du shopping en vacances, en général?

6 C'était catastrophique!

- *Talking about holiday disasters*
- *Using the pluperfect tense*

1 lire **Lisez les textes. Écrivez les lettres des <u>deux</u> bonnes images pour chaque personne.**

Nina: Moi, j'étais allée à l'agence de voyages et j'avais réservé mon billet d'avion. J'avais fait ma valise et tout était prêt … mais en arrivant à l'aéroport, j'ai réalisé que j'avais oublié mon passeport! J'ai donc raté l'avion et je n'ai pas pu partir en vacances. ☹ J'étais vraiment triste …

Malahat: Avant de partir en vacances, j'avais fait des recherches et j'avais découvert que c'était possible de nager avec les dauphins près de Cannes. Je voulais absolument le faire. Malheureusement, la veille de la sortie, je suis tombée en sortant de la voiture et je me suis cassé la jambe, alors je n'ai pas pu nager avec ces créatures formidables. Quel dommage!

Orlando: Mes vacances avaient bien commencé: je passais mes journées à la plage, je lisais et je me faisais bronzer, comme j'avais voulu. Mais un jour, je me suis endormi et j'ai pris un coup de soleil affreux. J'avais extrêmement mal et j'ai dû aller chez le médecin. ☹ Quelle horreur!

Diego: Mon père avait décidé que nous allions partir en vacances en camping-car. Avant de partir, il avait tout préparé: la route, les affaires, les repas … Mais le camping-car est tombé en panne. On n'a pas pu le remplacer parce que tout était réservé. On était bien déçus. ☹

Albane: Moi, j'étais arrivée à Lyon sans incident, mais une fois là-bas, dans le métro, on m'a volé mon sac à main. Il y avait tout dedans: mon argent, mon portable, mon permis de conduire. C'était catastrophique! Au lieu d'aller au restaurant, je suis allée au commissariat. ☹ À l'avenir, je ferai plus attention.

a 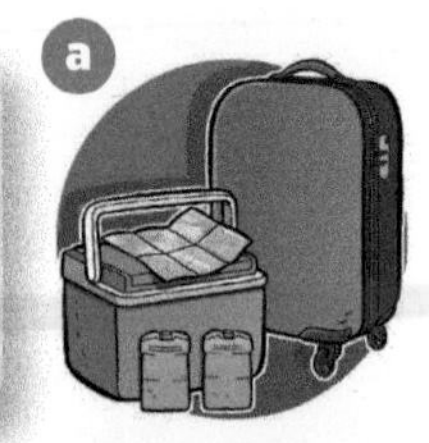

b 

c 

d 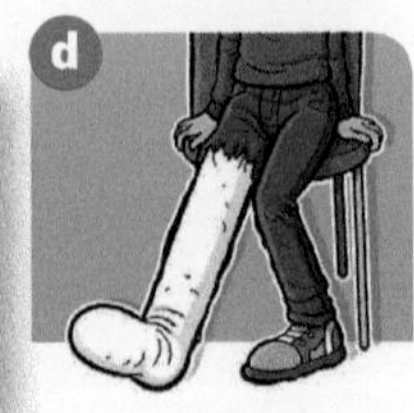

e 

f 

g 

h 

i 

j 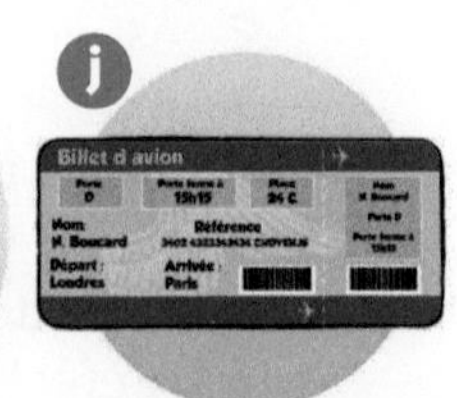

2 lire **Cherchez les verbes au plus-que-parfait dans les textes de l'exercice 1. Copiez et complétez le tableau.**

example of the pluperfect	English
j'étais allée	*I had gone*

The past participles of modal verbs are irregular.

pouvoir (to be able to) → ***pu***
devoir (to have to) → ***dû***
vouloir (to want to) → ***voulu***

Can you find an example of each of these verbs in the exercise 1 texts, used in either the perfect tense or the pluperfect tense?

The pluperfect tense > *Page 229*

You use the pluperfect to say 'had been', 'had gone', etc.

It is formed of two parts:

1 the **imperfect tense** of the auxiliary verb ***avoir*** or ***être***
2 the <u>past participle</u>.

*j'**avais** <u>réservé</u>* (I had reserved)
*j'**étais** <u>parti(e)</u>* (I had left)

For verbs with *être*, the past participle must agree with the subject, e.g. *nous étions parti**s*** (we had left).

3 *lire* **Traduisez les textes de Diego et d'Albane en anglais (exercice 1).**

4 *écouter* **Écoutez. Copiez et complétez le tableau en anglais. (1–4)**

	before going on holiday	problem	consequence	next time
1				

un arrêt	*a stop*
un ascenseur	*a lift*

When the speakers say what they will do differently next time, they use the simple future tense, e.g. *je **ferai*** (I will do).

5 *parler* **À deux, faites la description de ces vacances catastrophiques.**

	Avant de partir, ...	Mais/Pourtant ...	Alors/Donc ...
1			
2			
3			
4			

Avant de partir,	j'avais réservé/ fait/ découvert/ décidé/ préparé ... j'étais allé(e) ...
Mais/Pourtant ...	(+ *perfect tense*)
Alors/Donc ...	j'ai dû aller au commissariat/ à l'hôpital ... j'étais ...
Quelle horreur!	

6 *écouter* **Écoutez et répondez aux questions en anglais.**

1 What do 71% of French holidaymakers opt for?
2 Where do the three busiest roads lead to?
3 What is said about Saturdays during the holiday period?
4 What advice is given for people driving in France?
5 What should you make photocopies of?
6 What should you stay calm in the face of? List two of the problems mentioned.
7 What should you not forget?

7 *écrire* **Écrivez un texte sur des vacances catastrophiques.**

Module 5 Contrôle de lecture et d'écoute

1 lire **Read the comments on the forum. Answer the questions in English.**

Comment seraient vos vacances idéales?

Noémie: Moi, je logerais dans un gîte à la campagne. Je viens d'une grande famille alors de préférence, je voyagerais seule parce que je préfère le calme, ou j'irais peut-être avec ma meilleure copine, si elle était libre.

Abdoul: Je partirais en vacances de neige. Je n'ai jamais fait de ski avant mais je pense que j'apprendrais vite parce que j'adore les sports extrêmes. En plus, je rencontrerais des filles et des garçons sympa et on deviendrait bons amis.

Jade: Si j'avais beaucoup d'argent, je ferais le tour du monde avec mes frères et mes copains. Je nagerais avec les poissons tropicaux. J'ai toujours voulu savoir nager mais malheureusement, mes parents ne m'encourageaient pas à faire assez d'efforts à la piscine.

(a) Who would go on their ideal holiday with their family?
(b) Who would make new friends?
(c) What does Jade say about her parents' attitude to her swimming?
(d) Why would Noémie travel alone?
(e) What would Abdoul learn to do?

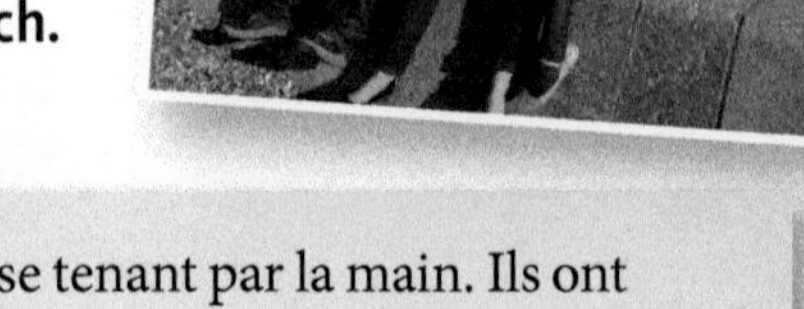

2 lire **Read this literary extract. In this story, three children are at a beach.**

«La Plage» from *Instantanés* by Alain Robbe-Grillet

Trois enfants marchent le long d'une grève. Ils s'avancent, côte à côte, se tenant par la main. Ils ont sensiblement la même taille, et sans doute aussi le même âge: une douzaine d'années. Celui du milieu, cependant, est un peu plus petit que les deux autres.

Hormis ces trois enfants, toute la longue plage est déserte. C'est une bande de sable assez large, uniforme, dépourvue de roches isolées comme de trous d'eau, à peine inclinée entre la falaise abrupte, qui paraît sans issue, et la mer.

Il fait très beau. Le soleil éclaire le sable jaune d'une lumière violente, verticale. Il n'y a pas un nuage dans le ciel. Il n'y a pas non plus de vent. L'eau est bleue, calme, sans la moindre ondulation venant du large, bien que la plage soit ouverte sur la mer libre, jusqu'à l'horizon.

la grève *beach*

Write the letter of the correct answer to each question.

1 What size is the child in the middle?
- **A** a bit smaller than the other two
- **B** a lot smaller than the other two
- **C** a bit bigger than the other two
- **D** exactly the same size as the others

2 What does the author say about the beach?
- **A** It is full of children.
- **B** It is empty, except for the three children.
- **C** It is not very long.
- **D** It is dirty.

3 What is the weather like?
- **A** It's not particularly good.
- **B** There's thunder and lightning.
- **C** It's sunny.
- **D** It's hailing.

4 What else does the author say about the weather?
- **A** The sky is cloudy.
- **B** It's cold.
- **C** It's getting windier.
- **D** It's not windy.

5 How does the author describe the sea?
- **A** It is choppy.
- **B** It is still.
- **C** There are lots of big waves.
- **D** There are boats on the horizon.

Translate this passage into English.

Les Belges sont ceux qui partent le plus à l'étranger. Ils aiment surtout passer leurs vacances en France et leur destination préférée est la mer. Ils aiment le style de vie français, la diversité des paysages et la proximité géographique. Pour eux, la France est un pays intéressant en été comme en hiver, où on peut faire beaucoup d'activités différentes.

Édouard et Yasmina parlent de leurs vacances. Qu'est-ce qu'ils disent? Choisissez la bonne fin de chaque phrase.

1 Édouard a choisi …
- **A** d'acheter des porte-clés.
- **B** d'acheter des tee-shirts.
- **C** de ne pas prendre de photos.
- **D** de ne pas rapporter de souvenirs de vacances.

2 Édouard préfère …
- **A** faire les boutiques.
- **B** essayer des activités qui sortent du quotidien.
- **C** acheter des vêtements.
- **D** acheter des nouveautés.

3 Yasmina …
- **A** achète souvent des souvenirs de vacances.
- **B** n'achète jamais de souvenirs de vacances.
- **C** achète rarement des souvenirs de vacances.
- **D** achète quelquefois des souvenirs de vacances.

4 Yasmina est restée …
- **A** un week-end à Pise.
- **B** une semaine à Pise.
- **C** deux semaines à Pise.
- **D** un mois à Pise.

You are listening to a conversation about Marc's holiday. Listen and answer the following questions in English.

(a) Apart from the price, what was Marc's other reason for choosing the hotel in Barcelona?
(b) What was wrong with the hotel room? Give one example.
(c) What activities had he wanted to do on holiday? Give one example.
(d) What happened in the underground?
(e) Why was this not a catastrophe?

You hear Lilou taking about her family's opinions on transport. Write down the two correct letters for each question.

1 What does Lilou say about her parents?
- **A** Her mother doesn't like to spend a lot of money on travelling.
- **B** Her mother finds travelling by plane boring.
- **C** Her mother likes airline meals.
- **D** Her dad never travels by plane.
- **E** Her dad doesn't like waiting at customs.

2 What does Lilou say about her brother and sister?
- **A** Her brother is concerned about the environment.
- **B** Her brother is always in a hurry.
- **C** Her sister walks everywhere.
- **D** Her sister likes to travel light.
- **E** Her sister doesn't worry about traffic jams.

In this type of listening task, the incorrect options often contradict something that is said in the audio, so don't jump to conclusions if you hear related vocabulary. Listen carefully. For example, for question 1, statement A, you will hear the phrase *ça coûte cher*. Listen carefully – what else is said and what does the full sentence mean?

A – Role play

Look at the role play card and prepare what you are going to say.

Topic: Travel and tourist transactions

Situation: At the train station. Your teacher will play the role of the train station employee and will introduce the situation. Then you **must**:

- begin the role play
- use the points below to help you prepare what you have to say:
  - (**salutation**) means that you must greet the other person
  - **?** means that you will have to ask a question
  - **!** means that you will have to answer an unexpected question.

À la gare. Vous achetez un billet de train.

1 Dire: (**salutation**)
2 Dire: le billet que vous voulez
3 **!**
4 Demander **?**: quai?
5 Demander **?**: prix?
6 **!**
7 Dire: ce que vous avez fait hier

You're buying a train ticket. You know you have to ask about the platform and the price. What other questions might you be asked?

Billet means 'ticket', but how do you ask for a single or return train ticket? You could start with ***Je voudrais …***

Compare your answers with a partner and practise what you are going to say.

Using your notes, listen and respond to the teacher.

Listen carefully to the two unexpected questions (**!**) and respond appropriately.

If you don't understand the teacher's question straight away in the exam, you can always ask them to repeat the question by saying: *Vous pouvez répéter la question, s'il vous plaît?*

You can also use fillers to play for time while you come up with your answers: *Voyons, … Alors, …*

Now listen to Nur performing the role play task.

B – Picture-based discussion

Topic: Local area, holiday, travel

Look at the picture and the bullet points.
– **!** means you must answer an unexpected question.

On va discuter de:

- la photo
- pourquoi les vacances sont importantes
- la dernière fois que tu as mangé au restaurant
- tes vacances idéales
- **!**

Look at the picture and read the task. Then listen to Alyssa's answer to the first bullet point.

1. In what order does Alyssa mention the following?
   - **A** what the weather is like
   - **B** how she thinks the people are feeling
   - **C** who is in the picture
   - **D** what their hobbies might be
   - **E** what they are wearing
   - **F** where they are and what they are doing
2. What do you think *une fille … et un homme qui doit être son père* means?
3. What two phrases does Alyssa use to introduce her opinions?
4. Which present participle does she use?

Listen to and read how Alyssa answers the second bullet point.

1. Write down the missing word(s) for each gap.
2. Look at the Answer booster on page 116. Note down at least six things that she does to make her answer a good one.

Je suis tout à fait d'accord avec vous. Pour moi, les vacances, c'est **1** ______ de me détendre, et c'est **2** ______. C'est vrai qu'on peut **3** ______ sans partir en vacances mais quand on n'est plus **4** ______, on peut vraiment s'échapper de la vie **5** ______. Personnellement, je pense que les vacances, c'est pour essayer de **6** ______ activités. **7** ______ en Espagne l'année dernière, j'avais fait **8** ______ et j'avais découvert que c'était possible de faire du **9** ______. J'en ai fait et je me suis très bien amusée!

Listen to Alyssa's response to the third bullet point.

1. Make a note in English of six details that she gives.
2. Apart from the perfect and imperfect tenses, which other tenses does she use in her answer?

4 écouter

Listen to Alyssa's response to the fourth bullet point.
Note down examples of how she justifies what she says.

Listen out for connectives like *parce que* and *car* (because/as), *donc* and *alors* (so/therefore) and *comme* (as).

5 parler

Prepare your own answers to the first four bullet points.
Try to predict which unexpected question you might be asked.
Then listen and take part in the full picture-based discussion with your teacher.

Answer booster	Aiming for a solid answer	Aiming higher	Aiming for the top
Verbs	**Three time frames:** present, past, future	**Different persons of the verb** **Different tenses to talk about the past** (the perfect and imperfect tenses)	**The future tense** **The conditional** **The pluperfect tense** **Reflexive verbs in the perfect tense** ***en* + present participle**
Opinions and reasons	*Je pense que …* *À mon avis,/Pour moi, …* *parce que …*	**More variety:** *Je trouve que …* *Je crois que …* *Personnellement, …* *De préférence, …*	**More sophisticated phrases:** *Si j'avais le choix, je* + conditional
Connectives	*et, ou, mais, aussi, puis, ensuite* *quand, lorsque* *parce que, car*	*où, comme*	*cependant*
Other features	**Negatives:** *ne … pas, ne … jamais, ne … rien* **Qualifiers:** *très, un peu, assez, vraiment, trop, presque*	***avant de* + infinitive** **a range of negatives:** *ne … plus, ne … que, ne … aucun(e) …* **The pronoun *y*:** *J'y retournerai* **The relative pronoun *qui*** **Demonstrative adjectives:** *ce, cette, ces*	**The relative pronoun *que*** **Direct object pronouns:** *Je le/la/les recommande.*

A – Extended writing task

Look at the task. For each bullet point, make notes on:

- the tense(s) you will need to use
- the structures and vocabulary you could use
- any details and extra information you could include to improve your answer.

Les vacances

Un magazine français cherche des articles sur les vacances pour son site Internet.

Écrivez un article sur des vacances mémorables pour intéresser les lecteurs.

Vous **devez** faire référence aux points suivants:

- pourquoi votre famille a organisé ces vacances
- ce que vous pensez des vacances en famille
- un problème qui est arrivé pendant vos vacances
- comment seraient vos vacances de rêve.

Justifiez vos idées et vos opinions.

Écrivez 130–150 mots environ en français.

2 lire **Read Rory's answer on the next page. What do the phrases in bold mean?**

3 lire **Look at the Answer booster. Note down eight examples of language that Rory uses to improve the quality of his answer.**

L'année dernière, **ma mère avait besoin de vacances**. Elle était très fatiguée parce qu'elle travaillait beaucoup et **elle en avait marre**. **On ne faisait pas grand-chose en famille**. Alors, ma mère a loué un camping-car et on est partis au pays de Galles ensemble. On était tous très contents!

Je m'entends très bien avec mes parents et mon frère et je pense que les vacances sont **un moment privilégié pour toute la famille**. En partant en vacances ensemble, **on partage d'agréables expériences**. Cependant, un jour, je partirai sans doute en vacances avec mes copains. Ce sera génial aussi!

Avant de partir, **ma mère avait lu** qu'on pouvait faire une randonnée **au clair de lune**. Malheureusement, elle est tombée en regardant les étoiles, et **elle s'est cassé le pied**. Nous avons dû aller à l'hôpital. Quel dommage!

Si j'avais le choix, je passerais mes vacances sur une île tropicale avec mes amis. On logerait dans un hôtel cinq étoiles. Je suis très sportif alors **je ferais de la plongée sous-marine**. Je ne me reposerais jamais et le soir, **on ferait la fête**. Ce serait extraordinaire!

4 écrire **Now prepare your own answer to the task, using the Answer booster and Rory's text for ideas. Remember to check your answer systematically when you have finished.**

B – Translation

1 écrire **Read the English text and Zainab's translation of it. Write down the missing verb for each gap.**

I spent a single night in this hotel. Before leaving, I had reserved a bedroom with air conditioning and Wi-Fi, but the Wi-Fi didn't work! I chose the half board option but the evening meal was inedible! And while eating, I found a hair in my food. I will never go back there!

J'**1** ______ une seule nuit dans cet hôtel. Avant de **2** ______, j'**3** ______ une chambre avec climatisation et wifi, mais le wifi ne **4** ______ pas! J'**5** ______ pour la formule demi-pension mais le repas du soir **6** ______ immangeable! Et en **7** ______, j'**8** ______ un cheveu dans mon plat. Je n'y **9** ______ jamais!

- Use the perfect tense for single actions in the past.
- Use the imperfect tense to say what something was like, what you used to do or what happened over a period of time. The Wi-Fi didn't just stop working for one single moment, for example, so you will need to use the imperfect for that.
- Use the pluperfect tense to say what you had done (before doing something else).

2 écrire **Translate the following passage into French.**

Before going on holiday, I had reserved this hotel on the internet. Breakfast was complimentary. It was very good value for money. The service was impeccable and, on leaving, I left a tip. I will go back there with pleasure!

When translating, you often can't translate word for word. For instance, do you remember meeting the French phrase for 'it was very good value for money' when learning about hotels in Unit 2?

Module 5 Vocabulaire

En vacances — *On holiday*

l'Algérie	*Algeria*
l'Allemagne	*Germany*
l'Angleterre	*England*
l'Autriche	*Austria*
la Belgique	*Belgium*
la Croatie	*Croatia*
l'Espagne	*Spain*
les États-Unis	*USA*
la France	*France*
le Japon	*Japan*
le Pakistan	*Pakistan*
les Pays-Bas	*Netherlands*
le pays de Galles	*Wales*
la Pologne	*Poland*
la Suisse	*Switzerland*
Normalement, je passe mes vacances en/au/à l'/aux …	*Normally, I spend my holidays in …*
Je vais au bord de la mer/à la campagne/à la montagne.	*I go to the seaside/the countryside/the mountains.*
Je voyage en train/avion/ferry/voiture.	*I go by train/plane/ferry/car.*
Je fais du camping.	*I go camping.*
Je loge dans un gîte/un hôtel/chez ma tante.	*I stay in a holiday cottage/a hotel/with my aunt.*
Je vais avec ma famille/mes grands-parents/mon petit frère	*I go with my family/my grandparents/my little brother.*
C'est génial/extra/assez ennuyeux.	*It's great/excellent/quite boring.*
Je me lève tôt.	*I get up early.*
On se couche tard.	*We go to bed late.*
Je me repose/me prépare.	*I rest/get ready.*
Je m'habille.	*I get dressed.*
Je vais à la plage.	*I go to the beach.*
Je me baigne dans la mer.	*I bathe/swim in the sea.*
Je me promène.	*I go for a walk.*
Je rentre à l'hôtel.	*I go back to the hotel.*
Je sors au restaurant.	*I go out to a restaurant.*
On peut …	*You can …*
faire une visite de Paris	*visit Paris*
faire de l'escalade	*go climbing*
visiter les musées/monuments	*visit museums/monuments*
aller à la pêche/à la plage	*go fishing/to the beach*
jouer à la pétanque	*play petanque, boules*

Les vacances passées et futures — *Holidays past and future*

Tous les ans/Normalement/Tous les étés, …	*Every year/Normally/Every summer, …*
j'achète/je fais/je vais …	*I buy/do/go …*
Hier/L'année dernière/Le week-end dernier, …	*Yesterday/Last year/Last weekend, …*
j'ai vu/visité/acheté …	*I saw/visited/bought …*
je suis allé(e) à …	*I went to …*
L'année prochaine/Le week-end prochain/Demain, …	*Next year/Next weekend/Tomorrow, …*
je vais faire/prendre/aller/visiter …	*I'm going to do/take/go/visit …*

Des vacances de rêve — *Dream holidays*

Je logerais …	*I would stay …*
dans un gîte à la campagne	*in a holiday cottage in the countryside*
dans un hôtel 4 étoiles	*in a 4-star hotel*
dans une auberge de jeunesse	*in a youth hostel*
dans une caravane	*in a caravan*
dans une chambre d'hôte	*in a bed and breakfast*
dans une tente, sur une île déserte	*in a tent on a desert island*
sur un bateau	*on a boat*
Je voyagerais …	*I would travel …*
avec mes copains/copines	*with my friends*
avec ma famille	*with my family*
avec mes parents	*with my parents*
avec mes grands-parents	*with my grandparents*
avec mon lycée	*with my school*
avec une organisation	*with an organisation*
seul(e)	*alone*
Je regarderais le coucher du soleil.	*I would watch the sunset.*
Je nagerais avec les poissons tropicaux.	*I would swim with tropical fish.*
Je ferais des randonnées.	*I would go hiking.*
Je ferais du canoë-kayak.	*I would go canoeing.*
Je me reposerais.	*I would rest.*
Je m'amuserais avec mes copains/copines.	*I would have fun with my friends.*
Je mangerais bien.	*I would eat well.*
Il y aurait …	*There would be …*
un café qui serait ouvert toute la nuit	*a café which would be open all night*
une salle de jeux	*a games room*
des feux d'artifice tous les soirs	*fireworks every night*
des spectacles son et lumière	*sound and light shows*
des visites guidées	*guided tours*
Il n'y aurait aucun bruit!	*There would be no noise!*
Il n'y aurait pas beaucoup d'adultes!	*There wouldn't be many adults!*
Ce serait …	*It would be …*
formidable	*tremendous*
luxueux	*luxury*
merveilleux	*wonderful*
passionnant	*exciting*
pittoresque	*picturesque*
reposant	*restful*
tranquille	*quiet*

À l'hôtel — *At the hotel*

Nous avons passé X jours dans cet hôtel/cette chambre d'hôte.	*We spent X days at this hotel/bed and breakfast.*
Ça s'est très bien passé.	*It all went very well.*
C'était charmant/propre/bien situé très pratique/pas cher/super.	*It was charming/clean/well located very handy/not expensive/super.*
Le service était impeccable.	*The service was impeccable.*
Le Wi-Fi fonctionnait très bien.	*The Wi-Fi worked very well.*
Le petit-déjeuner était offert.	*Breakfast was included.*
Il y avait …	*There was …*
un parking tout près	*a car park nearby*
un micro-ondes/la climatisation dans la chambre	*a microwave/air-conditioning in the room*
Il y avait un très bon rapport qualité–prix.	*It was very good value for money.*
Nous y avons passé un super séjour.	*We had a great stay there.*
Je voudrais une chambre …	*I would like a room …*
pour une personne	*for one person*
pour deux personnes	*for two people*
avec un lit simple	*with a single bed*
avec un grand lit	*with a double bed*
avec une salle de bains	*with a bathroom*
avec une douche	*with a shower*
avec une vue sur la mer	*with a sea view*
Votre chambre est …	*Your room is …*
au rez-de-chaussée	*on the ground floor*
au premier/deuxième étage	*on the first/second floor*

Au restaurant	***At the restaurant***
Je préférerais une table …	*I would prefer a table …*
en terrasse/à l'intérieur	*on the terrace/inside*
Je vais prendre …	*I will have/take …*
le plat du jour/le menu à 30 euros	*the dish of the day/the 30-euro set menu*
(la soupe à la tomate) en entrée	*(the tomato soup) for a starter*
(le filet de loup de mer) comme plat principal	*(the fillet of seabass) for the main course*
(la mousse au chocolat) comme dessert	*(the chocolate mousse) for dessert*
Qu'est-ce que vous avez, comme desserts?	*What desserts do you have?*
On peut avoir l'addition, s'il vous plaît?	*Could we have the bill, please?*
Les prix n'étaient pas excessifs.	*The prices weren't excessive.*
C'était cher.	*It was expensive.*
L'accueil était très chaleureux.	*The welcome was very warm.*
Nous avons dû attendre plus de cinq minutes.	*We had to wait more than five minutes.*
L'ambiance était vraiment agréable.	*The ambiance was really pleasant.*
L'atmosphère était super bruyante.	*The atmosphere was very noisy.*
Le serveur/La serveuse était …	*The waiter/waitress was …*
très attentionné(e)/médiocre	*very attentive/mediocre*
À recommander!	*To be recommended!*
Je n'y retournerai jamais!	*I will never go back there!*
un couteau	*a knife*
une cuillère	*a spoon*
une fourchette	*a fork*
une serviette	*a napkin*

Les plats	**The dishes**
entrées	*starters*
brochettes (fpl) de crevettes	*prawn skewers*
escargots (mpl)	*snails*
soupe (f) à la tomate	*tomato soup*
tarte (f) à l'oignon	*onion tart*
plats principaux	*main dishes*
épaule (f) d'agneau	*lamb shoulder*
cuisse (f) de canard	*duck leg*
gratin (m) dauphinois	*dauphinoise potatoes*
lasagnes (fpl) végétariennes	*vegetarian lasagne*
loup (m) de mer	*sea bass*
poulet (m) basquaise	*Basque-style chicken*
rôti (m) de veau	*roast veal*
desserts	*desserts*
crème (f) brûlée	*crème brûlée*
mousse (f) au chocolat	*chocolate mousse*
roulé (f) au chocolat	*chocolate roll*
sorbet (m)	*sorbet*
tarte (f) au citron	*lemon tart*
tarte (f) aux pommes	*apple tart*

En route!	***On the road!***
Si j'avais le choix, pour aller …	*If I had the choice, to go …*
en Inde/Russie/Chine	*to India/Russia/China*
au Sénégal/Vietnam/Brésil	*to Senegal/Vietnam/Brazil*
… je voyagerais …	*… I would travel …*
en car/train/avion	*by coach/train/plane*
à moto	*by motorbike*
… car c'est/ce n'est pas …	*… because it is (not) …*
rapide/confortable/pratique	*quick/comfortable/practical*
une aventure/la classe	*an adventure/cool*
bon pour l'environnement	*good for the environment*
ennuyeux/fatigant/cher	*boring/tiring/expensive*
un billet	*a ticket*
un aller simple	*a single*
un aller-retour	*a return*
en première classe	*in first class*
en deuxième classe	*in second class*
les horaires	*travel time(s)*
le guichet	*ticket office*
le quai	*platform*
la salle d'attente	*waiting room*

Acheter les souvenirs	***Buying souvenirs***
Je pense acheter (ce tagine).	*I'm thinking of buying (this tagine).*
Qu'est-ce que tu en penses?	*What do you think of it?*
Que penses-tu de (cette théière)?	*What do you think of (this teapot)?*
Je crois que je vais acheter (ces bijoux).	*I think I'm going to buy (this jewellery).*
Je veux acheter (un foulard).	*I want to buy (a scarf).*
Tu préfères celui-ci ou celui-là?	*Do you prefer this one or that one?*
Je cherche (une lanterne).	*I'm looking for (a lantern).*
Je prends celle-ci ou celle-là?	*Shall I take this one or that one?*
J'ai envie de m'acheter des (gants).	*I feel like buying some (gloves).*
Tu trouves celles-ci comment?	*What do you think of these ones?*
Je déteste faire du shopping.	*I hate going shopping.*
Je suis accro au shopping.	*I'm addicted to shopping.*

C'était catastrophique!	***It was catastrophic!***
Avant de partir, j'avais …	*Before leaving I had …*
réservé mon billet d'avion	*booked my plane ticket*
fait ma valise/des recherches	*packed my case/done some research*
découvert/décidé que …	*discovered/decided that …*
tout préparé	*prepared everything*
J'étais allé(e) à l'agence de voyages.	*I had gone to the travel agent's.*
Mais/Pourtant …	*But/However …*
je me suis cassé la jambe	*I broke my leg*
j'ai oublié mon passeport	*I forgot my passport*
j'ai raté l'avion	*I missed the plane*
j'ai pris un coup de soleil affreux	*I got terribly sunburnt*
le camping-car est tombé en panne	*the camper van broke down*
on m'a volé mon sac à main	*my handbag was stolen*
Alors/Donc …	*So …*
j'ai dû aller au commissariat/à l'hôpital/chez le médecin	*I had to go to the police station/hospital/doctor's*
Quelle horreur!	*How awful!*
J'étais triste.	*I was sad.*
On était bien déçus.	*We were really disappointed.*

Les mots essentiels	***High-frequency words***
ce matin	*this morning*
cet après-midi	*this afternoon*
demain	*tomorrow*
hier	*yesterday*
l'année dernière/prochaine	*last/next year*
le dernier soir	*on the last evening*
le week-end dernier/prochain	*last/next weekend*
tous les ans/étés	*every year/summer*
certainement	*certainly, definitely*
du coup	*as a result*
entre temps	*meanwhile, in the meantime*
finalement	*finally, at last*
franchement	*frankly, downright*
toute la journée	*all day*
puis	*then*

6 Au collège
Point de départ

- *Revising school subjects and talking about your timetable*

1 lire

Catégorisez les matières. (Certaines matières peuvent être dans plusieurs catégories.)

obligatoire	*compulsory*
facultatif/-ive	*optional*

1 les langues (vivantes ou anciennes)	2 les sciences	3 mes matières obligatoires	4 mes matières facultatives	5 les matières que je ne fais pas
le latin				

le dessin | la musique | les arts ménagers | la physique/les sciences physiques | l'allemand | l'éducation physique/l'EPS | l'instruction civique | le commerce | la religion | l'art dramatique | l'histoire | l'espagnol | l'histoire-géo | l'économie | le français | la chimie | les maths | la biologie/les Sciences de la Vie et de la Terre | l'anglais | la géographie | les arts plastiques | l'italien | l'informatique | l'étude des médias | la technologie | la sociologie | le latin

2 écouter

Écoutez et complétez l'emploi du temps de Chadia.

Chadia

	lundi	mardi	mercredi	jeudi	vendredi
8h	1	anglais	5	6	9
9h	français	maths	5	maths	français
10h	RÉCRÉATION				
10h15	anglais	arts plastiques	maths	maths	français
11h15	2	4	histoire-géo	allemand	allemand
12h15	DÉJEUNER				
13h30	3	4		sciences vie et terre	sciences physiques
14h30	3	latin		7	10
15h30	sciences vie et terre	histoire-géo		8	10
16h30				EPS	

3 lire

Regardez l'emploi du temps. Écrivez V (vrai) ou F (faux) pour chaque phrase.

1 Mercredi, à 11h15, j'ai histoire-géo.
2 J'ai deux heures de musique par semaine.
3 Je n'ai pas de cours de religion.
4 J'ai quatre heures de sport par semaine.
5 J'apprends quatre langues vivantes.
6 Mes cours finissent à 16h30 tous les jours.
7 J'ai cinq heures de maths par semaine.
8 Je n'ai pas cours le mercredi après-midi.

4 parler

À deux. Posez des questions sur votre emploi du temps et répondez-y à tour de rôle.

Exemple:

● *Qu'est-ce que tu as, le lundi?*

■ *Lundi matin, à 9 heures, j'ai anglais. Puis, à 10 heures 15, j'ai religion. Après, à 11 heures 20, j'ai deux heures de maths.*

5 lire **Lisez le texte. Copiez et complétez le tableau avec les huit matières mentionnées et les opinions.**

Au collège, ma matière préférée, c'est l'EPS. Je suis fort en sport. J'aime aussi le français car c'est facile et le prof est très marrant: il nous fait rire. Je trouve l'art dramatique ennuyeux. La prof est trop impatiente et elle nous critique tout le temps. Je pense que l'allemand est très utile et j'adore les langues étrangères en général. Pour moi, les maths, c'est difficile. Je suis aussi faible en histoire: on a trop de devoirs et la prof est trop sévère. J'aime les Sciences de la Vie et de la Terre parce que c'est passionnant mais je ne suis pas doué en sciences physiques.

Hugo

	matière	☺ ou ☹ ?
1	EPS	☺

G ***Using the definite article***

When talking about likes/dislikes in French, the definite article (**le**/**la**/**les**) is always used in front of the noun, even though we wouldn't use it in English.

J'adore ***le*** *français.* I like French.
J'aime ***les*** *langues.* I like languages.

6 lire **Relisez le texte et trouvez l'équivalent français de ces expressions anglaises.**

1 my favourite subject is …
2 I am good at …
3 the teacher is very funny
4 he makes us laugh
5 I find … boring
6 she criticises us all the time.
7 I think … is very useful
8 I am weak at …
9 we get too much homework
10 the teacher is too strict
11 it's exciting
12 I don't have a talent for …

7 écouter **Écoutez. Qui parle? (1–6)**

8 parler **À deux. Discutez de vos matières.**

Quelle est ta matière préférée? Quelles matières aimes-tu? Quelles matières n'aimes-tu pas? Pourquoi?

<table>
<tr><td colspan="3">Ma matière préférée est …</td><td rowspan="5">parce que/qu'</td><td rowspan="2">c'est</td><td colspan="2" rowspan="2">facile/fascinant/
difficile/utile/inutile.</td></tr>
<tr><td colspan="3">J'adore/J'aime/Je n'aime pas/Je déteste …</td></tr>
<tr><td colspan="2">Je trouve …</td><td rowspan="3">intéressant(e)(s)
passionnant(e)(s)
ennuyeux/euse(s)</td><td>je suis</td><td>fort(e)/faible/doué(e)</td><td>en …</td></tr>
<tr><td rowspan="2">Je pense que …</td><td rowspan="2">est
sont</td><td>le/la prof est</td><td colspan="2">bon(ne)/sympa/marrant(e)/
sévère/gentil(le)/impatient(e).</td></tr>
<tr><td colspan="3">on a trop de devoirs.</td></tr>
</table>

9 écrire **Écrivez un paragraphe de 100 mots sur vos matières. Donnez vos opinions et expliquez vos raisons.**

1 Mon bahut

- *Talking about your school*
- *Using the pronouns* il *and* elle

Reliez les questions et les réponses.

1 Comment s'appelle ton collège?
2 C'est quelle sorte d'école?
3 Il y a combien d'élèves?
4 Quels sont les horaires du collège?
5 Il y a combien de cours par jour?
6 Quelles matières étudies-tu?
7 Quelle est ta matière préférée?
8 Comment sont les professeurs?
9 Qu'est-ce que tu penses de ton collège?

a Les cours commencent à 8h30. La récré est à 10h15 et dure quinze minutes. On a une heure et demie pour le déjeuner et les cours finissent à 16 heures ou à 17 heures.

b C'est un collège mixte pour les élèves de onze à seize ans.

c Pour la plupart, les profs sont sympa mais il y en a qui sont un peu plus sévères.

d Il y a 750 élèves en tout, et quarante-cinq professeurs.

e Je trouve que les journées sont trop longues et qu'on a trop de contrôles. Mais les profs sont excellents.

f Mon collège s'appelle le collège Molière. Beaucoup d'écoles en France portent le nom d'un personnage historique.

g Ma matière préférée, c'est les arts plastiques car j'adore dessiner et je suis doué pour ça.

h J'étudie douze matières dont le français, les maths, l'histoire-géo, et la technologie. Toutes mes matières sont obligatoires. Il n'y a pas de matières facultatives avant le bac.

i Il y a sept cours de cinquante-cinq minutes par jour. Mais le mercredi après-midi, il n'y a pas cours.

dont *including*

2 écouter

Écoutez l'interview de Maria et complétez ses réponses en français. (1–9)

LYCÉE FRANÇAIS
CHARLES DE GAULLE
DE LONDRES

Exemple: **1** Maria va au Lycée Français Charles de Gaulle à Londres.

1 Maria va au Lycée Français ______ à ______.
2 C'est une école pour les enfants ______. Il y a une ______, un ______ et un ______ regroupés au même endroit.
3 Il y a ______ élèves. ______ nationalités différentes sont représentées. ______% des élèves sont français.
4 La journée commence à ______ et les cours se terminent à ______ ou à ______.
5 Il y a ______ ou ______ cours par jour.
6 Maria étudie les matières qui sont ______.
7 Elle aime toutes les matières sauf l'______. Comme langues, elle fait de l'______, de l'______ et de l'______.
8 Les profs sont généralement très ______.
9 L'école est ______ mais Maria est ______ de son école.

3 parler

À deux. Préparez une interview sur votre collège.
Utilisez les questions de l'exercice 1 et adaptez les réponses.

4 écouter **Écoutez et lisez. Devinez l'anglais pour les dix expressions en mauve.**

UNE JOURNÉE TYPE …

… au Centre National du Football de Clairefontaine

Maxime **a de la chance:** il est élève au Centre National du Football près de Paris, où vingt-trois joueurs maximum **sont admis** chaque année. Maxime (treize ans) **suit les traces de** grands footballeurs comme Thierry Henry et Louis Saha.

Maxime **est en internat** du dimanche (21 heures) au vendredi soir mais le week-end, il rentre chez ses parents. Bien sûr, le centre **est très bien aménagé** pour le sport: il y a huit terrains de foot, un gymnase, une salle de musculation et **une piste d'athlétisme.**

Une journée type pour Maxime commence à 6h30 quand il se lève et prend son petit-déjeuner.

À l'intérieur de Clairefontaine, il porte son uniforme Nike. Mais le matin, il s'habille **comme tous les autres collégiens:** en jean, baskets et sweat. Puis il monte dans **le car de ramassage scolaire** qui l'amène à un collège voisin, où il a six heures de cours par jour. Pour ses profs, les résultats scolaires des jeunes joueurs sont aussi importants que leurs performances sur **le terrain de foot.**

Pour Maxime, les cours finissent à 15 heures. De retour au centre, il a **deux heures d'entraînement.** Puis il se douche, il dîne et il fait ses devoirs. Après un peu de temps libre, Maxime se couche à 22 heures.

G Comparisons > *Page 226*

***plus** important(e)(s) que*	**more** important than
***moins** important(e)(s) que*	**less** important than
***aussi** important(e)(s) que*	**as** important as

When you need to work out the meaning of a new word:

- Look at the word. Is it a cognate or near-cognate? Does it look like any other French word you know? But watch out for false friends, e.g. *chance* ('luck', not 'chance').
- Think about the context: what comes before, but also what comes next. Can you make an educated guess?

5 lire **Relisez le texte de l'exercice 4. Écrivez V (vrai) ou F (faux) pour chaque phrase. Corrigez les quatre phrases qui sont fausses.**

1. L'école de Maxime n'accepte que 23 élèves au maximum par année.
2. Thierry Henry est un ancien élève de son école.
3. Maxime est en internat toute la semaine, y compris le week-end.
4. Les installations sportives dans son école sont meilleures que dans une école ordinaire.
5. Maxime porte un uniforme scolaire toute la journée.
6. Il a cours dans un collège près du Centre Clairefontaine.
7. Ses profs pensent que le football est plus important que son éducation.
8. L'après-midi, Maxime se repose.

y compris *including*

6 écrire **Traduisez ce texte en français.**

à + *le* = ?

This is a reflexive verb – don't forget the reflexive pronoun.

Clara is a pupil at the collège Jacques Prévert. A typical day for Clara starts at 7 a.m. when she gets up. She has breakfast then gets on the school bus. Her school starts at 8.15 a.m. and there are seven lessons a day. Her favourite subject is English because the teacher is very nice. She doesn't like geography because she finds it difficult. Her lessons finish at 4 p.m.

G *Present tense: the third person singular*

For regular ***-er*** verbs, the third person singular (*il/elle*) ending is ***-e***.

Irregular verb forms like *il/elle **va*** and *il/elle **fait*** must be learned.

The possessive adjective is ***son/sa/ses***, depending on the gender of the noun it accompanies: there are not separate words for 'his' and 'her'.

2 L'école chez nous, l'école chez vous

- *Comparing school in the UK and French-speaking countries*
- *Using the pronouns ils and elles*

Lisez le quiz et choisissez la bonne fin de chaque phrase.

QUIZ Que savez-vous sur le système scolaire en France?

1 Les enfants doivent aller à l'école ...
a de 6 à 16 ans. **b** de 5 à 18 ans.
c de 7 à 18 ans.

2 À 11 ans, les élèves sont en ...
a première. **b** sixième. **c** septième.

3 Les écoles ne proposent pas de cours ...
a de sport. **b** d'instruction civique.
c de religion.

4 À l'école, les élèves portent ...
a un uniforme scolaire. **b** un tablier.
c leurs propres vêtements.

5 Généralement, les cours commencent ...
a avant 8h30. **b** à 9h. **c** après 9h30.

6 Les grandes vacances durent ...
a 4 semaines. **b** 6 semaines. **c** 2 mois.

7 Les élèves qui ne font pas assez de progrès ...
a redoublent.
b passent en classe supérieure.
c changent d'école.

8 Les élèves achètent ...
a leurs propres stylos et règles, etc.
b tout.
c rien: tout est payé par l'école.

9 Avant de quitter le collège, les élèves passent ...
a les examens GCSE. **b** le brevet des collèges.
c le baccalauréat.

10 En quittant le collège, les élèves peuvent continuer leurs études ...
a au lycée. **b** à l'université. **c** en primaire.

2 écouter **Écoutez et vérifiez vos réponses. (1–10)**

G ***Present tense: the third person plural***

For regular ***-er*** verbs, the *ils/elles* ending is ***-ent***, e.g. *ils port**ent***.
Remember that these verbs are **irregular**:
*aller → ils **vont*** *avoir → ils **ont*** *devoir → ils **doivent***
*faire → ils **font*** *être → ils **sont*** *pouvoir → ils **peuvent***
The possessive adjective is ***leur*** or ***leurs***, depending on whether the noun is singular or plural.

The ***-ent*** verb ending is silent:
ils portent sounds the same as *il porte*.

3 parler **À deux. Utilisez le graphique pour parler de l'école au Royaume-Uni. Posez des questions et répondez-y à tour de rôle.**

Exemple:
- *Combien d'élèves vont à une école publique?*
- *Quatre-vingt-treize pour cent des élèves vont à une école publique.*

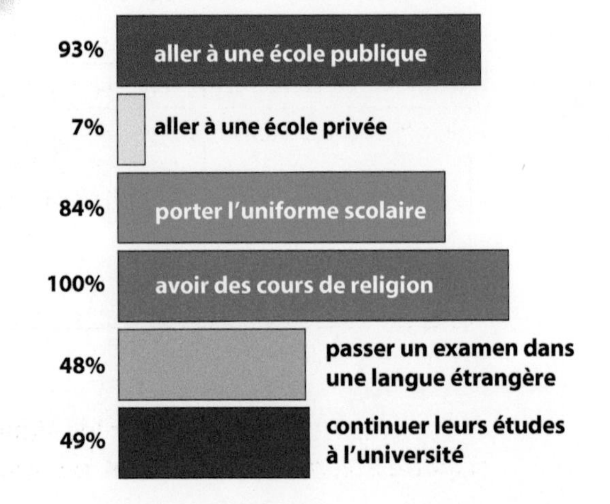

4 écrire **Écrivez un quiz à choix multiple sur le système scolaire dans votre pays. Utilisez les idées des exercices 1–3 et vos propres idées.**

Écoutez et répondez aux questions en anglais. (1–3)

1 **a** What are the typical school hours in Canada?
b What clubs are popular?
c Why is French important?

2 **a** What are the school hours on Réunion Island?
b Why is there a long lunch hour?
c What lunchtime activities might be offered?

3 **a** In Mali, how large might classes be?
b What are the school hours and why?
c What might pupils study in addition to subjects like French, maths and science?

Use your knowledge of sound–spelling links to help you visualise how a new word you hear might be spelled. This can help you work out its meaning.

Lisez les messages et répondez aux questions.

Ciel33: Je trouve que deux mois, c'est un peu trop. On oublie tout ce qu'on a appris et on ne voit pas ses copains pendant plusieurs semaines.

dantheman: C'est difficile pour mes parents car ils travaillent tous les deux pendant l'été mais ça me permet de me détendre après une année scolaire difficile.

Mélimélo5: Pour la rentrée, on a une liste longue comme le bras: il y a des parents qui n'ont pas les moyens de tout payer.

Gilette100: Je suis toujours très fatiguée car je dois me lever à 6h15 pour arriver à temps. Je rentre à 18h30. On ne travaille pas bien quand on n'est pas en forme.

Sometimes you have to **infer** an answer from what you read as you won't find it word for word in the text. For example, to find the person who thinks that the school day is too long, you need to find who gets too tired to learn during the day.

Qui pense que …

1 l'école devrait fournir l'équipement scolaire?
2 la journée scolaire est trop longue?
3 les grandes vacances sont importantes?
4 les grandes vacances sont trop longues?

À deux. Préparez une présentation qui dure <u>une minute minimum</u> sur l'école dans votre pays et dans un pays francophone.

En Angleterre, En Écosse, Au pays de Galles, En Irlande du Nord,	on va à l'école de … ans à … ans	mais	en France,	ils vont …
	l'école commence à … heures et finit à … heures		au Canada,	l'école commence …
	on porte/achète/étudie …	et		ils portent/achètent/étudient …
	on ne redouble pas		au Mali,	ils (ne) redoublent (pas).
Je préfère le système	anglais/écossais/gallois/ nord-irlandais/français/ canadien/malien	parce que/qu'	les horaires sont plus raisonnables. l'uniforme scolaire est pratique/inutile. l'école fournit l'équipement. le redoublement (n')est (pas) une bonne idée. on (n')étudie (pas) …	

Écrivez un article de blog sur les similarités et les différences entre le système scolaire en France et dans votre pays.

3 Liberté, égalité, fraternité?

- *Discussing school rules*
- *Using* il faut *and* il est interdit de

1 lire **Lisez et reliez les images et les règles.**

Règlement intérieur

a. Il faut être à l'heure.
b. Il est interdit de mâcher du chewing-gum.
c. Il faut faire ses devoirs.
d. Il ne faut pas manquer les cours.
e. Il est interdit d'utiliser son portable en classe.
f. Il est interdit de porter des bijoux, des piercings ou trop de maquillage.
g. Il est interdit de harceler d'autres élèves.
h. Il faut porter l'uniforme scolaire.
i. Il ne faut pas tricher pendant un contrôle.
j. Il est interdit de sortir de l'école pendant l'heure du déjeuner.

1 ✗ 2 ✗ 3 ✗ 4 ✗ 5 ✗ 6 ✗ 7 ✓ 8 ✓ 9 ✓ 10 ✗

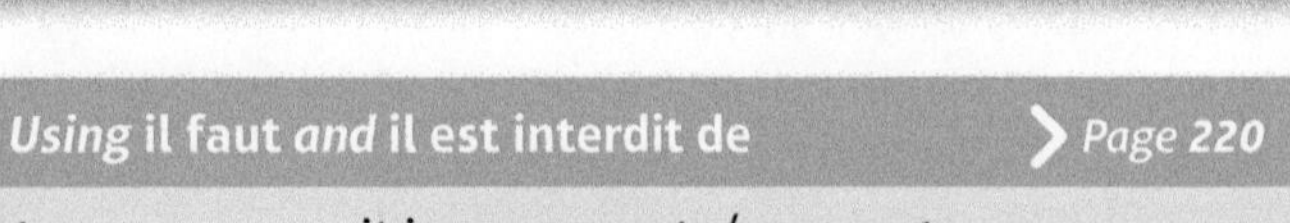

G *Using* **il faut** *and* **il est interdit de** > *Page 220*

il faut … it is necessary to/you must …
il est interdit de … it is forbidden to/you must not …

Both expressions are followed by the infinitive.

Il faut ***être*** *à l'heure.* You must **be** on time.
Il est interdit de ***manquer*** *les cours.* You must not **skip** lessons.

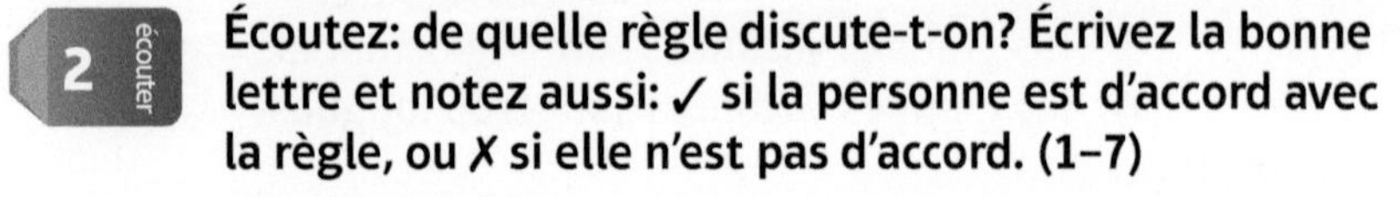

2 écouter **Écoutez: de quelle règle discute-t-on? Écrivez la bonne lettre et notez aussi: ✓ si la personne est d'accord avec la règle, ou ✗ si elle n'est pas d'accord. (1–7)**

Exemple: **1** f ✓

Listen to the whole of what each person says before making up your mind: they might say something positive but actually disagree overall, or vice versa!

3 parler **À deux. Discutez des règles de l'exercice 1. Est-ce que vous êtes d'accord avec ces règles?**

Dans cette école,	il faut … il est interdit de …		
Je trouve ça	raisonnable juste logique	parce que/qu' car	c'est/ce n'est pas dangereux. il faut protéger les jeunes. on n'est pas des bébés. il faut respecter les autres. la mode n'a pas de place à l'école. c'est/ce n'est pas important. l'école, c'est pour apprendre.
	injuste ridicule frustrant		

Je pense que tu as raison.

Ah non, tu as tort.

Moi aussi, je trouve que …

Tu rigoles!

4 écrire **Écrivez cinq phrases sur le règlement de votre collège. Donnez vos opinions et expliquez vos raisons.**

Exemple: Dans mon collège, il est interdit de jouer au foot dans la cour. Je trouve ça logique parce que c'est dangereux et parce qu'il faut respecter les autres.

5 lire **Lisez le blog et notez les numéros des cinq phrases qui sont vraies.**

Je trouve que le règlement de mon collège est trop strict. Il y a deux jours, il faisait chaud donc je suis venue en short. À cause de ça, j'ai eu une heure de retenue entre 17 heures et 18 heures: j'ai dû copier des lignes. Quelle perte de temps! En plus, comme dans toutes les écoles en France, il est interdit de porter des signes religieux, mais je trouve ça injuste – j'ai des copines musulmanes qui voudraient porter le foulard et elles n'ont pas le droit.

Je ne comprends pas non plus pourquoi il ne faut pas avoir de portable en classe. Je trouve mon smartphone très utile pour mes devoirs. Mais quand mon copain Bruno a pris une photo en classe, le prof s'est mis en colère et a confisqué son portable.

À midi, certains élèves mangent à la maison mais pour nous autres, il est interdit de sortir du collège. La semaine dernière, je suis allée en ville au lieu de manger à la cantine. Un surveillant m'a vue et j'ai encore eu une heure de colle.

Je comprends pourquoi il faut avoir des règles. Le harcèlement, les élèves qui sèchent les cours, le tabac: ce sont de vrais problèmes. Mais dans mon collège, on ne nous traite pas comme des adultes. C'est comme si j'étais toujours en maternelle!

Aïnhoa

1. Aïnhoa trouve les règles de son collège injustes.
2. Elle a eu une heure de retenue à cause de ses bijoux.
3. Les élèves français ne peuvent pas mettre de symboles associés à leur religion pour aller à l'école.
4. Il n'est pas interdit d'utiliser un portable pendant les cours.
5. Le prof était furieux car Bruno a utilisé l'appareil photo sur son portable.
6. À midi, il faut rester à l'intérieur du collège.
7. Aïnhoa n'est d'accord avec aucune règle de son école.
8. Elle trouve que son collège traite les élèves comme des bébés.

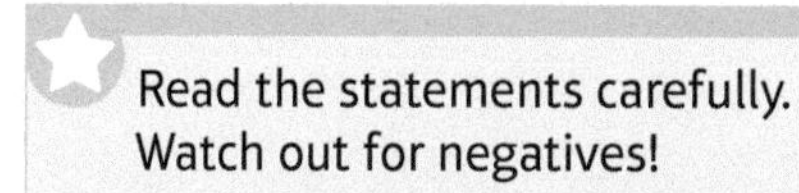

Read the statements carefully. Watch out for negatives!

Point culture

En France, il n'y a pas de religion officielle. L'État est neutre. À l'école, personne n'a le droit de porter des signes (vêtements, bijoux, etc.) qui mettent en avant sa religion.

6 écouter **Écoutez. Copiez et complétez le tableau en anglais. (1–5)**

	incident	parent's reaction
1	pupil skipped a science lesson	surprised
2		

surprised furious worried understanding disappointed

7 écrire **Traduisez ce texte en français. Utilisez le blog d'Aïnhoa pour vous aider.**

I understand why it is necessary to have rules. But in my school it is forbidden to wear jewellery. I find that ridiculous. Yesterday I wore jewellery in class. The teacher got angry and confiscated it. Because of that I got one hour of detention. What a waste of time! I think that the rules in my school are very unfair.

4 Vive la scolarité!

- *Talking about getting the best out of school*
- *Using the imperative*

1 lire **Lisez l'article. Reliez les conseils et les images.**

Exemple: **1** d

la scolarité	*school years*

10 conseils pour profiter au maximum de sa scolarité

1. Présentez-vous pour être délégué(e) de classe: l'expérience vous sera très utile.
2. Levez la main autant que possible en classe: vous ferez bonne impression et les profs vous trouveront enthousiaste.
3. Participez à la chorale: les recherches ont prouvé que le chant fait du bien au corps et à l'esprit.
4. Soyez «écolo»: remplissez toutes les pages de vos cahiers et triez correctement ce que vous jetez.
5. N'ayez pas peur de remettre en cause les attitudes sexistes, racistes ou homophobes parmi vos camarades de classe pour essayer de combattre la discrimination dans votre école.
6. Faites une activité sportive: ça détend et vous vous ferez de nouveaux amis.
7. N'oubliez pas de remercier vos profs: un simple «merci» remontera le moral du prof, même le plus sévère!
8. Soyez gentils avec les plus jeunes: vous avez été en sixième, vous aussi!
9. Profitez des sorties scolaires: une pièce de théâtre, un échange à l'étranger ou une simple visite au musée, ce sont souvent les moments les plus mémorables de la scolarité.
10. Et finalement, amusez-vous bien! Vos années scolaires seront bientôt finies.

a 

b 

c 

d 

e 

f 

g 

h 

i 

j 

2 lire **Choisissez cinq conseils de l'exercice 1 et traduisez-les en anglais.**

When you are translating from French to English, think carefully about what sounds natural in English. For example, when translating *profitez*, 'make the most of' sounds better than 'profit from'.

3 écouter **Écoutez et choisissez la bonne image de l'exercice 1. (1–10)**

Exemple: **1** b

4 écrire **Écrivez en français cinq conseils pour un nouveau prof dans votre collège. Utilisez l'impératif.**

Exemple: **1** Soyez gentil avec vos élèves.

G *The imperative*

You use the imperative to give instructions. Recap how to form it using the grammar box on page 76. In addition, **for reflexive verbs**, add *-toi* or *-vous*:

tu t'amuses (you have fun)
→ *Amuse-**toi**!* (Have fun!)
vous vous présentez (you put yourself forward)
→ *Présentez-**vous**!* (Put yourself forward!)

***avoir* and *être* are irregular**:
être → tu form: *sois* → ***Sois** écolo!* (Be green!)
vous form: *soyez* → ***Soyez** écolo!*
avoir → tu form: *aie* → *N'**aie** pas peur!* (Don't be afraid!)
vous form: *ayez* → *N'ayez pas peur!*

5 lire Lisez le texte puis complétez le résumé avec des verbes au futur.

Fin juin, je quitterai mon collège. À la rentrée, je serai en seconde au lycée Ampère, un grand lycée à dix kilomètres de chez moi.

J'ai l'intention de profiter au maximum de mon nouveau lycée! Je ne suis pas délégué de classe en ce moment mais au lycée, je me présenterai à l'élection. Un délégué de classe aide ses camarades de classe et les représente aux conseils de classe, ce que je trouve très important.

Au lycée, il y a plein de clubs et d'activités culturelles. En ce moment, je suis membre d'un club de basket mais au lycée, je jouerai au hand et au foot. J'écrirai aussi des articles pour le journal du lycée car je m'intéresse au journalisme. Ce sera une expérience très utile.

Je verrai des films au ciné-club et je participerai au club de théâtre. L'année prochaine, le club montera *Les Misérables*. J'ai hâte d'être dans un grand spectacle musical comme ça.

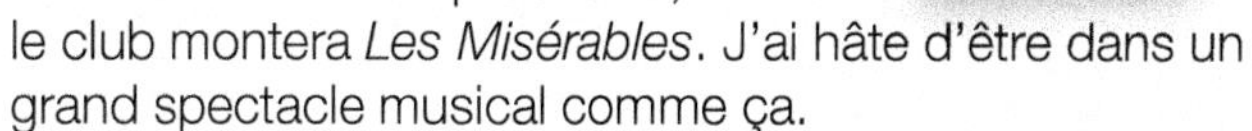

En classe, je continuerai à travailler trés dur. Pour moi, l'important, c'est d'avoir de bonnes notes et d'être bien dans sa peau.

- En juin, Amaury **1** ______ son collège et en septembre, il **2** ______ en seconde au lycée.
- Il se **3** ______ pour être délégué de classe car il trouve ce rôle important.
- Au collège il joue au basket mais au lycée il **4** ______ au hand.
- Il **5** ______ des articles pour le journal et il **6** ______ des films au ciné-club. Il **7** ______ au club de théâtre.
- En classe, il **8** ______ très dur.

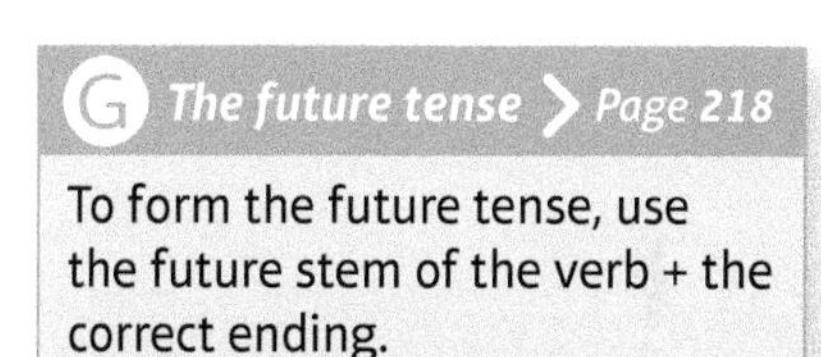

G *The future tense* > *Page 218*

To form the future tense, use the future stem of the verb + the correct ending.

*je quitter**ai*** (I will leave)
il** quitter**a (he will leave)

je** ser**ai (I will be)
il** ser**a (he will be)

6 écouter Écoutez et écrivez les lettres des deux bonnes phrases pour chaque personne. (1–5)

C'est quoi, ton plus grand accomplissement au collège?

Exemple: **1** b, …

- **a** Je joue dans l'équipe de rugby.
- **b** Je représente les opinions de mes camarades de classe.
- **c** Je n'oublierai jamais cette expérience.
- **d** Je fais partie du club de théâtre.
- **e** C'est une bonne préparation pour la vie d'adulte.
- **f** Je suis fier/fière car je n'ai pas beaucoup confiance en moi.
- **g** Ce succès est mérité car je travaille très dur.
- **h** J'ai donné un concert.
- **i** J'ai toujours de bons commentaires sur mon bulletin scolaire.
- **j** C'est un honneur de représenter son école.

7 parler À deux. Parlez de vos plus grands accomplissements au collège.

- ● *Quels sont tes plus grands accomplissements au collège, et pourquoi?*
- ■ *Un de mes plus grands accomplissements, c'est que je fais partie d'un groupe de théâtre. J'ai chanté et dansé dans* Oliver. *Je n'oublierai jamais cette expérience!*
- ● *C'est génial! Et il y a autre chose?*
- ■ *En plus, je joue dans l'équipe de basket …*

– Use or adapt phrases from exercise 6.
– Give your reaction to your partner's accomplishments:
Bravo! C'est excellent! Tu as raison, ce succès est mérité/c'est un honneur. Tu as raison d'être fier/fière. J'aimerais bien faire ça aussi.

5 En échange

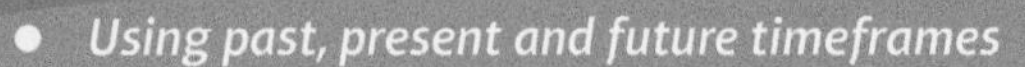

- *Talking about a school exchange*
- *Using past, present and future timeframes*

Écoutez les opinions sur les échanges scolaires. Notez la bonne lettre pour chaque personne. (1–5)

Pourquoi faire un échange scolaire?

a On se fait de nouveaux amis.
b On améliore ses compétences en langue.
c On habite chez une famille d'une culture différente.
d On visite un nouveau pays ou une nouvelle région.
e On apprécie non seulement les différences mais aussi les similarités entre nos vies.

The pronoun on

On can mean 'one', 'you' or 'we'. It is used a lot in French: much more than we would use the pronoun 'one' in English.

It is used when talking about people in general and takes the same verb form as *il/elle*:

***On** amélior**e** ses compétences en langue.*
You improve your language skills.

Lisez les messages des élèves français qui font un échange en Angleterre. Complétez les messages avec les verbes de l'encadré.

Exemple: **1 a** va, …

1 Tout **a** ______ bien ici en Angleterre. Je **b** ______ dans le car avec nos correspondants anglais et on est en route pour un parc d'attractions. Hier, dans le bateau entre Calais et Douvres, j'ai vomi parce que la mer **c** ______ vraiment agitée. Demain, on **d** ______ le train pour aller à Londres.

2 C'est vraiment top ici à Guildford. La famille anglaise **a** ______ très bien de moi. J' **b** ______ à un atelier de danse et c'était super. Maintenant, nous **c** ______ dans une forêt où on fait du tir à l'arc. Après, on **d** ______ du segway, ça sera très rigolo.

3 J' **a** ______ de beaux cadeaux pour vous! Avant de venir en Angleterre, j' **b** ______ peur mais demain, quand on partira, je **c** ______ très triste. Mais je suis contente parce que Becky et moi, on **d** ______ en contact sur Facebook.

suis	va	sommes	s'occupe	ai acheté	ai participé
était	avais	va rester	va faire	va prendre	serai

Écoutez et vérifiez vos réponses de l'exercice 2. Ensuite, pour chaque image, écrivez PA (passé), PR (présent) ou F (futur).

Exemple: **1 a** – PR, **b** – …

1

2

3
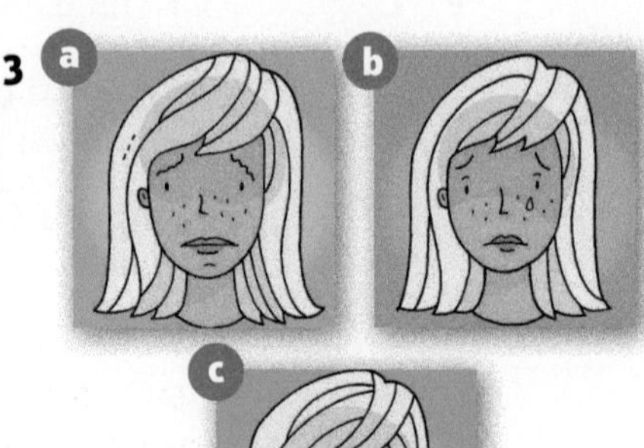
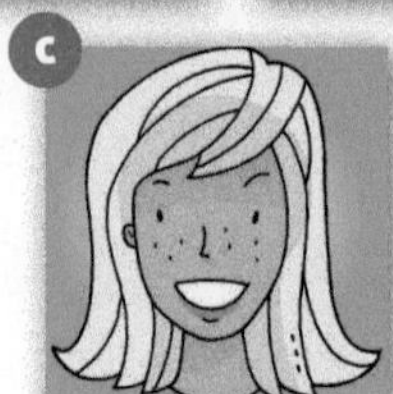

4 lire **Lisez le blog et les phrases. Corrigez l'erreur dans chaque phrase.**

Je suis Alex et je suis au lycée Jean-Jacques Rousseau. Mon correspondant anglais, Sam, est arrivé il y a cinq jours pour passer huit jours chez nous. Ça fait plus de cinquante ans que mon collège organise des échanges avec son collège à Woking, en Angleterre.

Les élèves et leurs profs sont arrivés en car vendredi soir. J'ai été hyper-content de rencontrer Sam. Il essaie de parler français et je m'entends très bien avec lui. On a passé le premier week-end en famille et c'était super sympa.

Lundi matin, nous sommes allés au collège ensemble. L'après-midi, nous avons visité un château. Le lendemain, nous avons visité une chocolaterie où Sam a acheté plein de souvenirs pour sa famille. Aujourd'hui, on a participé à un atelier de poterie. Mais au lieu d'être attentif, Sam a passé son temps sur son portable!

Demain, jeudi, il y aura une sortie au Futuroscope: c'est un parc d'attractions à soixante-trois kilomètres d'ici. Vendredi, on ira à la Vallée des Singes, un parc animalier. Samedi, je serai très triste de dire «au revoir» à Sam quand les correspondants et leurs profs partiront.

1 L'échange entre les collèges de Sam et Alex existe depuis 40 ans.
2 Le groupe anglais a voyagé en avion.
3 Sam refuse de parler français.
4 Lundi matin, Alex est allé à l'école sans Sam.
5 Sam a acheté des cadeaux au château.
6 Sam a trouvé l'atelier de poterie fascinant.
7 Demain, tout le monde ira au Parc Astérix.
8 Les Anglais rentreront à Woking vendredi.

5 lire **Relisez le texte de l'exercice 4, puis copiez et complétez le programme en français. Écrivez les verbes au présent.**

Programme pour la visite du collège anglais			
ven. soir	Les élèves et leurs profs arrivent en car.	mer.	
sam./dim.		jeu.	
lun.		ven.	
mar.		sam.	

À deux. Vous avez participé à un échange scolaire en France. Regardez la photo et préparez vos réponses aux questions.

- Qu'est-ce qu'on voit sur la photo? *Sur la photo il y a …*
- Décrivez votre correspondant(e) français(e). *Il/elle s'appelle … et il/elle est ….*
- Qu'est-ce que vous avez fait pendant l'échange? *Nous sommes arrivés ….*
- Donnez votre opinion sur votre visite en France. *C'était …*
- Donnez votre opinion sur les échanges en général. *Les échanges (ne) sont (pas) importants car ….*

Écrivez un blog sur votre échange. Utilisez vos idées de l'exercice 6.

Use ideas from this unit to answer the questions, or your imagination. If you have been on an exchange visit to France with your school, you could answer the questions about a photo of your own.

Module 6 Contrôle de lecture et d'écoute

1 lire **Lisez ces extraits sur un site d'éducation.**

collège Jeanne d'Arc	Ceux qui sont actifs bénéficient d'un grand gymnase et de plusieurs terrains de foot. Nos vestiaires sont modernes et propres.
collège Molière	Ici, la cantine sert aux élèves des repas sans pareils tous les midis. Il faut acheter des tickets au secrétariat.
collège Renoir	Nous avons non seulement un beau laboratoire de langues mais aussi dix labos neufs. Nous sommes aussi fiers de notre nouveau bâtiment pour les internes.
collège Debussy	Dans certaines écoles, il est interdit de sortir son portable. Ici, toutes nos salles de classe ont une connexion Internet à très haut débit. En plus, on fournit une tablette à tous les élèves.

Quel est le bon collège? Choisissez entre: Jeanne d'Arc, Molière, Renoir et Debussy.

(a) On peut bien manger au collège ________.
(b) Le collège ________ trouve les nouvelles technologies très importantes.
(c) Si vous aimez le sport, il faut aller au collège ________.
(d) Le collège ________ a un pensionnat moderne.
(e) Le collège ________ est bien aménagé pour les sciences.

2 lire **Read this literary extract. The narrator talks about his school timetable.**

Le Temps des secrets by Marcel Pagnol (abridged and adapted)

«Maintenant, pour inaugurer votre année scolaire, je vais vous distribuer vos emplois du temps.» Le maître prit sur le coin de sa chaire une liasse de feuilles, et fit le tour de l'étude, donnant à chacun celle qui lui convenait.

J'appris ainsi que nos journées débutaient à huit heures moins un quart par une «étude» d'un quart d'heure, suivie de deux classes. À dix heures, après un quart d'heure de récréation, encore une heure de classe, et trois quarts d'heure d'étude avant de descendre au réfectoire, dans les sous-sols de l'internat.

Après le repas de midi, une récréation d'une heure entière précédait une demi-heure d'étude qui était suivie de deux heures de classe. À quatre heures, seconde récréation, puis la longue et paisible étude du soir.

le maître *the teacher*

This is a tricky text, but don't be put off. In a literary text, there will nearly always be words that you've never seen before. Concentrate on getting the gist. Use the questions to help you get a sense of what the text must be about. Then try to focus on the details that you are asked for.

Write the letter of the correct ending for each sentence.

1 The teacher begins the school year by …
- **A** welcoming the children.
- **B** handing out timetables.
- **C** giving out worksheets.
- **D** giving out money.

2 The writer's school day starts at …
- **A** 7.45.
- **B** 8.00.
- **C** 8.15.
- **D** 8.30.

3 At 10 o'clock there is …
- **A** the next lesson.
- **B** 15 minutes of P.E.
- **C** break.
- **D** study time.

4 Pupils eat …
- **A** on the top floor.
- **B** in the playground.
- **C** in the classroom.
- **D** in the refectory.

Écoutez. Isabelle parle de son école. Que dit-elle? Choisissez la bonne fin de chaque phrase.

1 Luc est …
A en troisième.
B en seconde.
C en première.
D en terminale.

2 Quand il était plus jeune, Luc a …
A répété une année scolaire.
B adoré les sciences.
C détesté les sciences.
D quitté le lycée.

3 Dans le futur, Isabelle veut travailler …
A dans son propre pays.
B dans un autre pays.
C dans un labo.
D dans un collège.

4 Luc est …
A doué en sciences.
B nul en musique.
C faible en dessin.
D fort en musique.

5 Isabelle trouve que la cantine …
A est bien.
B n'est pas bien.
C a du positif et du négatif.
D est trop chère.

You hear a report on French radio about school uniform. Listen to the recording and answer the following questions in English.

(a) Why does Nina think school uniform is practical and easy?
(b) How does she know about school uniform in England?
(c) What is her opinion about fashion?
(d) Why is Jérôme against school uniform? Give two reasons.
(e) What does he say about designer clothing?

You hear a mother talking about how her children, Ali and Huda, are getting on at school. Choose the two correct statements for each question.

1 What does she say about Ali?
A Ali worked hard at primary school.
B He has many friends at secondary school.
C He has a good relationship with his teachers.
D His work is not as good as it used to be.
E He misbehaved at primary school.

2 What does she say about Huda?
A Huda is positive about secondary school.
B She used to be in a drama club.
C She likes doing new subjects.
D She is less confident at secondary school.
E She is doing well in every subject.

You need to listen carefully to the tenses the speaker uses. She talks about Ali and Huda's experiences of primary school using the imperfect and of secondary school using the present.

A – Role play

1 parler **Look at the role play card and prepare what you are going to say.**

Topic: School

Situation: Talking about school with a Swiss exchange student.
Your teacher will play the part of the Swiss student and will introduce the situation. Then you **must**:

- begin the role play
- use the points below to help you prepare what you have to say:
  - (**salutation**) means that you must greet the other person
  - **?** means that you will have to ask a question
  - **!** means that you will have to answer an unexpected question.

Au collège. Tu discutes du règlement scolaire avec ton ami(e) suisse.

1 Dire: (**salutation**)
2 Demander **?**: uniforme scolaire en Suisse?
3 !
4 Dire: tes vêtements pour le collège
5 !
6 Demander **?**: les portables en classe en Suisse?
7 Dire: opinion sur les professeurs de ton collège

You will need the verb 'to wear': can you remember what it is?

What phrases have you learned to ask if you 'must' do something, or if it is 'forbidden' to do something, or if you 'can' do something?

When forming a question that doesn't contain a question word, put *est-ce que* in front of the statement, and raise the tone of your voice. Make sure you pronounce *est-ce que* correctly: it sounds a bit like *ESS-KEUH*.

2 parler **Compare your answers with a partner and practise what you are going to say. Pay attention to your intonation and pronunciation. As you practise, ask each other possible 'unexpected' questions.**

3 écouter **Using your notes, listen and respond to the teacher.**

Listen carefully to the tense of the teacher's questions.

4 écouter **Now listen to Joanna performing the role play task.**

B – General conversation

1 écouter **Listen to Leon introducing his chosen topic and look at the transcript. Write down the missing verbs. What different tenses and verb constructions does Leon use in his answer?**

Je vais vous parler d'une sortie scolaire. Quand j'**1** ______ en quatrième, je **2** ______ à Londres avec mon collège pour **3** ______ le Musée de la science et pour **4** ______ une comédie musicale.

Nous **5** ______ en car et nous **6** ______ très tôt, à sept heures et demie du matin. Nous **7** ______ à Londres trois heures plus tard et nous **8** ______ directement au musée. Le musée **9** ______ très intéressant parce qu'il y **10** ______ beaucoup d'activités à faire et parce que la chimie **11** ______ une de mes matières préférées.

À midi, nous **12** ______ un pique-nique dans un beau parc avant d'**13** ______ au théâtre pour **14** ______ la comédie musicale *Cats*. C'**15** ______ incroyable: j'**16** ______ les danseurs et les acteurs absolument superbes.

Comme c'**17** ______ une longue journée, nous **18** ______ dans le car au retour. J'**19** ______ bien participer à une autre sortie scolaire parce que lors ces sorties, on **20** ______ une nouvelle ville et on **21** ______ plus indépendant.

Try to get plenty of different tenses and verb constructions into your initial presentation. As you can learn this by heart, you will have a confident and impressive start to your conversation with your teacher.

2 écouter **The teacher then says to Leon: «Décris-moi ton collège.» Listen to Leon's answer and list in English all the opinions he includes.**

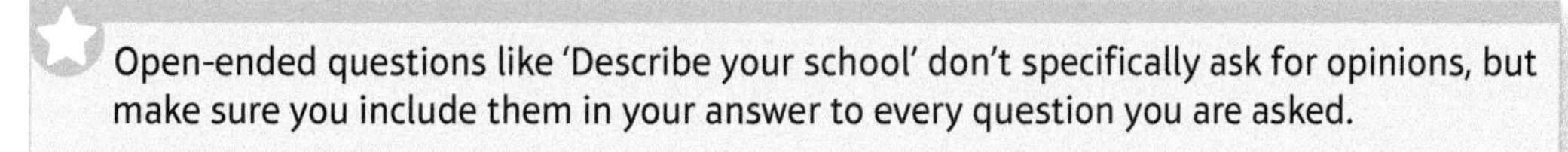

Open-ended questions like 'Describe your school' don't specifically ask for opinions, but make sure you include them in your answer to every question you are asked.

3 écouter **Listen to how Leon answers the next question: «Tu as choisi quelles matières? Pourquoi?» Look at the Answer booster on page 136. Write down six examples of what he does to make his answer a good one.**

4 parler **Prepare answers to these questions. Then practise with your partner.**

1. Décris-moi ton collège.
2. Tu as choisi quelles matières? Pourquoi?
3. Parle-moi d'une journée scolaire type.
4. Qu'est-ce que tu penses du règlement de ton école?
5. Aimais-tu ton école primaire?
6. Quelle est ton opinion sur les différences entre l'éducation en France et en Grande-Bretagne?
7. Qu'est-ce que tu feras quand tu quitteras ton école?

Answer booster	Aiming for a solid answer	Aiming higher	Aiming for the top
Verbs	**Different time frames:** present, perfect and future **Modal verbs + an infinitive:** *On doit … On peut …*	**Different persons of the verb:** not just *je* but *il/elle/on/nous/vous* ***il faut/il est interdit de* + infinitive**	**Different tenses:** imperfect, future and conditional **Reflexive verbs in the perfect tense:** *Nous nous sommes endormis.* ***en*** + present participle
Opinions and reasons	*C'est/C'était/Ça va être/Ce sera* + adjective *Je suis fort(e)/doué(e)/faible en …*	*J'aimerais …* *Je voudrais …*	**More variety:** *Je me passionne pour …* *Les cours me plaisent.* *Je suis convaincu(e) que …*
Connectives	*et, ou, mais, aussi, puis, ensuite quand, lorsque parce que, car*	*où, comme*	*cependant, par contre*
Other features	**Qualifiers:** *très/assez/énormément* **Negatives:** *ne … pas, ne … jamais*	***avant de* + infinitive** ***ce/cet/cette/ces*** **A range of negatives:** *ne … que, ne … ni … ni …, ne … rien* **The relative pronoun *qui*** **Comparatives/superlatives**	**Direct object pronouns:** *Je le/la/les trouve* + adjective **The relative pronoun *que*:** *Ce que je n'aime pas dans mon école, c'est …* ***… celui/celle/ceux/celles qui …***

A – Extended writing task

1 lire **Look at the task.**

- Work out what each bullet point means. Use your reading skills to work out the meaning of any tricky words or phrases.
- Then think about the main tense you will need for each bullet point.

L'école dans le monde

Un magazine français cherche des articles sur des écoles dans des pays différents.

Écrivez un article sur votre école.

Vous **devez** faire référence aux points suivants:

- les matières scolaires les plus intéressantes dans votre école
- votre opinion sur les équipements dans votre école
- quelque chose que vous avez fait récemment à l'école dont vous êtes fier/fière
- ce que vous changeriez dans votre école, si vous étiez le directeur/la directrice.

Justifiez vos idées et vos opinions.

Écrivez 130–150 mots environ en français.

2 lire **Read Phoebe's answer on the next page. What do the phrases in bold mean?**

3 lire **Look at the Answer booster. Note down eight examples of language that Phoebe includes to improve the quality of her answer.**

Pour moi, les cours les plus intéressants dans mon école sont l'anglais et l'histoire. Je suis très forte en anglais et **je trouve ça fascinant** car la littérature anglaise, c'est ma passion. Comme **je m'intéresse au** passé, **l'histoire me plaît** aussi. Je continuerai ces matières l'année prochaine quand je serai au lycée.

Notre école est **mieux aménagée que** beaucoup d'autres parce que **nous bénéficions d'**un gymnase immense. Nous avons aussi plusieurs terrains de jeux, **ainsi qu'**une salle de musculation. Les salles de classe sont propres et modernes mais **il n'y a ni** piscine **ni** laboratoire de langues.

Je suis très fière de moi car récemment, j'ai participé à un spectacle organisé par mon école. Trois camarades de classe et moi, nous avons chanté ensemble devant plus de 200 personnes! C'était une expérience fabuleuse.

Si j'étais la directrice, je changerais beaucoup de choses. D'abord, je trouve notre uniforme démodé. **J'aimerais mieux** porter mes propres vêtements. En plus, il y aurait une belle piscine pour **ceux qui aiment** la natation. Finalement, j'organiserais **plus de clubs** parce qu'**il n'y a rien à faire** pendant la pause déjeuner.

Propre(s) can mean either 'clean', as in *Les salles de classe sont propres*, or (my, your, our, etc.) 'own', as in *porter mes propres vêtements.*

4 écrire **Now write your own answer to the task, using the Answer booster and Phoebe's text for ideas. Remember to systematically check your answer when you have finished.**

B – Translation

1 lire **Jack has tried to translate this text into French but he has made some mistakes. His teacher has highlighted them. Look at Jack's work and explain in English the <u>eight</u> mistakes he has made. Then write out the correct version, correcting all of Jack's errors.**

Example: **1** He has missed out the auxiliary verb suis.

When I went to France with my school, we visited a secondary school in Bordeaux. In France, pupils can wear their own clothes. We saw a very interesting science lesson. I didn't understand anything but Amy, who is good at French, helped me. I will go back to Bordeaux next year to see my new friends.

Quand je allé [1] en France avec mon école, nous avons visité un collège en [2] Bordeaux. En France, élèves [3] peuvent porter leurs propres vêtements. Nous avons vu un très intéressant [4] cours de science. Je n'ai compris rien [5] mais Amy, qui est fort [6] en français, m'a aidé. Je retourne [7] à Bordeaux l'année prochaine pour voir mon [8] nouveaux amis.

2 écrire **Translate the following passage into French. Try to avoid making the same mistakes that Jack made.**

In France, lessons begin at 8 a.m. and pupils have to buy their own exercise books. I visited a typical secondary school in Dieppe when I went there last year. My penpal, who is called Lucie, is not good at English so we spoke French together. Lucie didn't learn anything but in August she will come to England to meet my friends.

Module 6 Vocabulaire

Les matières / *School subjects*

Les matières	*School subjects*
le commerce	*business studies*
le dessin/les arts plastiques	*art/fine art*
le français	*French*
le latin	*Latin*
la biologie/les Sciences de la Vie et de la Terre	*biology*
la chimie	*chemistry*
la géographie	*geography*
la musique	*music*
la physique/les sciences physiques	*physics*
la religion	*religious studies*
la sociologie	*sociology*
la technologie	*design and technology*
l'allemand	*German*
l'anglais	*English*
l'art dramatique	*drama*
l'économie	*economics*
l'éducation physique et sportive/l'EPS	*PE*
l'espagnol	*Spanish*
l'étude des médias	*media studies*
l'histoire	*history*
l'histoire-géo	*history and geography (studied together in France)*
l'informatique	*ICT*
l'instruction civique	*citizenship*
l'italien	*Italian*
les arts ménagers	*home technology*
les maths	*maths*

Mon collège / *My school*

Mon collège	*My school*
Mercredi, à 11h15, j'ai histoire-géo.	*I have history and geography at 11.15 a.m. on Wednesday.*
J'ai (deux) heures de (musique) par semaine.	*I have (two) hours of (music) per week.*
Il n'y a pas de cours de … dans mon emploi du temps.	*There are no … lessons in my timetable.*
J'apprends (deux) langues vivantes.	*I learn (two) foreign languages.*
Mes cours finissent à (16h00) tous les jours.	*My lessons finish at (4.00 p.m.) every day.*
Je n'ai pas cours (le mercredi après-midi).	*I don't have lessons (on Wednesday afternoon).*
Ma matière préférée est …	*My favourite subject is …*
J'adore/j'aime/je n'aime pas/je déteste …	*I love/like/don't like/hate …*
Je trouve …	*I find …*
Je pense que … est/sont …	*I think that … is …*
intéressant(e)(s)	*interesting*
passionnant(e)(s)	*exciting*
ennuyeux/-euse(s)	*boring*
… parce que …	*… because …*
c'est facile/fascinant/difficile/utile/inutile	*it's easy/fascinating/difficult/useful/useless*
Je suis fort(e)/faible/doué(e) en …	*I am strong/weak/gifted in …*
Le/La prof est bon(ne)/sympa/marrant(e)/sévère/gentil(le)/impatient(e).	*The teacher is good/nice/funny/strict/kind/impatient.*
On a trop de devoirs.	*We have too much homework.*

Mon bahut / *My school*

Mon bahut	*My school*
Comment s'appelle ton collège?	*What's your school called?*
Mon collège s'appelle …	*My school is called …*
C'est quelle sorte d'école?	*What sort of school is it?*
C'est un collège mixte pour les élèves de onze à seize ans.	*It's a mixed school for pupils from 11 to 16.*
Il y a combien d'élèves?	*How many pupils are there?*
Il y a 750 élèves et quarante-cinq professeurs.	*There are 750 pupils and 45 teachers.*
Quels sont les horaires du collège?	*What are the school hours?*
Les cours commencent à 8h30.	*Lessons start at 8.30 a.m.*
La récré est à 10h15 et dure quinze minutes.	*Break is at 10.15 a.m. and lasts 15 minutes.*
On a une heure et demie pour le déjeuner.	*We have an hour and a half for lunch.*
Les cours finissent à 16 heures.	*Lessons finish at 4.00 p.m.*
Il y a combien de cours par jour?	*How many lessons are there per day?*
Il y a sept cours de cinquante-cinq minutes par jour.	*There are seven lessons of 55 minutes per day.*
Le mercredi après-midi, il n'y a pas cours.	*There are no lessons on Wednesday afternoon.*
Quelles matières étudies-tu?	*What subjects do you study?*
J'étudie douze matières dont …	*I study 12 subjects, including …*
Toutes mes matières sont obligatoires.	*All my subjects are compulsory.*
Quelle est ta matière préférée?	*What is your favourite subject?*
Ma matière préférée, c'est (les arts ménagers) car …	*My favourite subject is (home technology) because …*
J'adore (cuisiner) car …	*I love (cooking) because …*
je suis doué(e) pour ça	*I'm talented at that*
Comment sont les professeurs?	*What are your teachers like?*
Les profs sont sympa/sévères.	*The teachers are nice/strict.*
Qu'est-ce que tu penses de ton collège?	*What do you think of your school?*
Je trouve que/qu' …	*I find that …*
les journées sont trop longues	*the days are too long*
on a trop de contrôles	*we have too many tests*
les profs sont excellents	*the teachers are excellent*

L'école chez nous, l'école chez vous / *School here and with you*

L'école chez nous, l'école chez vous	*School here and with you*
En Angleterre/Écosse/Irlande du Nord, …	*In England/Scotland/Northern Ireland …*
Au pays de Galles, …	*In Wales …*
on va à l'école de … ans à … ans	*we go to school from … to … years old*
l'école commence à … heures et finit à … heures	*school starts at … and finishes at …*
on porte un uniforme scolaire/ses propres vêtements	*we wear a school uniform/our own clothes*
on achète ses propres stylos et règles	*we buy our own pens and rulers*
on ne redouble pas	*we don't repeat the year*
on étudie …	*we study …*
Mais en France/au Canada/au Mali, …	*But in France/Canada/Mali …*
ils vont …	*they go …*
l'école commence …	*school starts …*
ils portent …	*they wear …*
ils achètent …	*they buy …*
ils (ne) redoublent (pas)	*they (don't) repeat the year*
ils étudient …	*they study …*
Je préfère le système (anglais/français) parce que …	*I prefer the (English/French) system because …*
les horaires sont plus raisonnables	*the hours are more sensible*
l'uniforme scolaire est pratique/inutile	*school uniform is practical/useless*
l'école fournit l'équipement	*the school provides the equipment*
le redoublement (n')est (pas) une bonne idée	*repeating the year is (not) a good idea*
on (n')étudie (pas) …	*we/they (don't) study …*

Le règlement scolaire — *School rules*

Dans cette école, il faut …	*In this school, you must …*
être à l'heure	*be on time*
faire ses devoirs	*do your homework*
porter l'uniforme scolaire	*wear a school uniform*
Il ne faut pas …	*You must not …*
manquer les cours	*miss lessons*
tricher pendant un contrôle	*cheat in a test*
Il est interdit de/d' …	*It is forbidden to …*
mâcher du chewing-gum	*chew gum*
utiliser son portable en classe	*use your mobile in class*
porter des bijoux/des piercings/trop de maquillage	*wear jewellery/piercings/too much make-up*
harceler d'autres élèves	*bully other pupils*
sortir de l'école pendant l'heure du déjeuner	*leave school during the lunch hour*
Je trouve ça …	*I find that …*
raisonnable/logique	*reasonable, sensible/logical*
juste/injuste	*fair/unfair*
ridicule/frustrant	*ridiculous/frustrating*
… parce que/car …	*… because …*
c'est/ce n'est pas dangereux	*it's (not) dangerous*
il faut protéger les jeunes	*you must protect young people*
on n'est pas des bébés	*we're not babies*
il faut respecter les autres	*you must respect others*
la mode n'a pas de place à l'école	*fashion has no place at school*
c'est/ce n'est pas important	*it's (not) important*
l'école, c'est pour apprendre	*school is for learning*
J'ai eu une heure de retenue/de colle.	*I had an hour of detention.*
J'ai dû copier des lignes.	*I had to write lines.*
Quelle perte de temps!	*What a waste of time!*
Je pense que tu as raison.	*I think you're right.*
Ah non, tu as tort.	*Oh no, you're wrong.*
Moi aussi, je trouve que …	*Me too, I find that …*
Je (ne) suis (pas) d'accord avec toi.	*I (don't) agree with you.*
Tu rigoles!	*You're joking!*

Profiter de l'école — *Making the most of school*

Présentez-vous pour être délégué(e) de classe.	*Put yourself forward to be class representative.*
Levez la main autant que possible en classe.	*Raise your hand as often as possible in class.*
Participez à la chorale.	*Join the choir.*
Soyez «écolo».	*Be 'green'.*
N'ayez pas peur de remettre en cause les attitudes sexistes, racistes ou homophobes.	*Don't be afraid to challenge sexist, racist or homophobic attitudes.*
Faites une activité sportive.	*Do a sporting activity.*
N'oubliez pas de remercier vos profs.	*Don't forget to thank your teachers.*
Soyez gentils avec les plus jeunes.	*Be kind to the youngest ones.*
Profitez des sorties scolaires.	*Make the most of your school trips.*
Amusez-vous bien!	*Have lots of fun!*
C'est quoi, ton plus grand accomplissement au collège?	*What is your greatest achievement at school?*
Je joue dans l'équipe de rugby.	*I play in the rugby team.*
Je représente les opinions de mes camarades de classe.	*I put forward my classmates' opinions.*
Je n'oublierai jamais cette expérience.	*I will never forget this experience.*
Je fais partie du club de théâtre.	*I am in the drama club.*
C'est une bonne préparation pour la vie d'adulte.	*It's good preparation for adult life.*
Je suis fier/fière car je n'ai pas beaucoup confiance en moi.	*I am proud because I don't have much self-confidence.*
Ce succès est mérité car je travaille très dur.	*I deserve my success because I work hard.*
J'ai donné un concert.	*I gave a concert.*
J'ai toujours de bons commentaires sur mon bulletin scolaire.	*I always get good comments in my school report.*
C'est un honneur de représenter son école.	*It's an honour to represent your school.*

En échange — *On an exchange*

Pourquoi faire un échange scolaire?	*Why go on a school exchange?*
On se fait de nouveaux amis.	*You make new friends.*
On améliore ses compétences en langue.	*You improve your language skills.*
On habite chez une famille d'une culture différente.	*You live with a family from another culture.*
On visite un nouveau pays ou une nouvelle région.	*You visit a new country or region.*
On apprécie non seulement les différences mais aussi les similarités entre nos vies.	*You appreciate not only the differences, but also the similarities between our lives.*
Mon/Ma correspondant(e) anglais(e) est arrivé(e) il y a (cinq) jours.	*My English exchange partner arrived (five) days ago.*
Les élèves et leurs profs sont arrivés (en car).	*The pupils and their teachers arrived (by coach).*
J'ai été content(e) de rencontrer X.	*I was pleased to meet X.*
On a passé le premier week-end en famille.	*We spent the first weekend with the family.*
Nous sommes allés au collège ensemble.	*We went to school together.*
Nous avons visité …	*We visited …*
On a participé à …	*We took part in …*
Il y aura une sortie à …	*There will be an outing to …*

Les mots essentiels — *High-frequency words*

dont	*of which*
en ce moment	*at the moment, currently*
parmi	*among*
au lieu de	*instead of*
bientôt	*soon*
à cause de ça	*because of that*
y compris	*including*

7 Bon travail!

Point de départ

- *Discussing jobs and work preferences*

1 écrire **Copiez et complétez le tableau.**

masculin	féminin	anglais
architecte		
	bouchère	
caissier		cashier
	créatrice de mode	fashion designer
	directrice	
électricien		
	factrice	postman/postwoman
	fonctionnaire	civil servant
infirmier		nurse
	informaticienne	computer scientist
journaliste		
	vendeuse	sales assistant
vétérinaire		

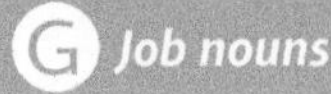

G *Job nouns*

These often change according to gender.

-ien* → *-ienne: *mécanicien/mécanicienne* (mechanic)
-eur* → *-euse: *coiffeur/coiffeuse* (hairdresser)
-teur* → *-trice: *acteur/actrice* (actor/actress)
-er* → *-ère: *boulanger/boulangère* (baker)
-on* → *-onne: *patron/patronne* (boss)

Professeur (teacher) and nouns like *dentiste* and *secrétaire* that end in ***-e*** don't have a separate feminine form, but use ***le*** if the person is male and ***la*** if the person is female.

Agent de police (police officer), *médecin* (doctor) and *soldat* (soldier) are the same for both genders, so always use ***le*** for these words.

Point culture

Some jobs historically done by men do not have an 'official' feminine version, but words like *ingénieur* (engineer) and *maçon* (builder) are often feminised as *ingénieure* and *maçonne*. However, many female engineers prefer to say *je suis ingénieur*.

2 lire **Copiez et complétez les phrases, en utilisant les professions sur les photos.**

1. J'adore la campagne et je préférerais travailler en plein air. J'aimerais être ______.
2. Voyager, c'est ma passion, et les avions me fascinent. Je crois que je serai ______.
3. Je voudrais travailler avec des enfants – mais pas les grands, les petits! Je voudrais être ______.
4. Je suis forte en maths et j'adore les chiffres. J'aimerais travailler comme ______.
5. Je suis courageux et ce serait incroyable de sauver la vie des gens. Je veux être ______.
6. Je suis passionnée par la loi et la justice. Je voudrais travailler comme ______.

comptable

agriculteur/-trice

pompier/-ière

instituteur/-trice

avocat(e)

pilote

When referring to jobs that you do or would like to do, you don't need the indefinite article (*un/une*) in French:
Je voudrais être programmeur/-euse.
I'd like to be a computer programmer.

3 écouter **Écoutez et complétez le tableau en anglais. (1–5)**

le frère aîné *older brother*
le frère cadet *younger brother*

	jobs family members do	job the speaker would like to do	other details
1	mother – hairdresser father – ...		

À deux. Parlez de votre famille et du métier que vous voudriez faire.

Exemple:

- *Ma mère est secrétaire, mais moi, je voudrais être journaliste.*
- *Pourquoi?*
- *Parce que je suis fort(e) en/doué(e) en anglais et parce que j'aime écrire des articles. Et toi, qu'est-ce que tu voudrais faire?*

Écoutez et lisez le quiz. Notez les réponses de Clara et de Noah. (1–6)

Exemple: **1** Clara – b; Noah – c

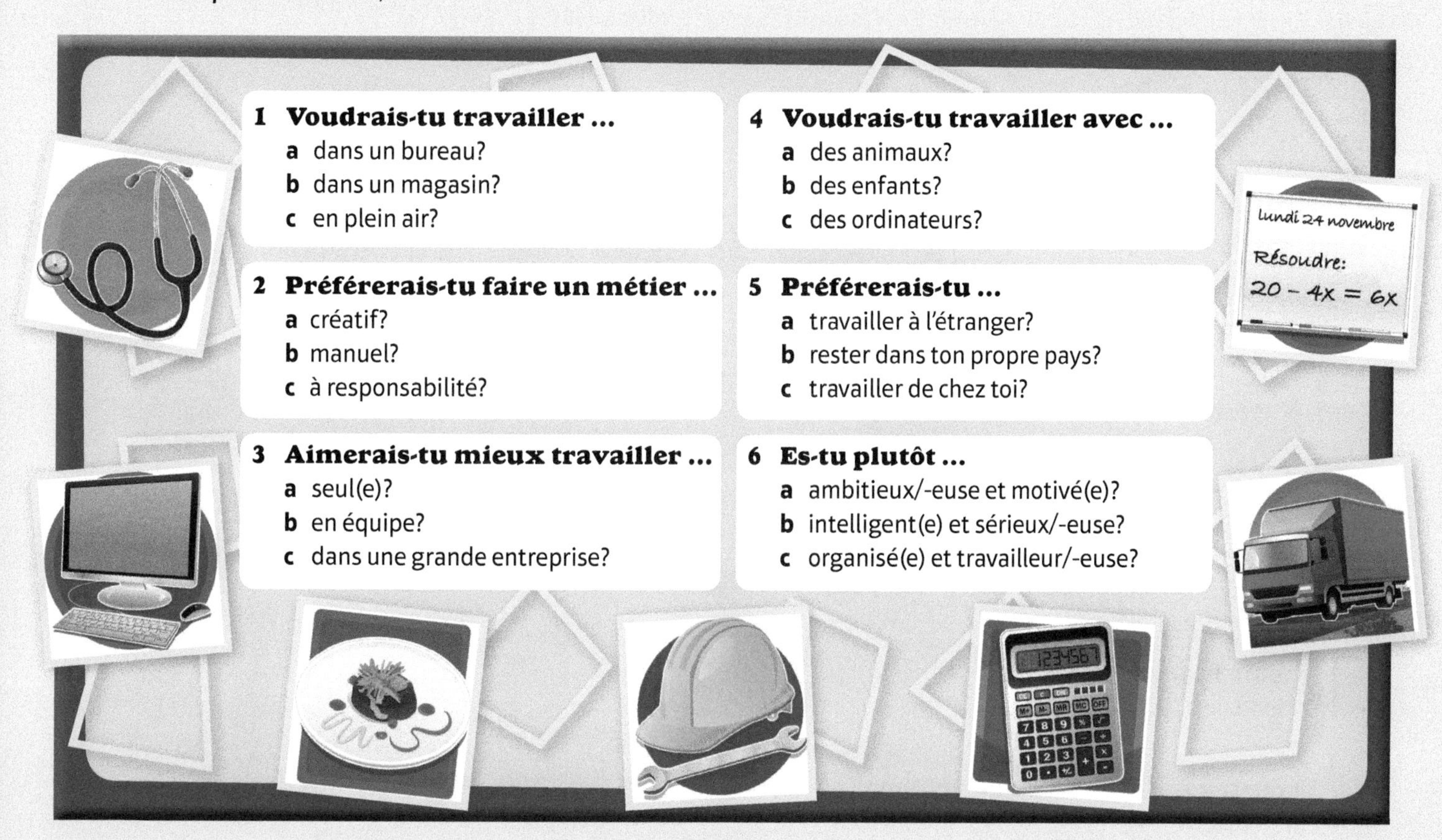

1 Voudrais-tu travailler ...
a dans un bureau?
b dans un magasin?
c en plein air?

2 Préférerais-tu faire un métier ...
a créatif?
b manuel?
c à responsabilité?

3 Aimerais-tu mieux travailler ...
a seul(e)?
b en équipe?
c dans une grande entreprise?

4 Voudrais-tu travailler avec ...
a des animaux?
b des enfants?
c des ordinateurs?

5 Préférerais-tu ...
a travailler à l'étranger?
b rester dans ton propre pays?
c travailler de chez toi?

6 Es-tu plutôt ...
a ambitieux/-euse et motivé(e)?
b intelligent(e) et sérieux/-euse?
c organisé(e) et travailleur/-euse?

Écoutez la suite. Selon les résultats du quiz, quels seraient les métiers parfaits pour Noah et Clara?

À deux. Faites le quiz!

Exemple:

- *Alors, première question: Voudrais-tu travailler … **a** dans un bureau? **b** dans un magasin? **c** en plein air?*
- *Moi, je voudrais travailler …*
- *Deuxième question/Question suivante/Dernière question: …*

The conditional Page 219

Remember, you use the conditional to say 'would':

***J'aimerais** travailler comme …*
I would like to work as a …

***Je ne voudrais pas** travailler dans un bureau.*
I would not like to work in an office.

***Je préférerais** travailler seul(e).*
I would prefer to work alone.

***Ce serait** bien/affreux/super/parfait pour moi.*
That would be good/terrible/great/perfect for me.

Qu'est-ce que vous voudriez et ne voudriez pas faire comme travail? Écrivez un court paragraphe. Donnez des raisons.

1 Quelle orientation t'attire?

- *Discussing career choices*
- *Saying 'better/worse' and 'the best/worst thing'*

1 écouter **Écoutez et notez les bonnes lettres. (1–6)**

2 écouter **Écoutez encore et notez leurs raisons en anglais. (1–6)**

3 parler **À quatre. Parlez des secteurs qui vous intéressent et expliquez pourquoi.**

Exemple:

- ● *Quelle orientation professionnelle t'attire le plus?*
- ■ *Ça m'intéresserait de/Mon ambition est de/Mon rêve serait de …*
- ▲ *Quel est le plus important pour toi dans un métier?*
- ◆ *L'important pour moi est de …*

Ça m'intéresserait Mon ambition/Mon but est Mon rêve serait	de	travailler dans … faire carrière dans … trouver un poste dans …
Le secteur/L'orientation qui m'attire/m'intéresse (le plus), c'est …		
L'important pour moi est Le plus important est	de/d'	avoir un métier bien payé/qui me plaît. faire quelque chose de satisfaisant/stimulant/gratifiant/d'intéressant. faire quelque chose pour améliorer la société/aider les autres.
Le salaire a moins d'importance/est très important pour moi. À mon avis, c'est un secteur d'avenir.		

4 lire **Traduisez ce texte en anglais. Utilisez un dictionnaire si nécessaire.**

Selon un sondage au sujet de l'orientation professionnelle, les jeunes Français souhaitent avant tout avoir un métier qui sera non seulement enrichissant sur le plan intellectuel, mais aussi bien rémunéré. Cependant, les filles s'intéressent surtout aux secteurs de la santé et du social, tandis que c'est l'informatique et les télécommunications qui attirent les garçons.

5 lire **Lisez les textes et choisissez la bonne fin de chaque phrase.**

Maëlle, hôtesse de l'air

Je suis hôtesse de l'air depuis trois ans. C'est un métier stimulant, surtout si on aime voyager, mais la chose qui me plaît le plus, c'est le contact avec les clients. L'inconvénient, c'est que les horaires sont très longs, donc c'est fatigant. Malgré cela, je suis assez satisfaite de mon travail. Avant, j'étais employée de bureau dans une compagnie d'assurances et c'était pire! C'était mal payé et le travail était monotone.

Il y a cinq ans, je travaillais comme serveur dans un restaurant et c'était affreux! C'était stressant et il n'y avait aucune possibilité d'avancement. En plus, je m'entendais mal avec mon patron qui était toujours de mauvaise humeur. Alors, j'ai décidé de suivre une formation de chef de cuisine et maintenant, je suis diplômé. Mon nouveau boulot est plus créatif et mes collègues sont tous très sympa. C'est beaucoup mieux.

Kader, chef de cuisine

le boulot *job (slang)*

1 Pour Maëlle, le mieux dans son travail, c'est …
a le salaire. **c** les voyages.
b les gens. **d** les horaires.

2 Le travail qu'elle faisait avant était …
a mieux payé. **c** peu intéressant.
b plus satisfaisant. **d** moins dur.

3 Dans son nouveau travail, Kader est …
a plus heureux **c** plus stressé
b mal payé **d** toujours fatigué.

4 Travailler comme serveur était …
a plus enrichissant. **c** moins difficile.
b une bonne expérience. **d** pire qu'être chef de cuisine.

G ***Saying 'better/worse' and 'the best thing/worst thing'*** *Page 227*

Mieux means 'better' and ***pire*** means 'worse'.

Mon nouveau boulot est plus créatif. C'est ***mieux****.*
My new job is more creative. It's **better**.

Mon ancien boulot était très monotone. C'était ***pire****.*
My former job was very monotonous. It was **worse**.

You can also use ***le mieux*** to say 'the best thing' and ***le pire*** to say 'the worst thing'.

Le mieux*, c'est les vacances;* ***le pire****, c'est ma patronne!*
The best thing is the holidays; **the worst thing** is my boss!

6 écouter **Écoutez et complétez le tableau en français. (1–3)**

au chômage *unemployed*

	métier	le mieux	le pire
1	infirmière	le contact avec les gens et …	

7 écrire **Écrivez un paragraphe sur l'orientation et les métiers qui vous intéressent.**

Include:

- the career path(s) that interest(s) you
- what's important to you in a job
- a job you would like or would not like to do and why
- what the best and worst things about that job would be (*le mieux, ce* ***serait*** *les vacances; le pire, …*).

Borrow useful words and phrases from the exercise 5 texts. If you are not sure what type of career you want, try using:

- *Je ne sais pas exactement/Je n'ai pas encore décidé ce que je veux faire plus tard, mais …*
- *J'aimerais/Je voudrais peut-être travailler dans (les médias)/ comme (professeur).*

2 Il faut que je fasse ça!

- *Talking about plans, hopes and wishes*
- *Understanding the subjunctive*

1 lire **Lisez et trouvez les phrases synonymes. Ensuite, traduisez les phrases en anglais.**

1 J'ai envie de fonder une famille.
2 Je voudrais m'installer avec mon copain/ma copine.
3 Je voudrais continuer mes études à la faculté.
4 Mon rêve serait de faire le tour du monde.
5 J'ai l'intention de faire du bénévolat.
6 J'espère devenir apprenti.

a J'adorerais voyager dans plusieurs pays.
b J'ai envie d'entrer en apprentissage.
c J'aimerais avoir des enfants.
d Mon but est de faire du travail bénévole.
e Je veux habiter avec mon/ma petit(e) ami(e).
f J'aimerais aller à l'université.

2 écouter ***Listen and read. Put the English phrases into the order in which the speaker wants to do them (not the order in which they are mentioned).***

Blog: plan de vie

Avant de continuer mes études à l'université, j'aimerais prendre une année sabbatique. Mon but est de voyager dans plusieurs pays et puis, après être rentrée en France, je voudrais faire du bénévolat pendant six mois. Ce serait une expérience très enrichissante qui me permettrait de devenir plus autonome. Après avoir eu ma licence à la fac, j'aimerais trouver un travail stimulant et réussir ma carrière. Plus tard, j'aimerais avoir des enfants, mais d'abord, je voudrais me marier. Être mariée avant de fonder une famille est important pour moi.

G *The perfect infinitive* > *Page 234*

To say 'after doing/having done something', use ***après avoir/être*** + the past participle of the verb:
Après avoir pris *une année sabbatique …*
After doing/having done a gap year …

If the verb takes *être*, the past participle must agree with the subject:
Après être allé(e) *à la fac …*
After having been to university …

Remember, to say 'before doing something', use ***avant de*** + the infinitive:
Avant de continuer *mes études …*
Before continuing my studies …

get married | **do voluntary work** | **go to university** | **have children** | **do a gap year** | **get a job**

3 écouter **Écoutez. Pour chaque personne, notez les détails suivants en anglais. (1–3)**

a what he/she wants to do **b** what he/she doesn't want to do **c** any other details

Avant de continuer mes études, Après avoir terminé mes examens, Après avoir quitté le collège, Plus tard,/Un jour,	je veux j'ai envie de/d' j'aimerais je préférerais j'espère j'ai l'intention de/d' mon but est de/d'	aller à l'université/à la fac. entrer en apprentissage. faire du bénévolat/du travail bénévole. prendre une année sabbatique. faire le tour du monde. me marier/me pacser. m'installer avec mon copain/ma copine. fonder une famille/avoir des enfants.
	je ne voudrais pas je n'ai aucune intention de/d'	

4 parler **Faites un sondage en classe sur les projets d'avenir. Posez cette question à cinq personnes.**

Qu'est-ce que tu voudrais faire plus tard?

5 écouter **Écoutez et lisez. Expliquez le problème en anglais.**

Vous avez un problème? Écrivez-nous. Nos lecteurs/lectrices vous répondront.

Gaël, 17 ans

Avant d'aller à l'université, j'ai envie de faire du bénévolat à l'étranger. Mais mes parents ne veulent pas que je prenne une année sabbatique. Ils veulent que j'aille directement à la fac et que je finisse mes études. Que faire?

Alizé, 18 ans

Après avoir terminé nos examens, mon petit copain et moi avons l'intention de nous installer ensemble. Mais mes parents sont plutôt traditionnels et ils disent qu'il faut qu'on soit mariés ou pacsés d'abord. Je ne sais pas quoi faire. Aidez-moi!

Marc-Antoine, 16 ans

Mon rêve serait de devenir guitariste professionnel, mais ma mère est propriétaire d'un restaurant et elle veut que je devienne apprenti cuisinier. À mon avis, il faut qu'elle soit plus compréhensive. Comment la convaincre?

6 lire **Trouvez les deux réponses qui correspondent à chaque problème de l'exercice 5.**

- **a** Il faut que tu sois réaliste. Faire une formation professionnelle est plus sécurisant qu'essayer de gagner sa vie comme musicien.
- **b** Tes parents ont raison. Les études sont plus importantes. Il faut que tu fasses ta licence d'abord.
- **c** Ils ne peuvent pas te forcer. Habiter ensemble vous donnera l'occasion de voir si ça marche.
- **d** Le travail volontaire, ça vaut le coup. Essaie de convaincre tes parents.
- **e** Si vous pensez fonder une famille ensemble, le mariage vous obligera à prendre votre relation plus au sérieux.
- **f** Si tu as vraiment du talent, il faut suivre tes rêves. Ta mère ne veut pas que tu sois heureux?

G *The subjunctive* > Page 235

This form of the verb is used to express wishes, thoughts, possibility or necessity. It is often used after a verb followed by *que*. E.g.

il faut que … (it is necessary to …/I/you/we must …)
vouloir que … (to want someone to …)

To form the subjunctive, take the third person plural in the present tense. Remove the ***-ent*** and add the following endings:

*finir → ils finiss~~**ent**~~ → **finiss-***

*je finiss**e***	*nous finiss**ions***
*tu finiss**es***	*vous finiss**iez***
*il/elle/on finiss**e***	*ils/elles finiss**ent***

Some key verbs are irregular in the subjunctive:

*aller (**j'aille**) avoir (**j'aie**) être (**je sois**) faire (**je fasse**)*

7 écrire **Écrivez un paragraphe sur vos projets d'avenir.**

Exemple: Avant de continuer mes études, j'ai envie de …
Après être allé(e) à la fac, j'aimerais …

To really impress with your French, try including a subjunctive:

Il faut que je (fasse) … I have to (do) …

Mes parents veulent que (j'aille) …
My parents want me to (go) …

3 Les langues sont un atout!

- *Discussing the importance of languages*
- *Using adverbs*

1 lire **Lisez et répondez aux questions du quiz.**

Les vedettes et les langues

Natalie Portman

L'actrice Natalie Portman est vraiment la reine des langues: elle en parle six! Elle est née en Israël, d'une mère américaine et d'un père israélien. Donc elle parle anglais et hébreu. Mais elle parle aussi français, allemand, espagnol et japonais, ce qui fait six langues. De plus, dans le vidéoclip de «My Valentine» de Paul McCartney, elle a mimé les paroles de la chanson en utilisant la langue des signes!

Et les autres vedettes? Qui parle quoi? Faites notre quiz!

Bradley Cooper

1 À part l'anglais, l'acteur Bradley Cooper parle couramment quelle langue?

a le français **b** l'espagnol **c** l'italien

David Beckham

2 Évidemment, David Beckham parle anglais! Mais il se débrouille en quelle autre langue?

a l'allemand **b** le portugais **c** l'espagnol

J.K. Rowling

3 Avant de devenir un écrivain célèbre, J.K. Rowling a étudié quelle langue à la fac?

a le mandarin **b** le français **c** l'arabe

Mark Zuckerberg

4 Le fondateur de Facebook, Mark Zuckerberg, apprend actuellement quelle langue?

a le japonais **b** le russe **c** le mandarin

Shakira

5 Naturellement, la chanteuse Shakira parle espagnol (elle est née en Colombie). Mais elle en parle combien d'autres?

a quatre **b** trois **c** deux

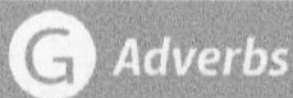

se débrouiller *to cope/manage/get by*

2 écouter **Écoutez et vérifiez. Notez aussi d'autres détails en anglais. (1–5)**

3 parler **À deux. Discutez de quelles langues on parle dans votre famille.**

Exemple:

- *Tu parles quelles langues?*
- *Je parle bien/couramment/un peu/mal …*
  Je me débrouille en …
- *Et les autres membres de ta famille, quelles langues parlent-ils?*
- *Ma mère parle …/Mon beau-père se débrouille en …/ Actuellement, ma sœur apprend …*

G Adverbs > Page 227

You use adverbs to say how you do something. Most adverbs are formed from adjectives and end in -***amment***, -***emment*** or -***ement***:

courant (fluent) → *cour**amment*** (fluently)
évident (obvious) → *évid**emment*** (obviously)
actuel (current) → *actuell**ement*** (currently)
seul (alone) → *seul**ement*** (only)
vrai (real) → *vrai**ment*** (really)

Irregular adverbs include *bien* (well), *mal* (badly) and *mieux* (better).

Other useful expressions:

*Mon frère **ne** parle **aucune** langue étrangère.*
My brother doesn't speak **any** foreign languages.

*Ma grand-mère parle **seulement** le hindi.*
My grandmother **only** speaks Hindi.

4 lire **Lisez le tchat en ligne. Écrivez le bon prénom pour chaque opinion.**

www.tchat.co.fr/langues

Parler d'autres langues, c'est important ou non?

Moussa: Évidemment, savoir parler une langue étrangère est indispensable pour exercer certaines professions: guide touristique, interprète, diplomate, etc. Mais pour d'autres métiers, ça ne sert à rien.

Louise: Ça donne plus de possibilités de carrière. Par exemple, si on parle une langue étrangère, on peut trouver plus facilement un bon emploi dans un autre pays de l'UE, ou même plus loin. Et puis en apprenant une autre langue, on comprend mieux sa propre langue.

Laura: Parler plusieurs langues est un atout si on veut travailler dans des entreprises internationales, telles que Microsoft, Amazon ou Google. On a plus de chances d'obtenir une promotion si on peut communiquer avec des gens dans d'autres pays.

Kilian: Quand on parle d'autres langues, on peut mieux connaître les gens et la culture d'un pays. On peut aussi voyager et se faire des amis partout dans le monde!

1 Si on parle d'autres langues, on peut rencontrer des personnes de pays différents.
2 Il n'est pas essentiel dans tous les emplois de parler une autre langue.
3 Dans certaines compagnies internationales, c'est un avantage de pouvoir parler une langue étrangère.
4 Si on parle plusieurs langues, on peut plus facilement travailler à étranger.
5 On a plus de possibilités d'avancer dans sa carrière si on parle d'autres langues.
6 Apprendre une langue aide à mieux s'entendre avec les gens d'un autre pays.

G en + *the present participle* Page 234

This can mean 'by doing something':

***En apprenant** une autre langue, on comprend mieux sa propre langue.*
By learning another language, you understand your own language better.

5 écouter **Écoutez. Copiez et complétez le tableau en anglais. (1–4)**

	job he/she does	languages important?	languages spoken	any other details
1				

6 parler **À deux. Choisissez chacun(e) une photo différente et répondez aux questions.**

1 Quel métier fait cette personne?
2 À ton avis, les langues sont importantes dans ce métier? Pourquoi?

Q1: Use *Cet homme/Cette femme est …*

Q2: *À mon avis, si on veut travailler comme …, parler une langue étrangère (n')est (pas) important, parce que … on doit …*

chauffeur de poids lourd

agent de police

7 écrire **Traduisez ce texte en français.**

If you want to work in tourism, obviously it is essential to speak several languages. But for other jobs, too, you have more career possibilities. You can find a job abroad more easily if you speak a foreign language well. You can also travel and get to know people from another country.

Here, 'you' means 'people in general'. Use ***on***.

Say: 'speak well a foreign language'.

You don't need a word for 'get'. Just use ***connaître***.

- *Applying for jobs*
- *Using direct object pronouns in the perfect tense*

1 lire **Lisez l'annonce. Écrivez V (vrai) ou F (faux) pour chaque phrase.**

> **La Mouette bleue**
>
> ## Offre d'emploi
>
> ### On recherche un(e) animateur/animatrice d'activités sportives pour enfants
>
> **Responsabilités:**
> - Accueillir et prendre en charge des enfants de 5 à 12 ans
> - Organiser et animer des activités sportives
> - Garantir la sécurité des enfants et le respect des règles du club
>
> **Qualifications et compétences:**
> - BAFA exigé
> - Expérience dans l'encadrement de sports souhaitée
> - Maîtrise de deux langues étrangères (dont l'anglais) essentielle
>
> **Atouts:**
> - Adaptable
> - Créatif
> - Enthousiaste
> - Organisé
>
> **Comment postuler?**
> Remplir ici-même notre CV électronique
>
> REMPLIR CV

1 Dans cet emploi, il faut s'occuper d'enfants.
2 On doit faire du sport avec eux.
3 Il est essentiel d'avoir de l'expérience de ce genre de travail.
4 Il n'est pas nécessaire de parler anglais.
5 Il faut savoir s'adapter et s'organiser.
6 Pour poser sa candidature, il faut écrire une lettre de motivation.

Point culture

BAFA = *Brevet d'Aptitude aux Fonctions d'Animateur*. This is a qualification you need if you want to work as an *animateur/animatrice* (children's holiday club organiser/group leader). You can do it from the age of 16.

Dont usually means 'of whom'/'of which' and refers back to something previously mentioned. It can also mean 'including': *Je parle trois langues étrangères, **dont** l'espagnol.*

2 écouter **Écoutez et complétez la conversation.**

■ *Allô, Club de vacances la Mouette bleue, je vous écoute.*
● *Bonjour. Je* **1** ______ *avec Madame Fournier, s'il vous plaît.*
■ *Je suis désolée, sa ligne est occupée.*
● *Est-ce que je peux laisser* **2** ______ *?*
■ *Oui, bien sûr. Je vais vous transférer vers sa messagerie vocale. Ou bien vous pouvez parler avec son assistant, Monsieur Lefèvre, si vous préférez?*
● *Ah oui, ce serait* **3** ______ *, merci.*
■ *Un moment, s'il vous plaît. Ne quittez pas … Allô? Je vous le passe.*
▲ *Allô, oui? Ici Fabien Lefèvre.*
● *Bonjour. Je m'appelle Cyril Payet.* **4** ______ *votre annonce en ligne pour le poste d'animateur d'activités sportives pour enfants et je voudrais y postuler.*
▲ *Très bien. Je peux vous être utile?*
● *C'est pour un petit renseignement: pouvez-vous me dire la durée du contrat, s'il vous plaît?*
▲ *Oui, c'est un contrat saisonnier de* **5** ______ *, de mi-juin jusqu'à fin août. Vous êtes disponible à cette période-là?*
● *Ah oui, c'est parfait pour moi, puisque je reprends* **6** ______ *en septembre. Merci.*
▲ *De rien. Au revoir et bonne chance!*
● *Merci. Au revoir!*

3 lire **Relisez la conversation. Faites une liste de cinq phrases utiles au téléphone et traduisez-les en anglais.**

4 écouter **Écoutez l'entretien. Dans quel ordre parle-t-on des sujets suivants? (Il y en a deux de trop!)**

- **a** why he wants to do this job
- **b** his personal qualities
- **c** his plans for the future
- **d** which subjects he is studying
- **e** whether he wants to do voluntary work
- **f** his leisure activities

Predicting what you will hear is a vital listening skill. What key words and phrases would you expect to hear for topics a–f in exercise 4?

5 écouter ***Listen again. Note in English what Cyril says about each of the four topics identified in exercise 4.***

Exemple: **d** – studies 8 subjects, one of which is …

6 lire **Lisez cet extrait de la lettre de motivation de Cyril. Répondez aux questions en anglais.**

J'ai déjà un peu d'expérience de ce genre de travail. Il y a deux ans, j'ai fondé un club de foot pour les enfants de mon ancienne école primaire. Je les ai entraînés et je les ai accompagnés aux matchs. Je m'occupe aussi d'autres enfants, puisque je fais souvent du baby-sitting. Par exemple, le week-end dernier, j'ai dû garder la fille de mes voisins. J'ai joué avec elle et je l'ai emmenée à son cours de danse classique le samedi matin.

Quant à mes compétences linguistiques, je parle couramment l'anglais. Je parle assez bien l'espagnol car je l'ai étudie au collège et j'ai déjà visité l'Espagne: j'y suis allé en échange scolaire l'année dernière.
Je me débrouille aussi en italien. J'en ai appris quelques phrases d'une copine italienne.

G ***Direct object pronouns in the perfect tense*** > *Page 230*

In the perfect tense, direct object pronouns go in front of the part of *avoir* or *être*. The past participle must agree with *la* or *les*.

J'ai appris ***le français****. → Je* ***l'****ai appris.*
I learnt **French**. → I learnt **it**.

Il a accompagné ***sa sœur****. → Il* ***l'****a accompagnée.*
He accompanied **his sister**. → He accompanied **her**.

Nous avons accompagné ***les enfants****. → Nous* ***les*** *avons accompagnés.*
We accompanied **the children**. → We accompanied **them**.

Nous avons accompagné ***les filles****. → Nous* ***les*** *avons accompagnées.*
We accompanied **the girls**. → We accompanied **them**.

1. For whom did Cyril organise a football club?
2. Name two things he did as part of running the club.
3. Who did he take to ballet classes last weekend?
4. What language did he study at school?
5. How did he learn to speak a bit of Italian?

7 parler **À deux. Posez et répondez aux questions de l'entretien.**

- Qu'est-ce que vous faites actuellement?
- Quelles matières étudiez-vous?
- Qu'est-ce que vous ferez après vos examens?
- Quelles sont vos qualités personnelles?

To impress with your French, try to include:
– ***dont*** ('I study 8 subjects, **of which/including** …')
– a direct object pronoun with the perfect tense ('I studied **it/them**', 'I went **there**')

8 écrire **Postulez à l'offre d'emploi de l'exercice 1. Écrivez un e-mail. Inventez les détails.**

- *Understanding case studies*
- *Using verbs followed by à or de*

1 écouter **Écoutez et lisez. Mettez les sujets a–h dans l'ordre du texte.**

Claire: une carrière projetée dans le tourisme

Je m'appelle Claire Morel. J'ai dix-neuf ans et je suis étudiante en BTS Tourisme, une formation de deux ans. J'apprends à devenir conseillère en séjour.

Il y a six mois, j'ai commencé à travailler dans un office de tourisme en Bretagne, tout en continuant mes études. Si je réussis à avoir mon diplôme, je voudrais travailler à plein temps dans le tourisme. Lorsque j'étais plus jeune, je rêvais d'être infirmière mais j'ai décidé de changer d'orientation à cause de ma passion pour la Bretagne.

Actuellement, mon travail consiste à accueillir les clients et à les renseigner sur les sites touristiques. Je m'occupe aussi des réservations pour les excursions et je vends des billets d'entrée pour les musées. Je suis passionnée par mon travail et j'apprécie surtout le contact avec les gens.

Le seul inconvénient de mon métier, c'est que les horaires sont assez chargés, surtout pendant l'été.

Pour faire ce métier, il faut toujours être souriant et il faut savoir parler d'autres langues. Je parle plusieurs langues européennes, dont l'anglais et l'espagnol, mais plus tard, j'essaierai d'apprendre le japonais car je rencontre souvent des touristes venus du Japon.

Quand je serai diplômée, je partirai en vacances dans d'autres pays tels que les États-Unis et l'Australie. J'aimerais voir ce que ça donne, d'être moi-même une touriste!

BTS *Brevet de Technicien Supérieur*
le conseiller/la conseillère en séjour *tourist office adviser*

- **a** les langues qu'elle parle
- **b** le mieux dans son métier
- **c** l'endroit où elle travaille en ce moment
- **d** le nom du diplôme qu'elle veut obtenir
- **e** le pire dans son métier
- **f** ses projets de voyage
- **g** ses responsabilités au travail
- **h** le métier qu'elle voulait faire quand elle était petite

2 lire **Relisez le texte de l'exercice 1 et trouvez l'équivalent en français de chaque phrase.**

1. I am learning to be a tourist office adviser.
2. I started to work in a tourist office.
3. If I succeed in getting my qualification …
4. I dreamed of being a nurse.
5. I decided to change career path.
6. I will try to learn Japanese.

G *Verbs followed by à or de* *Page 228*

Some verbs are followed by *à* or *de* before the infinitive.

*apprendre **à*** … (to learn to …)
*commencer **à*** … (to start to …)
*consister **à*** … (to consist of/to involve …)
*réussir **à*** … (to succeed in/at …)
*décider **de*** … (to decide to …)
*essayer **de*** … (to try to …)
*rêver **de*** … (to dream of …)

3 lire **Relisez le texte. Corrigez l'erreur dans chaque phrase.**

1. Les études de Claire vont durer trois ans.
2. Elle voudrait travailler à mi-temps dans le tourisme.
3. Quand elle était petite, elle voulait déjà travailler dans le tourisme.
4. Elle trouve son travail à l'office de tourisme ennuyeux.
5. Elle doit demander des renseignements aux touristes.
6. Claire parle seulement deux langues étrangères.

4 parler

À deux. Mettez les questions dans l'ordre du texte (exercice 1) et faites l'interview de Claire.

Exemple:

- ● *Que faites-vous dans la vie?*
- ■ *Je suis étudiante en BTS Tourisme, mais je travaille aussi dans …*

a En quoi consiste votre travail?

b Que faites-vous dans la vie?

c Quelles langues étrangères parlez-vous?

d Quels sont les avantages et les inconvénients de votre travail?

e Avez-vous toujours voulu faire ce genre de travail?

f À part votre vie professionnelle, quels sont vos projets ou vos ambitions?

g Quelles compétences faut-il avoir pour faire votre métier?

h Pourquoi avez-vous changé d'orientation?

G *Complex sentences in the future tense* > *Page 218*

You can create more complex sentences by using:

- ***Si*** + a verb in the **present tense** + a verb in the **future tense**:
  *Si **je réussis** mes examens, **je travaillerai** à l'étranger.*
  If **I pass** my exams, **I will work** abroad.
- ***Quand*** or ***lorsque*** + a verb in the **future tense** + another **future tense**:
  *Lorsque **je serai** directeur, **je gagnerai** plus d'argent.*
  When **I am** (literally: **will be**) the manager, **I will earn** more money.

5 écouter

Écoutez. Copiez et complétez le portrait professionnel de Matthias en anglais.

Name:	Matthias Bernard
Job:	in charge of sporting activities at a holiday club
How long for:	
What the job involves:	
Necessary skills:	
Languages:	
Good/bad points of job:	
Future plans:	

le moniteur *instructor*

6 écrire

Imaginez que vous êtes Lola. Écrivez votre portrait professionnel.

Nom:	Lola Martineau
Métier:	chef de cuisine en club de vacances
Depuis:	3 ans
Responsabilités:	créer les menus, contrôler le budget, gérer le personnel de cuisine
Compétences:	être organisé, calme, savoir s'entendre avec les gens
Langues étrangères parlées:	anglais, espagnol, arabe
Avantages et inconvénients:	bien payé; horaires lourds
Projets d'avenir:	avoir son propre restaurant, voyager

Show what you can do! Try to include an example of:

- verbs followed by **à** or **de** + infinitive (*j'ai réussi à avoir …; j'essaierai de …*)
- adverbs (*actuellement, couramment, …*)
- ***quand*** or ***lorsque*** with the future tense (*quand j'aurai/ je serai …, je …*)
- a ***si*** clause (*si je réussis …*).

Module 7 Contrôle de lecture et d'écoute

Read the comments on the forum. Answer the questions in English. You do not need to write in full sentences.

Avez-vous un job?

Margaux: J'ai un petit boulot que j'aime, même si ce n'est pas très bien payé. Je dois débarrasser les tables dans un restaurant italien. J'aurais voulu apprendre à cuisiner mais je passe des heures à aider ma mère à préparer les repas, donc ce n'est pas un problème.

Anaïs: Le patron de la boulangerie où je travaille est parfois un peu sévère. Je trouve ça monotone de servir les clients et je m'ennuie un peu. Le mieux, c'est travailler à la caisse.

Éthan: J'avais un petit boulot dans une épicerie où je remplissais les rayons. Je l'ai quitté parce que je travaille dur au collège pour avoir un boulot créatif et intéressant plus tard. Malgré cela, je m'occupe des enfants de mes voisins.

(a) Who works in a shop?
(b) Who does babysitting?
(c) How is Margaux learning to cook?
(d) What does Anaïs like about her job?
(e) What does Éthan want in the future?

Make sure you read the questions carefully as well as the French texts! For instance, for question (a) you are looking for someone who currently works in a shop – which tense will you need to look for in the texts?

Read the text and answer the questions that follow in English.

Le mariage est-il encore important aujourd'hui?

À l'époque de nos grands-parents, le mariage, c'était la norme. À cause des obligations sociales et religieuses, les couples qui voulaient vivre ensemble étaient obligés de se marier. Mais aujourd'hui, et depuis un certain temps, le mariage n'est plus une nécessité pour les couples: c'est un choix. D'ailleurs, depuis 2000, le nombre total de nouveaux mariages en France diminue chaque année. Alors pourquoi choisir de se marier ou pas? Nous avons demandé à nos lecteurs et voici deux de leurs réponses.

Thibault, 37 ans, qui habite à Besançon: «Ça fait douze ans que je suis avec ma compagne. Nous nous aimons, nous nous respectons, et nous élevons nos deux enfants ensemble. Je n'ai pas besoin d'un contrat pour me dire qu'elle est ma femme. Comme tous les couples, nous avons nos problèmes, mais nous travaillons ensemble pour les résoudre. Ce n'est pas le mariage qui apporte la stabilité à une relation.»

Mélanie, 29 ans, de La Roche-sur-Yon: «Pour moi, le mariage est encore très important. C'est bien plus qu'un bout de papier. Je suis fiancée et j'ai hâte de me marier avec Marc l'année prochaine. Ce n'est ni la robe blanche, ni la fête, ni les cadeaux qui m'attirent: je veux faire une promesse, devant nos familles et nos amis, de rester avec Marc pour le meilleur et pour le pire. Aujourd'hui, très peu de choses durent longtemps. Mariés, nous ferons plus d'efforts pour rester ensemble.»

1 According to the article, why did couples of our grandparents' generation who wanted to live together have to get married?
2 What has been happening since 2000?
3 How long has Thibault been with his partner?
4 What does Thibault say about problems with his partner?
5 What elements of marriage is Mélanie not attracted by? Name two things.
6 What does Mélanie say she and Marc will do when they are married?

3 lire **Lisez l'article et choisissez la bonne fin de chaque phrase.**

J'aimerais être journaliste dans la presse équestre

Salut Okapi,
J'aimerais savoir quelles études il faut faire pour devenir journaliste hippique.
Aude

Pour devenir journaliste hippique, je te conseille d'aller le plus loin possible dans tes études tout en continuant à monter à cheval. Il te faudra d'abord te former au métier de journaliste généraliste. Moi-même, j'ai travaillé pendant plus de dix ans dans la presse quotidienne avant d'être embauchée par *Cheval Magazine*. Avant de devenir journaliste, j'ai été cavalière professionnelle pendant cinq ans. Puis j'ai fait un diplôme universitaire en communication. J'ai de la chance d'exercer dans la presse équestre: nous ne sommes pas très nombreux en France.

***Virginie, rédactrice en chef de* Cheval Magazine**

Here, the letter writer uses the phrase *journaliste hippique*. While you may not have met the word *hippique* before, the title also refers to a *journaliste dans la presse équestre*. There are also several references to *cheval/chevaux* in the text. Can you now work out what this means?

1 Virginie conseille à Aude …
- **A** de quitter le lycée dès que possible.
- **B** d'acheter un cheval.
- **C** de voyager.
- **D** de continuer ses études.

2 Avant de travailler dans la presse équestre, il faut …
- **A** suivre une formation en journalisme dans la presse équestre.
- **B** suivre une formation en journalisme généraliste.
- **C** travailler comme cavalière professionnelle.
- **D** travailler comme vétérinaire.

3 Avant d'aller à la fac, Virginie a travaillé …
- **A** avec les chevaux.
- **B** comme journaliste.
- **C** pour *Cheval Magazine.*
- **D** dans les télécommunications.

4 En France, il y a …
- **A** beaucoup de chevaux.
- **B** très peu de journalistes généralistes.
- **C** très peu de journalistes spécialisés dans l'univers des chevaux.
- **D** un grand nombre de journalistes spécialisés dans l'univers des chevaux.

1 écouter **Listen to the interview with Arno Lamarre, a French comedian and presenter. Answer the questions in English.**

(a) When Arno was still at school, what did he do in class, apart from not working hard? Give one example.
(b) Where did he do his first comedy performances?
(c) How was he paid?
(d) How was he punished at school? Give one example.
(e) How did he first get onto the radio?

While you are waiting for the recording to start, always read through the questions and try to predict the language you might hear. However, take care! Some of the answers might be a bit unexpected, particularly with questions (b) and (c).

2 écouter **Listen to the news report and interview about work experience. Answer the questions in English.**

(a) What do all French students in year 10 have to do and for how long?
(b) Give one reason why some people think this is a waste of time.
(c) What did Dylan do at the primary school? Give two details.
(d) How was his work experience a positive experience for him? Give two examples.

un stage en entreprise *a work experience placement*

A – Picture-based discussion

Topic: Work and using languages beyond the classroom

Look at the picture and the bullet points below.

– **!** means you must answer an unexpected question.

On va discuter de/d':

- la photo
- le secteur dans lequel tu voudrais travailler
- un petit boulot que tu as eu
- l'importance des langues
- **!**

Look at the picture and read the task. Then listen to Fawad's answer to the first bullet point.

1 In what order does Fawad mention the following?
   A what the woman in the photo is wearing
   B her expression
   C her age
   D what Fawad thinks of her job
   E where she is
   F what she's doing
2 What phrase does he use to say what the woman is in the process of doing?
3 Fawad uses an example of the present perfect ('after having done/been/gone', etc.). Pick out the phrase that he uses.
4 What do you think *la caserne* means in this context?

Listen to and read how Fawad answers the second bullet point.

1 Write down the missing word(s) for each gap.
2 Look at the Answer booster on page 156. Note down at least six things that he does to make his answer a good one.

L'orientation qui **1** ______ le plus, c'est les sciences et les technologies. Je voudrais faire quelque chose pour **2** ______ la société; le salaire a **3** ______ d'importance pour moi. Je m'intéresse beaucoup à la nourriture, alors mon rêve **4** ______ de travailler comme diététicien, comme ma tante. Elle **5** ______ aussi que je fasse ça. Son travail consiste à concocter des régimes pour les personnes qui viennent **6** ______ consulter. L'année dernière, je **7** ______ à l'hôpital où elle travaille. Je l'ai **8** ______ pendant une journée, et c'était très intéressant.

Listen to Fawad's response to the third bullet point.

1 Make a note in English of six details that he gives.
2 Which two tenses does he use?

livrer	*to deliver*
faire la vaisselle	*to do the dishes*

Listen to Fawad's response to the fourth bullet point. Note down examples of how he justifies what he says.

Prepare your own answers to the first four bullet points. Try to predict which unexpected question you might be asked. Then listen and take part in the full picture-based discussion with your teacher.

This is your chance to shine. Your teacher will be listening out for your points of view, so give them wherever possible and don't forget to justify your opinions, as Fawad did when answering the fourth bullet point.

B – General conversation

Listen to Jamie introducing her chosen topic. Are the following statements true or false?

A She had always wanted to work in a garage.
B She answered the phone and washed cars.
C She wasn't allowed to mend any vehicles.
D Her colleagues weren't nice.
E She did lots of different tasks.
F She doesn't think work experience is essential.

balayer le plancher	*to sweep the floor*

The teacher then asks Jamie: «Qu'est-ce que tu voudrais faire comme travail?» Listen to how she develops her answer.

1 Jamie answers lots of 'hidden questions', but which two from the list below does she not answer?

A Would you like to be well paid?
B What languages do you speak?
C Where would you like to work?
D Would you like to work in a team?
E Does your brother have a dog?
F Would you like to work abroad?
G What did your brother used to do?
H What sort of personality do you have?

2 Can you think of at least two more that she does answer?

Listen to how Jamie answers the next question: «Qu'est-ce que tu voudrais faire plus tard dans la vie, à part le travail?» Look at the Answer booster on page 156. Write down six examples of what Jamie says to give her best possible answer.

Prepare answers to these questions. Then practise with your partner.

1 Est-ce que tu as fait un stage?
2 Qu'est-ce que tu voudrais faire comme travail?
3 Qu'est-ce que tu voudrais faire plus tard dans la vie, à part le travail?
4 Qu'est-ce que tes parents font comme travail?
5 Est-ce que tu veux aller à l'université?

Answer booster	Aiming for a solid answer	Aiming higher	Aiming for the top
Verbs	**Three time frames:** present, past, future	**Different persons of the verb:** not just *je* but *il/elle/on/nous/vous* **The conditional of *aimer* and *vouloir*** (*j'aimerais* and *je voudrais*)	**Different tenses:** imperfect, future and conditional **The perfect infinitive:** *après avoir fait, après être allé(e)* ***en* + present participle** **A subjunctive verb:** *Mes parents veulent que j'aille à l'université.*
Opinions and reasons	*Je pense que …* *À mon avis, …* *Pour moi, …* *parce que …*	**More variety:** *Je trouve que …* *Je crois que …* *Personnellement, …* *De préférence …* *Cela m'a plu.*	**More sophisticated phrases:** *Si je réussis mes examens, je ferai du bénévolat en Angleterre.* *Ce que je trouve bien, c'est …* *Le mieux/Le pire, c'est …* *Ça m'intéresserait de …*
Connectives	*et, ou, mais, aussi, puis, ensuite* *quand, lorsque* *parce que, car*	*où, comme*	*cependant, pourtant*
Other features	**Negatives:** *ne … pas, ne … jamais, ne … rien* **Qualifiers:** *très, un peu, assez, vraiment, trop, presque*	***avant de* + infinitive** **A range of negatives:** *ne … que, ne … ni … ni …, ne … rien* **The relative pronoun *qui*:** *L'orientation qui m'attire …*	**The relative pronoun *que*:** *Je vais vous parler du stage que j'ai fait.* **Direct object pronouns:** *Je le/la/les déteste.* **Direct object pronouns in the perfect tense:** *Je l'ai observé(e).*

A – Extended writing task

1 lire **Look at the task. For each bullet point, make notes on:**

- the tense(s) you will need to use
- the structures and vocabulary you could use
- any details and extra information you could include to improve your answer.

Au travail!

Un magazine français cherche des articles sur le travail pour son site Internet.

Écrivez un article sur le travail pour intéresser les lecteurs.

Vous **devez** faire référence aux points suivants:

- un stage que vous avez fait
- ce que vous pensez des petits boulots
- vos projets d'avenir
- les avantages de parler une langue étrangère.

Justifiez vos idées et vos opinions.

Écrivez 130–150 mots environ en français.

2 lire **Read Flynn's answer on the next page. What do the phrases in bold mean?**

3 lire **Look at the Answer booster. Note down eight examples of language that Flynn uses to improve the quality of his answer.**

Au mois de mai, j'ai fait un stage dans un bureau. **Malheureusement, il n'y avait pas grand-chose à faire**. Je faisais le café pour les autres employés, qui n'étaient pas aimables, et mon patron était toujours de mauvaise humeur! **C'était une perte de temps** et **j'étais très déçu** parce que je n'ai rien appris!

J'aimerais bien avoir un petit boulot parce que ce serait bien d'être plus indépendant et d'**avoir un peu d'argent à moi**. Pourtant, **ma mère veut que je finisse** mes études au collège avant d'avoir un job.

Après le lycée, je chercherai tout de suite un poste dans une entreprise locale. Mon ambition est de travailler dans le commerce. **Je ne veux ni aller à l'université, ni prendre une année sabbatique**. Un jour, je serai chef d'entreprise!

Dans le monde du travail, si on parle une langue étrangère, on a plus de possibilités d'obtenir une promotion, donc c'est un atout. Cependant, ce n'est pas seulement une question de travail. En apprenant une langue étrangère, **on peut mieux connaître les gens** et la culture d'un pays.

Now prepare your own answer to the task.

- Look at the Answer booster and Flynn's text for ideas.
- Try to impress by using more than one tense in each paragraph. For instance, you could write about the jobs you have already done or about the work experience you would like to do in the future.

B – Translation

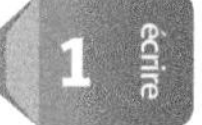

Read the English text and the translation. Write down the missing word(s) for each gap.

When I was younger, I wanted to be a mechanic, but now my dream would be to work as an engineer. The important thing for me is to do something interesting. My aim is to study abroad and then, after returning to England, I will look for a position in an international company. However, before going to university, I would like to do work experience.

Quand j'étais plus jeune, je **1** ________ être mécanicien mais maintenant, mon rêve **2** ________ de travailler comme ingénieur. **3** ________ pour moi est de faire quelque chose d'intéressant. Mon **4** ________ est de faire des études **5** ________ et puis, après **6** ________ ________ en Angleterre, je **7** ________ un poste dans une entreprise internationale. Cependant, **8** ________ ________ à l'université, je voudrais faire un **9** ________.

2 écrire **Translate the following passage into French.**

I work as a sales assistant but I would like to change career path. My ambition is to be a fashion designer because the important thing for me is to do something creative. After finishing my studies, I would like to take a gap year and then I will try to find a job.

Take care to get your tenses right.
Watch out in particular for the tricky perfect infinitive ('after having done'). Remember that you need *après* + the auxiliary verb + the past participle.

Les professions — *Jobs*

Ma mère/Mon père est …	*My mum/dad is a(n) …*
Je voudrais être …	*I would like to be a(n) …*
acteur/-trice	*actor/actress*
agent de police	*policeman/woman*
agriculteur/-trice	*farmer*
architecte	*architect*
boucher/-ère	*butcher*
boulanger/-ère	*baker*
caissier/-ère	*cashier*
coiffeur/-euse	*hairdresser*
créateur/-trice de mode	*fashion designer*
dentiste	*dentist*
directeur/-trice	*director*
électricien(ne)	*electrician*
employé(e) de bureau	*office worker*
facteur/-trice	*postman/postwoman*
fonctionnaire	*civil servant*
infirmier/-ère	*nurse*
informaticien(ne)	*computer scientist*
ingénieur(e)	*engineer*
journaliste	*journalist*
maçon(ne)	*builder*
mécanicien(ne)	*mechanic*
médecin	*doctor*
professeur	*teacher*
secrétaire	*secretary*
serveur/-euse	*waiter/waitress*
soldat	*soldier*
steward/hôtesse de l'air	*flight attendant*
vendeur/-euse	*sales assistant*
vétérinaire	*vet*
J'adore (la campagne).	*I love (the countryside).*
Je suis passionné(e) par (la loi et la justice).	*I'm passionate about (the law and justice).*
Je suis fort(e) en (maths).	*I'm good at (maths).*
Je suis (courageux/-euse).	I am (brave).
(Voyager), c'est ma passion.	*(Travelling) is my passion.*
(Les avions) me fascinent.	*(Planes) fascinate me.*
Je préférerais travailler (en plein air).	*I would prefer to work (outdoors).*
Je voudrais travailler avec (des enfants).	*I would like to work with (children).*
Je voudrais/J'aimerais travailler comme …	*I would like to work as …*
Je veux être …	*I want to be …*

L'orientation — *Career paths*

Dans quel secteur voudrais-tu travailler?	*In which area would you like to work?*
l'audiovisuel et les médias	*audiovisual and media*
l'informatique et les télécommunications	*IT and telecommunications*
l'hôtellerie et la restauration	*hotel and catering*
les arts et la culture	*arts and culture*
le commerce	*business*
le sport et les loisirs	*sport and leisure*
la médecine et la santé	*medicine and health*
les sciences et les technologies	*science and technology*
Ça m'intéresserait de travailler dans …	*I would be interested in working in …*
Mon rêve serait de faire carrière dans …	*My dream would be to have a career in …*
Mon ambition/Mon but est de trouver un poste dans …	*My ambition/aim is to find a job in …*
Le secteur/L'orientation qui m'attire/m'intéresse (le plus), c'est …	*The sector/career path that attracts/interests me (the most) is …*
L'important pour moi est d'avoir un métier bien payé.	*The important thing for me is to have a well-paid job.*
Le plus important est de …	*The most important thing is to …*
faire quelque chose de satisfaisant/stimulant/gratifiant/d'intéressant	*do something satisfying/stimulating/rewarding/interesting*
faire quelque chose pour améliorer la société/aider les autres	*do something to improve society/help others*
Le salaire a moins d'importance/est très important pour moi.	*The salary is less/very important to me.*
À mon avis, c'est un secteur d'avenir.	*In my opinion, it's an area with prospects.*
Je suis … depuis (trois) ans.	*I have been a … for (three) years.*
C'est un métier (stimulant).	*It's a (stimulating) job.*
La chose qui me plaît le plus, c'est …	*What I like best is …*
L'inconvénient, c'est que …	*The disadvantage is that …*
les horaires sont très longs	*the hours are very long*
c'est fatigant	*it's tiring*
Le mieux/pire, c'est …	*The best/worst thing is …*
Je suis assez satisfait(e) de mon travail.	*I'm quite satisfied with my job.*
Avant, j'étais/je travaillais comme …	*In the past, I was/worked as …*
C'était affreux/stressant/mieux/pire.	*It was awful/stressful/better/worse.*
C'était mal payé.	*It was badly paid.*
Le travail était monotone.	*The work was monotonous.*
Il n'y avait aucune possibilité d'avancement.	*There was no chance of promotion.*
Je m'entendais mal avec mon patron.	*I didn't get on well with my boss.*
J'ai décidé de (suivre une formation).	*I decided to (take a course).*
Maintenant, je suis diplômé(e).	*Now I am qualified.*
Mon nouveau boulot est (plus créatif).	*My new job is (more creative).*
Mes collègues sont tous très sympa.	*My colleagues are all very nice.*

Les ambitions — *Ambitions*

Avant de continuer mes études, …	*Before I continue my studies …*
Après avoir terminé mes examens, …	*After having finished my exams …*
Après avoir quitté le collège, …	*After having left school …*
Plus tard/Un jour, …	*Later on/One day …*
Je veux/J'aimerais/Je préférerais/J'espère …	*I want/I would like/I would prefer/I hope to …*
J'ai envie de/d' …	*I want to …*
J'ai l'intention de/d' …	*I intend to …*
Mon rêve serait de/d' …	*My dream would be to …*
aller à l'université/à la fac	*go to university*
entrer en apprentissage	*do an apprenticeship*
faire du bénévolat/travail bénévole	*do charity/voluntary work*
prendre une année sabbatique	*take a gap year*
J'espère me marier/me pacser.	*I hope to get married/register a civil partnership.*
J'ai l'intention de faire le tour du monde.	*I intend to travel round the world.*
Mon but est de fonder une famille.	*My aim is to start a family.*
Je ne veux pas avoir d'enfants.	*I don't want to have children.*
Je n'ai aucune intention de m'installer avec mon copain/ma copine.	*I have no intention of moving in with my boyfriend/girlfriend.*

Les langues / *Languages*

Les langues	*Languages*
Tu parles quelles langues?	*Which languages do you speak?*
Je parle bien/couramment/un peu/mal …	*I speak … well/fluently/a bit/badly.*
Je me débrouille en …	*I get by in …*
Ma mère parle …	*My mother speaks …*
Mon beau-père se débrouille en …	*My stepfather gets by in …*
Actuellement, ma sœur apprend…	*Currently, my sister is learning …*
l'allemand	*German*
l'anglais	*English*
l'arabe	*Arabic*
le français	*French*
l'espagnol	*Spanish*
l'italien	*Italian*
le japonais	*Japanese*
le mandarin	*Mandarin*
le portugais	*Portuguese*
le russe	*Russian*
Mon frère ne parle aucune langue étrangère.	*My brother doesn't speak any foreign languages.*
Ma grand-mère parle seulement le hindi.	*My grandmother only speaks Hindi.*
évidemment	*obviously*
actuellement	*currently*
naturellement	*naturally, of course*
vraiment	*really*
seulement	*only*
bien	*well*
mal	*badly*
mieux	*better*
Savoir parler des langues …	*Knowing how to speak languages …*
est indispensable pour certaines professions	*is indispensable for certain jobs*
ne sert à rien pour d'autres	*is of no use for others*
donne plus de possibilités de carrière	*provides more career possibilities*
est un atout	*is an asset*
On peut trouver plus facilement un bon emploi dans un autre pays.	*You can find a job more easily in another country.*
On comprend mieux sa propre langue.	*You understand your own language better.*
On a plus de chances d'obtenir une promotion.	*You have more chance of promotion.*
On peut mieux connaître les gens et la culture d'un pays.	*You can get to know the people and culture of a country better.*
On peut voyager/se faire des amis partout dans le monde.	*You can travel/make friends all over the world.*

Au téléphone / *On the telephone*

Au téléphone	*On the telephone*
Allô?	*Hello?*
Je voudrais parler avec …	*I would like to talk to …*
Sa ligne est occupée.	*His/Her line is busy.*
Est-ce que je peux laisser un message?	*Can I leave a message?*
Je vais vous transférer vers sa messagerie vocale	*I will transfer you to his/her voicemail.*
Ne quittez pas.	*Stay on the line.*
Je vous le passe.	*I'll pass you over to him/her.*
Je peux vous être utile?	*Can I help you/be of help?*
Au revoir!	*Goodbye!*

Un entretien d'embauche / *A job interview*

Un entretien d'embauche	*A job interview*
Enchanté.	*Pleased to meet you.*
Asseyez-vous.	*Sit down.*
Parlez-moi un peu de ce que vous faites actuellement.	*Talk to me a little bit about what you are doing at the moment.*
Actuellement, je suis (au lycée).	*At the moment, I am (in sixth form college).*
Je suis en train de (préparer le baccalauréat/mes examens de GCSE).	*I am in the middle of (preparing to take my baccalauréat/ my GCSE exams).*
Quelles matières étudiez-vous?	*What subjects are you studying?*
J'étudie (huit) matières, dont (l'EPS).	*I'm studying (eight) subjects, including (PE).*
Qu'est-ce que vous ferez après vos examens?	*What will you do after your exams?*
Si je réussis mes examens, j'espère (aller à l'université).	*If I pass my exams, I hope (to go to university).*
J'aimerais également (prendre une année sabbatique).	*I would also like (to take a gap year).*
Pourquoi vous intéressez-vous à ce poste?	*Why are you interested in this position?*
Je crois que ce serait une bonne expérience pour moi.	*I think it would be a good experience for me.*
Quelles sont les qualités personnelles que vous apporteriez à ce poste?	*What personal qualities would you bring to this position?*
Je suis quelqu'un de (bien organisé/ de très motivé/de créatif).	*I am a (well organised/very motivated/ creative) person.*

Mon boulot dans le tourisme / *My job in tourism*

Mon boulot dans le tourisme	*My job in tourism*
Je suis étudiant(e) en …	*I am studying …*
J'apprends à devenir …	*I'm learning to become …*
Il y a six mois, j'ai commencé à travailler dans/chez/en …	*Six months ago I started work in/ with …*
Je voudrais travailler à plein temps/ mi-temps dans (le tourisme).	*I would like to work full-time/ part-time in (tourism).*
Lorsque j'étais plus jeune, je rêvais d'être (infirmier/-ière).	*When I was younger, I dreamed of being a (nurse).*
J'ai décidé de changer d'orientation à cause de …	*I decide to change direction because of …*
Mon travail consiste à (accueillir les clients).	*My work involves (welcoming clients).*
Je m'occupe aussi (des réservations).	*I also take care of (reservations).*
Je vends (des billets).	*I sell (tickets).*
Je suis passionné(e) par mon travail.	*I am passionate about my job.*
J'apprécie surtout (le contact avec les gens).	*I particularly enjoy (dealing with people).*
Le seul inconvénient de mon métier, c'est que …	*The only disadvantage of my job is that …*
Pour faire ce métier, il faut …	*To do this job you have to …*
être souriant	*be smiley*
savoir parler d'autres langues	*know how to speak other languages*
Plus tard/Quand je serai diplômé(e), …	*Later on/When I am qualified …*
je partirai en vacances	*I will go on holiday*
j'essaierai d'apprendre le japonais	*I will try to learn Japanese*

Les mots essentiels / *High-frequency words*

Les mots essentiels	*High-frequency words*
au sujet de	*about, on the subject of*
avant tout	*above all*
malgré	*despite, in spite of*
non seulement	*not only*
plus tard	*later*
plutôt	*rather, instead*
quant à …	*regarding …, as for …*

8 Un œil sur le monde

Point de départ

- *Talking about what makes you tick*

1 écouter **Écoutez et écrivez les <u>deux</u> priorités pour chaque personne, en choisissant les bons mots de l'encadré. (1–4)**

1	Zélie	2	Maé
3	Léon	4	Salomé

le sport **la musique** **ma santé** **ma famille** **mes études** **mes animaux** **mes amis** **l'argent**

2 écouter **Écoutez encore une fois. Qui dit ça? Notez les lettres des <u>deux</u> bonnes phrases pour chaque personne. (1–4)**

Exemple: **1** Zélie – g, …

a Tout le monde a besoin de partager ses expériences.

b Ça m'aide à décompresser et à oublier mes soucis.

c Ils me remontent le moral!

d Il faut s'occuper de son corps et de son bien-être.

e Ça t'ouvre des portes et c'est important pour l'avenir.

f Ça me permet de m'exprimer et de me détendre.

g Ils m'aiment et ils me protègent.

h Il en faut pour vivre.

3 lire **Lisez la liste. Reliez les dessins et les droits.**

Exemple: **1** e

Droits de l'enfant

1 Le droit d'être aimé et respecté
2 Le droit d'être nourri
3 Le droit d'être soigné
4 Le droit d'avoir une identité
5 Le droit d'avoir une éducation
6 Le droit d'être protégé de la violence
7 Le droit à l'égalité, en particulier entre filles et garçons
8 Le droit de rêver, de rire et de jouer
9 Le droit de ne pas être exploité
10 Le droit de s'exprimer et de donner son avis

4 parler **À deux. Quel est le droit le plus important pour vous? Donnez votre avis, à tour de rôle.**

- *À mon avis, le droit numéro 1 est le plus important car …*
- *Non, je ne suis pas d'accord. À mon avis, le droit numéro 5 est le plus important car …*

Borrow or adapt some of the things the people in exercise 1 said, e.g.

Tout le monde a besoin de/d' (être aimé).
Mes parents m'aiment et me protègent.
Il faut (de la nourriture)/Il en faut pour vivre.
(Jouer/Rêver), ça me permet de (me détendre).

5 écouter **Écoutez et lisez. Écrivez la lettre de la bonne image pour chaque personne.**

Qu'est-ce qui te préoccupe? Qu'est-ce qu'on peut faire face à ce problème?

Ce qui me préoccupe, c'est la pauvreté dans le monde et surtout les enfants qui n'ont pas assez à manger. Luttons contre la faim! Il est possible de parrainer un enfant en Afrique, par exemple, ou on peut au moins faire un don à une association caritative. **Vincent**

Ce que je n'aime pas, c'est l'injustice. Des personnes qui sont emprisonnées à tort, par exemple. Ne rien faire, ce n'est pas une option. Il faut lancer des pétitions, écrire à son député et participer à des manifestations! **Léna**

Ce qui m'inquiète le plus, c'est l'environnement. La planète est en mauvais état! Il faut agir maintenant. Chaque geste compte! Il faut aussi mener des campagnes de sensibilisation. **Matthieu**

Ce qui m'inquiète, ce sont les sans-abri. Je ne comprends pas cette inégalité. Il ne faut pas ignorer ces gens. On peut faire du bénévolat avec une organisation qui les aide. **Cécile**

a

b
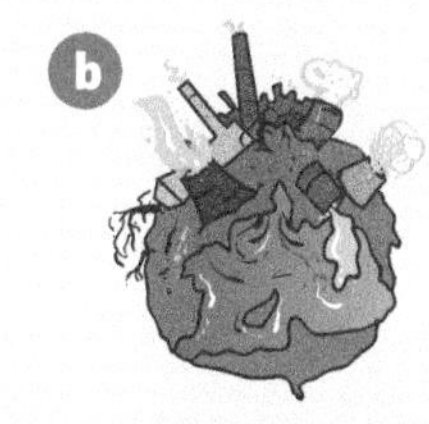

c

d
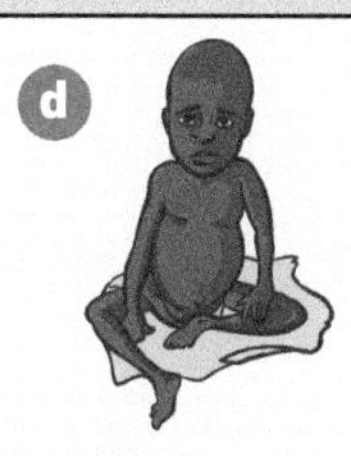

6 lire **Relisez les textes de l'exercice 5. Trouvez l'équivalent français de ces expressions.**

1 Every gesture counts.
2 We cannot ignore these people.
3 Let's fight against hunger!
4 people who are falsely imprisoned
5 to write to your MP
6 to sponsor a child
7 to participate in demonstrations
8 to make a donation to a charity

7 parler **Sondage en classe: posez ces questions et répondez-y.**

- Qu'est-ce qui est important pour toi dans la vie? *Ce qui est important pour moi, c'est …*
- Qu'est-ce qui te préoccupe dans la vie? *Ce qui me préoccupe, c'est …*
- Qu'est-ce qu'il faut faire face à ce problème? *À mon avis, il faut …*

Lisez le texte. Écrivez V (vrai) ou F (faux) pour chaque phrase.

1 Pour Ousmane, sa priorité est sa famille.
2 Il va fêter son anniversaire ce week-end.
3 Il s'engage contre l'injustice.
4 Il est membre de Greenpeace France.
5 Plus tard, Ousmane compte être plus actif.

Ce qui est important pour moi, c'est d'abord ma famille. Je compte sur elle. Ce week-end, je vais manger au restaurant avec mes parents, mes frères et mes cousins car on va fêter l'anniversaire de ma tante. Je suis impatient!

Ce qui me préoccupe énormément dans la vie, c'est l'état de la Terre. Récemment, j'ai lu un article sur le réchauffement climatique et par la suite, j'ai décidé de devenir membre de Greenpeace France, une organisation qui protège l'environnement.

Pour l'instant, je me renseigne. Je reçois beaucoup de mails et je lis énormément. Quand je serai plus âgé, je m'engagerai plus concrètement.

Écrivez un paragraphe sur ce qui est important pour vous et sur ce qui vous préoccupe.

Ce qui est important pour moi dans la vie, c'est d'abord … Ensuite, c'est …
Ce qui me préoccupe, c'est …
J'ai lu un article sur …
J'ai décidé de …

1 Notre planète

- *Discussing problems facing the world*
- *Making connections between word types*

À deux. Parlez de ces problèmes: c'est quoi l'équivalent en anglais? Ensuite, catégorisez les problèmes.

catastrophes naturelles	problèmes provoqués par l'homme
un typhon (*typhoon*) ...	

le déboisement

un typhon

une fuite de pétrole

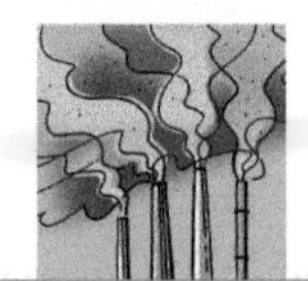
la pollution de l'air

des inondations

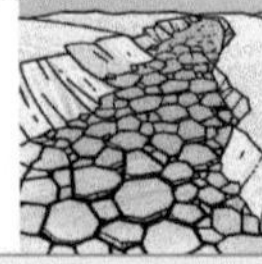
la sécheresse

la destruction de la couche d'ozone

un tremblement de terre

un incendie

Écoutez. Quel est le plus grand problème pour la planète, selon ces personnes? (1–6)

la surpopulation

la disparition des espèces

la guerre

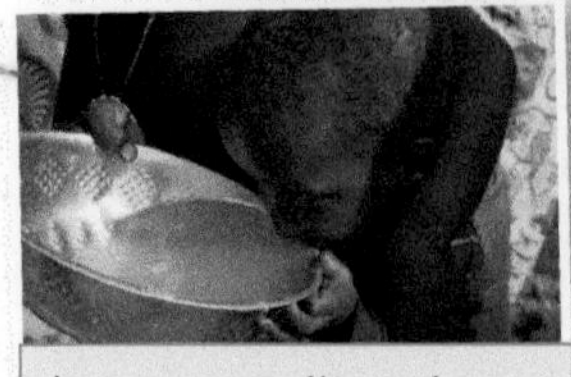
le manque d'eau douce

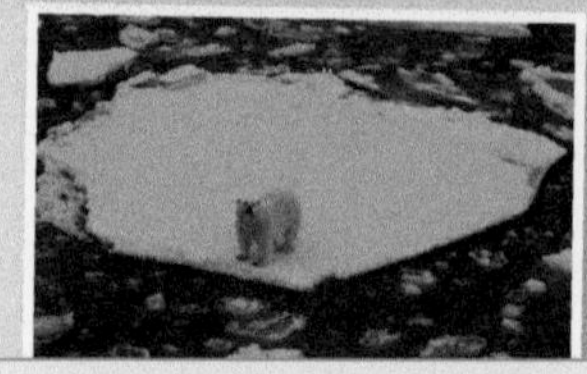
le changement climatique

la destruction des forêts tropicales

Écoutez encore une fois. Qu'est-ce qu'ils disent à propos de chaque problème? Écrivez la bonne lettre. (1–6)

a Beaucoup de plantes et d'animaux sont en train de disparaître. Voici les causes: l'agriculture intensive, la chasse illégale, la surpêche ...

être en train de *to be in the process of*

b La population de la Terre n'arrête pas d'augmenter mais les ressources naturelles ne sont pas infinies. Comment la planète peut-elle nourrir tout le monde?

c Dans le futur, on ne sait pas s'il y en aura assez sur notre planète. C'est très inquiétant, étant donné que c'est une ressource vitale.

d Plusieurs pays dans le monde sont ravagés par des conflits. Des milliers de personnes se font tuer et d'autres deviennent des réfugiés. Cela a mené à la récente crise migratoire.

e Des millions d'hectares disparaissent chaque année. Les hommes trafiquent le bois ou bien entreprennent des activités agricoles. C'est grave.

f On pollue l'air et ça contribue à l'effet de serre. La Terre est en train de se réchauffer! Ça se manifeste par des événements météorologiques de plus en plus extrêmes. On est en train de détruire la planète!

4 lire

Trouvez dans les exercices 1–3 un mot (adjectif, verbe ou nom) qui a un lien avec chacun des mots ci-dessous. Ensuite, traduisez les paires de mots en anglais.

Exemple: **a** changer – le changement: *to change – the change*

a changer
b la nourriture
c la météo
d pêcher
e chaud
f l'agriculture
g sec
h la manifestation

When you come across an unfamiliar word in a text, try to make a connection with a word that you do know. And when you're learning verbs, see if there's a related noun you could learn as well, e.g. *polluer* (to pollute), *la pollution* (pollution); *détruire* (to destroy), *la destruction* (destruction).

5 écrire

Écrivez une réponse à cette question.

À ton avis, quel est le plus grand problème pour la planète, et pourquoi?

6 écouter

Écoutez et écrivez les mots manquants.

L'eau douce

Même si l'eau recouvre une immense partie de notre planète, les ressources en eau utilisable et consommable sont très limitées:

L'eau salée des mers et des océans représente plus de **1** ______ % du volume d'eau total; sur les **2** ______ % d'eau douce, moins de **3** ______ % est accessible aux êtres vivants.

Par ailleurs, les ressources en eau sont très inégalement réparties à la surface de la **4** ______: quelques pays dont le Brésil, la **5** ______, la Chine, les États-Unis, l'Indonésie et l'Inde se partagent **6** ______ % de l'eau douce disponible tandis qu'un milliard de personnes n'ont pas accès à l'eau potable.

Longtemps considérée comme inépuisable, l'eau douce est devenue un bien précieux. Préserver sa qualité, maîtriser les besoins et mieux la distribuer sont un challenge majeur qui pourrait créer des **7** ______ dans le futur.

l'eau douce	*fresh water*
l'eau potable	*drinking water*
un milliard	*a billion*

7 lire

Lisez l'extrait littéraire et répondez aux questions en anglais.

Aqua™ *is a science-fiction novel by Jean-Marc Ligny. In it, he imagines a world in the future where global warming has made fresh water so scarce that nations have to fight for it.*

Eau, vent, poussière

[…] Voici les sujets que nous évoquerons au cours de notre flash météo offert par AirPlus, l'air sain de vos logis. Les îles Britanniques font le gros dos sous l'ouragan de force 12 qui a abordé les côtes il y a plus d'une heure, on compte déjà une trentaine de victimes: notre fait du jour. Les Pays-Bas renforcent leurs digues et se préparent tant bien que mal à résister: nos conseils pratiques.

Treizième mois de sécheresse en Andalousie, les derniers orangers se meurent: notre dossier spécial société. Enfin, si vous circulez dans les Alpes, prenez garde aux glissements de terrain, de nombreuses routes sont coupées: le point sur la situation.

la digue *flood barrier*

1 Where has there been a force 12 hurricane?
2 When did it strike?
3 How many people have been killed so far?
4 What is happening in the Netherlands?
5 What is the problem in Andalusia?
6 How long has it been going on for?
7 What is dying there?
8 What is the result of landslides in the Alps?

2 Protéger l'environnement

- *Talking about protecting the environment*
- *Using the modal verbs* pouvoir *and* devoir *in the conditional*

1 écouter **Écoutez et lisez. Reliez les tweets et les hashtags.**

Que devrait-on faire pour sauver notre planète? Que pourrais-tu faire?

MaudAcker @Maud12
Actuellement, je ne fais pas grand-chose pour protéger l'environnement, mais je pourrais trier les déchets et faire du compost à la maison.

Natalie @Natfille
Tout le monde devrait éteindre les appareils électriques et la lumière en quittant une pièce. On devrait aussi baisser le chauffage et mettre des pulls. C'est ce que je fais, moi!

Loic @LoicK
Moi, je devrais utiliser du papier recyclé. Je devrais aussi éviter les produits jetables et acheter des produits verts. Je pourrais peut-être privilégier les produits bio.

AntoninLahoud @Antonin46
On devrait utiliser les transports en commun ou privilégier le covoiturage. Moi, je pourrais même aller au collège à vélo.

Mimi @Mlleunetelle
Je fais déjà pas mal de choses mais je pourrais faire plus, comme refuser les sacs en plastique. Je devrais aussi apporter une bouteille d'eau au lieu d'utiliser un gobelet jetable.

a #consommer_moins_d'énergie
b #réutiliser
c #recycler
d #se_déplacer_autrement
e #faire_des_achats_responsables

2 lire **Dans les tweets de l'exercice 1, trouvez la phrase qui correspond à chaque image.**

Exemple: **1** acheter des produits verts

G *Using the modal verbs* **pouvoir** *and* **devoir** *in the conditional* > Page 220

Use *pouvoir* and *devoir* in the conditional, followed by the infinitive of another verb, to mean 'could' or 'should'.

Add the usual endings for the conditional to the stem of the verb, which is irregular in each case:

pouvoir:	*je **pourr**ais*	*tu **pourr**ais*	*il/elle/on **pourr**ait*
	(I could)	(you could)	(he/she/one could)
devoir:	*je **devr**ais*	*tu **devr**ais*	*il/elle/on **devr**ait*
	(I should)	(you should)	(he/she/one should)

***Je pourrais** aller au collège à vélo.* **I could** go to school by bike.
***On devrait** utiliser les transports en commun.* **We should** use public transport.

3 écouter **Écoutez. Quelle solution <u>n'est pas</u> mentionnée?**

Que pourrait-on faire de plus pour économiser l'eau?

a On devrait récupérer l'eau de pluie pour arroser le jardin.
b On devrait fermer le robinet pendant qu'on se lave les dents.
c On devrait boire l'eau du robinet.
d On devrait prendre une douche au lieu de prendre un bain.
e On devrait tirer la chasse d'eau des WC moins fréquemment.

Si vous ne faites pas ces actions chez vous, vous devriez commencer tout de suite!

Préparez une présentation qui dure une minute. Répondez à cette question.

Que pourrais-tu faire pour protéger notre planète?

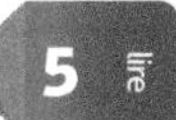

Lisez le blog et complétez les phrases en anglais.

UNE ÉCOLE VERTE EST UNE ÉCOLE HEUREUSE

Je tiens à faire tout ce que je peux pour protéger l'environnement et je suis très content de faire partie de l'équipe verte de mon collège.

L'année dernière, nous avons défini nos objectifs ensemble et nous avons décidé de:

1. *réduire les émissions de gaz à effet de serre*

2. *utiliser moins d'eau*

3. *générer moins de déchets*

4. *sensibiliser les jeunes à l'importance de la protection de l'environnement en général.*

Nous avons introduit une opération de réutilisation et de recyclage, et mobilisé les élèves.

Maintenant, tous les jours, on trie, on recycle et on réutilise. On éteint les ordinateurs quand on n'en a pas besoin et on ferme les robinets le plus vite possible. De plus en plus d'élèves viennent au collège à vélo et les profs qui habitent plus loin partagent leurs voitures, comme ça, nous polluons moins. C'est beau à voir!

Mais notre plus grande victoire est celle-ci: nous avons économisé 50% sur le chauffage et la ventilation! J'en suis très fier.

Notre prochaine bataille, ce sera d'installer des panneaux solaires sur le toit!

1. The green team's four objectives were: **1** …, **2** …, **3** …, **4** …
2. They introduced …
3. Now, every day, …
4. More and more pupils … and the teachers …
5. They saved 50% on … and …
6. Their next battle is to …

> Get into the habit of learning new verbs in the infinitive form. However, make sure that you check whether they are irregular and note the past participle, e.g. *éteindre* (irreg.) – *j'éteins, j'ai éteint.*
>
> You need to be able to recognise them when they are conjugated.

Écoutez. Copiez et complétez le tableau en anglais. (1–3)

	past	present	future
1	just threw everything away, …		

Écrivez un paragraphe sur les gestes quotidiens qu'on pourrait faire afin de mieux protéger l'environnement.

Show what you can do!

- Use the imperfect to say what things were like: *Avant, à la maison, on ne triait pas …*
- Use the perfect to say what you did recently: *L'autre jour, par exemple, j'ai …*
- Use the present to say what you do every day: *Actuellement, je trie/je recycle/j'économise/je consomme …*
- Use the conditional to say what you could do more of: *Je pourrais trier/recycler/économiser …*

- *Discussing ethical shopping*
- *Using the passive*

1 écouter **Écoutez et lisez. Reliez les images et les titres.**

D'OÙ VIENT TON TEE-SHIRT «J'ADORE PARIS»?

1

Le coton de ton tee-shirt est cultivé et récolté au Texas, aux États-Unis. (Oui, le coton est une plante. Le savais-tu?)

2

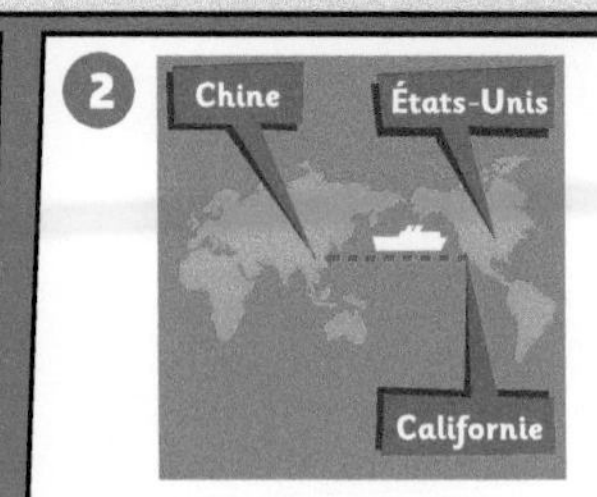

Ensuite, les balles de coton sont transportées en Californie où elles sont chargées sur des bateaux et exportées vers la Chine.

3

À Shanghai, les fibres de coton sont transformées en fils, qui sont transformés en tissu. Une fois que le tissu a été fabriqué, il est transporté vers une usine de vêtements où il est transformé en tee-shirt.

4

Le tee-shirt continue son voyage et repart pour la France où le motif «J'adore Paris» est imprimé dessus.

5

Tu le vois à Paris, tu l'aimes, tu l'achètes. Tu le portes pendant un moment et puis tu le jettes ou tu le donnes à une association caritative.

6

Après un certain temps, le plus probable, c'est que ton tee-shirt sera envoyé en Afrique où il sera vendu sur un marché à un prix très favorable.

Tu n'oublieras jamais ton tee-shirt «français», fabriqué avec du coton américain par des ouvriers chinois, acheté par toi, une touriste belge, et qui a fini sur un marché sénégalais.

a La fabrication du tee-shirt
b Le destin final du tee-shirt
c La culture du coton
d Le transport du coton
e L'achat du tee-shirt
f La personnalisation du tee-shirt

2 lire **Relisez le texte de l'exercice 1 et trouvez l'équivalent français de ces expressions.**

1 The cotton for your T-shirt is grown and harvested.
2 The cotton balls are transported to California.
3 The cotton fibres are transformed into threads.
4 Once the fabric has been made, …
5 The logo is printed on it.
6 Your T-shirt will be transported to Africa, where it will be sold.

G *The passive*

> *Page 234*

The passive is used to talk about things that **are done** (or **have been done**, **will be done**, etc.). To form it, use ***être*** in the appropriate tense, followed by a past participle. The past participle must agree with the subject.

present	*Le coton **est cultivé**.* *Les balles de coton **sont transportées**.*	Cotton **is grown**. The cotton balls **are transported.**
perfect	*Le tissu **a été fabriqué**.*	The fabric **has been made/was made.**
future	*Ton tee-shirt **sera vendu**.*	Your T-shirt **will be sold.**

3 écouter **Écoutez et choisissez la bonne option.**

1 Pour cultiver le coton, il faut beaucoup …
a de patience. **b** de terre. **c** d'eau.
2 Si la culture n'est pas bio, beaucoup de … sont utilisés.
a produits verts **b** pesticides **c** produits recyclés
3 Un tee-shirt produit des émissions CO_2 car il …
a est transporté sur de longues distances. **b** est blanchi. **c** est fabriqué sur place.
4 Des produits chimiques sont utilisés …
a pour rendre les ouvriers malades. **b** pour transporter le tee-shirt. **c** pour transformer le coton.

4 écrire **Traduisez ces phrases en français.**

1 Lots of clothes are made abroad.
2 The T-shirts are bought in Europe.
3 CO_2 emissions are produced.
4 The cotton for my jeans was grown in the USA.
5 My skirt will be sold at a market.

5 écouter **Écoutez et lisez. Répondez aux questions.**

Les produits pas chers sont souvent fabriqués dans des conditions de travail inacceptables. Les ouvriers sont sous-payés et leur journée de travail est trop longue. Du coup, si un produit est bon marché, je ne l'achète pas. *Ethan*

Je suis d'accord. Trop de travailleurs sont exploités ou exposés à des risques. À mon avis, on devrait boycotter les grandes marques qui ne respectent pas leurs ouvriers. *Tobie*

On pourrait les boycotter, mais ceci dit, les gens dans les pays pauvres ont besoin de travailler. On devrait plutôt forcer les grandes marques à garantir un salaire minimum. *Leïla*

Pour moi, le prix est important. En effet, je pense que c'est mieux de payer un peu plus pour avoir quelque chose de qualité. On devrait tous acheter des habits issus du commerce équitable. *Margot*

À part tout cela, il faut réfléchir à l'impact sur l'environnement. On devrait acheter des vêtements fabriqués en France. Comme ça, on sait que l'empreinte carbone de nos habits est moins élevée. *Esteban*

Oui. En ce qui concerne le shopping, tout le monde devrait essayer de respecter l'homme et l'environnement à la fois. *Blanche*

Who …

1 thinks that companies should guarantee a minimum wage?
2 thinks that workers' days can be too long?
3 mentions the carbon footprint of clothes?
4 thinks that we should buy fairly traded clothing?
5 thinks that both people and the planet should be considered?
6 thinks that workers are exposed to risks?

6 lire **Relisez le texte de l'exercice 5. Trouvez l'équivalent français de ces expressions.**

1 as a result
2 that said
3 however
4 apart from all that
5 in this way
6 as far as … is concerned

7 parler **À deux. Posez cette question et donnez votre avis, à tour de rôle.**

Si un produit est bon marché, tu l'achètes?

Borrow ideas from the texts in exercise 5. Try to include phrases like *comme ça* and *du coup* to make your French sound more authentic.

À deux. À haute voix, faites ce quiz sur le bénévolat.

Es-tu fait(e) pour être bénévole?

1 Tu penses être …
- **a** une personne sociable qui a l'esprit d'équipe.
- **b** une personne renfermée qui préfère être seule.

2 Tu estimes …
- **a** que c'est important d'aider les autres. Tu te passionnes pour les droits de l'Homme.
- **b** qu'il vaut mieux passer son temps à la plage. Chacun pour soi!

3 Une personne aveugle demande ton aide pour traverser la rue.
- **a** Tu lui donnes le bras.
- **b** Tu lui tournes le dos.

4 Un sans-abri veut te parler.
- **a** Tu lui offres un café.
- **b** Tu lui donnes un coup de poing.

5 Tes voisins sont âgés.
- **a** Tu leur rends visite.
- **b** Tu ne leur parles jamais.

Réponses

Si tu as une majorité de 'a': Bravo! Tu es fait(e) pour être bénévole. Tu aideras les autres et en tireras profit toi-même.

Si tu as une majorité de 'b': Elle est bien triste, ton existence. Bonne chance pour l'avenir! Il t'en faudra, avec ton attitude!

aveugle	*blind*
un coup de poing	*a punch*

2 écouter

Écoutez. Qu'est-ce qu'ils disent? Écrivez les deux bonnes lettres pour chaque personne. (1–3)

Pourquoi être bénévole?

- **a** Ça me permet d'élargir mes compétences.
- **b** Ça me donne le sentiment d'être utile.
- **c** Ça me donne plus confiance en moi.
- **d** C'est important de participer à la vie en société.
- **e** On a la responsabilité d'aider les autres et de ne pas se focaliser sur soi-même.
- **f** Il y a beaucoup de personnes qui ont besoin d'un peu de gentillesse.

Écoutez encore une fois. Notez en anglais ce qu'ils font comme bénévolat. (1–3)

Traduisez ces phrases en français.

1. They give us presents.
2. She talks to me every evening.
3. I offer them a little kindness.
4. I would turn my back to him.
5. It allows you to be useful.

G *Indirect object pronouns* > *Page* **230**

Indirect object pronouns mean 'to me', 'to him', etc. They replace nouns that are used after the preposition *à*, e.g. after the verbs *dire à* (to say to) and *offrir/donner à* (to offer/give to). The word 'to' is not always used in English.

Indirect object pronouns go in front of the verb.

	indirect object pronoun
(to) me	***me*** or ***m'***
(to) you	***te*** or ***t'***
(to) him/her	***lui***
(to) us	***nous***
(to) you	***vous***
(to) them	***leur***

*Je **lui** donne le bras.* I give **him/her** my arm.
*Je **leur** rends visite.* I visit **them**.

5 lire

Lisez le texte. Trouvez l'équivalent anglais des verbes en rouge. Utilisez un dictionnaire, si nécessaire.

Profils de bénévoles

Pendant l'été, Gaël, 21 ans, travaille sur un stand d'Oxfam pendant les grands festivals de musique, dans le but de sensibiliser les festivaliers au changement climatique. On s'adresse aux festivaliers et on leur demande de manger moins de viande, d'acheter local, de prendre conscience des problèmes en ce qui concerne l'environnement, et d'agir. En même temps, les bénévoles profitent de l'ambiance et de la musique! L'année dernière, les bénévoles d'Oxfam ont réussi à motiver 7 543 festivaliers!

Anaïs, 18 ans, travaille dans un refuge pour animaux trois soirs par semaine après le lycée. Son travail consiste à s'occuper des animaux qui ont été abandonnés. Beaucoup d'animaux sont traumatisés quand ils arrivent. Anaïs les soigne et leur donne à manger. Elle promène les chiens et accueille les personnes qui voudraient adopter un animal. Elle adore le bénévolat et espère consacrer sa vie à ces animaux sans défense.

Oriane, 24 ans, fait partie de l'organisation Autremonde. Autremonde envoie des petits groupes de bénévoles dans la rue, le soir, à la rencontre des sans-abri. Ces personnes affrontent quotidiennement les difficultés de la rue: le froid, la faim, la solitude, le manque d'espoir. Oriane et les autres bénévoles soutiennent les SDF en leur rendant visite. Ils leur parlent, ils leur offrent du café et ils les aident à trouver un centre d'hébergement.

les SDF (sans domicile fixe) *homeless people*

1 sensibiliser
2 prendre conscience de
3 soigner
4 accueillir
5 affronter
6 soutenir

6 lire

Relisez le texte. Copiez et complétez le tableau en anglais pour Gaël, Anaïs et Oriane.

name	volunteer organisation/place	what the volunteer work involves	other details
Gaël			

7 écouter

Écoutez. Écrivez V (vrai) ou F (faux) pour chaque phrase.

1 The number of homeless people in Paris has increased in the last decade.
2 More and more women are homeless.
3 Anne is homeless, but she still works.
4 Anne has never had any trouble on the streets.
5 Anne thinks that homelessness can happen to anyone.

Écrivez votre réponse à ces questions.

- Pourquoi devient-on bénévole?
- Que fais-tu pour aider les autres?
- Voudrais-tu faire du travail bénévole un jour?

Présentez à l'oral vos réponses de l'exercice 8.

- You can borrow language that you come across, but you also have to manipulate it to make it your own, e.g., you might need to change a verb used with *on* to the *je* form, or you might see a verb in the present tense and want to use it in another tense.
- If you get asked a question that you don't feel you have much to say on, make something up, even if it isn't true! Try to give as full an answer as possible.

- *Discussing big events*
- *Giving arguments for and against*

1 écouter **Écoutez Luc. Reliez chaque événement et les deux avantages mentionnés. (1–4)**

1 
le Tour de France

2 
la Coupe du monde de rugby

3 
le festival d'Avignon

4 
le carnaval de Nice

Un avantage de cet événement, c'est que ça …

a met en avant la culture.
b encourage la pratique du sport.
c met en avant la ville hôte.
d attire les touristes.
e unit les gens.
f donne des modèles aux jeunes.
g crée un sentiment de fierté nationale.
h permet aux gens de passer un bon moment.

les chars *(festival) floats*

2 lire **Lisez le texte. Corrigez les erreurs dans les phrases anglaises.**

Être ville hôte pour les Jeux olympiques: le pour et le contre!

L'organisation de chaque festival ou événement sportif a des conséquences pour la ville hôte et pour ses habitants. Et encore plus quand il s'agit d'un événement international tel que les Jeux olympiques!

D'un côté, les J.O. sont un moteur important de développement. Il faut construire des stades, des maisons pour les athlètes: toute une infrastructure. Ça crée du travail et facilite la régénération des centres urbains. En plus, les J.O. apportent une activité économique importante dans un pays en attirant des visiteurs. Les hôtels et les restaurants en profitent.

D'un autre côté, les habitants peuvent se plaindre parce que les prix augmentent. En plus, après avoir accueilli les Jeux, les pays sont souvent endettés. Créer toute cette infrastructure coûte très cher. Par ailleurs, dans certains pays, les ouvriers sont exploités et maltraités. C'est franchement scandaleux!

Et ça, c'est sans compter l'impact sur l'environnement. Construire toutes les structures requises et accueillir autant de personnes venues de très loin, ça laisse une empreinte carbone très importante.

Il y a du pour et du contre, c'est sûr. Bien que ce soit un honneur d'accueillir ce genre d'événement, les organisateurs devraient faire des efforts pour réduire son impact.

Guillaume Dupont

1 M. Dupont thinks that there are fewer consequences when the event is an international one like the Olympic Games.
2 On the one hand, when a city hosts the Olympics, many people lose their jobs.
3 The Olympics put tourists off coming.
4 On the other hand, the host city or country is usually better off financially after the Olympics.
5 Workers are always valued and treated appropriately.
6 The impact of the Olympics on the environment is negligible.
7 Nevertheless, hosting the Olympics is shameful.

tel(le)(s) que	*such as*
se plaindre	*to complain*
bien que (+ subjunctive)	*although*

3 lire **Traduisez les deux paragraphes en violet dans le texte de l'exercice 2 en anglais.**

À quatre. Pour ou contre les grands événements sportifs? Préparez un débat.

Un avantage, c'est que D'un côté, En plus,		ça encourage la pratique du sport. ça unit les gens. ça donne des modèles aux jeunes. ça crée du travail. ça attire des touristes. ces événements sont un facteur de développement économique.
Cependant, Un inconvénient, c'est que D'un autre côté, Par ailleurs,		les ouvriers qui construisent les stades sont souvent exploités. les prix augmentent. la ville hôte est souvent endettée après l'événement. ça laisse une empreinte carbone très importante.
J'estime Je trouve Je suis persuadé(e)	que/qu'	il y a du pour et du contre. les festivals sont une chose positive/négative pour un pays ou une région.

If you are presenting two sides of an argument when speaking or writing, try to link your ideas together using sophisticated expressions like *d'un côté* and *d'un autre côté*.

Écoutez Violaine qui parle de l'organisation du festival *les Vieilles Charrues*. Quels deux moyens de rendre le festival plus écologique ne sont pas mentionnés?

a 

b 

c 

d 

e 

f 

g 

6 parler

À deux. Regardez la photo et préparez vos réponses à ces questions.

- Où sont ces jeunes?
- Tu es déjà allé(e) à un festival de musique ou à un concert?
- C'était comment?

Traduisez ce texte en français.

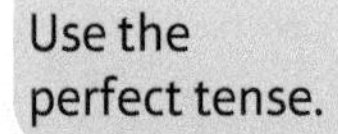

Use the perfect tense.

Don't try to translate the text word for word. Check the key language on this page and on page 170.

I love festivals! In my opinion, this type of event promotes culture. What's more, it unites people. Last year, I went to the cinema festival in La Baule. The atmosphere was fantastic and everyone had a great time. However, there are positives and negatives. On coming out of a cinema, I saw rubbish everywhere. The organisers should make more effort as far as the environment is concerned.

Which structure do you need here?

Use *en ce qui concerne …*

Use the conditional of *devoir*.

1 lire

Read the literary extract. Fatou is watching her neighbour.

FDD Fatou Diallo Détective by Emmanuel Trédez

> À 8h17, M. Benguigui est arrivé avec un gros sac rempli de déchets de tout genre qu'il a jeté dans le bac jaune: au moins deux bouteilles en verre dépassaient du sac en plastique. Je me suis ruée dehors, mais M. Benguigui, avec ses grandes jambes, était déjà au bout de la rue lorsque j'ai atteint la grille. Je suis allée vérifier le contenu de son sac. Visiblement, le bonhomme se fichait pas mal du tri sélectif. Outre les bouteilles et les bocaux en verre, il s'était débarrassé d'un tas d'objets plus suspects les uns que les autres: des cintres en fil de fer, un cordon de douche percé, un vieux radio-réveil …

Answer the questions in English.

(a) What did Monsieur Benguigui arrive with?
(b) By the time Fatou got to the metal railings, where had Monsieur Benguigui got to?
(c) Why did she check what he'd had in his bag?
(d) What does Fatou think about the items (apart from the bottles and jars) that Monsieur Benguigui put in the recycling bin?

2 lire

Lisez cette page Web.

La Banane à tout prix

À la découverte du fruit le plus vendu au monde

La banane est l'un des plus anciens fruits au monde et aujourd'hui, c'est le fruit le plus consommé au monde. Dans les immenses plantations d'Amérique latine qui produisent des bananes pour les multinationales, les conditions de travail sont extrêmement dures. Les journées de travail varient de 10 à 12 heures. Le salaire moyen d'un ouvrier de la banane est d'environ 5 à 6 euros par jour. Cela ne couvre pas les besoins essentiels d'une famille (logement, nourriture, éducation).

Pesticides et autres produits toxiques sont le lot quotidien des bananiers et des ouvriers dans les grandes plantations. Les pesticides sont des substances chimiques toxiques qui détruisent les organismes qui s'attaquent aux cultures agricoles.

Un de ces pesticides s'appelle le Nemagon. Bien qu'interdit aux États-Unis dès 1979, certaines multinationales ont continué à l'utiliser dans les plantations durant les années 80. Il a contaminé 22 000 personnes au Nicaragua. Son utilisation peut provoquer la stérilité et le cancer.

«Je l'appliquais tous les jours, mais je n'avais pas de vêtements de protection. Par ailleurs, je n'étais pas formé à son utilisation,» a expliqué Victor, qui a été contaminé par le Nemagon.

Répondez aux questions en français. Il n'est pas nécessaire d'écrire des phrases complètes.

Exemple: Où est-ce qu'on produit des bananes? dans les immenses plantations d'Amérique latine

(a) Donnez <u>deux</u> exemples des dures conditions de travail dans les plantations.
(b) Que font les pesticides?
(c) Trouvez <u>deux</u> problèmes de santé liés au Nemagon.
(d) Comment est-ce que Victor a été contaminé par le Nemagon? Donnez <u>un</u> détail.

Having to answer questions in French can seem quite daunting, but don't panic. The instructions say *Il n'est pas nécessaire d'écrire des phrases complètes*, so you don't have to answer in full sentences. You can usually lift your answer directly from the text, but make sure you only write the relevant words – don't copy out huge chunks.

Sandrine is being interviewed about a festival in France. Listen and write the letter of the correct ending for each sentence.

Example: Sandrine is talking about … B

A a surfing festival. **B** a kite festival. **C** a music festival. **D** a food festival.

1 On the Sunday there …
A are demonstrations.
B are competitions.
C is an Easter egg hunt.
D is a dance.

2 Sandrine likes to …
A do water sports.
B make things.
C fly things.
D go for balloon rides.

3 The sound and light show is at …
A 9 o'clock.
B 10 o'clock.
C 11 o'clock.
D 12 o'clock.

You hear this discussion among some young people on a radio phone-in. Listen and write the letter of the correct ending for each sentence.

1 Romy's parents …
A don't understand why she does volunteering.
B want her to do her homework.
C are proud of her.
D work with children.

2 Chloé's brother …
A trusts her.
B started a sports club.
C has volunteered for a year.
D is still at school.

3 Chloé is encouraged to volunteer …
A by her parents.
B by her brother.
C by her school.
D by other young people.

4 Luc …
A can't see very well.
B doesn't have time to volunteer.
C doesn't help other people.
D isn't selfish.

5 Marie …
A likes to volunteer.
B knows how she can help.
C lives on an estate.
D feels she isn't well informed.

6 Marie …
A is worried about homeless people.
B doesn't like homeless people.
C ignores homeless people.
D helps homeless people.

Take care with multiple-choice tasks like this one. They may seem easy at first, but each question has been set to test your understanding. For example, with question 1, Romy refers to elements of all four of the options. You have to listen very carefully to find the answer that fits exactly.

You hear this report about an environmentally friendly company. Listen and answer the questions in English.

Part 1

un milliard	*a billion*

(a) Where is Pocheco?
(b) How many envelopes does Pocheco make a year?
(c) How does having plants on the roof help to protect the environment? Give one detail.
(d) How do they use the water that the plants don't drink? Give two examples.
(e) How else is the roof environmentally friendly?

Part 2

(a) Besides making the envelopes, how do the machines help the company? Give two details.
(b) How much paper is used by the factory?
(c) How does the company offset the environmental cost of the paper it uses?

A – Picture-based discussion

Topic: Bringing the world together

Look at the picture and the bullet points below.
– **!** means you must answer an unexpected question.

On va discuter de/d'/des:
- la photo
- un festival ou un concert auquel tu es allé(e)
- conséquences des grands événements
- la possibilité de faire du travail bénévole dans le futur
- **!**

1 écouter **Look at the picture and read the task. Then listen to Farah's answer to the first bullet point.**

1. In addition to saying who is in the picture, where they are and what they are doing, what else does Farah say to expand her answer?
2. What does *ils sont assis par terre* mean?
3. What do you think *devant une scène* means?

2 écouter **Listen to and read how Farah answers the second bullet point.**

1. Write down the missing word(s) for each gap.
2. Look at the Answer booster on page 176. Note down at least six things that she does to make her answer a good one.

Oui, l'année dernière, je suis allée à un festival de musique **1** ______ dans un parc près de chez moi. Le festival n'a duré qu'**2** ______, mais c'était génial. **3** ______ avec quatre copines et on s'est très bien amusées! On a vu un groupe de reggae et un duo hip-hop que j'ai adorés mais l'artiste que j'**4** ______, c'était une jeune chanteuse française. Il y avait beaucoup de festivaliers et **5** ______ était chouette! La musique, ça **6** ______ les gens! **7** ______ de la musique, on a mangé des pizzas délicieuses. **8** ______, j'aimerais aller à un festival qui dure trois jours parce que je suis passionnée de musique et parce que j'aime faire **9** ______. Ce serait une expérience pleine de convivialité.

Listen to how Farah answers the third bullet point.

1 What does she say the disadvantages are?
2 What does she say the advantages are?
3 Look at the 'opinions and reasons' and 'connectives' rows of the Answer booster. Note down the phrases that Farah uses to present both sides of the argument.

> You will be asked your opinion on different topics, so it's useful to have a stock of phrases at the ready which you can reuse regardless of what you are discussing. You should find a few you could use in Farah's third answer.

Listen to Farah's response to the fourth bullet point. Note down examples of how she justifies what she says.

Prepare your own answers to the first four bullet points. Try to predict which unexpected question you might be asked. Then listen and take part in the full picture-based discussion with your teacher.

B – General conversation

Listen to Fraser introducing his chosen topic. In which order does he mention these problems?

A le changement climatique
B la surpopulation
C la pollution de l'air
D la disparition des espèces

The teacher then asks Fraser: «Que devrait-on faire pour sauver notre planète?» Below are the things that Fraser says we should do to protect the environment. However, he doesn't just say them in a long list! What extra information does he add to expand on each of these points?

1 use public transport more often
2 save water
3 recycle
4 consume less energy

Listen to how Fraser answers the next question: «Je pense que ça ne sert à rien d'acheter vert. Quel est ton avis?» Look at the Answer booster on page 176. Write down six examples of what he does to give his best possible answer.

Prepare answers to these questions. Then practise with your partner.

1 À ton avis, quelle est la plus grande menace pour la planète dans le futur?
2 Que devrait-on faire pour sauver notre planète?
3 Je pense que ça ne sert à rien d'acheter vert. Quel est ton avis?
4 Qu'est-ce que tu as déjà fait pour aider les pauvres?
5 Quels sont les plus grands problèmes pour les sans-abri?

Answer booster	**Aiming for a solid answer**	**Aiming higher**	**Aiming for the top**
Verbs	**Three time frames:** present, past, future	**Different persons of the verb:** not just *je* but *il/elle/on/nous/vous* **The conditional of *aimer* and *vouloir*:** *j'aimerais* and *je voudrais*	**Different tenses:** imperfect, future and conditional **The perfect infinitive:** *après avoir fait, après être allé(e)(s)* **The conditional of *pouvoir* and *devoir*:** *je pourrais, on devrait* **The passive:** *les ouvriers sont exploités*
Opinions and reasons	*Je pense que …* *À mon avis, …* *Pour moi, …* *parce que …*	**More variety:** *Je trouve que …* *Je crois que …* *J'estime que …* *Personnellement, …* *De préférence, …*	**More sophisticated phrases:** *Ce qui m'inquiète/me préoccupe, c'est …* *Ce que je trouve bien, c'est …* *Il y a du pour et du contre.*
Connectives	*et, ou, mais, aussi, puis, ensuite* *quand, lorsque* *parce que, car*	*où, comme* *cependant, pourtant*	*néanmoins, ceci dit* *d'un côté … d'un autre côté …* *à part tout cela, par ailleurs* *comme ça/du coup*
Other features	**Negatives:** *ne … pas, ne … jamais, ne …rien* **Qualifiers:** *très, un peu, assez, vraiment, trop, presque* **Sequencers:** *(tout) d'abord, en premier, ensuite*	***avant de* + infinitive** **A range of negatives:** *ne … que, ne … ni … ni …, ne … rien* **The pronoun *y*:** *J'y travaille.* **The relative pronoun *qui*:** *un animal qui a faim*	**The relative pronoun *que*:** *un événement que j'apprécie* **Direct object pronouns:** *Je le/la/les déteste.* **Direct object pronouns in the perfect tense:** *Je l'ai observé(e).* **Indirect object pronouns:** *Je leur ai servi un repas.*

A – Extended writing task

1 lire **Look at the task. For each bullet point, make notes on:**

- the tense(s) you will need to use
- the structures and vocabulary you could use
- any details and extra information you could include to improve your answer.

Je voudrais être bénévole!

Vous voulez faire du volontariat, alors vous contactez une organisation qui met en relation les associations et les personnes qui veulent être bénévoles.

Écrivez une lettre pour convaincre les organisateurs de vous offrir une mission bénévole.

Vous **devez** faire référence aux points suivants:

- ce que vous voudriez faire comme travail bénévole
- pourquoi il est important de faire du volontariat
- un travail bénévole que vous avez déjà fait
- comment faire du volontariat vous aidera plus tard.

Justifiez vos idées et vos opinions.

Écrivez 130–150 mots environ en français.

2 lire **Read Rhiannon's answer on the next page. What do the phrases in bold mean?**

3 lire **Look at the Answer booster. Note down eight examples of language that Rhiannon uses to improve the quality of her answer.**

Madame, Monsieur

Je vous écris pour demander une mission bénévole. Ce qui m'inquiète, c'est la cruauté envers les animaux. **Je voudrais les protéger:** les chiens et les chats **qui ont été maltraités et abandonnés**. Il faut faire quelque chose **pour mettre fin à cette pratique barbare**. J'aimerais donc faire du bénévolat dans un refuge animalier.

Bien que je n'aie que quinze ans, je crois que c'est important de participer à la vie en société. Il est important de ne pas se focaliser sur soi-même.

Je n'ai pas encore beaucoup d'expérience, mais l'hiver dernier, mon frère a fait du bénévolat dans une organisation qui aide les sans-abri et un soir, je suis allée avec lui. J'ai parlé aux jeunes **qui étaient à la rue** et **je leur ai servi un repas chaud**. Ça a été une expérience révélatrice.

Faire du bénévolat sera une expérience enrichissante qui me permettra d'élargir mes compétences. Ça pourrait aussi être un tremplin pour trouver du travail dans le futur car après avoir quitté le lycée, j'aimerais travailler dans le secteur animalier.

Je vous prie d'agréer l'expression de mes sentiments distingués.

...

4 écrire **Now write your own answer to the task, using the Answer booster and Rhiannon's text for ideas.**

B – Translation

1 lire **Read the English text. Look at the phrases that are numbered and compare them with the French translation. What structures do you need to use in French to translate each of them?**

Example: **1** Use the imperfect tense (not just one occasion in the past).

Before, when I used to go [1] shopping, the price was important. But now, I think that you need [2] to consider the [5] environmental impact. After having watched [3] a programme about the global clothing industry with my mum, I talked [4] to her and we decided to buy clothes which [7] are made [8] in France. The clothes will be [9] more expensive but it will be more environmentally friendly. [6]

Avant, quand je faisais du shopping, le prix était important. Mais maintenant, je pense qu'il faut réfléchir à l'impact sur l'environnement. Après avoir regardé une émission sur l'industrie mondiale du vêtement avec ma mère, je lui ai parlé et on a décidé d'acheter des vêtements qui sont fabriqués en France. Les vêtements seront plus chers mais ce sera plus écologique.

2 écrire **Translate the following passage into French.**

My brother always used to buy inexpensive products. I told him that too many workers are exploited and that their working conditions are often unacceptable. After having read an article, I chose to boycott the big brands who don't respect their workers. My brother agrees so in the future we will buy fairly traded products.

Module 8 Vocabulaire

Ce qui me préoccupe — *What worries me*

Ce qui est important pour moi dans la vie, c'est d'abord …	*The most important thing to me in life is above all …*
Ensuite, c'est …	*Then it's …*
le sport	*sport*
la musique	*music*
ma santé	*my health*
ma famille	*my family*
l'argent (m)	*money*
mes études	*my studies*
mes animaux	*my pets*
mes amis	*my friends*
Ce qui me préoccupe/m'inquiète (le plus), c'est …	*What worries me (the most) is …*
l'état (m) de la Terre	*the state of the Earth/planet*
le réchauffement climatique	*global warming*
la pauvreté dans le monde	*world poverty*
l'injustice (f)	*injustice*
l'environnement (m)	*the environment*
les sans-abri	*homeless people*
les personnes qui sont emprisonnées à tort	*people who have been wrongly imprisoned*
les enfants qui n'ont pas assez à manger	*children who don't have enough to eat*
On peut/Il est possible de …	*You can/It's possible to …*
parrainer un enfant en Afrique	*sponsor a child in Africa*
faire un don à une association caritative	*donate to a charity*
faire du bénévolat	*do voluntary work*
Il faut …	*We must/You have to …*
lutter contre la faim	*fight against hunger/famine*
lancer des pétitions	*launch petitions*
écrire à son/sa député(e)	*write to your MP*
participer à des manifestations	*take part in demonstrations*
agir maintenant	*act now*
faire des campagnes de sensibilisation	*carry out campaigns to raise awareness*
Il ne faut pas ignorer (ces gens).	*We must not ignore (these people).*

Notre planète — *Our planet*

Le plus grand problème pour la planète, c'est …	*The greatest problem for the planet is …*
le changement climatique	*climate change*
le déboisement	*deforestation*
la destruction de la couche d'ozone	*the destruction of the ozone layer*
la destruction des forêts tropicales	*the destruction of tropical rainforests*
la disparition des espèces	*species dying out*
la guerre	*war*
le manque d'eau douce	*the lack of fresh water*
la pollution de l'air	*air pollution*
la sécheresse	*drought*
la surpopulation	*overpopulation*
un incendie (m)	*a fire*
une fuite de pétrole	*an oil spill*
des inondations (f)	*flooding/floods*
un tremblement de terre	*an earthquake*
un typhon	*a typhoon*

Protéger l'environnement — *Protecting the environment*

Que devrait-on faire pour sauver notre planète?	*What should we do to save our planet?*
Actuellement, je ne fais pas grand-chose pour protéger l'environnement.	*Currently, I don't do much to protect the environment.*
Je fais déjà pas mal de choses.	*I already do quite a lot.*
Je pourrais/On devrait …	*I could/We ought to …*
trier les déchets	*separate the rubbish*
faire du compost à la maison	*make compost at home*
éteindre les appareils électriques et la lumière en quittant une pièce	*turn off appliances and the light when leaving a room*
baisser le chauffage et mettre un pull	*turn down the heating and put on a sweater*
utiliser du papier recyclé	*use recycled paper*
éviter les produits jetables	*avoid disposable products*
acheter des produits verts	*buy green products*
privilégier les produits bio	*where possible, choose organic products*
utiliser les transports en commun	*use public transport*
favoriser le covoiturage	*encourage car-sharing*
aller au collège à vélo	*go to school by bike*
refuser les sacs en plastique	*turn down plastic bags*
apporter une bouteille d'eau au lieu de prendre un gobelet jetable	*carry a bottle of water instead of using disposable cups*
récupérer l'eau de pluie pour arroser le jardin	*collect rainwater for watering the garden*
fermer le robinet pendant qu'on se lave les dents	*turn off the tap while you brush your teeth*
boire l'eau du robinet	*drink tap water*
prendre une douche au lieu de prendre un bain	*have a shower instead of having a bath*
tirer la chasse d'eau moins fréquemment	*flush the toilet less frequently*
faire plus	*do more*

D'où vient ton tee-shirt? / *Where does your T-shirt come from?*

Les produits pas chers sont souvent fabriqués dans des conditions de travail inacceptables.	*Cheap products are often made in unacceptable working conditions.*
Les ouvriers sont sous-payés.	*The workers are underpaid.*
Leur journée de travail est trop longue.	*Their working day is too long.*
Si un produit est bon marché, je ne l'achète pas.	*If a product is cheap, I don't buy it.*
Trop de travailleurs sont exploités/exposés à des risques.	*Too many workers are exploited/exposed to risks.*
À mon avis, on devrait …	*In my opinion, people should …*
boycotter les grandes marques qui ne respectent pas leurs ouvriers	*boycott big brands that don't respect their workers*
forcer les grandes marques à garantir un salaire minimum	*force big brands to guarantee a minimum wage*
acheter des habits issus du commerce équitable	*buy fairly traded clothes*
acheter des vêtements fabriqués en France	*buy clothes made in France*
réfléchir à l'impact sur l'environnement	*think about the impact on the environment*
essayer de respecter l'homme et l'environnement à la fois	*try to respect mankind and the environment at the same time*

Faire du bénévolat / *Volunteering*

Ça me permet d'élargir mes compétences.	*It allows me to expand my skills.*
Ça me donne plus confiance en moi.	*It gives me more confidence in myself/makes me feel more confident.*
Ça me donne le sentiment d'être utile.	*It makes me feel useful.*
C'est important de participer à la vie en société.	*It's important to participate in society.*
On a la responsabilité d'aider les autres et de ne pas se focaliser sur soi-même.	*We have a responsibility to help others and not focus on ourselves.*
Il y a beaucoup de personnes qui ont besoin d'un peu de gentillesse.	*There are lots of people who need a little kindness.*
Je travaille …	*I work …*
sur un stand d'Oxfam	*on an Oxfam stand*
dans un refuge pour les animaux	*in an animal sanctuary*
Je fais partie de l'organisation X.	*I'm a member of X.*
Je rends visite à une personne âgée.	*I visit an elderly person.*
Je participe à des projets de conservation.	*I take part in conservation projects.*
J'aide des enfants du primaire à faire leurs devoirs.	*I help primary school children to do their homework.*
Je soigne les animaux.	*I look after/treat animals.*
Je soutiens les SDF.	*I support homeless people.*
On s'adresse aux …	*We appeal to …*
sensibiliser	*to raise awareness*
prendre conscience de	*to become aware of*
soigner	*to look after, treat*
accueillir	*to welcome*
affronter	*to face, confront*
soutenir	*to support*

Les grands événements / *Big events*

Un avantage de cet événement, c'est que …	*An advantage of this event is that …*
D'un côté, ça …	*On the one hand, it …*
En plus, ça …	*What's more/Moreover, it …*
met en avant la culture	*promotes the culture*
met en avant la ville hôte	*promotes the host city*
crée un sentiment de fierté nationale	*creates a sense of national pride*
permet aux gens de passer un bon moment	*allows people to have a good time*
encourage la pratique du sport	*encourages participation in sport*
unit les gens	*unites people*
donne des modèles aux jeunes	*gives young people role models*
crée du travail	*creates jobs*
attire des touristes	*attracts tourists*
Cependant, …	*However, …*
Un inconvénient, c'est que …	*A disadvantage is that …*
D'un autre côté, …	*On the other hand, …*
Par ailleurs, …	*What's more, …*
les ouvriers qui construisent les stades sont souvent exploités	*the workers who build the stadiums are often exploited*
les prix augmentent	*prices rise*
la ville hôte est souvent endettée après l'événement	*the host city is often in debt after the event*
ça laisse une empreinte carbone très importante	*it leaves a significant carbon footprint*
J'estime/Je trouve/Je suis persuadé(e) que/qu' …	*I reckon/find/am convinced that …*
il y a du pour et du contre	*there are pros and cons*
les festivals sont une chose positive/négative pour un pays/une région	*festivals are positive/negative for a country/region*
les panneaux solaires	*solar panels*
les toilettes sèches	*dry toilet*
les véhicules électriques	*electric vehicles*
le papier recyclé	*recycled paper*

Les mots essentiels / *High-frequency words*

à part tout cela	*apart from all that*
bien que (+ subjunctive)	*although*
ceci dit	*that said, …*
comme ça …	*in this way …*
du coup, …	*as a result, …*
en ce qui concerne …	*as far as … is concerned*
en même temps	*at the same time*
en train de	*in the process of (doing)*
il s'agit de	*it's about, it's a matter of*
pas mal de	*quite a lot of*
quotidiennement	*daily*
tel(le)(s) que	*like, such as*
tout le monde	*everyone*

Module 1 Révisions

1 parler

Refresh your memory! **In pairs. Look at the adjectives on page 28. Then close the book and play 'personality ping-pong': one person says a positive adjective; the other says a negative one.**

Example:
● *Aimable.*
■ *Égoïste.*

For extra challenge, give both the masculine and feminine forms, if they are different, e.g. *paress**eux**/paress**euse***.

2 écouter

Refresh your memory! **Listen. Copy and complete the grid in English. (1–4)**

	who they are talking about	what they look like	their personality	good/bad points about relationship
1				

3 écrire

Refresh your memory! **Copy and complete the following sentences, using your own ideas.**

1 Je m'entends bien avec ______ car ______.
2 Je me dispute avec ______ parce que ______.
3 Mon meilleur copain/Ma meilleure copine est ______.
4 Quand j'étais petit(e), je ______.
5 Une personne que j'admire, c'est ______, puisque ______.

4 écouter

Listen to Olivia talking about her best friend. What does she say? Write the letter of the correct ending for each sentence.

Example: Lucie and Olivia are … B

A sisters. **B** cousins. **C** not related. **D** not friends.

1 Yasmine and Olivia …

A are in the same class. **B** walk to school together. **C** go out together after school. **D** phone each other a lot.

2 When she is with Yasmine, Olivia becomes …

A more shy. **B** more funny. **C** more generous. **D** more talkative.

3 Yasmine and Olivia …

A argue a lot. **B** argue occasionally. **C** argue about some things. **D** never argue.

4 The thing Olivia likes most about Yasmine is that …

A she believes in her. **B** she can confide in her. **C** she takes care of her. **D** she knows her so well.

There are three people involved here: Olivia (who is the speaker), Lucie and Yasmine. Listen carefully to make sure the answer you choose refers to the right person, not one of the other two girls. Also remember to listen for tenses: Olivia uses both the present and the imperfect, and this may affect whether certain answers are correct.

5 lire **Read the comments on the internet chat forum. Answer the questions in English.**

Les sportifs sont-ils des héros?

Quand j'étais plus jeune, j'admirais beaucoup les participants au Tour de France, à cause de leur détermination et de leur courage. Mais depuis tous les scandales de dopage, j'ai changé d'avis. Je suis très déçue et je ne regarderai plus le cyclisme. **Louanne**

Pour moi, les sportifs amateurs sont souvent plus admirables que les professionnels. Les coureurs du marathon aux Jeux olympiques m'ont inspiré à faire pareil et j'ai déjà commencé à m'entraîner pour ma première course. **Salim**

Certains sportifs donnent le mauvais exemple aux jeunes. On ne peut pas respecter des footballeurs qu'on voit à la télé se disputer ou se battre au cours d'un match. Les gens ordinaires, tels que les médecins ou les policiers, sont de meilleurs modèles. **Baptiste**

1 Who thinks people in non-sporting jobs make better role models?
2 Who has stopped enjoying a particular sport?
3 Who has taken up sport because of good role models?
4 What is Louanne's attitude towards doping in sport?
5 Why does Baptiste think some footballers are a bad example?

6 lire **Translate Baptiste's comments into English.**

7 parler **Prepare and perform this picture-based discussion.**

Topic: Friends

Look at the picture and bullet points below.
– **!** means you must answer an unexpected question.

On va discuter de/d':

- la photo
- ton avis sur les qualités d'un(e) bon(ne) ami(e)
- une bonne expérience que tu as eue avec tes amis
- ce que tu vas faire avec tes amis pendant les grandes vacances
- **!**

8 écrire **Translate this passage into French.**

When my mother was younger, she wanted to be a nurse, but she now works as a lawyer. She finds her job really rewarding. I get on well with her because we have the same interests, especially music. I admire her because she is hard-working and funny. She makes me laugh!

The second bullet and the final bullet will always be opinion-based. Your teacher will state his/her opinion, then ask yours. If you agree with him/her, say so, but always add something to what he/she has said, to develop your answer: *Je suis tout à fait d'accord/Je suis du même avis/Vous avez bien raison, et de plus/par exemple …*

If you disagree, give reasons: *Je ne suis pas (tout à fait) d'accord. Je pense que … parce que/car/puisque/par exemple …*

Révisions

1 parler

Refresh your memory! **In pairs. Try to find a hobby for each letter of the alphabet.**

Example: **a** – accordéon, jouer de l'accordéon, **b** – blog, écrire un blog …

2 écrire

Refresh your memory! **Look back at the vocabulary on pages 50–51, then close the book. Copy and complete the grid with as many ideas as possible.**

film genres	types of TV programmes	phrases for describing films/TV programmes	phrases for describing actors
les films romantiques	les émissions de sport	c'est/c'était génial	je le/la trouve …

3 écouter

Refresh your memory! **Listen. Copy and complete the grid in English. (1–4)**

	hobby	what they enjoy about it	other details
1			

4 écouter

Sandrine et Alice parlent de films. Qu'est-ce qu'elles disent? Écrivez la bonne lettre.

Often, a listening task will contain distractors or 'red herrings'. These answer options will relate to something that is mentioned in the audio, but they are not the right answer. Read the questions carefully, then keep looking at the questions as you listen. Don't jump to conclusions!

1 Hier, Sandrine a regardé …

A un film romantique. **B** un film historique. **C** un film d'action. **D** une comédie.

2 Sandrine …

A n'a pas du tout aimé le film. **B** a trouvé le film trop déprimant. **C** a trouvé le film bien. **D** a trouvé le film démodé.

3 Selon Sandrine, l'acteur principal …

A est beau. **B** est trop jeune. **C** n'a pas beaucoup de talent. **D** est doué.

4 Hier, Alice …

A est allée au cinéma. **B** a regardé un film sur Internet. **C** a regardé un film à la télé. **D** a regardé sa série préférée.

5 La mère d'Alice a apprécié …

A les costumes. **B** les paysages. **C** le scénario. **D** la musique.

5 écrire

Translate this passage into French.

I admire my cousin Marc, who is really sporty. He has been playing volleyball every Thursday for a year. He used to prefer individual sports, but now he loves being part of a team. Next month, his team is going to participate in a competition. They think that if they work well together, they will win.

Read this literary extract. Salomé, the narrator, is talking about chatting online. Answer the questions in English. You do not need to write in full sentences.

Je voudr@is que tu … by Frank Andriat (abridged)

Samedi 25 octobre

Quand Papa et Maman font les courses de la semaine, Salomé en profite pour *chatter*. Mais cette fois, pas de secret: ils savent que le samedi matin, je reste rivée à l'écran de mon ordinateur. Les ados interdits de chat pendant la semaine s'éveillent et nous sommes nombreux à échanger les pires bêtises.

À l'écran on se lâche beaucoup plus. On n'a pas la pression de l'autre, on n'a pas peur de tout dire. On sait qu'on parle à quelqu'un, mais c'est un peu comme si on se parlait à soi-même en plus large.

Et sur le Web, si la personne importune, on la zappe! Un clic et tu n'es plus mon ami! Accès interdit à ma vie!

Mes parents croient que je chatte avec des gens du bout du monde.

– Salomé, tu ne sais pas à qui tu parles. Il faut te méfier.

– J'ai bientôt quatorze ans, Maman! Je ne suis plus une gamine!

1. What are Salomé's parents doing while she is chatting online?
2. Why do so many young people chat on a Saturday?
3. Why does Salomé say you can open up more when you talk to people online? Give one reason.
4. What does Salomé do if someone is bothering her online? Give one detail.
5. Why does Salomé's mum worry?

Look at the task card and do this short writing task.

La technologie

Un site Internet français pour les jeunes voudrait avoir ton opinion sur la technologie.

Écris à ce site Internet. Tu **dois** faire référence aux points suivants:

- comment tu utilises ton téléphone portable
- ce que tu as fait sur Internet hier soir
- pourquoi les réseaux sociaux sont utiles ou non
- comment la technologie va pouvoir nous aider à l'avenir.

Écris 80–90 mots environ en français.

- Ask yourself what tense each bullet is in and therefore which tense you will need to answer in.
- Think creatively. Look back at the text in exercise 1 on page 44. Are there any phrases you can borrow or rework?

Révisions

1 parler

Refresh your memory! **In pairs. Look at the food vocabulary on pages 72–73 for 5 minutes only. Then give the French for:**

- 10 fruits or vegetables
- 8 things that you can eat or drink at breakfast
- 6 things that are eaten at Christmas or Easter
- 5 things that you ate or drank yesterday.

Refresh your memory! **Listen. Copy and complete the grid in English. (1–4)**

	which special occasion?	present, past or future?	details
1			

3 lire

Refresh your memory! **Copy and complete the grid with the correct verb forms. Then translate the missing verbs into English.**

infinitive	present tense	perfect tense	simple future tense
fêter (*to celebrate*)	**1**	j'ai fêté	je fêterai
recevoir (*to receive*)	je reçois	**2**	je recevrai
ouvrir (*to open*)	j'ouvre	**3**	j'ouvrirai
sortir (*to go out*)	**4**	je suis sorti(e)	je sortirai
manger (*to eat*)	on mange	on a mangé	**5**
boire (*to drink*)	on boit	**6**	on boira
aller (*to go*)	**7**	on est allé(e)s	**8**
faire (*to do/make*)	on fait	**9**	**10**

4 écouter

Listen to Nathan being interviewed about Christmas in his town. Write the letter of the correct answer to each question.

> You need to listen closely for detail. In Question 3, the speaker mentions all four things, but which does he say he likes best?

1 The starting date of the Christmas markets is …

A 20 November. **B** 10 December. **C** 20 December. **D** 30 December.

2 He says the ideal gift to buy is …

A candles. **B** decorations. **C** toys. **D** chocolates.

3 What he likes best is …

A the bread. **B** the pastries. **C** the sweets. **D** the wine.

5 écrire

Translate this passage into French.

> Usually, on Saturday afternoon, Manon has to stay at home and do her homework. However, in the evening, if she has money, she goes out with her friends. But last weekend it was her birthday, so she went to an Italian restaurant with her family. She likes eating pasta, but she also loves ice creams and she ate two of them!

6 parler **Prepare and perform this picture-based discussion.**

Topic: Cultural life

Look at the picture and bullet points below.
– **!** means you must answer an unexpected question.

On va discuter de/d':
- la photo
- ton avis sur l'importance du mariage aujourd'hui
- une occasion spéciale que tu as fêtée en famille
- comment tu fêteras ton prochain anniversaire
- **!**

Answer each question in the correct tense. Remember, you will always be asked for your opinion – if you don't have one, invent one!

7 lire **Read the article about French cooking, then answer the questions that follow.**

La cuisine française

C'est le célèbre chef Auguste Escoffier qui a établi la réputation mondiale de la cuisine française, il y a plus de 100 ans, avec la publication de son livre *Le Guide culinaire*.

Il ne faut pas non plus ignorer l'importance du fameux *Guide Michelin*, publié en même temps que le livre d'Escoffier. Avec son système d'étoiles attribuées aux hôtels et aux restaurants de la plus haute qualité, le *Michelin* a lui aussi beaucoup contribué à la renommée de la cuisine française, en indiquant les meilleurs endroits où bien manger.

Pourtant, il est difficile de parler de «cuisine française» puisqu'il existe différentes cuisines régionales. La cuisine du nord-ouest, fort influencée par la proximité de la mer, se caractérise par le poisson et les fruits de mer, de même que par l'utilisation de produits laitiers tels que le beurre et la crème.

Le sud-ouest de la France est connu pour sa charcuterie et pour ses recettes à base de volailles (poulet, oie, canard, etc.), tandis que dans le sud-est du pays, ce sont les légumes, les fruits et les fines herbes qui dominent la cuisine.

Enfin, chaque région a sa propre spécialité de fromage, du camembert de Normandie au roquefort d'Aveyron.

1 What does the article tell us? Write down the letters of the <u>three</u> correct statements.

A Auguste Escoffier lived to be 100 years old.
B The *Michelin Guide* was first published at the same time as Escoffier's book.
C Seafood is used a lot in dishes in north-west France.
D Dairy products are not often used in food from north-west France.
E Recipes from south-west France use a lot of beef and lamb.
F The region best known for using vegetables is the south-east.
G The Aveyron region is famous for its Camembert cheese.

Answer the following questions in English.

2 How did the *Michelin Guide* help to establish the reputation of French cooking?
3 Why is it difficult to define typical French cooking?

Pay attention to small words, like *même* (same), as they can often be key to finding the correct answer. How does en *même temps* in the text help you with statement B in question 1?

Note also *de même que*, which means 'as well as' or 'in addition to'.

8 lire **Translate the third paragraph (the one that starts with *Pourtant*) into English.**

Révisions

1 *parler*

Refresh your memory! **Challenge your partner to a French 'spelling bee', using the words below.**

Example:

- *'Castle'.*
- *Château: C-H-A circumflex-T-E-A-U.*

countryside **forest** **hiking** **library** **nightclub**

noise **pedestrian precinct** **river** **suburbs**

theatre **traffic** **unemployment** **west**

Remember, accents are part of accuracy in French!

acute accent: **é**
grave accent: **à, è, ù**
circumflex: **â, ê, î, ô**
cedilla: **ç**

2 *écouter*

Refresh your memory! **Listen. Copy and complete the grid in English. (1–4)**

	where they live	good points about it	bad points about it	how they would change it
1				

un immeuble *block of flats*

Remember, you use the conditional to say 'would':

je voudrais améliorer I'd like to improve
je créerais I would create
ce serait that would be
on devrait construire we should build

3 *écrire*

Refresh your memory! **Change each sentence into the negative, using a different negative expression each time. You may need to change some of the other words.**

1. C'est propre.
2. C'est calme.
3. Il y a beaucoup de choses à faire.
4. Il y a un espace vert.
5. Il y a un club de jeunes.
6. Il y a un parc et une aire de jeux.

4 *écouter*

Listen to Anissa, who lives in Marrakesh, in Morocco. Answer the questions in English.

1. What does Anissa say about the climate in her area? Give two details.
2. Give one reason why tourists visit Marrakesh.
3. What does Anissa not like about living in Marrakesh?
4. How does she feel, overall, about living there?

Listen carefully for small words and phrases. They often change the meaning of a sentence, or give you clues about someone's opinion. In Anissa's interview, what do *même si ...*, *ce qui me plaît* and *malgré cela* tell you?

5 *écrire*

Translate this passage into French.

A region that I know well is the south-east of France. I really like the town of Annecy, because there is lots to do. I went there on holiday last year and it was very interesting. You can go for a boat ride on the lake, or visit the old town. And you mustn't miss the exhibition at the castle as it's really impressive!

6 écrire **Look at the task card and do this extended writing task.**

Votre ville

Un magazine français cherche des articles sur ce que les jeunes aimeraient changer dans leur ville ou village.
Écrivez un article sur votre ville ou village pour intéresser les lecteurs.

Vous **devez** faire référence aux points suivants:

- comment est votre ville ou village
- quelque chose que vous y avez fait récemment
- le positif et le négatif de votre ville ou village
- ce que vous aimeriez changer dans votre ville ou village.

Justifiez vos idées et vos opinions.
Écrivez 130–150 mots environ en français.

The prompts always require you to use different tenses. Which ones require you to use the perfect tense and the conditional? Try to go further: can you add an example of the imperfect, or the future tense? Also aim to use a range of negatives, especially more complex ones, like *ne … aucun(e)*, *ne … que* or *ne … ni … ni …*

7 lire **Read this literary extract. In the narrator's imagination, an ordinary classroom object becomes something magical and mysterious. Write the letter of the correct answer for each question.**

'Voyager sur un planisphère', from *C'est toujours bien* by Philippe Delerm

Le planisphère est accroché au mur de la classe, à gauche du tableau. C'est une carte qui paraît immense, parce qu'elle représente le monde entier, avec des lignes arrondies vers les deux pôles. C'est une carte magique, car elle voudrait être ronde et elle reste parfaitement plate. C'est comme si elle était à la fois ronde et plate, à la fois immobile et pleine de vertige. Cela fait longtemps sans doute que le planisphère est accroché là. Il paraît que, depuis, la Haute-Volta s'appelle Burkina Faso, mais c'est le monde quand même. Les lacs et les rivières sont bleu pâle, et les océans plus pâles encore. Les montagnes sont jaune moutarde, les déserts jaune citron. En vert, ça doit être les forêts, mais les plaines aussi – il n'y a quand même pas toutes ces forêts en France! Tous les pays, tous les continents sont enfermés dans un quadrillage de lignes bleu foncé – les méridiens et les parallèles.

Example: The planisphere is a kind of … B

A painting. **B** map. **C** book. **D** mirror.

1 It is hanging on the classroom …

A blackboard. **B** door. **C** wall. **D** window.

2 It shows …

A the world. **B** only France. **C** the planets. **D** roads.

3 It was hung up in the classroom …

A today. **B** yesterday. **C** recently. **D** a long time ago.

4 On the planisphere, the colour blue represents …

A water. **B** sky. **C** cold places. **D** France.

5 The forests are the same colour as …

A the mountains. **B** the deserts. **C** the plains. **D** the continents.

Sometimes, the questions can help you with unfamiliar words in a text. For example, from question 1, can you work out what *accroché* means?

1 parler *Refresh your memory!* **In pairs. In 90 seconds, say the names of all the countries that you know in French.**

2 écrire *Refresh your memory!* **Copy the grid and put these expressions into the correct column. Then add five sentences to each column using verbs related to holidays. Make sure you use a suitable tense!**

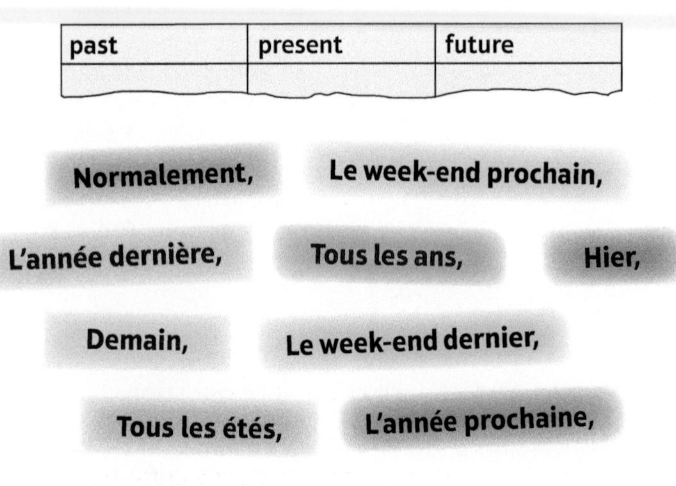

past	present	future

Normalement, | Le week-end prochain, | L'année dernière, | Tous les ans, | Hier, | Demain, | Le week-end dernier, | Tous les étés, | L'année prochaine,

3 écouter *Refresh your memory!* **Listen to Sandra and make notes for each of the following headings.**

- where she went and who with
- the flight
- the weather
- what each person liked
- Sandra's overall opinion

4 lire *Refresh your memory!* **What do these abbreviations stand for? Research them if you need to.**

DOM | RER | SNCF | TGV | UE

5 écouter **Listen to Karim talking about the holidays he used to go on when he was little. What does he talk about? Write down the letters of the three correct headings.**

A where he used to go on holiday
B how he used to get there
C the type of accommodation he used to stay in
D how he felt about the holidays
E what he used to eat
F the sports he used to do
G what the weather was like

Listening out for tenses is key in this activity. Karim mentions all of the topics covered by headings A to G: places, transport, accommodation, etc., but for some of them, he's talking about the type of holiday he goes on now – not his holidays when he was little!

Lisez ces descriptions.

la Gironde	Aimez-vous les balades à bicyclette parmi les collines pittoresques? Si oui, la Gironde est pour vous! Il y a de nombreux sites à découvrir. C'est la destination idéale pour des vacances familiales.
l'île d'Oléron	Terrain de jeu extraordinaire pour la pratique du sport sur mer, l'île d'Oléron vous offrira la pêche, la voile et les sports de glisse tels que le surf et le kite-surf. Tout est possible sur les nombreuses plages.
Dijon	Dijon: la capitale des ducs de Bourgogne. C'est une ville historique à découvrir à travers des visites guidées informatives. Vous profiterez aussi des circuits gastronomiques et artistiques – à ne pas rater!
l'Auvergne	Vous souhaitez surtout vous détendre? Partez alors à la découverte de l'Auvergne, avec ses beaux lacs et ses volcans magiques. Passez aussi par le musée de l'agriculture: ça vaut le coup!

Quelle est la bonne destination? Choisissez entre la Gironde, l'île d'Oléron, Dijon et l'Auvergne.

Exemple: Si l'histoire vous intéresse, visitez Dijon.

1 Si vous voulez vous reposer, visitez …
2 Pour faire du vélo, visitez …
3 Les touristes qui aiment être au bord de la mer devraient choisir …
4 Si vous aimez bien manger, choisissez …
5 Si vous voulez partir avec vos enfants, … est pour vous.

Translate the text on *l'île d'Oléron* into English.

8 parler **Prepare and perform this role play.**

Topic: Travel and tourist transactions

Situation: At the hotel. Your teacher will play the role of the hotel employee and will introduce the situation. Then you **must** use the points below to help you prepare what you have to say:

- **?** means you will have to ask a question
- **!** means you will have to answer an unexpected question.

À l'hôtel. Vous avez un problème avec votre chambre.

1 Dire: le problème
2 **!**
3 Dire: quand vous êtes arrivé(e)
4 Demander **?**: réserver taxi ce soir?
5 **!**
6 Demander **?**: petit-déjeuner à quelle heure?

It's up to you to invent the problem here. Here are a few ideas to get you started:

Il y a …

Il n'y a pas de …

Le/La … ne marche pas.

Le/La … est cassé(e).

Translate this passage into French.

In June I went on holiday to Italy with my family. We had booked our hotel before leaving but when we arrived there, we were very disappointed. There was neither a swimming pool nor a restaurant, and what's more, there was too much noise. When I go to Spain next year, I will book a luxury hotel!

Révisions

1 parler

Refresh your memory! **In pairs. Look at the school subjects on page 138. Make a list of all the subjects you can study in your school and give your opinion of each one.**

2 écrire

Refresh your memory! **What's your school day like? Copy out the text and fill in the gaps.**

Les cours commencent à ______. La récré est à ______ et dure ______ minutes.

On a ______ pour le déjeuner et les cours finissent à ______.

Il y a ______ cours par jour, et chaque cours dure ______.

Je trouve que les journées sont ______.

En tout, il y a ______ élèves et ______ professeurs.

Pour la plupart, les profs sont ______ mais il y en a qui sont ______.

J'étudie ______.

Ma matière préférée, c'est ______ car ______.

3 écouter

Refresh your memory! **Listen to Grégory and make notes for the following headings.**

- where he goes to school and where he used to go
- what he says about his school in general
- what he says about the facilities
- activities he is involved in
- what the teachers are like
- what he says about bullying

4 écouter

Listen to Hélène being interviewed about her experience of school. Answer the questions in English.

1. What was Hélène's weakest subject at school?
2. Why didn't she get into trouble much? Give one detail.
3. What school activity helped her to become more confident?
4. What negative thing does she say about her exchange trip to Spain?
5. When did she decide that she wanted to become a lawyer?

5 écrire

Translate this passage into French.

> Education is important to me and I think that you should work hard at school. Last year, I found history very interesting, but this year, the subject that I prefer is maths. The teacher is nice but it is forbidden to use your mobile in class. If I have good grades, I will go to university to study politics.

6 lire

Read what these teenagers say about the school they go to in France, then answer the questions that follow.

Antoine explique que le collège n'est pas suffisamment bien équipé: la cour de récréation est trop petite et il manque un terrain de sport. En plus, il dit que les professeurs ont tendance à vouloir parler tout le temps plutôt que de donner aux élèves la possibilité de travailler en groupe.

Magali ajoute que les sorties scolaires ont une valeur éducative importante, surtout quand il s'agit d'un échange à l'étranger, mais malheureusement, ils ont peu d'occasions d'en faire.

Selon **Delphine**, on met trop de pression sur les élèves. Leurs journées à l'école sont déjà bien chargées mais après être rentrés à la maison vers 19 heures, ils doivent commencer à faire leurs devoirs. Elle trouve que c'est excessif.

Deux des trois élèves viennent au collège en car de ramassage scolaire parce qu'ils habitent loin de la ville. Ils doivent se lever très tôt, entre 5h30 et 6 heures. L'autre est à l'internat et dort sur place mais elle rentre chez elle le week-end.

1 What information is given in the text? Complete each sentence with the correct name: Antoine, Magali or Delphine.

A ______ thinks that their days at school are overloaded.
B ______ says that teachers tend to talk too much.
C ______ would like to see more opportunities to travel.
D ______ thinks that the facilities could be improved.

Questions won't always use the direct English equivalent of a French phrase used in the text. Sometimes you need to infer an answer. For example, for question 1C, you won't find the words *voyager* and *plus* in the text. You will find something related to travelling, though!

Answer the following questions in English.

2 Why do two students get the bus to school?
3 What does the other student do?

Look at the task card and do this extended writing task.

Votre collège

Un magazine recherche des articles sur la scolarité.

Écrivez un article sur votre collège pour intéresser les lecteurs.

Vous **devez** faire référence aux points suivants:

- les points positifs de votre collège
- un événement intéressant que votre collège a organisé
- pourquoi il est important de participer à des activités en dehors des cours
- comment serait votre collège idéal.

Justifiez vos idées et vos opinions.

Écrivez 130–150 mots environ en français.

- Brainstorm ideas on each bullet point. Always start with what you can say. For example, *un événement intéressant* could be anything – it doesn't have to be the talent show that you put on last year if you don't know the French for 'talent show'!
- It's really important to justify your ideas and your opinions. Give reasons.
- Remember to use the conditional for the final bullet point: 'it would be' is *il serait* … and 'there would be' is *il y aurait*.

Révisions

1 parler

Refresh your memory! **In pairs. Look at the job nouns on page 158. Then close the book and play 'jobs ping-pong': one person says the masculine form; the other says the feminine.**

Example:

● *Facteur.*

■ *Factrice.*

2 écouter

Refresh your memory! **Listen to Camille and note down the following details in English.**

- her plans before continuing her studies
- her plans for further study
- her career plans
- her future plans apart from work

3 écrire

Refresh your memory! **Copy and complete the following sentences with your own ideas.**

1 Avant de continuer mes études, j'ai envie de …
2 J'ai l'intention d'étudier …
3 Le secteur qui m'attire le plus est …
4 Mon rêve serait de travailler …
5 L'important pour moi dans un métier est …
6 Plus tard dans la vie, j'aimerais …

4 écouter

Listen to Antonin talking about part-time jobs and work experience. Write down the letters of the two correct statements for each question.

1 What does Antonin say about money?

A His parents give him a lot of pocket money.
B Both his parents are unemployed.
C He has had a part-time job for six months.
D He would like to be able to do a part-time job.
E He is not old enough to have a job.

2 What does Antonin say about his English penfriend?

A She is the same age as him.
B She has a part-time job in a butcher's shop.
C Her boss is strict and demanding.
D She did work experience in a hairdresser's.
E She has decided she doesn't want to be a hairdresser.

Listen carefully for negatives, which can make a big difference when choosing the correct answer options. And be careful not to confuse words that sound alike (e.g. *boucherie, boulangerie*).

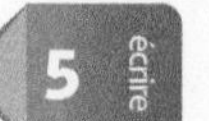

5 écrire

Translate this passage into French.

My English friend Laura has a part-time job in a tourist office. She works there every Saturday, and she really likes the contact with people. Last year, she did work experience in a supermarket, but she found it boring. Now, she has decided to study languages at university because she would like to work full-time in tourism.

6 parler

Prepare and perform this role play.

Topic: Work

Situation: An interview for a summer job at a holiday camp. Your teacher will play the role of the interviewer and will introduce the situation. Then you **must**:

- begin the role play
- use the points below to help you prepare what you have to say:
  - (**salutation**) means that you must greet the other person
  - **?** means you will have to ask a question
  - **!** means you will have to answer an unexpected question.

Un entretien au centre de vacances. Vous cherchez un poste temporaire.

1. Dire: (**salutation**)
2. Dire: quelles sont vos qualités personnelles
3. Dire: quelle expérience de travail vous avez
4. **!**
5. Demander **?**: horaires du poste?
6. **!**
7. Demander **?**: hébergement pendant le travail?

Look for opportunities to use different tenses. Which of the numbered prompts should you answer using the perfect tense?

7 lire

Lisez cette page Web. Répondez aux questions en français. Il n'est pas nécessaire d'écrire des phrases complètes.

› Qui sommes-nous?

Projects Abroad est une organisation internationale de volontariat entièrement indépendante. Nous permettons à nos volontaires d'apporter une aide là où elle est nécessaire, tout en les faisant progresser à un niveau personnel.

› Pourquoi partir avec nous?

L'expérience internationale que vous allez vivre avec *Projects Abroad* sera un atout formidable pour vos futures candidatures. Aujourd'hui, il ne suffit plus d'avoir fait du volontariat en Europe pour rendre votre CV unique. Mais si vous avez eu une expérience de travail en Chine, en Inde, au Ghana ou au Pérou, vous vous ferez vite remarquer par des employeurs!

Votre recherche de fonds pour financer votre mission à l'étranger démontrera aussi aux employeurs votre détermination et votre capacité de persuasion.

De plus, les missions et les stages de *Projects Abroad* vous donneront l'occasion d'enrichir non seulement votre CV mais aussi votre personnalité. Vous aurez en effet l'occasion:

- d'élargir votre horizon
- de développer des compétences essentielles, dont le sens des responsabilités, l'initiative, la persévérance et le travail en équipe
- d'apprendre à vous adapter à une société et une culture complètement différentes
- de voir et de vivre quelque chose de totalement nouveau.

1. Quel sera l'avantage de faire du volontariat dans un pays non-européen?
2. Qu'est-ce qui démontrera aux employeurs que vous avez de la détermination?
3. Qu'est-ce qu'un stage vous permettrait d'enrichir, à part votre CV?
4. Quelles compétences pouvez-vous développer en faisant une mission ou un stage? Donnez deux exemples.

1 écrire

Refresh your memory! **Spend five minutes looking back at the different things you can do to protect the environment on page 178. Complete this sentence with as many ideas as you can.**

Afin de protéger l'environnement, moi je pourrais …

2 écouter

Refresh your memory! **Listen to Vincent talking about social responsibility. Put the English phrases below into the order in which he says them.**

a I only buy Fairtrade products.
b I make a donation to charity when I can.
c Lots of people are too focused on themselves.
d It's essential to respect the environment and human beings.
e I sponsor a child in Africa.
f I don't volunteer at the moment.
g Everyone has a responsibility to act!
h I separate my rubbish and make compost.

3 lire

Lisez le texte.

L'année dernière, j'ai fait la «course contre la faim» à mon collège. Je voulais me mobiliser contre le fléau de la faim et me montrer solidaire avec ceux qui en souffrent. Avec mes copains de l'école, nous avons proposé à notre établissement d'organiser cette course. Ce qu'il faut faire, c'est partir à la recherche de sponsors qui vous parrainent pour chaque kilomètre que vous courez. À la fin de la course, on collecte l'argent.

Le jour de la course, l'ambiance était festive et solidaire. Il y avait peu de rivalité et chacun courait à son rythme. Après avoir fini, j'étais fatigué, mais vraiment fier de moi. Nous avons pu améliorer le quotidien de familles au Burkina Faso et en Haïti.
Hugo

la course *race*

Écrivez la bonne lettre pour compléter chaque phrase.

1 Hugo a fait la course pour se montrer solidaire avec …
A les sans-abri.
B les enfants exploités.
C les gens qui n'ont pas assez à manger.
D les victimes d'un typhon.

2 Organiser la course, c'était l'idée …
A des professeurs de l'école.
B de Hugo et ses camarades de classe.
C des parents.
D des célébrités.

3 Avant la course, il fallait trouver …
A des baskets.
B des parrains.
C des costumes.
D des juges.

4 À la fin de la course, Hugo se sentait …
A content.
B plein d'énergie.
C déçu.
D compétitif.

4 lire

Translate the second paragraph of Hugo's text into English.

5 écouter **Listen to this discussion among some young people on a radio phone-in. Write down the correct letter to complete each statement.**

Example: Alice … A

- **A** cares a lot about the environment.
- **B** is not very bothered about the environment.
- **C** cares a lot about homeless people.
- **D** cares a lot about Fairtrade.

1 Alice's mum …
- **A** is not at all concerned about the environment.
- **B** always travels by car.
- **C** always travels by public transport.
- **D** always travels by bike.

2 Léon's sister …
- **A** understands the need to protect the environment.
- **B** refuses to go to big supermarkets.
- **C** recycles glass and plastic.
- **D** likes to buy organic products.

3 His sister has learned about environmental problems from …
- **A** her parents.
- **B** Léon.
- **C** the internet.
- **D** her teacher.

4 When it comes to protecting the environment, Matthieu's dad …
- **A** is lazy.
- **B** makes a bit of effort.
- **C** turns off the heating.
- **D** wastes water.

5 Céline's brother …
- **A** makes little gestures towards helping the environment.
- **B** thinks that he does not do enough to help the environment.
- **C** does more for the environment than she does.
- **D** doesn't do as much for the environment as she does.

6 Her brother wants their parents to …
- **A** buy a new car.
- **B** install a security camera.
- **C** install solar panels.
- **D** sell their house.

6 écrire **Look at the task card and do this extended writing task.**

Je veux faire du bénévolat aux Jeux olympiques!

Vous voulez devenir bénévole aux prochains Jeux olympiques.

Écrivez une lettre pour convaincre les organisateurs de vous offrir une place.

Vous **devez** faire référence aux points suivants:

- la sorte de personne que vous êtes
- le travail bénévole que vous avez déjà fait
- pourquoi les Jeux olympiques sont importants
- comment cette expérience vous aidera à l'avenir.

Justifiez vos idées et vos opinions.

Écrivez 130–150 mots environ en français.

Remember that the purpose of your writing is to convince the organisers to offer you a place. You need to be persuasive! Look back at the Answer booster on page 176. What can you include to write a really impressive answer?

7 écrire **Translate this passage into French.**

In my opinion, the biggest problem for the world in the future will be global warming: it is necessary to act! If everyone used public transport, that would help. Last year I decided to leave the car at home and I started to take my bike. What do you do to protect the environment?

General conversation questions

Module 1

Theme: Identity and culture (who am I?)

1. Quelle est ta personnalité?
2. Décris ton/ta meilleur(e) ami(e).
3. C'est quoi un bon ami, pour toi?
4. Parle-moi de ta famille.
5. Tu t'entends bien avec ta famille? Pourquoi?
6. Qu'est-ce que tu vas faire ce soir/ce week-end avec tes amis/ta famille?
7. Est-ce que tu es sorti(e) récemment avec ta famille/tes amis?
8. Comment étais-tu quand tu étais plus jeune?
9. Qui est ton modèle?
10. Pourquoi est-ce que tu admires cette personne?

Module 2

Theme: Identity and culture (daily life; cultural life)

1. Qu'est-ce que tu fais pendant ton temps libre?
2. Qu'est-ce que tu aimes comme sport?
3. Qu'est-ce que tu aimes comme musique?
4. Qu'est-ce que tu aimais lire quand tu étais plus jeune?
5. Que fais-tu quand tu es connecté(e)?
6. Quelle est ton émission préférée?
7. Qu'est-ce que tu vas regarder à la télé ce soir?
8. Parle-moi d'un film que tu as vu récemment.
9. Qui est ton acteur/actrice préféré(e)? Pourquoi?
10. Que penses-tu des réseaux sociaux?

Module 3

Theme: Identity and culture (daily life; cultural life)

1. Quel est ton repas préféré?
2. Qu'est-ce que tu portes normalement, le week-end?
3. Parle-moi d'une journée typique pour toi.
4. Quel est ton jour préféré, et pourquoi?
5. Parle-moi de ton repas d'hier soir.
6. Quelle est ta fête préférée?
7. Que fais-tu normalement pour fêter Noël?
8. Comment vas-tu fêter ton prochain anniversaire?
9. Parle-moi d'une occasion spéciale que tu as fêtée en famille.
10. Est-il important d'avoir une fête nationale, comme le 14 juillet?

Module 4

Theme: Local area, holiday and travel (town, region and country; travel and tourist transactions)

1. Où habites-tu?
2. Qu'est-ce qu'il y a dans ta région?
3. Qu'est-ce qu'on peut faire dans ta région?
4. Le climat est comment?
5. Quels sont les avantages et les inconvénients de ta région?
6. Qu'est-ce que tu as fait récemment dans ta ville/dans ton village?
7. Qu'est-ce que tu aimerais changer dans ta ville/dans ton village? Pourquoi?
8. Quels sont les avantages d'habiter en ville ou à la campagne?
9. Comment vas-tu à l'école?
10. Que feras-tu ce week-end?

Module 5

Theme: Local area, holiday and travel (holidays; travel and tourist transactions)

1. Où vas-tu en vacances, d'habitude?
2. Où loges-tu?
3. Qu'est-ce que tu aimes faire en vacances?
4. Où es-tu allé(e) en vacances l'année dernière?
5. Comment est-ce que tu vas passer les grandes vacances cette année?
6. Comment seraient tes vacances idéales?
7. Parle-moi de la dernière fois que tu as mangé dans un restaurant.
8. C'est quoi, ton moyen de transport préféré?
9. Tu aimes faire du shopping quand tu es en vacances?
10. Parle-moi d'un problème que vous avez eu pendant des vacances.

Module 6

Theme: School (what school is like; school activities)

1. Fais-moi une description de ton collège.
2. Quelle est ta matière préférée? Pourquoi?
3. Tu voudrais étudier quelles matières l'année prochaine?
4. Parle-moi d'une journée type au collège.
5. Parle-moi du règlement de ton collège.
6. Est-ce que tu es pour ou contre l'uniforme scolaire? Pourquoi?
7. Tu fais partie d'un club à l'école? Pourquoi?
8. Quels sont tes plus grands accomplissements au collège, et pourquoi?
9. Parle-moi un peu d'une visite scolaire que tu as faite récemment.
10. Que penses-tu des échanges scolaires?

Module 7

Theme: Future aspirations, study and work (work; ambitions; using languages beyond the classroom)

1. Qu'est-ce que tes parents font comme travail?
2. Voudrais-tu travailler dans un bureau?
3. Dans quel secteur voudrais-tu travailler?
4. Quel est ton emploi idéal?/Qu'est-ce que tu voudrais faire comme travail?
5. Quel est le plus important pour toi dans un métier?
6. À part le travail, quels sont tes projets pour le futur?
7. Tu veux te marier un jour? Pourquoi?/ Pourquoi pas?
8. Parler d'autres langues, c'est important ou non?
9. Quelles sont tes qualités personnelles?
10. Quel travail est-ce que tu voulais faire quand tu étais plus jeune?

Module 8

Theme: International and global dimension (bringing the world together; environmental issues)

1. À ton avis, quelle sera la plus grande menace pour la planète à l'avenir? Pourquoi?
2. Que fais-tu pour protéger l'environnement?
3. Qu'est-ce que tu pourrais faire de plus pour protéger l'environnement?
4. Qu'est-ce que ton école fait pour protéger l'environnement?
5. Tu achètes des produits issus du commerce équitable?
6. Qu'est-ce que tu as fait récemment pour aider les autres?
7. Tu voudrais faire du travail bénévole un jour?
8. Quels sont les problèmes pour les SDF?
9. Quels sont les avantages des grands événements sportifs?
10. Es-tu déjà allé(e) à un festival de musique?

1 lire **Read about the problems, then answer the questions.**

J'ai un gros problème. J'habite avec ma mère et mon beau-père. Je ne m'entends pas avec le fils de mon beau-père. Je me dispute avec lui tout le temps. Je ne sais pas quoi faire. **Nicolas**

Hier, je suis sorti avec Maya pour la première fois. Au début, on s'entendait bien. Mais quand on est allés en boîte, Maya est partie avec deux filles de sa classe. Elle ne m'a pas dit «au revoir». Je suis vraiment déçu. **Markus**

Pour moi, une bonne amie est une personne fidèle, honnête et ouverte. Mon problème, c'est que je me sens très isolée car les filles de ma classe refusent de me parler. Je suis vraiment triste. **Siana**

Quand j'étais petite, tout le monde disait que j'étais très jolie. Mais maintenant, j'ai plein de boutons et je porte un appareil dentaire. Qui va sortir avec une fille aussi laide que moi? Tu peux m'aider? **Chibuzo**

Avant, la personne que j'admirais le plus, c'était mon frère. Il est dyslexique mais il a travaillé très dur à l'école et il est allé à l'université. Maintenant, il a commencé à boire et il est très déprimé. Comment est-ce que je peux l'aider? **Charlotte**

1 Qui a un problème avec sa petite copine?
2 Qui s'inquiète pour un membre de sa famille?
3 Qui n'a pas d'amies?
4 Qui n'est pas sûr(e) de soi?
5 Qui n'aime pas son demi-frère?

s'inquiéter *to worry*

2 lire **Read these replies. Which person from exercise 1 is each reply addressed to?**

Example: **1** Siana

1 **emmylou72** ***J'avais le même problème au collège. J'ai commencé à faire du sport après les cours et je me suis fait beaucoup de copines.***

2 **mlle101** Tu sais, à notre âge, tout ça, c'est normal. Tu es trop pessimiste. Pour les garçons cool, c'est la personnalité qui compte.

3 **bizouH** Il avait de la détermination quand il était jeune. Est-ce qu'il a vu un médecin?

4 **DrQui** **C'est vraiment une fille impolie. Il y a beaucoup d'autres filles qui vont apprécier ta compagnie.**

5 **mélimélo** J'avais le même problème avec ma belle-mère. J'ai parlé à mon père et maintenant, ma belle-mère et moi, nous ne nous disputons plus.

3 lire **Find the French for these phrases in the texts in exercises 1 and 2.**

1 I have a big problem.
2 I don't know what to do.
3 I am really disappointed.
4 My problem is that …
5 I am really sad.
6 Can you help me?
7 How can I help him?
8 I had the same problem.

4 écrire **Imagine that you have a problem. Describe it in French. Then exchange problems with a classmate and write a reply to his or her problem.**

1 lire **Read the article and match each paragraph to one of the titles below.**

a Il garde les pieds sur terre

b Auteur-compositeur folk et hip-hop

c Ça n'a pas toujours été facile

d Sa carrière est lancée!

Ed Sheeran casse la baraque!

Le chanteur le plus écouté en streaming en 2014 a l'avenir devant lui.

1 Toujours habillé comme s'il sortait du lit et loin des stars préfabriquées des télécrochets, Ed compose et écrit lui-même ses chansons. Tout en douceur, il emmène ses fans dans son univers folk et hip-hop, romantique et sensible.

2 À onze ans, Ed s'entraîne sur sa guitare et il écrit ses premiers textes. En 2008, il décide de tout plaquer, parents et études, pour tenter sa chance à Londres. Il enchaîne les concerts dans les bars et il dort sur les canapés de ses copains ou dans la rue. Mais pas question d'abandonner!

3 Ed poste des chansons sur Internet et ensuite il enregistre deux albums truffés de tubes. Avec ses talents de compositeur, il devient le chouchou des stars: Taylor Swift l'invite sur sa tournée et la superstar Pharrell Williams participe à son dernier album!

4 Ed Sheeran reste simple, dans sa vie quotidienne comme dans ses chansons. Il parle à ses 12 millions de *followers* sur Twitter tous les jours et prend le temps de rencontrer ses fans, les «Sheerios», après chaque concert. Il a tout pour faire une longue carrière!

2 lire **Find the correct definition for each phrase.**

1 «casse la baraque» signifie
- **a** casser un stylo
- **b** remporter un grand succès

2 un télécrochet, c'est
- **a** un concours de chansons à la télé
- **b** un pull qu'on porte quand on regarde la télé

3 «tout en douceur» signifie
- **a** gentiment
- **b** en tournée

4 «tout plaquer» veut dire
- **a** abandonner sa vie pour recommencer dans un autre environnement
- **b** se brosser les dents

5 «tenter sa chance» signifie
- **a** faire du camping
- **b** essayer

6 «truffés de tubes» signifie
- **a** plein de chansons à succès
- **b** enregistrés en métro

7 «le chouchou» veut dire
- **a** le légume
- **b** le favori

8 les «Sheerios» sont
- **a** des céréales
- **b** les admirateurs d'Ed Sheeran

3 écrire **Write a paragraph about a musician, sportsperson, author or actor that you admire.**

Try to copy the style of the article. Write your paragraph in the present tense. Borrow phrases like *casse la baraque* and *a l'avenir devant lui/elle.*

1 lire Read the text and put the pictures into the right order.

Ma grand-mère, Valentine, est née en février, trois jours après la Saint-Valentin. D'habitude, elle aime fêter son anniversaire en invitant toute la famille à manger, de préférence dans un restaurant italien car elle adore les pâtes.

Pourtant, il y a deux ans, elle a fêté ses soixante ans et elle a décidé de partir en vacances à la neige dans les Alpes. Elle a invité mes parents et moi, plus sa meilleure amie, son mari et leurs enfants.

J'ai skié pour la première fois et j'ai trouvé ça génial! Mamie faisait du ski quand elle était plus jeune, mais cette fois elle voulait essayer le snowboard et elle a adoré! L'année prochaine, elle va partir aux Antilles pour faire du surf! C'est vraiment une personne extraordinaire et pleine de vie. Je l'admire beaucoup! **Mathis**

a

b

c

d

e

2 lire Read the text again and answer the questions in English.

1. What is the precise date of Mathis's grandmother's birthday?
2. How does she usually celebrate her birthday? Give two details.
3. What did she decide to do two years ago and why?
4. Apart from Mathis and his family, who else did she invite?
5. Who has had more experience of skiing: Mathis, or his grandmother?
6. How does Mathis feel about his grandmother? Give two details.

f

3 écrire Translate this paragraph into French.

My uncle was born in April. Usually, he celebrates his birthday with his wife and their children. Sometimes they go to the theatre or to the cinema. However, three years ago, he celebrated his fiftieth birthday and he invited the whole family to a party at his home. When he was younger, he used to be a DJ, so at the party he played his favourite music and everybody danced. Next year, he is going to go to Italy, to visit the monuments.

Use ***cinquantième***.

'DJ' is the same in French. You don't need an indefinite article.

Change of tense here. 'played' is a single event in the past. Perfect or imperfect?

With feminine countries like ***Italie***, use ***en*** for 'to'.

Module 4 À toi

1 lire **Find the correct ending for each sentence and copy out the complete text.**

1 Ma ville s'appelle Parfaiteville et elle mérite bien son nom parce que …
2 C'est très animé et il y a toujours beaucoup de choses à faire: il y a …
3 De plus, il y a plusieurs espaces verts où …
4 Ma ville est aussi très propre et tranquille: il n'y a jamais …
5 Au centre-ville, il y a une zone piétonne, donc …
6 Il y a également plusieurs entreprises, alors …

a trop de bruit pendant la nuit.
b tout est parfait ici!
c il n'y a pas trop de circulation.
d les enfants peuvent jouer.
e il y a peu de chômage.
f deux cinémas, un bowling et un centre de loisirs.

2 écrire **Imagine that you live in Nulleville! Adapt the text in exercise 1.**

Example: Ma ville s'appelle Nulleville et elle mérite bien son nom parce que tout est nul ici! C'est trop tranquille et il n'y a pas grand-chose …

Use as many different negatives as possible to describe Nulleville. See page 80 for a complete list of negatives.

3 lire **Read the article and answer the questions in English.**

Quand le GPS se trompe …

Un automobiliste qui voulait faire le trajet de Liège à Namur, en Belgique, a inscrit «Namur» sur son GPS. En passant par le petit village de Donceel, le GPS a indiqué qu'il faut tourner à droite dans 250 mètres. Après avoir suivi ces indications, il a été bien surpris de se retrouver dans la cour d'une maison!

La propriétaire de la maison, qui s'appelle Aliénor, a dit que cela dure depuis presque un an! Les touristes voulant visiter Namur se retrouvent souvent au beau milieu de chez elle. L'été dernier, pendant les vacances, elle a reçu plus de cinq visites par jour!

Aliénor a finalement décidé d'en parler au maire du village, qui a eu l'idée de placer un panneau sur la route, pour guider les automobilistes. Il a aussi écrit à L'IGN (L'Institut géographique national belge), pour qu'ils corrigent l'erreur du GPS.

1 What directions did the satnav give the driver?
2 Where did the driver end up?
3 Who is Aliénor?
4 How long has this problem been going on?
5 When was the problem particularly bad and why?
6 What two things did the local mayor do to address the problem?

Use the questions to help you and try to work out new words from context. You know *maison*, so can you work out *la cour d'une maison?* Only use a dictionary as a last resort, as you will not be able to use one in your exam!

1 lire **At the hotel reception. Put the lines of the dialogue into the correct order.**

2 lire **Corinne has written a review for the website *Écureuil curieux*. Copy out the text and fill in the gaps with the words from the box. There are three words too many!**

J'ai passé une seule nuit dans cet hôtel et ça s'est très mal passé. En arrivant, personne ne m'a aidée avec ma **1** ______ et à la réception, le personnel était **2** ______. J'avais réservé une chambre avec vue sur la **3** ______, mais en regardant par la **4** ______, je ne voyais que le **5** ______. La télévision ne marchait pas, il y avait très peu d'**6** ______, les serviettes étaient **7** ______, le **8** ______ n'était pas confortable et il y avait des araignées dans la **9** ______. Quelle horreur! Le lendemain matin, je suis partie direct. Je n'avais aucune envie de tester le **10** ______!

eau chaude	armoire	parking	fenêtre	baignoire	lit	balcon	mer	impoli	sales	valise	petit-déjeuner	climatisation

3 écrire **Imagine your own really bad holiday experience. Write a review for the *Écureuil curieux* website.**

Borrow ideas from this page, but also look back to at pages 80 and 105 for more ideas. What language can you adapt from there to use in this new context?

Read the poem and use a dictionary to look up what the words in bold mean.

«Le Cancre»

Il dit non avec la tête
mais il dit oui avec le **cœur**
il dit oui à ce qu'il aime
il dit non au professeur
il est **debout**
on le questionne
et tous les problèmes sont posés
soudain le **fou** rire le prend
et il **efface** tout
les **chiffres** et les mots
les dates et les noms
les phrases et les **pièges**
et malgré les **menaces** du maître
sous les **huées** des **enfants prodiges**
avec des **craies** de toutes les couleurs
sur le **tableau noir** du **malheur**
il dessine le visage du bonheur.

Jacques Prévert

2 lire **Copy out the summary of the poem and fill in the gaps with the correct words from the box.**

Un petit **1** ______ est en classe. Il est questionné par son **2** ______ mais il ne peut pas **3** ______ aux questions. Soudain, il **4** ______ à rire. Il **5** ______ tout ce qu'il y a sur le tableau noir et il dessine en couleur un visage **6** ______.

répondre | heureux | professeur | garçon | commence | efface

Write two or three sentences, giving your opinion of the poem.

Je trouve «Le Cancre»	émouvant/bête/triste/sentimental/ amer/profond/original/comique	car	j'aime je n'aime pas	le rythme/les idées/ les descriptions/le langage/ les personnages/le symbolisme.

Write an article on the positive and negative aspects of your school life.

Vous pouvez mentionner:

- les bâtiments/les aménagements
- vos camarades de classe
- vos matières
- vos activités extra-scolaires (clubs, sports)
- vos professeurs
- le règlement.

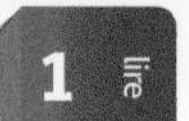

1 lire **Read Amy's covering letter and note the details in English.**

Madame, Monsieur

J'ai vu votre annonce en ligne pour un poste de vendeur ou de vendeuse au magasin de souvenirs de votre club de vacances, et je voudrais y postuler. Je suis actuellement en première au lycée, où j'étudie neuf matières, dont le commerce et deux langues étrangères.

Je m'intéresse à ce poste parce que j'aime le contact avec les gens et travailler en équipe. J'ai déjà un peu d'expérience de ce genre de travail, puisque j'ai eu un petit job à temps partiel dans un supermarché. J'y ai travaillé tous les samedis matin pendant un an et cela m'a beaucoup plu.

En ce qui concerne mon caractère, je suis travailleuse, polie et très honnête. Je parle couramment l'anglais qui est ma langue maternelle, et je parle bien le français et l'espagnol que j'apprends au lycée. Je me débrouille aussi en allemand.

En vous remerciant par avance de votre attention à ma candidature, je vous prie d'agréer l'expression de mes sentiments distingués,

Amy Harrison

- Name:
- Job applied for:
- Current occupation:
- Reason(s) for applying:
- Experience:
- Personality:
- Languages spoken:

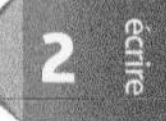

2 écrire **Apply for the job advertised here, adapting the text in exercise 1. Invent the details.**

On recherche …
un(e) serveur/serveuse de restaurant

Responsabilités:
- Servir les repas (midi et soir)
- Aider en cuisine (vaisselle, etc.)

Compétences:
- Expérience souhaitée
- Maîtrise d'au moins une langue étrangère essentielle

Atouts:
- Organisé(e)
- Adaptable
- Calme

Use the correct expressions for 'Dear Sir/Madam' and 'Yours faithfully'. (See the exercise 1 letter.)

3 lire **Read the article and translate it into English. Use a dictionary if you need to.**

passer pour *to come across as*
le talon *heel*
cirer *to polish*

Que porter lors d'un entretien d'embauche?

Les femmes

Vous pouvez vous habiller sérieusement, sans passer pour une serveuse! Si vous optez pour du blanc et du noir, ajoutez une touche d'originalité avec une chemise de couleur ou de petits bijoux.

Pour les chaussures, vous pouvez porter de petits talons (les talons aiguilles sont interdits!). Évitez de mettre trop de parfum et trop de maquillage, surtout du rouge à lèvres.

Les hommes

Un costume bleu marine ou gris foncé est fort recommandé. Votre pantalon ne doit être ni trop court ni trop long. Mettez une chemise blanche classique, avec une cravate.

Optez pour des chaussettes de la même couleur que votre costume et une paire de chaussures noires, bien cirées.

Les pires erreurs à éviter sont un costume noir (c'est seulement pour les funérailles) et des couleurs trop vives.

Module 8 À toi

1 lire **Read the text. Copy and complete the grid with the letters of the correct pictures.**

Rosemarie Tessier est notaire à Lyon. Il y a un certain temps, elle s'est mise à réfléchir à son mode de vie et à sa manière de consommer.
Depuis, elle a changé ses habitudes! D'abord, au revoir le supermarché! Rosemarie va au marché pour acheter des produits locaux et de saison qui ont poussé au grand air et n'ont pas voyagé depuis l'Afrique ou l'Amérique du Sud avant de terminer sur les étals.
Elle a repris plaisir à cuisiner au lieu de manger des plats tout préparés qui contiennent des ingrédients industriels et ne sont pas équilibrés. Elle va aussi devenir végétarienne pour lutter contre l'élevage intensif et réduire les risques pour sa santé.
Pour les trajets courts, elle n'utilise plus sa voiture, qui reste au garage: Rosemarie prend les transports en commun ou son vélo électrique, quand il fait beau.
Elle va avoir des mini-éoliennes sur son toit et va produire sa propre énergie verte.
Voilà une femme qui agit!

un étal	*market stall*
éolienne	*windmill*

maintenant	e, ...
avant	
dans l'avenir	

a 

b 

c 

d 

e 

f 

g 

h 

2 lire **Match the sentence halves.**

1 Avant, Rosemarie faisait …
2 Avant, elle voyageait …
3 Actuellement, elle voyage …
4 Elle n'achète pas …
5 Elle cuisine elle-même …
6 Dans le futur, elle ne mangera plus …

a de produits hors saison.
b de viande.
c ses courses au supermarché.
d son dîner.
e en bus ou à vélo.
f en voiture.

3 écrire **Write a paragraph about Dorine, who has become an eco-warrior.**

Avant, …

Actuellement, …

Dans le futur, …

Grammaire
Regular verbs in the present tense

L'indispensable!

What are these?
Regular verbs are verbs which follow the same pattern. In French, there are three types of regular verbs: *-er* verbs (the biggest group), *-ir* verbs and *-re* verbs.

When do I use them?
You use the present tense of regular verbs to talk about what usually happens or what is happening now.

Why are they important?
Verbs are crucial: every sentence contains a verb! The most common kind is the *-er* verb. When new verbs are invented, they are usually regular *-er* verbs e.g. *googler* (to google), *youtuber* (to watch videos on YouTube).

Things to look out for
In French, there is only one present tense. So a verb like *je joue* can mean 'I play' or 'I am playing'. If a present tense verb is used with a negative (e.g. *je ne joue pas*), it can mean 'I don't play' or 'I am not playing'.

How do they work?
- When you look up a verb, you find the original, unchanged form which is called **the infinitive**. Regular verbs have infinitives which end in ***-er***, ***-ir*** or ***-re***. To use the verb in the present tense:
  1. Remove the *-er/-ir/-re* from the end of the infinitive.
  2. Add the correct ending. The ending agrees with the subject of the verb.
- Here are the subject pronouns:

je	I	shortens to *j'* before a vowel or *h*
tu	you	for a child, young person, friend (or animal!)
il	he/it	means 'it' when replacing a masculine noun
elle	she/it	means 'it' when replacing a feminine noun
on	one/we/you	often used in French instead of *nous*
nous	we	
vous	you	used for more than one person, or someone you don't know very well
ils	they	used for masculine nouns or a mixed group
elles	they	used for feminine nouns

- Here are the verb endings for regular verbs in the present tense:

-er verbs e.g. ***parler*** (to speak)	***-ir*** verbs e.g. ***finir*** (to finish)	***-re*** verbs e.g. ***attendre*** (to wait for)
*je parl**e*** *tu parl**es*** *il/elle/on parl**e*** *nous parl**ons*** *vous parl**ez*** *ils/elles parl**ent***	*je fin**is*** *tu fin**is*** *il/elle/on fin**it*** *nous fin**issons*** *vous fin**issez*** *ils/elles fin**issent***	*j'attend**s*** *tu attend**s*** *il/elle/on attend* (no ending) *nous attend**ons*** *vous attend**ez*** *ils/elles attend**ent***

- Watch out for:

– verbs that end in *-cer*, like *commencer*: the *nous* form is *commen**ç**ons*
– verbs that end in *-ger*, like *manger*: the *nous* form is *mang**e**ons*
– verbs like *lever*: the *je/tu/il/ils* forms add a grave accent: *l**è**ve/l**è**vent*
– verbs like *s'appeler*: the *je/tu/il/ils* forms have *ll*: *m'appe**ll**e/s'appe**ll**ent*.

- **Reflexive verbs** are verbs that have an extra reflexive pronoun in front of the verb. The verb itself might be regular or irregular, and is conjugated as usual. The reflexive pronoun agrees with the subject of the verb, e.g. ***se*** *disputer* (to argue):

je ***me*** *dispute*	*nous* ***nous*** *disputons*
tu ***te*** *disputes*	*vous* ***vous*** *disputez*
il/elle/on ***se*** *dispute*	*ils/elles* ***se*** *disputent*

NB *me/te/se* shorten to *m'/t'/s'* before a vowel or *h*: *Je* ***m'****appelle Yannick.*

À vos marques ...

1 Complete each sentence with the correct form of the verb.

1 Elle ______ avec son papa. (*parler*)
2 Je ______ mes devoirs. (*finir*)
3 Nous ______ notre amie. (*attendre*)
4 Nous ______ au foot ce soir. (*jouer*)
5 Ils ______ en France. (*habiter*)
6 ______-tu le golf? (*aimer*)
7 Elle ______ très vite. (*grandir*)
8 Il ______ son professeur. (*entendre*)
9 Est-ce que vous ______ le président? (*admirer*)
10 Elles ______ la musique pop. (*adorer*)

Prêts?

2 Choose the correct reflexive pronoun and add the verb ending in each sentence. Then translate the sentence into English.

1 Je me / te / se disput___ avec mes parents.
2 Elle me / te / se repos___.
3 On me / te / se fâch___ souvent contre lui.
4 Nous nous / vous / s' entend___ bien.
5 Elles s' / nous / vous amus___.
6 Tu te / se / vous châmaill___ avec ta mère.
7 Alex me / te / se couch___ à 21h.
8 Mes sœurs me / te / se réveill___ à 6h30.
9 Vous se / nous / vous lev___ à quelle heure?
10 Ma famille me / se / vous moqu___ de moi!

Partez!

3 Copy and complete the text with the correct form of the verbs in brackets.

En France, le collège (*finir*) tard. Quand Annie et ses amies (*quitter*) l'école, elles (*attendre*) le bus pendant un quart d'heure. Quand le bus (*arriver*), le trajet vers la maison (*durer*) 50 minutes. Annie (*se doucher*) et puis elle (*manger*) avec sa famille. Ils (*dîner*) à 20h parce que ses parents (*rentrer*) à 19h. Après, la famille (*regarder*) la télé mais Annie (*monter*) dans sa chambre où elle (*travailler*): elle a toujours beaucoup de devoirs! Ses parents (*se coucher*) vers minuit. «Je (*se coucher*) tôt» (*expliquer*) Annie, «parce que je (*se lever*) à 6h du matin. Mes copains et moi, nous (*se coucher*) tous de bonne heure car nous (*commencer*) les cours à 8h.»

Irregular verbs in the present tense

L'indispensable!

What are these and when do I use them?
Lots of verbs don't follow the rules which apply to regular verbs: they are therefore called irregular verbs. You use the present tense of these verbs to talk about what is happening now, or to talk about what usually happens.

Why are they important?
The two most frequently used verbs in French – *être* and *avoir* – are both irregular. Many irregular verbs are ones you need to use all the time when you are talking or writing, like *aller*, *faire*, *voir* and *savoir*.

Things to look out for
Even though these verbs are irregular, there are patterns to look out for, e.g. the *nous* forms practically always end in *-ons*, the *vous* forms in *-ez*. You need to know the key irregular verbs by heart. To find how to conjugate a particular irregular verb, you can use the tables below or the tables on pages 236–240.

How do they work?
- The most frequently used irregular verbs are:

être (to be)	***avoir*** (to have)	***aller*** (to go)	***faire*** (to do/make)
je suis (I am) *tu es* *il/elle/on est* *nous sommes* *vous êtes* *ils/elles sont*	*j'ai* (I have) *tu as* *il/elle/on a* *nous avons* *vous avez* *ils/elles ont*	*je vais* (I go) *tu vas* *il/elle/on va* *nous allons* *vous allez* *ils/elles vont*	*je fais* (I do/make) *tu fais* *il/elle/on fait* *nous faisons* *vous faites* *ils/elles font*

- Here are some more irregular verbs:

boire (to drink)	*je bois*	*tu bois*	*il boit*	*nous buvons*	*vous buvez*	*ils boivent*
voir (to see)	*je vois*	*tu vois*	*il voit*	*nous voyons*	*vous voyez*	*ils voient*
savoir (to know)	*je sais*	*tu sais*	*il sait*	*nous savons*	*vous savez*	*ils savent*
venir (to come)	*je viens*	*tu viens*	*il vient*	*nous venons*	*vous venez*	*ils viennent*
partir (to leave)	*je pars*	*tu pars*	*il part*	*nous partons*	*vous partez*	*ils partent*
dire (to say)	*je dis*	*tu dis*	*il dit*	*nous disons*	*vous dites*	*ils disent*
lire (to read)	*je lis*	*tu lis*	*il lit*	*nous lisons*	*vous lisez*	*ils lisent*
prendre (to take)	*je prends*	*tu prends*	*il prend*	*nous prenons*	*vous prenez*	*ils prennent*
devoir (to have to)	*je dois*	*tu dois*	*il doit*	*nous devons*	*vous devez*	*ils doivent*
pouvoir (to be able to)	*je peux*	*tu peux*	*il peut*	*nous pouvons*	*vous pouvez*	*ils peuvent*
vouloir (to want to)	*je veux*	*tu veux*	*il veut*	*nous voulons*	*vous voulez*	*ils veulent*

À vos marques ...

1 Translate each set of verbs into French.

avoir
1. we have
2. they have
3. I have
4. my family has
5. you (*tu*) have

aller
1. she goes
2. they are going
3. I am going
4. you (*vous*) go
5. we are going

être
1. he is
2. you (*vous*) are
3. my brothers are
4. we are
5. I am

faire
1. she makes
2. he does
3. we do
4. you (*tu*) are making
5. I am making

Prêts?

2 Choose the correct form of the verb to complete each sentence. Then translate it into English.

1. Je veulent / veux / veut une nouvelle voiture.
2. Nous sait / savont / savons pourquoi!
3. Maman lire / lis / lit le journal.
4. Les garçons pouvent / peuvent / peut venir aussi.
5. Vous boire / boivez / buvez de l'alcool?
6. On voit / voie / vois la différence entre les deux équipes.
7. Tu dire / dises / dis la vérité.
8. Elles devont / doivont / doivent faire leurs devoirs.
9. Le bus part / partit / parti à 16h.
10. Je doit / devois / dois partir maintenant.
11. Mes amis prendent / prennent / prends soin de moi.
12. Tu viens / vient / venir chez moi ce soir?

Partez!

3 Maria has written about her family but has made 12 verb mistakes. Check each present tense verb and rewrite the text, correcting her mistakes.

Mon père s'appelle Grégoire et nous habite ensemble à Lille. Je s'entend bien avec lui mais je veut un chien car Papa sors souvent et je suis souvent toute seule à la maison. Papa dis que c'est une idée stupide car nous ont un petit appartement et un chien dois avoir beaucoup de place. Mes frères, qui habite avec notre mère, avoir deux chiens et je se sentir vraiment jalouse car les chiens dorment avec eux dans leur chambre. Je sait que c'est difficile mais j'attend mon anniversaire avec impatience: on ne sait jamais!

Lille

Some of the verbs used here are irregular but don't feature in the table on page 208. Check them in the tables on pages 236–240.

Asking questions

L'indispensable!

Why is this important?

To make friends and get along with people, you need to be able to ask them about themselves – and understand questions they ask you! You also need to ask questions in formal situations like at the tourist office or in a shop.

Things to look out for

- Some questions contain a question word like 'why' or 'how'. Other questions have no question word: 'Do you live in Britain?' 'Is there a shop near here?'
- There are three different ways of asking questions in French. Some ways are easier than others: you should use the ones you feel comfortable with, but be able to recognise them all.

How do they work?

Questions without question words

- To form such a question, you can:
  1. Make a statement but raise the tone of your voice at the end/add a question mark: *Tu vas souvent au cinéma?* ↗
  2. Put *est-ce que* at the start of a sentence: *Est-ce que tu vas souvent au cinéma?*
  3. Invert the subject and verb: *Vas-tu souvent au cinéma?*

An extra *t* is added between two vowels to aid pronunciation: *Aime-**t**-il ses études?* Does he like his studies?

- In the perfect tense, if inversion is used, the auxiliary verb *avoir* or *être* is inverted: ***As-tu** déjà vu le film?* Have you already seen the film?

Questions with question words

- To form such a question, you can:
  1. Put the question word at the end and raise the tone of your voice/add a question mark: *Tu habites où?* ↗
  2. Put the question word at the start and add *est-ce que*: *Où est-ce que tu habites?*
  3. Invert the subject and verb after the question word: *Où habites-tu?*
- The key question words are:

comment? how?	*où?* where?	*qui?* who?	*combien (de)?* how many/much?
pourquoi? why?	*que?* what?	*quand?* when?	*à quelle heure?* at what time?

- *Quel(le)(s)* means 'what' or 'which' and works like an adjective: *Quel hôtel …?* Which hotel …? *Quelles filles …?* What girls …?
- *Qui* can be the subject of a question: *Qui est absent?* Who is absent?

Prêts?

1 Use each prompt to write a question in French.

Ask a friend if he/she:

1. likes fast food
2. is going to the beach
3. lives in a big house
4. has visited Paris
5. went to the cinema last night

Ask:

6. where the cinema is
7. at what time the film starts
8. when the cinema is open
9. how you can travel to the cinema
10. who is in the film

Partez!

2 Write five questions of your choice to ask a French star like Romain Duris or Marion Cotillard. Use the *vous* form.

Example: Combien gagnez-vous par film?

The near future tense

What is this and when do I use it?
You use the near future tense (*le futur proche* in French) to talk about what is going to happen in the future.

Why is it important?
You need to be able to understand when people talk about their future plans. You also need to be able to say what you are going to do in the future.

Things to look out for
There are two French future tenses: the near future and the simple future. The near future is the easier of the two. It uses the verb *aller*, which makes it easy to translate because we use the verb 'to go' in the same way in English.
Je vais faire un gâteau. I am going to make a cake.

How does it work?
You use the correct part of *aller* (in the present tense) + an infinitive.
*Nous **allons** sortir ce soir.* We are going to go out this evening.

À vos marques …

1 Rearrange the words to make correct sentences. Then translate each one into English.

1 je faire vais shopping du
2 ma va Paris visiter famille
3 va un Maxime lire livre
4 allons nous vélo du faire
5 tu écrire vas e-mail un
6 finir ils leurs vont devoirs
7 les parler vont au professeur filles
8 on maison une va acheter

Prêts?

2 Copy and complete each sentence with the correct part of *aller* and the French infinitive.

Example: Aurélie et Matthieu ______ ______ au restaurant. (*to eat*)
Aurélie et Matthieu vont manger au restaurant.

1 Elle ______ ______ la télé. (*to watch*)
2 Mes copains ______ ______ une pizza. (*to make*)
3 Ma famille ______ ______ un film. (*to see*)
4 Nous ______ ______ nos devoirs. (*to finish*)
5 Je ______ ______ à la piscine. (*to go*)
6 Vous ______ ______ une minute! (*to wait*)
7 On ______ ______ une belle surprise! (*to have*)
8 Tu ______ ______ déçu! (*to be*)

Partez!

3 Write eight resolutions for the new year/the new school year using the near future tense. Use eight different infinitives.

Example: Je vais arriver au collège avant 8h30.

08:30

The perfect tense with *avoir*

L'indispensable!

What is this and when do I use it?
The perfect tense (called the *passé composé* in French) is used to talk about single events or actions that happened in the past.

Why is it important?
Talking about what has already happened is something we do all the time in everyday speech. Mastery of tenses is vital, and the perfect tense is the key past tense you need to know.

Things to look out for

- The perfect tense of French verbs has two parts: the auxiliary verb + the past participle. What is one verb in English (e.g. 'we walked') has two parts in French (e.g. *nous **avons marché***). Make sure you never miss out the auxiliary verb!
- The perfect tense has two meanings in English: *il **a joué** pour Arsenal* can mean 'he played for Arsenal' or 'he has played for Arsenal'.
- When used with a negative, it can also be translated in two ways: *il **n'a pas joué** pour Spurs* means 'he didn't play for Spurs' or 'he hasn't played for Spurs'.

How does it work?

- The perfect tense is formed using an auxiliary verb and a past participle. Most verbs use *avoir* as the auxiliary.
- To form the past participle of a regular verb:

-er verbs e.g. *changer*	remove -*er* and add ***é***	*chang**é***	*il a chang**é*** he changed/has changed
-ir verbs e.g. *finir*	remove -*ir* and add ***i***	*fin**i***	*on a fin**i*** we finished/have finished
-re verbs e.g. *entendre*	remove -*re* and add **u**	*entend**u***	*j'ai entend**u*** I heard/have heard

- Irregular verbs usually have irregular past participles: you can find them in the verb tables on pages 236–240. Here are some common examples:

infinitive	past participle	infinitive	past participle
boire	***bu***	*avoir*	***eu***
voir	***vu***	*dire*	***dit***
lire	***lu***	*écrire*	***écrit***
croire	***cru***	*mettre*	***mis***
pouvoir	***pu***	*prendre*	***pris***
devoir	***dû***	*être*	***été***
vouloir	***voulu***	*faire*	***fait***

j'ai dit I said ***elle a vu*** she saw

- With negatives, the negative expression (e.g. *ne ... pas*) goes around the auxiliary verb.
*Elle **n'a pas vu** ce film.* She hasn't seen this film.
*Je **n'ai pas fini**!* I haven't finished!

À vos marques ...

1 Change these regular infinitives into the perfect tense, using the pronoun given.

Example: je (*manger*) → j'ai mangé

1 je (*parler*)
2 vous (*grandir*)
3 ils (*googler*)
4 il (*entendre*)
5 tu (*attendre*)
6 nous (*oublier*)
7 mes parents (*apprécier*)
8 on (*écouter*)
9 je (*saisir*)
10 ma copine (*copier*)

> Make sure that you use the correct part of *avoir* and the correct past participle.

Prêts?

2 Maria has translated some sentences into French but has made a verb error in each one. Rewrite each sentence, correcting the verb error. Explain in English what her mistake is.

Example: I saw the programme. *Je vu l'émission.*
J'ai *vu l'émission.* – She missed out the part of *avoir*.

1 I drank a cola. *J'ai boire un coca.*
2 We saw a film. *Nous vu un film.*
3 Alex and Fatou believed the story. *Alex et Fatou avons cru l'histoire.*
4 We had to come. *Nous avons du venir.*
5 You made a cake. *Tu fais un gâteau.*
6 I had a baby. *J'ai avoir un bébé.*
7 She read a book. *Elle a lit un livre.*
8 You put my drink here. *Tu mis ma boisson ici.*
9 He said that. *Il a dis ça.*
10 They took my bag. *Ils pris mon sac.*

Partez!

3 Translate these sentences into French.

1 I laughed a lot.
2 We have finished.
3 My parents have had to wait.
4 He saw my friends in town.
5 I took the bus at 5 p.m.
6 She played football yesterday.
7 You (*tu*) drove my car.
8 He has opened the door.
9 Manon and Emma didn't write the email.
10 You (*vous*) haven't slept at all!

> Some of these verbs are irregular and have irregular past participles. You will need to check them in the verb tables on pages 236–240.

The perfect tense with *être*

L'indispensable!

What is this and when do I use it?
When you are talking about events in the past, you need to use the perfect tense. Some vital verbs don't use *avoir* as the auxiliary verb; instead, they use the verb *être*.

Why is it important?
The auxiliary verb *être* is used with some vital verbs; you need to use the perfect tense with *être* to say things like 'I went', 'we stayed' or 'he has died'.

Things to look out for
- All reflexive verbs use *être* as the auxiliary verb in the perfect tense.
- There are only a further 13 verbs that form their perfect tense with *être*. If you learn these, then you know that all other verbs go with *avoir*. You might find that a mnemonic like MRS VAN DER TRAMP helps you remember the 13 verbs plus reflexives.
- Compounds of these verbs also take *être*, so look out for one of these 13 verbs with an added prefix. For example, *venir* (to come) uses *être* as its auxiliary verb, and so do ***re**venir* (to come back) and ***de**venir* (to become).
- For *être* verbs in the perfect tense, the past participle agrees with the subject of the verb.

How does it work?
- Take the part of the auxiliary (*être*) and add the past participle. Here are the 13 verbs which take *être* as the auxiliary, with their past participles:

infinitive	past participle	infinitive	past participle
aller (to go)	*allé*	*entrer* (to come in)	*entré*
venir (to come)	*venu*	*sortir* (to go out)	*sorti*
arriver (to arrive)	*arrivé*	*naître* (to be born)	*né*
partir (to leave)	*parti*	*mourir* (to die)	*mort*
monter (to go up, get in)	*monté*	*rester* (to stay)	*resté*
descendre (to go down, get out)	*descendu*	*tomber* (to fall)	*tombé*
		retourner (to return)	*retourné*

- For *être* verbs in the perfect tense, add an ending to the past participle if the subject of the verb is feminine or plural. Using *partir* (to leave) as an example:

*je suis parti(**e**)*	I left	add an ***e*** if you are a girl
*tu es parti(**e**)*	you (*sg, familiar*) left	add an ***e*** if *tu* refers to a girl/woman
il est parti	he left	
*elle est parti**e***	she left	
*on est parti(**e**)**s***	we left	add an ***e*** if everyone covered by 'we' is a girl/woman
*nous sommes parti(**e**)**s***	we left	add an ***e*** if everyone covered by 'we' is a girl/woman
*vous êtes parti(**e**)(**s**)*	you left	add an ***e*** if *vous* refers to one woman; add an ***s*** if it refers to more than one person; add ***es*** if it refers to two or more women.
*ils sont parti**s***	they left	either all boys/men or a mixed group of male and female
*elles sont parti**es***	they left	all girls/women

- For reflexive verbs in the perfect tense, put the auxiliary verb *être* after the reflexive pronoun: *Je me suis couché(e).* I went to bed.

À vos marques ...

1 Write these in French. Remember to add *-e* to the past participle if you are a girl.

1 I went
2 I arrived
3 I have fallen
4 I went up
5 I came
6 I stayed
7 I have left
8 I returned
9 I went out
10 I was born

Prêts?

2 Change the verb in brackets into the perfect tense. Then translate each sentence into English.

1 Je (*rester*) à la maison.
2 Vous (*arriver*) en retard.
3 Prince George (*naître*) à Londres.
4 Nous (*retourner*) à 20h.
5 Les filles (*aller*) au cinéma.
6 Tu (*se coucher*) à quelle heure?
7 Elle (*partir*) après moi.
8 On (*se disputer*) à cause de toi.
9 Il (*venir*) à la plage avec nous.
10 Nous (*s'amuser*) hier!
11 Nico et Lucille (*sortir*) mardi soir.
12 Vous (*partir*) sans moi!

Partez!

3 Rewrite this passage, changing the verbs from the present tense into the perfect tense. Take care with both the auxiliary (*avoir* or *être*) and the past participle.

Je vais au cinéma avec mes amis où nous voyons un film de science-fiction. Nous nous amusons bien et puis nous prenons le bus et nous rentrons chez nous. À la maison, mon père décide de regarder un feuilleton mais je monte dans ma chambre où je skype ma cousine. On discute du collège mais à 21h ma cousine se couche. Je redescends au salon où je dis «bonne nuit» à mes parents. Je me déshabille, je me lave et puis ... je dors!

The imperfect tense

What is this?

The imperfect tense (*l'imparfait* in French) is another tense used to talk about the past.

When do I use it?

You use the imperfect tense to talk about what happened in the past over a period of time, rather than just one single event. You also use it to describe what was happening at a given time (e.g. just before a particular event happened) or what used to happen.

Why is it important?

The imperfect tense is used in key phrases like 'it was' or 'there were'. You need it to describe what things were like or what people were doing, as well as to say what you used to be like or do.

Things to look out for

- A verb in the imperfect tense can be translated in different ways, e.g. *elle* ***regardait*** *la télé* can mean 'she used to watch TV', 'she was watching TV' or 'she watched TV'.
- When you are talking about the past, you will probably need a combination of perfect tense verbs, for 'one-off' actions or events that happened and are now complete, and imperfect tense verbs, for things that were happening at that time or for describing what something was like.

  Elle ***faisait*** *du yoga quand le téléphone a sonné.*
  She was doing yoga when the phone rang.

  *Je suis allé à Berlin l'année dernière. C'****était*** *génial.*
  I went to Berlin last year. It was great.

How does it work?

- To form the imperfect tense, take the *nous* form of the present tense verb and remove the *-ons* (e.g. *nous dans~~ons~~* → *dans-*). This is the imperfect 'stem'. Then add the imperfect endings.

The imperfect endings are:

*je dans**ais***	*nous dans**ions***
*tu dans**ais***	*vous dans**iez***
*il/elle/on dans**ait***	*ils/elles dans**aient***

The only exception is the most common verb of all: *être*.
The imperfect stem for *être* is ***ét-***:
*j'**ét**ais* (I was).

- Look out for these common uses of the imperfect:

c'était (it was): *C'était top!* It was brilliant!
il y avait (there was/were): *Il y avait un grand défilé.* There was a big parade.
Il faisait (it was, to describe the weather): *Il faisait beau.* The weather was good.

À vos marques ...

1 Choose a suitable ending for each sentence. Then translate the sentence into English.

1 J'avais intelligent / un journal / Paris.
2 J'étais intelligent / une table / Manchester.
3 Je faisais beau / mes devoirs / arriver.
4 Elle avait les yeux bleus / petite / boire.
5 C'était les yeux bleus / monter / super.
6 Il faisait beau / les yeux verts / pleut.
7 Il y avait intelligent / les cheveux marron / un concert.
8 C'était impossible / sortir / manger.
9 Il y avait impossible / beau / deux personnes.
10 Il faisait deux personnes / froid / être.

Prêts?

2 Translate these sentences into French using the imperfect tense.

1 I used to have a bike.
2 We were watching TV.
3 My parents used to live in London.
4 They were waiting for the bus.
5 He used to be a teacher.
6 My family was eating in the kitchen.
7 You (*vous*) were working in Bordeaux.
8 You (*tu*) used to arrive at 5 p.m.
9 It was excellent.

3 Perfect or imperfect? Copy and complete the sentences, choosing the correct verb(s) each time.

1 J'ai regardé / Je regardais un film quand le téléphone a sonné / sonnait.
2 Quand il était petit, mon père a habité / habitait au bord de la mer.
3 J'ai vu / Je voyais ma cousine en ville ce matin.
4 Avant, j'ai aimé / j'aimais la gymnastique, mais maintenant, je préfère la danse.
5 Quand Emma était petite, elle a joué / jouait du piano, mais à quinze ans, elle a arrêté / arrêtait.
6 Tous les étés quand nous étions petits, nous sommes allés / nous allions en vacances en Bretagne. Une fois, mes grands-parents sont venus / venaient avec nous.

Partez!

4 Copy out the article, changing each infinitive in brackets into either the perfect or imperfect tense, according to what fits the context. Then translate the text into English.

Quand j'(*avoir*) 10 ou 11 ans, des voleurs (*essayer*) de cambrioler notre maison. Il (*être*) minuit et il (*faire*) mauvais dehors. Je (*dormir*) dans ma chambre et mes parents (*être*) aussi au lit, mais mon frère (*se reposer*) dans le salon où il (*regarder*) un film. Soudain, la porte (*s'ouvrir*) et deux hommes masqués (*entrer*) dans le salon. Mon frère (*se lever*) immédiatement et il (*crier*) «Au secours!» Mes parents (*entendre*) le cri et ils (*descendre*) rapidement. Quand les cambrioleurs (*voir*) mes parents, ils (*quitter*) le salon et ils (*se sauver*). Et moi? Pendant tout ce temps, je (*dormir*) tranquillement dans mon lit!

cambrioler	*to burgle*
se sauver	*to escape*

The simple future tense

What is this and when do I use it?
This tense, called *le futur* in French, is used to talk about what will happen in the future.

Why is it important?
The near future (*aller* + infinitive) is an easier way to talk about the future, but you will hear and see this future tense all the time in French, and so you need to master this more elegant way of talking about the future.

Things to look out for
In English, we use the word 'will' to indicate the future, e.g. 'I will go to university'. But there is no French word for 'will'. Instead, you have to spot that 'will go' is a verb in the future tense, and use the rules below to translate it.

How does it work?
- The future tense is formed with the future stem of the verb + the future tense endings.

future tense stem		future tense endings
-er/**-ir** verbs	use the infinitive	*je travailler**ai*** *tu travailler**as*** *il/elle/on travailler**a*** *nous travailler**ons*** *vous travailler**ez*** *ils/elles travailler**ont***
-re verbs	remove the final ***-e*** from the infinitive	
avoir	***aur-***	
être	***ser-***	
aller	***ir-***	
faire	***fer-***	

You can find the future stems for other irregular verbs in the verb tables on pages 236–240.
- When you use *si* with the present tense, the second part of the sentence may use the future tense.
  S'*il fait beau, on* ***ira*** *à la plage.* If the weather is good, we will go to the beach
- When you use *quand* to talk about the future, all the verbs in the sentence have to be in the future tense.
  Quand *je* ***serai*** *plus âgé, j'habiterai en Écosse.* When I am older, I will live in Scotland.

À vos marques …

1 Sofia is looking ahead. Complete each verb with the right ending, then translate what she says.

1 J'aur___ trois enfants.
2 Je ser___ agent de police.
3 J'habiter___ à Londres.
4 Je fer___ beaucoup de sport.
5 J'ir___ à la salle de gym régulièrement.
6 Mes enfants ser___ adorables.
7 Ma sœur travailler___ pour une grande banque.
8 Mon mari ser___ riche.
9 On aur___ une grande maison.
10 Nous passer___ nos vacances en Espagne.

Prêts?

2 Copy out the article, changing the infinitives in brackets into the future tense. Then translate the text into English.

Dans le futur, il y (*avoir*) beaucoup de robots. Ces robots (*parler*) et (*penser*) comme nous, les humains. Un robot type (*être*) très pratique: il (*aider*) à faire le ménage, (*préparer*) nos repas et (*s'occuper*) de nos enfants. Le robot (*faire*) les devoirs et (*ranger*) la chambre des plus jeunes. Mais il ne nous (*aimer*) pas!

Partez!

3 Copy and complete the text, choosing the correct verb from the box to fill each gap.

Si je **1** ____ dur, j'**2** ____ de bonnes notes et mes parents **3** ____ très contents. Si j'**4** ____ de bonnes notes, j'**5** ____ à l'université de Nottingham où j'**6** ____ le français. Si je **7** ____, j'**8** ____ chez ma tante car elle **9** ____ à Nottingham. Si tout **10** ____ bien, je **11** ____ chez BT après l'université et je **12** ____ acheter une petite maison.

peux pourrai aurai ai irai va étudierai habiterai habite travaille travaillerai seront

The conditional

What is this and when do I use it?

The conditional is used to talk about what would happen (if something else were the case). You use it to talk about what you would do and how things would be, for example if you were rich, or if you had more time.

Things to look out for

As is often the case with tenses, you can't translate verbs word for word; there isn't a French word for 'would'. Instead, the word 'would' in English triggers that you need to use the conditional.

How does it work?

- The conditional is formed with the future stem of the verb + the correct imperfect ending.

  *Mon compagnon idéal **serait** grand.* My ideal partner would be tall.

- When you are talking about how things would be if something else were the case, use the imperfect tense in the *si* (if) clause, and the conditional in the second part of the sentence.

  *Si j'étais riche, **j'achèterais** une Ferrari.* If I were rich I would buy a Ferrari.

À vos marques ...

1 Translate these sentences into English.

1. Je voudrais un chocolat chaud, s'il vous plaît.
2. J'aimerais visiter le Canada un jour.
3. Voudrais-tu un nouveau portable?
4. Ma sœur aimerait une Mercedes.
5. Ma chambre idéale serait énorme.
6. Ils feraient bien un gâteau mais ils n'ont pas de sucre.

Prêts?

2 Change each infinitive in brackets into the conditional. Then translate the text into English.

Mon rêve? Je (*vouloir*) me marier un jour. Mon compagnon idéal (*aimer*) les mêmes choses que moi: il (*lire*) beaucoup, il (*adorer*) les jeux vidéo et il (*s'intéresser*) à la photographie. Il (*avoir*) les cheveux noirs et le sens de l'humour. Il (être) très intelligent. Nous (*habiter*) au bord de la mer. Nous (*avoir*) deux enfants qui (*jouer*) à la plage. Pendant la journée, je (*travailler*) en ville et mon mari (*ranger*) la maison. Ça (*être*) une vie parfaite!

Partez!

3 Complete each sentence with a verb of your choice so it makes sense. Then translate your sentences into English.

1. S'il faisait beau, je/j' ____.
2. Elle ____ si elle était riche.
3. Si leurs parents achetaient une nouvelle maison, ils ____.
4. Si nous avions un problème, nous ____.
5. S'il faisait mauvais, les garçons ____.
6. Je ____ si mes parents étaient d'accord.

What are modal verbs and when do I use them?
Pouvoir (to be able to), *devoir* (to have to) and *vouloir* (to want to) are the three key modal verbs. You use modal verbs to talk about what people can, must or want to do. Like other verbs, modals are used in different tenses.

Why are they important?
Modal verbs are extremely useful and come up in conversation all the time. Modals are often used when asking questions or making polite requests.
Tu peux venir au cinéma? Can you come to the cinema?
Voulez-vous répéter, *s'il vous plaît?* Do you mind repeating that, please?

What is *il faut*?
The expression *il faut* means 'it is necessary to'/'you have to'. It is an impersonal verb: the subject of the verb is always *il.*

Things to look out for
In English, the translation of the verb *pouvoir* is 'to be able to'. But *je peux* can be translated as 'I can'. Similarly, *devoir* means 'to have to', but you can translate *je dois* as 'I must'.

How do modal verbs and *il faut* work?
- No matter which tense the modal verb or *il faut* is in, it is always followed by the infinitive.

Here are the three modal verbs and *il faut* in different tenses:

	pouvoir (to able to)	***devoir*** (to have to)	***vouloir*** (to want to)	***il faut*** (it is necessary to)
present	*je peux* (I can) *tu peux* *il peut* *nous pouvons* *vous pouvez* *ils peuvent*	*je dois* (I must) *tu dois* *il doit* *nous devons* *vous devez* *ils doivent*	*je veux* *tu veux* *il veut* *nous voulons* *vous voulez* *ils veulent*	*il faut*
perfect	*j'ai pu*	*j'ai dû*	*j'ai voulu*	*il a fallu*
imperfect	*je pouvais*	*je devais*	*je voulais*	*il fallait*
future	*je pourrai*	*je devrai*	*je voudrai*	*il faudra*
conditional	*je pourrais*	*je devrais*	*je voudrais*	*il faudrait*

- To make a modal negative, put the negative expression around the modal verb.
  *Elle **ne peut pas** arriver avant 16h.* She can't arrive before 4 p.m.
- When you are talking about the past, the imperfect form of modals is often used.
  *Je **devais** rester à la maison.* I had to stay at home.
- Modals are also frequently used in the conditional.
  *Je **voudrais** être agent de police.* I would like to be a police officer.
  *On **pourrait** commencer plus tard.* We could start later.
  *Tu **devrais** parler au prof.* You should/ought to speak to the teacher.

À vos marques ...

1 Rearrange the words to make correct sentences. Then translate each sentence into English.

1 je ce peux soir sortir
2 nous aider nos devons parents
3 aller tu veux au avec cinéma ? moi
4 visiter peut des on historiques monuments
5 il l'uniforme porter faut
6 la voir pouvez Eiffel tour vous
7 dois tu devoirs tes faire
8 classe boire il ne pas faut en
9 soir mes ne copains doivent pas venir ce
10 ma veut famille ne partir en pas vacances

Prêts?

2 Maria has written some sentences in French but has made a mistake in each one. Rewrite each sentence, correcting her mistake. Explain in English what her mistake is.

1 Il faut arrive à 8h.
2 Je peut venir au concert avec toi.
3 On doit ne fumer pas au collège.
4 Tu veux parle sur Skype ce soir?
5 Nous pouvez aider le prof.
6 Je vouloir aller aux toilettes, madame.
7 Les enfants doit apprendre le latin.
8 Vous voulez venez avec moi?
9 Il faut ne arriver pas en retard.
10 Antoine et Annie peuvent travaillent ce samedi.

Partez!

3 Translate these sentences into French.

1 I can take the bus.
2 We will have to take the bus.
3 She had to take the bus.
4 My friends wanted to take the bus.
5 Alex will be able to take the bus.
6 They ought to take the bus.
7 You (*vous*) could (= would be able to) take the bus.
8 We couldn't (= were not able to) take the bus.
9 I didn't want to take the bus.
10 You (*tu*) should take the bus!

Negatives

What are these and when do I use them?
The key negative used in French is *ne ... pas*. It is used when you want to make a verb negative, i.e. when you want to say what isn't the case or didn't happen. Other negative expressions are used to say things like 'nothing', 'never', and 'no one'.

Why are they important?
You really need to be able to say that you don't like something or that you didn't do something. You also need to spot negatives when you are reading or listening to French: you don't want to confuse 'I love you' with 'I don't love you any more', for example!

Things to look out for
In English, negative sentences include words like 'don't', 'haven't' or 'didn't'. But these sorts of word don't exist in French. Instead, you need to spot that these are examples of negative verbs, and use *ne ... pas* to translate what you want to say into French.
Je ne joue pas au tennis. I don't play tennis.

How does *ne ... pas* work?

- Put *ne ... pas* around the verb to make it negative:

  *Elle **ne** travaille **pas** le samedi.* She doesn't work on Saturdays.

  Note that *ne* shortens to *n'* before a vowel or *h*.

  *Nous **n'**allons pas à Paris.* We are not going to Paris.

- After *pas*, the article used is *de*.

  *Elle n'a pas **de** stylo.* She hasn't got a pen.

- When there are two verbs in a sentence and one is the infinitive (e.g. in the near future tense or with modals), *ne ... pas* goes around the first verb.

  *Elle **ne** va **pas** aimer cette robe.* She is not going to like this dress.

- In the perfect (and pluperfect) tense, *ne ... pas* forms a sandwich around the auxiliary verb.

  *Ils **n'**ont **pas** oublié leur visite.* They haven't forgotten their visit.
  *Je **ne** suis **pas** allée à Berlin.* I didn't go to Berlin.

Other negative expressions

- These negative expressions work in the same way as *ne ... pas*:

  ne ... jamais never
  ne ... plus no longer
  ne ... que only
  ne ... aucun(e) not any, none
  ne ... rien nothing
  ne ... personne nobody
  ne ... ni ... ni ... neither ... nor ...

  *Il **n'**a **jamais** visité Londres.* He has never visited London.
  *Je **ne** fume **plus**.* I no longer smoke./I don't smoke any more.
  *Ils **n'**aiment **ni** le sport **ni** la lecture.* They like neither sport nor reading.

- *Personne* and *rien* can be used as the subject of the sentence. Both are followed by *ne*:

  ***Personne ne** vient.* Nobody is coming.
  ***Rien ne** s'est passé.* Nothing happened.

- *Ni ... ni ... ne ...* can also start a sentence.

  ***Ni** Amy **ni** Paul **ne** va gagner.* Neither Amy nor Paul is going to win.

- *Aucun* agrees with the noun it goes with.

  *Il **n'**y a **aucun** magasin et **aucune** poste.* There is no shop and no post office.

À vos marques ...

1 Rearrange the words to make correct sentences. Then translate each sentence into English.

1 au je ne pas joue rugby
2 elle va ne Édimbourg pas à
3 chien nous n' pas avons de
4 ne famille la regarde ma pas télé
5 ne elles sont contentes pas
6 on parle ne ici pas anglais
7 plus fume elle ne
8 je ce ne rien fais soir
9 vous l' n' arrivez à jamais heure
10 parents ne ni ni mes parlent espagnol français

Prêts?

2 Make these sentences negative by putting the negative expression in brackets in the correct place. Then translate each sentence into English.

1 Je vais souvent à Lyon. (*ne ... pas*)
2 J'ai visité la France. (*ne ... pas*)
3 Je suis très fatigué. (*ne ... pas*)
4 Hier soir, je suis allée au club de basket. (*ne ... pas*)
5 Je resterai à la maison. (*ne ... pas*)
6 Je fume. (*ne ... plus*)
7 J'ai fumé. (*ne ... jamais*)
8 J'ai 10 euros. (*ne ... que*)
9 J'aimais les films et la musique. (*ne ... ni ... ni ...*)
10 Je mange à midi. (*ne ... rien*)

Partez!

3 Translate these sentences into French.

1 I didn't go out yesterday.
2 I won't phone my dad tomorrow.
3 I wouldn't do that if I were you.
4 We didn't drink anything yesterday.
5 She won't see anybody today.
6 They only had 20 euros.
7 I no longer live in Britain.
8 Neither my brother nor my sister is coming tonight.
9 Nobody looked after the garden.
10 Nothing is more important.

In sentences 9 and 10, the negative acts as the subject of the sentence.

Adjectives

What are they and why are they important?

Adjectives are describing words like 'green', 'interesting', or 'jealous'. You need to be able to give detailed descriptions and opinions: you need adjectives to do this well.

Things to look out for

- In French, adjectives have to 'agree' with the noun they are describing.
- Most French adjectives come after the noun (e.g. *le ballon rouge*).

How do they work?

- To make an adjective agree with a noun, change the ending of the adjective according to the gender of the noun and whether it is singular or plural.

masculine	feminine	masc plural	fem plural
un vase noir	*une table noir**e***	*des vases noir**s***	*des tables noir**es***

- Many adjectives are irregular and follow a different pattern. Here are some examples:

ends in ...	masculine	feminine	masc plural	fem plural
-e	*optimiste*	*optimiste*	*optimistes*	*optimistes*
-eux/-eur	*heureux*	*heureuse*	*heureux*	*heureuses*
-il/-el	*gentil*	*gentille*	*gentils*	*gentilles*
-ien	*italien*	*italienne*	*italiens*	*italiennes*
-f	*actif*	*active*	*actifs*	*actives*
-anc	*blanc*	*blanche*	*blancs*	*blanches*

- Some adjectives are invariable, which means they never change, e.g. *cool, super, marron.*
- Most adjectives come after the noun, e.g. *un **stylo rouge***. However, these common adjectives come before the noun:
  grand petit nouveau ancien beau joli jeune vieux bon mauvais
  *un **bon étudiant** une **grande valise***
- As well as coming before the noun, *beau, nouveau* and *vieux* follow a special pattern:

masculine	feminine	masc plural	fem plural	masc sg, begins with vowel or *h*
beau	*belle*	*beaux*	*belles*	*bel*
nouveau	*nouvelle*	*nouveaux*	*nouvelles*	*nouvel*
vieux	*vieille*	*vieux*	*vieilles*	*vieil*

*un **vieux bâtiment** une **vieille maison** un **vieil ordinateur***

À vos marques ...

1 Choose the correct form of the adjective to complete each sentence.

1. Mon frère est grand / grande.
2. Ma sœur est joli / jolie.
3. Mes frères sont absent / absents.
4. Mes sœurs sont amusants / amusantes.
5. La mer est bleue / bleus.
6. Ils sont animé / animés.
7. Nous sommes contente / contents.
8. J'ai les cheveux blond / blonds.

Prêts?

2 Copy out the text, changing the adjectives so that each agrees with the subject of the sentence.

Ma prof (*préféré*) s'appelle Madame Black. Elle est (*amusant*) mais (*sévère*). Quand les élèves sont (*méchant*), elle devient (*furieux*). Mais quand un (*nouveau*) élève arrive, elle est (*compréhensif*) et (*gentil*). Ma (*nouveau*) copine Anna n'est pas très (*travailleur*) et Madame Black la trouve (*agaçant*) et (*impoli*). Mais je pense qu'Anna est (*marrant*) et (*aimable*). C'est une (*joli*) fille de taille (*moyen*) et elle a les yeux (*marron*) et les cheveux (*brun*).

Partez!

3 Rewrite the sentences, putting the correct form of the adjectives in the right place. You might need to add *et*, too.

1 J'habite dans une maison. (*joli, petit, individuel*)
2 Nous aimons les chanteurs. (*nouveau, français*)
3 Je n'aime pas les filles. (*paresseux, impoli*)
4 La dame ne vient pas. (*vieux, indien*)
5 L'animal est mort. (*beau, brun*)
6 Il n'y a plus de livres. (*court, intéressant*)

Possessive adjectives

What are these, when are they used and why are they important?
Possessive adjectives are words like 'my', 'your', and 'his'. They are used to say who things belong to.

Things to look out for

- In French, there are three different words for 'my': ***mon** frère, **ma** sœur, **mes** parents.* The possessive adjective needs to agree with the noun it comes before.

How do they work?

- You can find the possessive adjectives in the table to the right.
- Before a singular noun starting with a vowel or ***h***, you always use *mon/ton/son*.

  mon amie my friend *son école* his school

	masculine	**feminine**	**plural**
my	*mon*	*ma*	*mes*
your (friend)	*ton*	*ta*	*tes*
his/her/one's	*son*	*sa*	*ses*
our	*notre*		*nos*
your (formal)	*votre*		*vos*
their	*leur*		*leurs*

Prêts?

1 Replace the English possessive with the correct French word.

1 (*my*) maman
2 (*your*)(*friend*) parents
3 (*his*) grand-père
4 (*her*) grand-père
5 (*Our*)-Dame de Paris
6 (*your*)(*plural*) professeurs
7 (*their*) problème
8 (*my*) armoire
9 (*their*) chats

Partez!

2 Maria has written a paragraph but has made lots of mistakes. Rewrite the paragraph, correcting the underlined possessives. Then translate it into English.

Mon cousine et sa mari Marc travaillent dans un restaurant. Leur collègues sont gentils mais leurs patron est injuste. Mes frère et moi, nous sommes allés au restaurant avec notre parents. Ma omelette était nulle et mon mère était déçue car son légumes étaient froids. En plus, nos addition n'était pas correcte!

The comparative and superlative of adjectives

L'indispensable!

What are these and when are they used?
The comparative form of adjectives is used to compare things, e.g. 'x is smaller than y'. The superlative is used to say something is 'the smallest', 'most popular', 'best', etc.

Why are they important?
Comparatives and superlatives make descriptions more detailed and interesting.

Things to look out for
You need to make the adjective agree with the noun as usual.

How do they work?

Comparatives

- *plus ... que ...* (more ... than)
  L'anglais est ***plus utile que*** *les maths.* English is more useful than maths.
- *moins … que* (less … than)
  Je suis ***moins intelligente que*** *toi.* I am less intelligent than you.
- *aussi … que* (just as … as)
  Les fruits sont ***aussi bons que*** *les légumes.* Fruit is just as good as vegetables.

Superlatives

- *le/la/les plus/moins …* (the most/least …): *le garçon le plus bête* the silliest boy
- *Le/la/les* agrees with the noun: *les animaux les plus rapides* the fastest animals
- If an adjective normally comes before the noun, the superlative also comes first:
  le plus grand problème the biggest problem
- Just like in English, *bon* and *mauvais* are irregular:

bon good	*meilleur* better	*le/la/les meilleur(e)(s)* the best
mauvais bad	*pire* worse	*le/la/les pire(s)* the worst

À vos marques …

1 Copy and complete each sentence with *plus/moins/aussi*, according to your own opinion.

1 Le français est ____ intéressant que les maths.
2 Ma maison est ____ grande qu'un palais.
3 Je suis ____ intelligent(e) qu'Einstein.
4 La France est ____ intéressante que la Russie.
5 Le collège est ____ ennuyeux que les vacances.
6 Les éléphants sont ____ beaux que les girafes.

Prêts?

2 Translate these sentences into French.

1 I am taller than my brother.
2 My brother is more intelligent than my sister.
3 Tennis is just as interesting as football.
4 Oranges are better than bananas.
5 Geography is worse than history.
6 Prince Harry is less handsome than my brother.

Partez!

3 Write a superlative sentence using the words given. Make sure you make the adjectives agree!

Example: le vin – délicieux – du monde: C'est le vin le plus délicieux du monde.

1 le cirque – impressionnant – du monde
2 la ville – animé – d'Angleterre
3 le pub – petit – d'Europe
4 les livres – précieux – du monde
5 la cuisine – bon – de France
6 les films – mauvais – de l'année

Adverbs

L'indispensable!

What are these and when are they used?
Adverbs are used to describe how an action is done. Words like 'slowly', 'immediately' and 'regularly' are adverbs. So are frequency words like *souvent* (often), *d'habitude* (usually), *quelquefois* (sometimes) and *tous les jours* (every day).

Why are they important?
Adverbs provide more information and help you to describe things in more detail.

Things to look out for

- English adverbs often end in '-ly'. French adverbs often end in ***-ment***. But there are plenty of exceptions!
- Adverbs often come after the verb they are describing. But you can also put them elsewhere for emphasis, e.g. at the start of the sentence.

How do they work?

- To make an adverb, you often add ***-ment*** to the feminine form of an adjective.
  sérieuse (serious, feminine form) → *sérieuse**ment*** (seriously)
  normale (normal, feminine form) → *normale**ment*** (normally)
- However, there are plenty of exceptions to this rule, e.g. *bien* (well), *mal* (badly).
  – The comparative form of *bien* (well) is *mieux* (better).
  – The comparative form of *mal* (badly) is *pire* (worse).

À vos marques ...

1 Match each common adverb to its English meaning.

1 immédiatement
2 d'habitude
3 malheureusement
4 soudain
5 récemment
6 vraiment
7 fort
8 toujours
9 vite
10 actuellement

a recently
b loudly
c still/always
d quickly
e currently
f immediately
g suddenly
h really
i usually
j unfortunately

Prêts?

2 Change these adjectives into adverbs.

1 lent → ______ (*slowly*)
2 final → ______ (*finally*)
3 triste → ______ (*sadly*)
4 rapide → ______ (*quickly*)
5 heureux → ______ (*fortunately/happily*)
6 silencieux → ______ (*silently*)

Partez!

3 Rewrite this account, making it more interesting by inserting at least 5 adverbs of your choice.

Le criminel est entré dans la chambre où la dame dormait. Il a commencé à chercher dans les tiroirs. La dame s'est réveillée. Elle a crié «Au secours! Au secours!» Le criminel a quitté la chambre. Il a descendu l'escalier et il est parti. La dame a appelé la police.

Grammaire
Verbs with the infinitive

J'assure

What are these and when are they used?
These are verbs which can be used in combination with another verb, e.g. 'it started to rain'; 'I tried to leave'.

Why are they important?
They are useful for describing what you do or what happened in greater detail. You can show greater range in your speaking and writing by using these verbs.

Things to look out for
- These verbs work in a similar way to modal verbs (*devoir/pouvoir/vouloir*). However, many of them need an extra preposition (*à* or *de*) before the infinitive.

How do they work?
- These verbs are followed directly by the infinitive:

  aimer to like to — *préférer* to prefer to — *détester* to hate to
  adorer to love to — *espérer* to hope to — *sembler* to seem to

- These verbs are followed by ***à*** + the infinitive:

  commencer à to begin to — *réussir à* to succeed in — *inviter à* to invite to
  aider à to help to — *apprendre à* to learn to

- These verbs are followed by ***de*** + the infinitive:

  décider de to decide to — *choisir de* to choose to — *(s')arrêter de* to stop
  mériter de to deserve to — *essayer de* to try to — *continuer de* to continue to
  oublier de to forget to — *empêcher de* to prevent from

  NB *venir de* means 'to have just' done something.
  present tense: *Je **viens de** visiter Paris.* I have just visited Paris.
  imperfect tense: *Elle **venait de** passer son examen.* She had just sat her exam.

- Some expressions with *avoir* are also followed by *de* + the infinitive:

  avoir l'intention de to intend to — *avoir envie de* to want to

À vos marques ...

1 Write out and complete each sentence with *de*, *à* or no extra word.

1. J'ai oublié – faire mes devoirs.
2. Ah non! Il commence – pleuvoir!
3. Je vais m'arrêter – fumer.
4. Elle aime – critiquer les autres.
5. J'espère – terminer mes études à New York.
6. Tu m'aides – préparer le dîner?

Prêts?

2 Translate these sentences into English.

1. J'ai réussi à comprendre le texte.
2. Il m'a empêché de terminer mes devoirs.
3. J'ai envie de voir ce film.
4. Elle semble être fatiguée, aujourd'hui.
5. Ils ont mérité de gagner le championnat de rugby.
6. Ma mère vient d'arriver.

Partez!

3 Translate these sentences into French.

1. I prefer to stay at home.
2. I chose to have three children.
3. I intend to be a teacher.
4. I have just finished my book.
5. We helped to clean the house.
6. They decided to learn to play the guitar.

The pluperfect tense

J'assure

What is this and when is it used?
The pluperfect tense is used to talk about what had happened in the past. It is often used together with the perfect tense, e.g. 'when we had finished, we went out'.

Why is it important?
The pluperfect helps you talk in more detail about the past and understand more complex texts.

Things to look out for
This tense works in a very similar way to the perfect tense. Just remember that 'had' with a past participle in English usually indicates that you need to use this tense.

How does it work?

- Just like the perfect tense, the pluperfect tense is formed of two parts: the auxiliary verb (*avoir* or *être*) + the past participle. But for this tense, the imperfect form of *avoir* or *être* is used.

  j'avais vu I had seen   *j'étais parti* I had left

- The verbs that take *être* are the same ones that take *être* in the perfect tense. When using these verbs in the pluperfect tense, the past participle must also agree.

  elle était sortie she had gone out   *nous nous étions levés* we had got up

- Sometimes you use the pluperfect in the same sentence as the perfect, to explain what happened before something else took place.

  Quand elle ***est arrivée*** *à la gare, elle a réalisé qu'elle* ***avait oublié*** *son billet.*
  When she arrived at the station, she realised that she had forgotten her ticket.

À vos marques ...

1 Translate into English these sentences about what had happened when Éric came home last night.

1. Son père avait brûlé les gâteaux.
2. Sa sœur était tombée dans l'escalier.
3. Sa grand-mère avait perdu ses lunettes.
4. Son petit frère s'était cassé le bras.
5. Le chien avait mangé une chaussette.

Prêts?

2 Complete these sentences with the correct pluperfect form of the verb in brackets. Then translate each sentence into English.

1. J'___ _____ parce qu'il faisait beau. (*sortir*)
2. La sortie au cinéma était géniale mais j'___ déjà _____ le film. (*voir*)
3. Mes parents _____ _____ en vacances mais moi, je suis resté à la maison. (*partir*)
4. J'ai refusé de croire qu'elle _____ _____ à la loterie. (*gagner*)
5. Puisque nous _____ _____, nous sommes partis. (*finir*)
6. Je lui ai dit que j'___ _____ le dîner. (*préparer*)

Partez!

3 Translate this text into French using a mixture of pluperfect and perfect tense verbs.

Last night, we had eaten and I had already finished my homework when my friend called. He said that he had gone into town and that he had seen my girlfriend with another boy. Today at school, my girlfriend said that she had stayed at home last night.

Object pronouns

J'assure

What are direct object pronouns and when are they used?
Pronouns are used to replace nouns so that you don't have to keep repeating them. Direct object pronouns are used when the noun is not the subject of the sentence, e.g. 'she loves him', 'I watched them', 'I lost it'.

Why are they important?
Object pronouns mean that you don't have to keep repeating a noun; you can replace it with the pronoun.

Things to look out for
Direct object pronouns are quite tricky in French. In English, they come after the verb, e.g. 'I hate it'. In French, they come before, e.g. *je **le** déteste*. You need to be aware that ***le***, ***la*** and ***les*** don't always mean 'the' – you might have to translate each of them as a pronoun ('it', 'him/her' or 'them').

How do they work?

- Here are the direct object pronouns:

me me	***te*** you	***le*** him/it	***la*** her/it	***nous*** us	***vous*** you	***les*** them

- In the present, future and imperfect tenses, the pronoun comes before the verb: *Je **les** aime*. I like them.
- In the perfect and pluperfect tenses, the pronoun comes before the auxiliary: *Je **l'**ai vu*. I saw him.
  The past participle must also agree with the direct object pronoun: *Je **les** ai vu**s***. I saw them.
- When using verbs with an infinitive, the pronoun comes before the infinitive:
  *Je vais **le** trouver*. I am going to find it.

What are indirect object pronouns and when are they used?
Indirect object pronouns are used to say 'to me', 'to him', and so on.

Things to look out for

- In English, we sometimes miss out the word 'to', e.g. 'I gave him the book'. So you need to remember to use an indirect object pronoun when you actually mean 'to him'.
- In French, indirect object pronouns are often found with verbs like *donner, dire, parler, demander* and *téléphoner*, which are followed by *à* plus a noun. The indirect object pronoun replaces *à* + the noun.
  *J'ai donné mon livre **à mon ami***. I gave my book to my friend.
  → *Je **lui** ai donné mon livre*. I gave my book to him./I gave him my book.

How do they work?

- The direct and indirect pronouns are the same, except for:

lui to him/to her/to it	***leur*** to them

  *Je **leur** parle ce soir*. I am speaking to them tonight.
- Indirect object pronouns follow the same rules regarding their position in the sentence as direct object pronouns. However, in the perfect and pluperfect tenses, the past participle does not agree.

What are *y* and *en* and how do they work?

- The pronoun *y* means 'there' or 'to there'. It is used to refer to a place which has already been mentioned and it comes before the verb.
  *Il **y** va souvent*. He goes there often.
- The pronoun *en* means 'some', 'of it' or 'of them'. It is used to refer back to a noun or quantity that has already been mentioned.
  *J'**en** ai mangé hier*. I ate some yesterday.

What happens if you have more than one of these pronouns in a sentence?
The pronouns go in this order:

me te nous vous	le la les	lui leur	y	en

Marie ***les lui*** *a donnés hier*. Marie gave them to him yesterday.
Il ***m'en*** *donne*. He is giving some of them to me.

À vos marques ...

1 Rearrange the French words to translate the English sentences.

1 je déteste les (*I hate them.*)
2 aime je l' (*I like it.*)
3 les elle regarde (*She watches them.*)
4 avons nous l' (*We have it.*)
5 adorent ils l' (*They love her.*)
6 je mangé l' ai (*I ate it.*)
7 les vus avons nous (*We saw them.*)
8 l' elle appris a (*She learned it.*)
9 nous les rencontrés avons (*We met them.*)
10 je organisé ai l' (*I organised it.*)

Prêts?

2 Choose an object pronoun from the box to complete each sentence. Then translate the sentences into English.

1 J'ai un nouveau portable. Je ____ trouve très pratique.
2 Mon oncle est généreux. Il ____ donne de l'argent.
3 Tu as vu mes lunettes? Je ____ ai perdues.
4 Mère Teresa est mon modèle. Je ____ trouve incroyable.
5 Des carottes? J'__ voudrais un kilo, s'il vous plaît.
6 J'allais au cinéma mais je n'__ vais plus car c'est trop cher.
7 Ma petite amie et moi sommes à Paris en ce moment, veux-tu ____ voir?
8 Bonjour, madame Page, je ____ ai vue en ville samedi!
9 Est-ce que je __ ai donné le numéro, Maman?
10 C'est l'anniversaire de ma tante: je dois ____ téléphoner ce soir.

me
le
vous
les
en
t'
la
nous
y
lui

Partez!

3 Write a possible answer to each question. In your answer, replace the underlined words with a pronoun (1–7) or two pronouns (8–10).

Example: Tu aimes la musique rock? *Oui, je l'aime.*

1 Tu aimes les documentaires?
2 Tu admires Mère Teresa?
3 Tu as vu ce film?
4 Tu es déjà allé(e) à Paris?
5 Est-ce que ton père a acheté des gâteaux?
6 Est-ce que tu vas voir tes grands-parents?
7 Est-ce que tu aimais les chiens quand tu étais petit(e)?
8 Est-ce que tu as donné les bonbons à ton frère?
9 Est-ce qu'il a donné de l'argent aux réfugiés?
10 Tu retrouves tes amis à la patinoire?

Make sure you make the past participle agree when you use a **direct** object pronoun (*le*, *la* or *les*) in the perfect tense.

Relative pronouns

J'assure

What are these and when are they used?
These are words like 'who', 'which' and 'whose'. They refer back to a noun.

Why are they important?
Relative pronouns help you extend your sentences and avoid repetition. You need to be able to use *qui* and *que*, and understand what *dont* means.

Things to look out for
In English, we can miss the relative pronoun out if we want to: 'the book we read yesterday' or 'the book that we read yesterday'. In French, we must include the relative pronoun: *le livre* ***que*** *nous avons lu hier*.

How do they work?

- *qui* is used to say 'who', 'which' or 'that' when 'who', 'which' or 'that' is the subject of the verb.
  Bruno est un homme ***qui*** *est très courageux.* Bruno is a man who is very brave.
- *que* is used to say 'who', 'which' or 'that' when 'who', 'which' or 'that' is the object of the verb in the clause.
  L'homme ***que*** *j'ai vu s'appelle Bruno.* The man (who/whom/that) I saw is called Bruno.
  NB When *que* is used in the perfect or pluperfect tense, the past participle must agree with the noun to which *que* refers.
  Les livres ***qu'****elle a écrit****s*** *sont excellents.* The books (that) she wrote are excellent.
- *dont* means 'whose'.
  C'est l'homme ***dont*** *la femme est morte.* He's the man whose wife died.

À vos marques ...

1 Complete each sentence with *qui* or *que*. Then translate the sentence into English.

1. Ma sœur, _____ s'appelle Annette, est à l'université.
2. Le livre _____ je préfère s'appelle *Studio*.
3. La voiture _____ je veux, c'est une Porsche.
4. La voiture _____ est la plus pratique, c'est une Renault.
5. Où sont les filles _____ étaient ici?
6. Où sont les garçons _____ j'ai vus hier?
7. Le problème _____ nous avons, c'est qu'il n'y a pas d'argent.
8. Édith Piaf est la chanteuse _____ a chanté «Non, je ne regrette rien».

Prêts?

2 Join each pair of sentences by using *qui* or *que*. You might need to change or leave out some words.

1. C'est l'auteur. Il a écrit *Les Misérables*.
2. Ma sœur est médecin. Elle travaille à Bordeaux.
3. J'ai un prof. Je n'aime pas le prof.
4. Elle porte des baskets. Je les trouve jolies.
5. J'ai acheté du pain. Il n'est pas frais.
6. Mes amis sont partis. Je les connais depuis longtemps.

Partez!

3 Translate each sentence into French.

Example: My teacher, whose children love animals, has three dogs.
Mon professeur, dont les enfants adorent les animaux, a trois chiens.

1. My cousin, who lives in Paris, is in London today.
2. My friend, whose mum lives in Calais, speaks French.
3. The problem we have is very serious.
4. The lesson we had yesterday was really boring.

Demonstrative adjectives and pronouns

J'assure

What are these and when are they used?
Demonstrative adjectives are 'this', 'that', 'these', 'those', followed by a noun. Demonstrative pronouns are words like 'that one', 'this one' or 'those ones'. They are used when you want to make it clear which noun you are talking about, for example when you are choosing something: 'I like this book. Do you prefer that one?'

Things to look out for
As usual in French, the demonstrative adjective or pronoun has to agree with the noun to which it refers.

How do demonstrative adjectives work?

- To say 'this', 'that', 'these', 'those' before a noun, use:

masculine singular	feminine singular	plural
ce *bungalow* (***cet*** in front of a vowel or a silent *h*: **cet** appartement)	***cette*** *maison*	***ces*** *maisons*

- To distinguish more clearly between 'this' and 'that', add ***-ci*** ('this') *or* ***-là*** ('that') to the end of the noun.
  ce *village-**ci*** this village ***ce*** *village-**là*** that village

How do demonstrative pronouns work?

- Here are the words you need to say 'this one', 'that one', 'these ones', 'those ones':

masc singular	fem singular	masc plural	fem plural
celui	*celle*	*ceux*	*celles*

- As before, you can add ***-ci*** or ***-là*** to the noun to distinguish between this one and that one.
  *celui-**ci*** this one *celui-**là*** that one
- Demonstrative pronouns can also mean 'the one' or 'the ones'.
  *Je préfère **celui qui** est petit.* I prefer the small one.
  *J'ai vu **celles qui** habitent ici.* I saw the ones who live here.

À vos marques ...

1 Copy and complete each sentence with *ce*, *cette*, *ces* or *cet*.

1 J'aime ____ photos.
2 ____ animal est un puma.
3 Tu aimes ____ baskets?
4 Elle préfère ____ maison.
5 ____ soir, je vais à une fête.
6 ____ biscuits sont délicieux.

Prêts?

2 Match each question to a possible answer.

1 Quel pantalon préfères-tu?
2 Quelles chaussures préfères-tu?
3 Quelle cravate préfères-tu?
4 Quels pulls préfères-tu?

a Celle-ci.
b Celles-là.
c Ceux-ci.
d Celui-là.

Partez!

3 Translate these sentences into English.

1 Celui qui est absent s'appelle Max.
2 Je vais télécharger cette photo-ci car c'est celle que je préfère.
3 Ceux qui n'aident pas n'auront rien à manger.
4 Cela ne change rien: ces lunettes-là sont celles que je veux.

What sorts of things are we talking about and why are they important?
These are some fairly complex areas of grammar which you need to be able to understand and translate – and if you can use them as well, you will impress others with your grammatical knowledge!

***depuis*: how does it work?**
You use *depuis* to say for how long you have been doing something. The tenses used with *depuis* are different from the ones we use with 'for' or 'since' in English.

– *depuis* + present tense:
*J'**habite** ici **depuis** six mois.* I have been living here for six months.

– *depuis* + imperfect tense:
*J'y **travaillais depuis** trois semaines.* I had been working there for three weeks.

***pour/avant de* + infinitive: how do they work?**
Pour followed by the infinitive means 'in order' to do something. Sometimes you can translate *pour* simply as 'to'.

*Je vais en France **pour** améliorer mon français.* I am going to France (in order) to improve my French.

Avant de followed by the infinitive means 'before' doing something.

*Il n'a pas dit «au revoir» **avant de** partir.* He didn't say 'good-bye' before leaving.

***en* + present participle: how does it work?**
The present participle is formed from the *nous* form of the present tense verb. You remove the *-ons* ending and replace it with ***-ant***, e.g. *entr**ant**, finiss**ant**, voy**ant***. Some verbs are irregular, e.g. ***ayant*** (*avoir*) and ***étant*** (*être*).

When the present participle follows *en*, it can mean 'while doing', 'on doing' or 'by doing' something.

*Je cours **en écoutant** de la musique.* I run while listening to music.
***En entrant** dans la salle, j'ai vu Luc.* On entering the room, I saw Luc.
*J'ai résolu le problème **en parlant** au prof.* I solved the problem by speaking to the teacher.

The perfect infinitive: how does it work?
When you want to say 'after having done' something, you use *après* followed by the perfect infinitive, i.e. *avoir* or *être* + the past participle. The use of *avoir* or *être* and the agreement of the past participle work just like in the perfect tense.

***Après avoir quitté** la maison, j'ai pris le bus.* After having left the house, I took the bus.
***Après être allés** à l'université, ils ont travaillé en Australie.* After having gone to university, they worked in Australia.

The passive voice: how does it work?
When *être* is used with a past participle, it could be an example of the passive voice.

*Les gâteaux **sont faits** par les élèves.* The cakes are made by the pupils.
*Les résultats **seront publiés** demain.* The results will be published tomorrow.
*Ce livre **a été écrit** en 1876.* This book was written in 1876.

The past participle agrees with the subject. Be careful not to confuse the passive with ordinary perfect tense *être* verbs!

The subjunctive in commonly used expressions: how does it work?
Some common expressions use the form of the verb called the subjunctive. You need to be able to understand the meaning of these expressions and recognise the verbs.

c'est dommage que it's a shame that   *avant que* before   *bien que* although
il faut que it's necessary that   *jusqu'à ce que* until   *pour que* so that

You will usually be able to recognise verbs in the subjunctive form (e.g. ***je boive/il finisse***). But some irregular verbs look quite different:

*aller → que **j'aille***   *avoir → que **j'aie***   *être → que **je sois***   *faire → que **je fasse***   *pouvoir → que **je puisse***
***C'est dommage que** tu ne **viennes** pas.* It's a shame that you aren't coming.
***Bien qu'il fasse** mauvais, je vais sortir.* Although the weather is bad, I am going to go out.

Prêts?

1 Translate these sentences into French.

1 I have been living in France for five years.
2 She has been playing the violin for six months.
3 We have been waiting for ten minutes.
4 We had been waiting for five hours.
5 She had liked him for years.
6 I had been working for two days.

2 Complete each sentence with a verb of your choice. Then translate your sentences into English.

1 Je viens à l'école pour ____.
2 Préparez les ingrédients avant de ____.
3 On est allés au cinéma pour ____ *Intouchables*.
4 Avant de ____, je ferme les fenêtres.
5 Pour ____ une omelette, il faut des œufs.
6 Avant de ____, réfléchissez un peu!

Partez!

3 Translate the English part of each sentence into French.

1 (*By working hard*), elle aura de bonnes notes.
2 On ne peut pas faire ses devoirs (*while watching TV*).
3 (*By learning my verbs*), je ferai des progrès en français.
4 (*On opening the door*), j'ai vu mon cousin.

4 Change each infinitive into *après* + the perfect infinitive. Then translate each sentence into English.

1 (*finir mon travail*), je suis sorti avec mes copains.
2 (*quitter la maison*), il est monté dans la voiture.
3 Nous étions très émus (*voir le film*).
4 (*arriver trop tard*), nous n'avons rien mangé.
5 Elle s'est endormie devant la télé (*boire un thé*).
6 (*rentrer*), je me suis brossé les dents.

5 Maria has written some sentences using the passive. Correct the error in each sentence.

1 La lettre est écrit par le prof.
2 Les animaux n'est pas admis.
3 La maison a été ruiné.
4 Nous serons tous mangé par le monstre!
5 L'émission être regardée par des millions de téléspectateurs.
6 La pénicilline a été découverts par Alexander Fleming.

6 Translate these sentences into English.

1 Bien qu'il n'ait que 16 ans, il parle bien français.
2 C'est dommage qu'il ne fasse pas très beau aujourd'hui.
3 Je vais courir jusqu'à ce que je sois trop fatigué pour continuer.
4 Avant qu'il aille en ville avec ses amis, il doit aider son père.
5 Il faut qu'on finisse de manger avant qu'on puisse sortir.

Useful verb tables

Regular verbs

Learn the patterns and you can use any regular verb!

INFINITIVE	PRESENT TENSE (stem + present tense endings)	PERFECT TENSE (auxiliary + past participle)	FUTURE TENSE (infinitive + future endings)	IMPERFECT TENSE (stem + imperfect endings)
regarder to watch	je regard**e** tu regard**es** il regard**e** nous regard**ons** vous regard**ez** ils regard**ent**	j'ai regard**é** tu as regardé il a regardé nous avons regardé vous avez regardé ils ont regardé	je regarder**ai** tu regarder**as** il regarder**a** nous regarder**ons** vous regarder**ez** ils regarder**ont**	je regard**ais** tu regard**ais** il regard**ait** nous regard**ions** vous regard**iez** ils regard**aient**
finir to finish	je fin**is** tu fin**is** il fin**it** nous fin**issons** vous fin**issez** ils fin**issent**	j'ai fin**i** tu as fini il a fini nous avons fini vous avez fini ils ont fini	je finirai tu finiras il finira nous finirons vous finirez ils finiront	je finissais tu finissais il finissait nous finissions vous finissiez ils finissaient
attendre to wait	j'attend**s** tu attend**s** il attend nous attend**ons** vous attend**ez** ils attend**ent**	j'ai attend**u** tu as attendu il a attendu nous avons attendu vous avez attendu ils ont attendu	j'attendrai tu attendras il attendra nous attendrons vous attendrez ils attendront	j'attendais tu attendais il attendait nous attendions vous attendiez ils attendaient
se connecter to connect	je **me** connecte tu **te** connectes il **se** connecte nous **nous** connectons vous **vous** connectez ils **se** connectent	je me suis connecté(e) tu t'es connecté(e) il s'est connecté nous nous sommes connecté(e)s vous vous êtes connecté(e)(s) ils se sont connectés	je me connecterai tu te connecteras il se connectera nous nous connecterons vous vous connecterez ils se connecteront	je me connectais tu te connectais il se connectait nous nous connections vous vous connectiez ils se connectaient

Key irregular verbs

INFINITIVE	PRESENT TENSE (watch out for the change of stems)	PERFECT TENSE (auxiliary + past participle)	FUTURE TENSE (stem + future endings)	IMPERFECT TENSE (stem + imperfect endings)
avoir to have	j'**ai** tu **as** il **a** nous **avons** vous **avez** ils **ont**	j'ai **eu** tu as eu il a eu nous avons eu vous avez eu ils ont eu	j'**aur**ai tu auras il aura nous aurons vous aurez ils auront	j'avais tu avais il avait nous avions vous aviez ils avaient
être to be	je **suis** tu **es** il **est** nous **sommes** vous **êtes** ils **sont**	j'ai **été** tu as été il a été nous avons été vous avez été ils ont été	je **ser**ai tu seras il sera nous serons vous serez ils seront	j'**ét**ais tu étais il était nous étions vous étiez ils étaient

INFINITIVE	PRESENT TENSE (watch out for the change of stems)	PERFECT TENSE (auxiliary + past participle)	FUTURE TENSE (stem + future endings)	IMPERFECT TENSE (stem + imperfect endings)
faire to do/make	je **fais** tu **fais** il **fait** nous **faisons** vous **faites** ils **font**	j'ai **fait** tu as fait il a fait nous avons fait vous avez fait ils ont fait	je **fer**ai tu feras il fera nous ferons vous ferez ils feront	je faisais tu faisais il faisait nous faisions vous faisiez ils faisaient
aller to go	je **vais** tu **vas** il **va** nous **allons** vous **allez** ils **vont**	je **suis** allé(e) tu **es** allé(e) il **est** allé nous **sommes** allé(e)s vous **êtes** allé(e)(s) ils **sont** allés	j'**ir**ai tu iras il ira nous irons vous irez ils iront	j'allais tu allais il allait nous allions vous alliez ils allaient
prendre to take (also applies to: **apprendre**, **comprendre**)	je **prends** tu **prends** il **prend** nous **prenons** vous **prenez** ils **prennent**	j'ai **pris** tu as pris il a pris nous avons pris vous avez pris ils ont pris	je prendrai tu prendras il prendra nous prendrons vous prendrez ils prendront	je prenais tu prenais il prenait nous prenions vous preniez ils prenaient

The following key irregular verbs are known as 'modal' verbs.

INFINITIVE	PRESENT TENSE (watch out for the change of stems)	PERFECT TENSE (auxiliary + past participle)	FUTURE TENSE (stem + future endings)	IMPERFECT TENSE (stem + imperfect endings)
vouloir to want (to)	je **veux** tu **veux** il **veut** nous **voulons** vous **voulez** ils **veulent**	j'ai **voulu** tu as voulu il a voulu nous avons voulu vous avez voulu ils ont voulu	je **voudr**ai tu voudras il voudra nous voudrons vous voudrez ils voudront	je voulais tu voulais il voulait nous voulions vous vouliez ils voulaient
pouvoir can/to be able to	je **peux** tu **peux** il **peut** nous **pouvons** vous **pouvez** ils **peuvent**	j'ai **pu** tu as pu il a pu nous avons pu vous avez pu ils ont pu	je **pourr**ai tu pourras il pourra nous pourrons vous pourrez ils pourront	je pouvais tu pouvais il pouvait nous pouvions vous pouviez ils pouvaient
devoir must/to have to	je **dois** tu **dois** il **doit** nous **devons** vous **devez** ils **doivent**	j'ai **dû** tu as dû il a dû nous avons dû vous avez dû ils ont dû	je **devr**ai tu devras il devra nous devrons vous devrez ils devront	je devais tu devais il devait nous devions vous deviez ils devaient

Other useful irregular verbs

INFINITIVE	PRESENT TENSE (watch out for the change of stems)	PERFECT TENSE (auxiliary + past participle)	FUTURE TENSE (stem + future endings)	IMPERFECT TENSE (stem + imperfect endings)
boire to drink	je **bois** nous **buv**ons ils **boiv**ent	j'ai **bu** nous avons bu ils ont bu	je boirai nous boirons ils boiront	je buvais nous buvions ils buvaient
conduire to drive	je **condui**s nous **conduis**ons ils conduisent	j'ai **conduit** nous avons conduit ils ont conduit	je conduirai nous conduirons ils conduiront	je conduisais nous conduisions ils conduisaient
connaître to know	je **connai**s nous **connaiss**ons ils connaissent	j'ai **connu** nous avons connu ils ont connu	je connaîtrai nous connaîtrons ils connaîtront	je connaissais nous connaissions ils connaissaient
croire to believe	je **croi**s nous **croy**ons ils **croi**ent	j'ai **cru** nous avons cru ils ont cru	je croirai nous croirons ils croiront	je croyais nous croyions ils croyaient
dire to say	je **di**s nous **dis**ons ils disent	j'ai **dit** nous avons dit ils ont dit	je dirai nous dirons ils diront	je disais nous disions ils disaient
dormir to sleep	je **dor**s nous **dorm**ons ils dorment	j'ai dormi nous avons dormi ils ont dormi	je dormirai nous dormirons ils dormiront	je dormais nous dormions ils dormaient
écrire to write	j'**écri**s nous **écriv**ons ils écrivent	j'ai **écrit** nous avons écrit ils ont écrit	j'écrirai nous écrirons ils écriront	j'écrivais nous écrivions ils écrivaient
envoyer to send	j'**envoi**e nous **envoy**ons ils **envoi**ent	j'ai envoyé nous avons envoyé ils ont envoyé	j'**enverr**ai nous enverrons ils enverront	j'envoyais nous envoyions ils envoyaient
essayer to try	j'e**ssai**e nous **essay**ons ils **essai**ent	j'ai essayé nous avons essayé ils ont essayé	j'essayerai **OR** j'**essaier**ai nous essayerons ils essayeront	j'essayais nous essayions ils essayaient
lire to read	je **li**s nous **lis**ons ils lisent	j'ai **lu** nous avons lu ils ont lu	je lirai nous lirons ils liront	je lisais nous lisions ils lisaient

INFINITIVE	PRESENT TENSE (watch out for the change of stems)	PERFECT TENSE (auxiliary + past participle)	FUTURE TENSE (stem + future endings)	IMPERFECT TENSE (stem + imperfect endings)
mettre to put	je **met**s nous **mett**ons ils mettent	j'ai **mis** nous avons mis ils ont mis	je mettrai nous mettrons ils mettront	je mettais nous mettions ils mettaient
ouvrir to open	j'ouvr**e** tu ouvr**es** il ouvr**e** nous ouvr**ons** vous ouvr**ez** ils ouvr**ent**	j'ai **ouvert** tu as ouvert il a ouvert nous avons ouvert vous avez ouvert ils ont ouvert	j'ouvrirai tu ouvriras il ouvrira nous ouvrirons vous ouvrirez ils ouvriront	j'ouvrais tu ouvrais il ouvrait nous ouvrions vous ouvriez ils ouvraient
partir to leave	je **par**s nous **part**ons ils partent	je suis parti(e) nous sommes parti(e)s ils sont partis	je partirai nous partirons ils partiront	je partais nous partions ils partaient
rire to laugh	je **ri**s nous rions ils rient	j'ai ri nous avons ri ils ont ri	je rirai nous rirons ils riront	je riais nous riions ils riaient
savoir to know	je **sai**s nous **sav**ons ils savent	j'ai **su** nous avons su ils ont su	je **saur**ai nous saurons ils sauront	je savais nous savions ils savaient
se sentir to feel	je me **sen**s nous nous s**ent**ons ils se sentent	je me suis senti(e) nous nous sommes senti(e)s ils se sont sentis	je me sentirai nous nous sentirons ils se sentiront	je me sentais nous nous sentions ils se sentaient
sortir to go out, leave	je **sor**s nous s**ort**ons ils sortent	je suis sorti(e) nous sommes sorti(e)s ils sont sortis	je sortirai nous sortirons ils sortiront	je sortais nous sortions ils sortaient
venir to come (also applies to **devenir**)	je **vien**s nous **ven**ons ils **vienn**ent	je suis **venu**(e) nous sommes venu(e)s ils sont venus	je **viendr**ai nous viendrons ils viendront	je venais nous venions ils venaient
voir to see	je **voi**s nous **voy**ons ils **voi**ent	j'ai **vu** nous avons vu ils ont vu	je **verr**ai nous verrons ils verront	je voyais nous voyions ils voyaient

Useful verb tables

Verbs ending in *-ger*, like *manger*, add an *e* before endings that begin with an *a* or an *o* to make the *g* a soft sound.

INFINITIVE	PRESENT TENSE	PERFECT TENSE (auxiliary + past participle)	FUTURE TENSE (stem + future endings)	IMPERFECT TENSE (stem + imperfect endings)
manger to eat (also applies to **nager**, **partager**, etc.)	je mange nous mang**e**ons ils mangent	j'ai mangé nous avons mangé ils ont mangé	je mangerai nous mangerons ils mangeront	je mang**e**ais nous mangions ils mang**e**aient

These verbs have a spelling change in the *je, tu, il* and *ils* forms that affects the pronunciation. These irregularities are carried through to the future tense stem. They otherwise behave as regular *-er* verbs.

INFINITIVE	PRESENT TENSE (watch out for the change of stems)	PERFECT TENSE (auxiliary + past participle)	FUTURE TENSE (stem + future endings)	IMPERFECT TENSE (stem + imperfect endings)
appeler to call	j'appe**ll**e nous appe**l**ons ils appe**ll**ent	j'ai appelé nous avons appelé ils ont appelé	j'appe**ll**erai nous appe**ll**erons ils appe**ll**eront	j'appe**l**ais nous appe**l**ions ils appe**l**aient
jeter to throw	je je**tt**e nous je**t**ons ils je**tt**ent	j'ai jeté nous avons jeté ils ont jeté	je je**tt**erai nous je**tt**erons ils je**tt**eront	je je**t**ais nous je**t**ions ils je**t**aient
se lever to get up	je me l**è**ve nous nous l**e**vons ils se l**è**vent	je me suis levé(e) nous nous sommes levé(e)s ils se sont levés	je me l**è**verai nous nous l**è**verons ils se l**è**veront	je me levais nous nous levions ils se levaient
acheter to buy	j'ach**è**te nous ach**e**tons ils ach**è**tent	j'ai acheté nous avons acheté ils ont acheté	j'ach**è**terai nous ach**è**terons ils ach**è**teront	j'achetais nous achetions ils achetaient
préférer to prefer	je préf**è**re nous préf**é**rons ils préf**è**rent	j'ai préféré nous avons préféré ils ont préféré	je préférerai nous préférerions ils préféreront	je préférais nous préférions ils préféraient

ALPHABETS

A MISCELLANY OF LETTERS

INTRODUCTION BY DAVID SACKS

black dog publishing
london uk

THE AMAZING STORY OF OUR ALPHABET

DAVID SACKS

PICTURES OF THINGS

"The shapes of letters do not derive their beauty from any sensual or sentimental reminiscences", the famous English type designer Eric Gill wrote in 1940. "No one can say that the O's roundness appeals to us only because it is like that of an apple or of a girl's breast or of the full moon. Letters are things, not pictures of things."

Doubtless the great Gill's observation holds true for modern typeface and its aesthetic effects. Yet in one sense, his "Letters are things, not pictures of things" is dead wrong. Our letters, in their Bronze Age origins, *used to be* pictures. Our capital letter shapes—most of them—began as pictures. Their shapes exist today as remembrances of pictures.

Think of the M: its wavy lines, 4,000 years ago, were meant as the image of water. The O was the picture of an eye (originally shown with an interior iris, eventually without one). The H was a fence (having since lost its top and bottom horizontal bars). K's splayed lines began as the image of a hand. And A? Just turn it upside down, and what you might see, staring back at you down 40 centuries, is the triangular face of a cow or ox, the letter's legs now changed to horns. Originally the alphabet's first letter was the picture of an ox's head, and the letter's name in ancient Near Eastern languages was *aleph*, meaning "ox". Today, in Hebrew, the first letter still is called *aleph* or *alef*, "ox".

The alphabet thus began as a string of pictured objects: "ox", "house", "throwing stick", and so on. But they were carefully chosen objects, whose names collectively held a special quality. And in their shapes and denoted sounds, these picture letters were the direct ancestors of our ABC's.

So how did we get from there to here? How did these letters *become* our letters? The tale begins historically around 2000 BC. But the clearest explanation might start with the present day and some general principles.

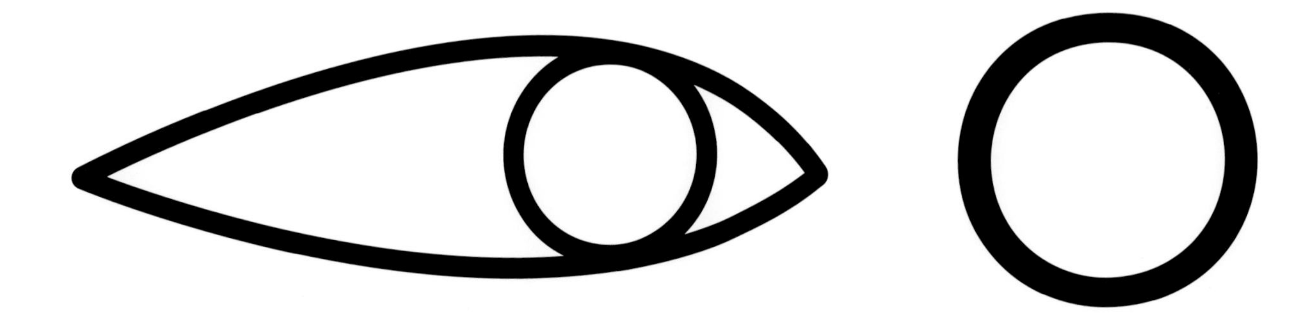

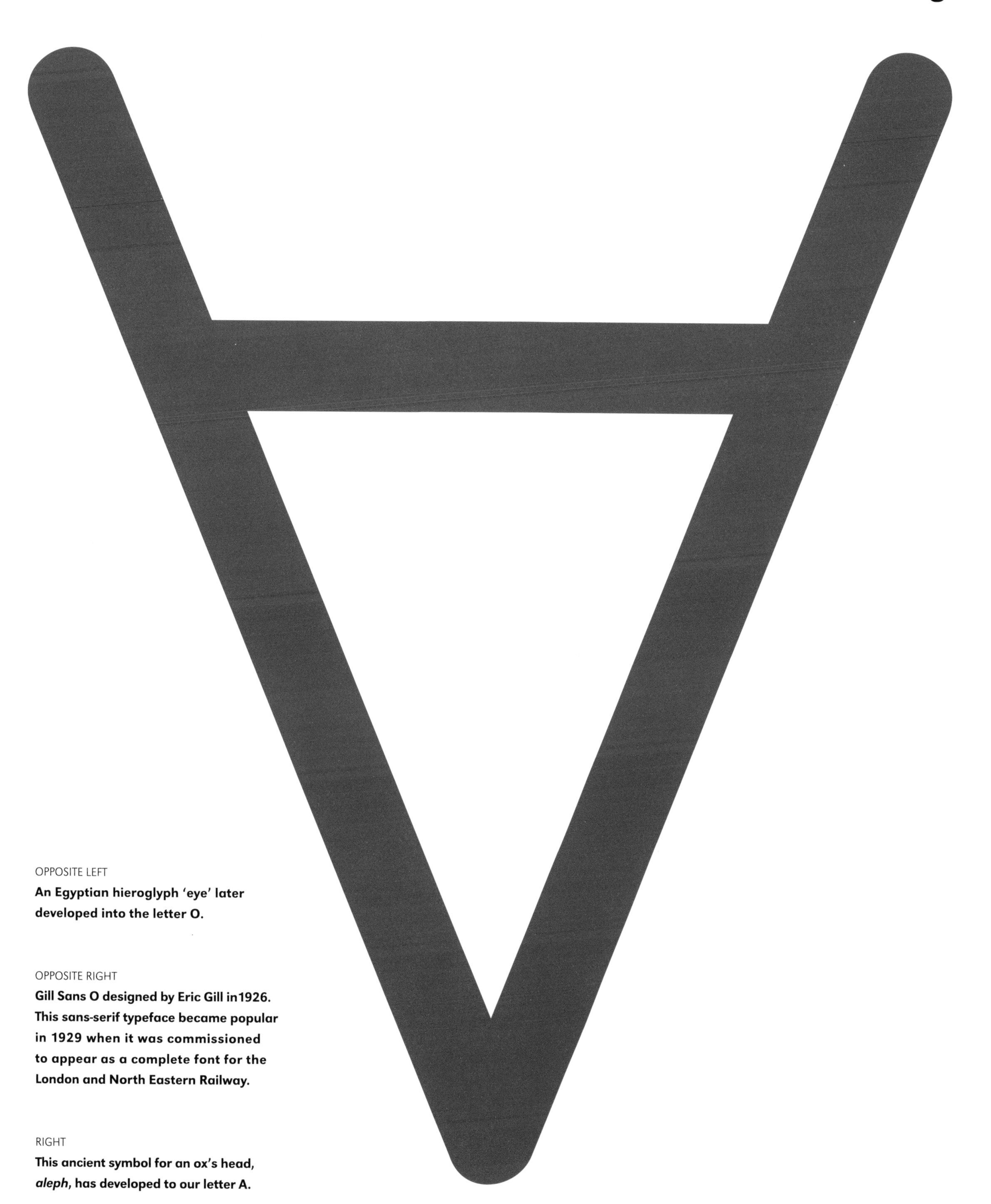

OPPOSITE LEFT
An Egyptian hieroglyph 'eye' later developed into the letter O.

OPPOSITE RIGHT
Gill Sans O designed by Eric Gill in1926. This sans-serif typeface became popular in 1929 when it was commissioned to appear as a complete font for the London and North Eastern Railway.

RIGHT
This ancient symbol for an ox's head, *aleph*, has developed to our letter A.

THE ALPHABET MIRACLE

You're just off the plane in Budapest or Istanbul, Jakarta or Kampala, Nuuk or Baku, and you pick up a newspaper in the local language. Probably (I'm guessing) you can't read it. But you *will* at least recognise the letters, for—in scores of countries like Hungary, Turkey, Indonesia, Uganda, Greenland, and Azerbaijan—people write their native language in an alphabet that is more or less our familiar one of English.

Our 26 letters constitute the Roman or Latin alphabet—that is, the 23 letters of ancient Rome, adapted to English; the Romans had no letter J, V, or W. Today the Roman alphabet is by far the most popular script on Earth, encompassing about 100 major modern languages and 1.9 billion users, in 120 countries worldwide. And that 'modern languages' statistic jumps to over 1,300 if you count the myriad tongues of central and southern Africa, nearly all of them written in Roman letters.

Obviously these many languages represent not just places once part of the Roman Empire, like Italy or Spain, but places also where Roman soldiers never set foot, like Vietnam or Nigeria. The latter category received the Roman alphabet when it was imposed at some time between 600 and 2000 AD, whether through Christian missionary zeal, European colonialism or Westernising political will from within. That is, the Roman alphabet was fitted to native languages. In some places, the alphabet arrived as the people's first writing system; elsewhere, it displaced existing scripts.

Vietnam, for example, uses the Roman alphabet as imposed by French colonialism in 1910. This adapted version—originally developed in earlier centuries by Portuguese Catholic missionaries to fit the particular sounds of Vietnamese—has 29 letters, with multiple versions of A, E, O, and U showing various accent marks, but with no F, J, W, or Z. It replaced a Chinese-derived script that had previously supplied Vietnam's writing.

Meanwhile in Turkey, the Turkish language had traditionally been written in the Arabic alphabet. But in 1928, after the downfall of the Ottoman dynasty, Turkey switched to Roman letters by decree of ruler Kemal Atatürk. Turkey's Roman alphabet has 29 letters (not exactly the same 29 as Vietnam's), for the sounds of Turkish.

Other tongues that use adapted Roman alphabets include Polish, with 32 letters—the Roman letters being a legacy of Poland's embrace of Roman Catholicism (900s AD), while neighboring Russia, speaking a kindred tongue, received a Greek-derived alphabet from rival Byzantine missionaries—and Tahitian, now spoken by 150,000 inhabitants of French Polynesia and written in an alphabet of just 13 letters.

Ours is not the only international alphabet. Two others today embrace multiple languages and countries. Russia's Cyrillic alphabet is used for languages of Serbia, Bulgaria, Ukraine, the Mongolian Republic, and other lands. The Arabic alphabet serves nine other major tongues, linguistically unrelated to Arabic, including Farsi and Kurdish in Iran, Urdu and Sindhi in Pakistan, and Uighur in western China. Meanwhile, one Arabic-based language is regularly written in Roman letters: Maltese, on the Mediterranean island of Malta. And Swahili and Malay, while unrelated to either Latin or Arabic, are commonly written in Roman letters but sometimes alternatively in Arabic ones.

Please note the bigger implication: *alphabets get around.* An alphabet is not confined to any one language or language family, but can spread from language to language—from French to Tahitian, from

Newspapers. Wednesday 7 July 2010: *Dziennik Polski*, Britain's only daily Polish-language newspaper; *Kommersant*, a Russian business newspaper published and distributed in the UK and *Hürriyet*, an influential high-circulation Turkish newspaper.

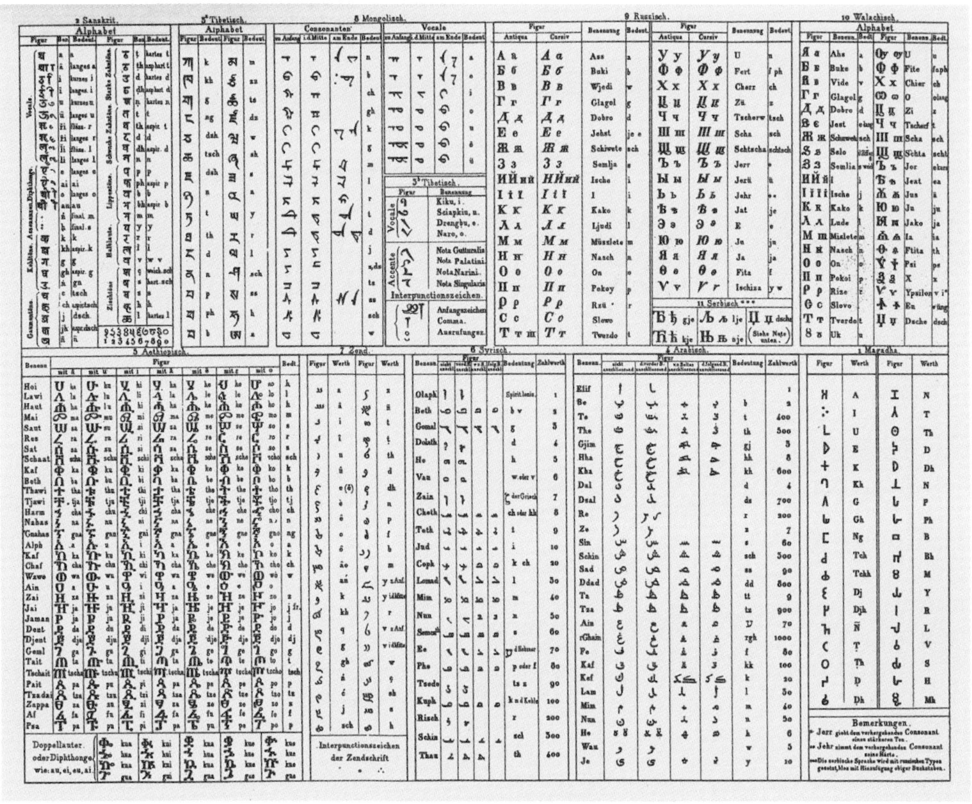

TOP

***Brockhaus and Enfron Encyclopaedic Dictionary*, Dmitry Mendeleyev, Vladimir Solovyov et al, 1890–1906. Published in Imperial Russia between 1890 and 1906, this comprehensive encyclopaedia included thousands of articles by well-established Russian scholars.**

BOTTOM

***The Polish Alphabet*, Adam Twardoch, 1999, showing 35 letters, including three letters used in foreign words and nine letters, displaying diacritics, which change the sound value of a letter.**

Church Latin to Polish, from Arabic to Urdu—across all sorts of language barriers. Even where two tongues are totally unrelated and mutually unintelligible, an alphabet can easily be fitted from one to the other. Typically, you need only drop a few letters and reassign (or invent) a few others, to bring the alphabet into line with the new language's sounds.

These facts, not intuitively obvious to many of us, are the heart of the alphabet story. The alphabet is best understood as a mechanical invention, like the wheel—an invention for showing sounds of language. Like the wheel, it emerged from the Near East in the Bronze Age and spread across the ancient world by being copied (not reinvented) from place to place. Like the wheel, it is still with us and has never been superseded. And like the wheel or the stirrup or the pulley, the alphabet can work for whoever possesses it.

THE GENIUS OF LETTERS

Yet how can this be? How can one language's alphabet adapt easily to a new tongue, whose speech sounds might be quite different? The answer lies in the letters. Letters operate at a fundamental level of human language, in the way that a medical blood transfusion, from one person to another, undercuts any considerations of gender, race, nationality, eye colour, etc.. The letters are that very basic.

A Ą B C Ć D E Ę F
G H I J K L Ł M N
Ń O Ó P Q R S Ś T
U V W X Y Z Ź Ż

High time, then, for us to define what "letters" and "alphabet" are. An alphabet is a writing system whose symbols (letters) represent exclusively the smallest particles of speech, called "phonemes". A phoneme is a consonant sound or a vowel sound, usually smaller than a syllable, or, at most, the same as a syllable. Our word "central" has two syllables but seven phonemes, each neatly displayed by a different letter. Our word "around" has two syllables and five phonemes (the letter combination OU representing, by convention, a phoneme for which no single English letter exists). Historically, alphabetic writing has contrasted with two other major systems: the syllabic and logographic.

In a syllabic script, the symbols are phonetic like an alphabet's, but each symbol represents a whole syllable. The word "around" would be shown as two symbols

(ㅕ ▼, for example), not seven. Ancient Babylonian cuneiform used this: the written symbols, when sounded-out correctly, would yield roughly the sounds of the Semitic speech of Babylon. Today, writing systems in India and Korea use a syllabic method, but based on alphabetic components.

A logographic system meanwhile (as its title "word writing" suggests) assigns one whole word per symbol. The major modern example is the script of China, wherein each symbol denotes a word in Mandarin. Symbols or "characters" typically consist of multiple brush strokes. Unlike an alphabet or cuneiform, China's writing is not primarily phonetic: it does not regularly convey the words' sounds. (At most, it can include phonetic prompts, whereby two Mandarin words that sound similar may also show similarities in written shapes.)

There are strong historical, cultural and political reasons why China retains its system of word writing, but China, Taiwan, and Japan are the only three nations that use such logographic systems. Nearly all other nations on earth today use an alphabet or alphabet-based system: roughly 4.8 billion people, more than three-quarters of humanity, writing in some 25 scripts. Numerically, the Roman alphabet is the clear favourite.

The reason for this global predominance is that an alphabet enjoys a huge advantage over other methods: it needs fewer symbols—usually only around two dozen, or under three dozen at most. Russia's Cyrillic alphabet has 33 letters; Iran's version of the Arabic alphabet, 32. Likewise, 32 for the Roman alphabets of Poland and Lithuania. Although 48 symbols are found in India's Devanagari script, it technically is not an alphabet but rather a syllabic system, alphabet-based.

Compare here the Chinese system, which requires at least 2,000 different symbols for everyday literacy, out of an inventory of some 60,000 total. Meanwhile, ancient Babylonian cuneiform, writing by syllables, ran to some 600 symbols.

Alphabets exploit a surprising trait of human speech: most languages employ not many phonemes. No matter how developed a language's vocabulary, its spoken sounds, once analysed, will yield typically just 30 to 50 phonemes. English contains some 500,000 to a million words, by far more than any other tongue, but only about 44 or 45 phonemes. At the lower end of the scale, the Finnish language uses only 21 phonemes, each one exclusively represented by a single letter of Finland's 21 letter Roman alphabet. Tahitian uses 13 phonemes, commanding 13 letters.

In English, we do not need 45 letters for 45 phonemes, thanks to our spelling conventions such as using letter combinations for certain phonemes—SH, TH, OY, etc.—and assigning two or more possible sounds to some letters. Thus, with 26 letters, we capture reasonably well the sounds of up to a million words.

Now, the roughly 36 phonemes of, say, Arabic are not precisely the same as the 36 phonemes of Czech. But there is an overlap, and an overlap too among most world languages. Which means that an alphabet, once developed for Language A, is in a reasonably strong position to adapt to Language B. Traditionally,

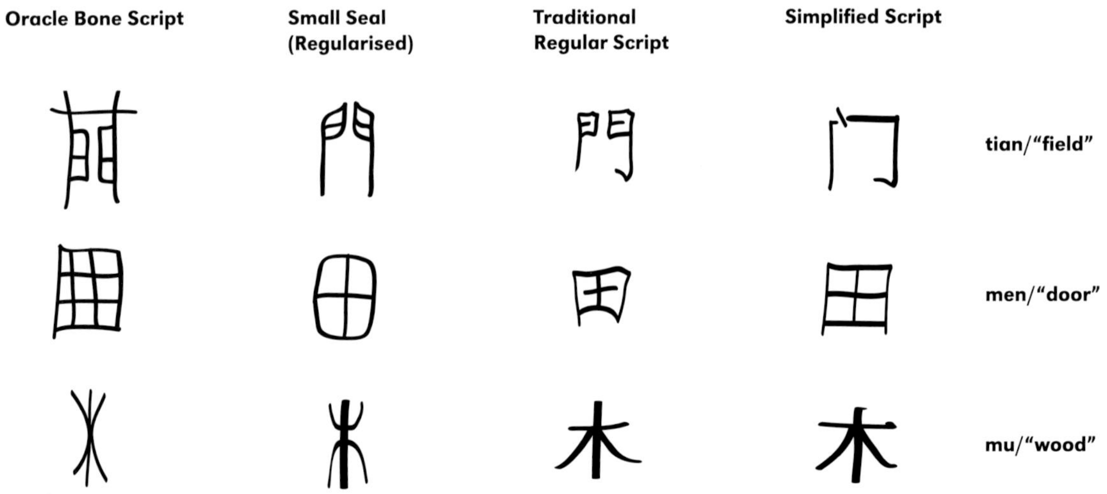

Oracle Bone Script	Small Seal (Regularised)	Traditional Regular Script	Simplified Script	
		門	门	tian/"field"
		田	田	men/"door"
		木	木	mu/"wood"

Diagrams of Chinese characters, reflecting the development and pictographic origin of "field", "door" and "wood".

very few human languages rely on sounds that are not susceptible to alphabetic writing.

This is the letters' genius: that they combine versatility with simplicity. By showing phonemes specifically, letters are beautifully precise in symbolising sound. Yet phonemes by nature are few in number, so that the letter list is never very long. The system is doubly blessed.

The short but efficient letter list has enabled the alphabet to conquer most of the globe. Less cumbersome than any system of syllable- or word-units, an alphabet is easy to use and to teach to children. Students need memorise just two or so dozen symbols, to start building toward literacy. Starting by age six, they can become fully literate by 12; they can leave school before reaching working age; the study need not interfere with earning a living. This crucial fact has made the alphabet historically the vehicle of mass literacy, and a technology to be coveted. In Thailand, for example, the late thirteenth century King Ram Khamhaeng is remembered for having given his country the gift of an alphabet.

TOP LEFT TO BOTTOM RIGHT

Illustrations depicting the development of our letter Q from the Phoenician, c 950 BC; Greek, c 685 BC; Roman, c 520 BC and c 113 AD; and a modern Q in Garamond typeface.

ORIGINS: 2000–1000 BC

Astoundingly, almost all major modern alphabets are related. That is, they stand in historical and causal relation to each other, in a huge family tree that embraces the globe and stretches back 4,000 years to a single starting point, the world's first alphabet. Since that beginning, very few alphabets have been invented in isolation (one such being the Korean script, from the mid-1400s AD). More usually, alphabets have descended through the family tree by being *copied* from language to language: one alphabet would 'beget' another, in biblical-style proliferation across ancient lands. Our Roman alphabet is the grandchild of the ancient Greek alphabet and a distant cousin of the Arabic and a brother of Europe's Medieval runes. The Cyrillic alphabet is the child of the Greek. The Greek and Hebrew letters share a mother in the ancient Phoenician alphabet, from 1000–800 BC. The Phoenician alphabet is great-grandmother to the Arabic. And so on.

These family relationships are disguised because letters do not usually resemble each other from alphabet to alphabet. The reason is in the writing: outside of Europe and before the age of print (after 1452 AD), an alphabet borrowed by Language B from Language A might tend to evolve *away from* Alphabet A's letter shapes, according to People B's visual tastes and writing materials. The classic example is the Hebrew letters. As archaeology reveals, they began as exact copies of the Phoenician but then acquired new shapes, while nevertheless retaining, to this day, the sequence, number, names, and (mostly) sounds of the ancient Phoenician letters.

Such facts notwithstanding, about half our capital Roman letters *do* look exactly like the corresponding Greek letters, their "grandmothers". And a certain few letter-shapes, like Q, line up clearly recognisably amid the letters of the modern Roman, modern Hebrew, modern Arabic, early-ancient Greek, and ancient Phoenician lists, thus testifying to a shared origin.

The Phoenician alphabet was not the first, contrary to some popular belief. Backward beyond Phoenicia lie perhaps a 1,000 years of prior Near Eastern alphabet-writing tradition. To our eyes, the trail to the origin grows faint here. But archaeology and other scholarship of the past 15 years particularly have provided us with at least a plausible theory of the alphabet's birth.

Today we believe that the alphabet was invented in Egypt around 2000 BC. The inventors were not exactly Egyptians but foreigners, or at least people of foreign descent. They were, we think, Semitic peoples, originally from the Levant or Arabia, living in Egypt as slaves or "guest workers" or mercenary soldiers—their historical presence documented in extant Egyptian writings and corroborated apparently by the biblical book of *Exodus'* tale of Jewish slaves in Egypt. In 2000 BC they would not have been Jews or Hebrews but rather Bronze Age forerunners, cut from the same ethnic-linguistic cloth as the future Canaanites, Phoenicians, Jews, Aramaeans, and Arabs of the ancient world. We call them by the noun "Semite" or adjective "Semitic" because they would have spoken a language of the Semitic linguistic family (today represented primarily by Arabic and

THE ALPHABET FAMILY TREE

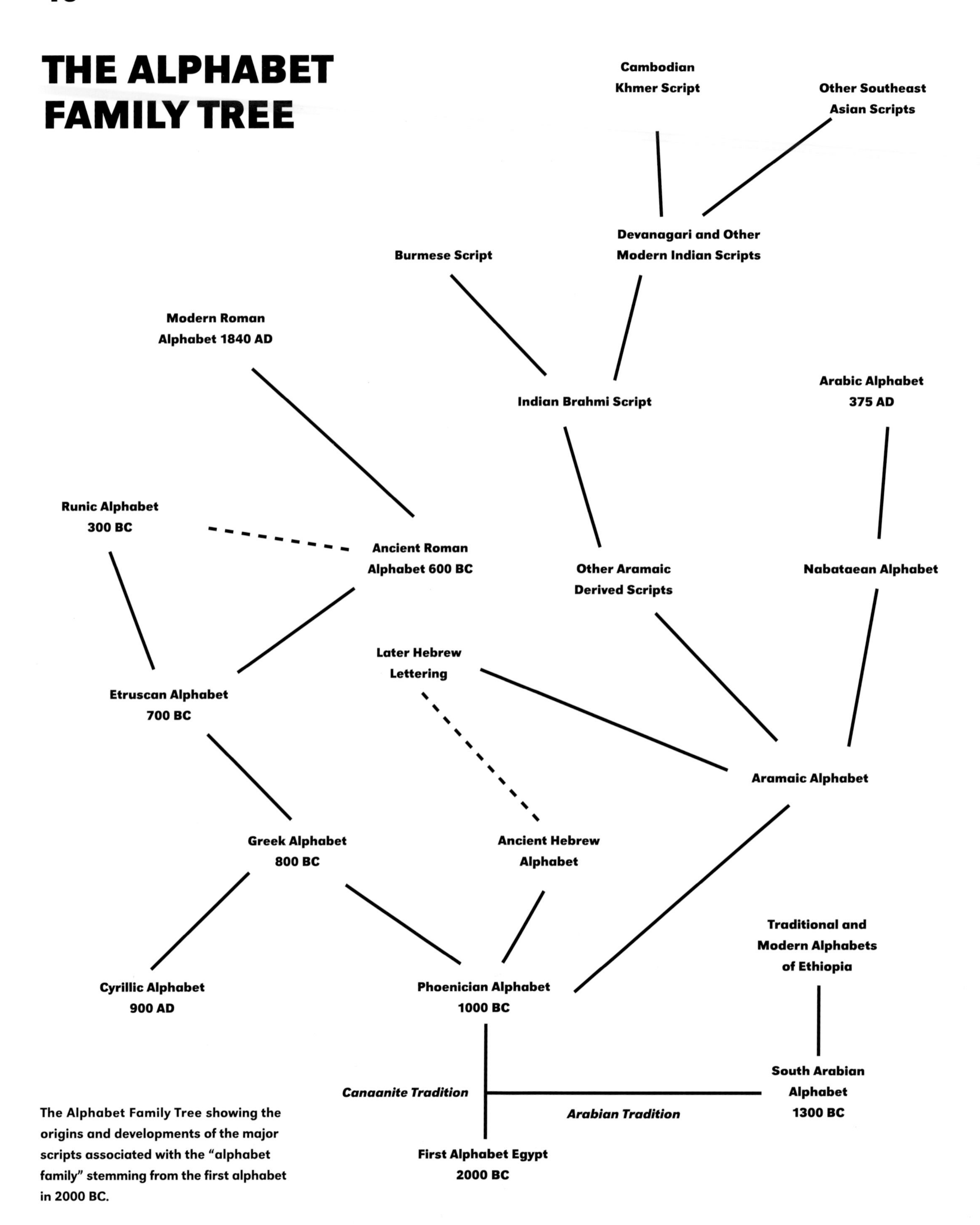

The Alphabet Family Tree showing the origins and developments of the major scripts associated with the "alphabet family" stemming from the first alphabet in 2000 BC.

Hebrew). Their language would have sounded quite different from that of the Egyptians.

Our terms "Semite" and "Semitic" refer to a biblical belief that Noah's son Shem was father of a Near Eastern ethnic group, the "children of Shem", which today includes people of Jewish or Arab lineage. "Semitic" can be a complicated and unscientific term; it is best used just to describe a language group.

Semites in Egypt, with as yet no writing of their own, would have lived amid the grand visible presence of Egyptian picture -writing: the famous hieroglyphics. Inset-carved and painted into building stones, or painted flat on wood or fabric, hieroglyphics abounded in public places as official expressions of religious faith or government propaganda. The Egyptians had also a less formal writing system, for personal correspondence, business records, etc., which was a kind of abbreviated hieroglyphics, typically written in ink on papyrus.

***Edwin Smith Papyrus*, 1600 BC.**
The hieratic script shown here is the world's oldest surviving surgical document. Hieratic script was a cursive writing system used in Ancient Egypt, which developed alongside the hieroglyphic system. Hieratic scripts were a way of scribes writing more quickly without resorting to the time-consuming methods of hieroglyphics.

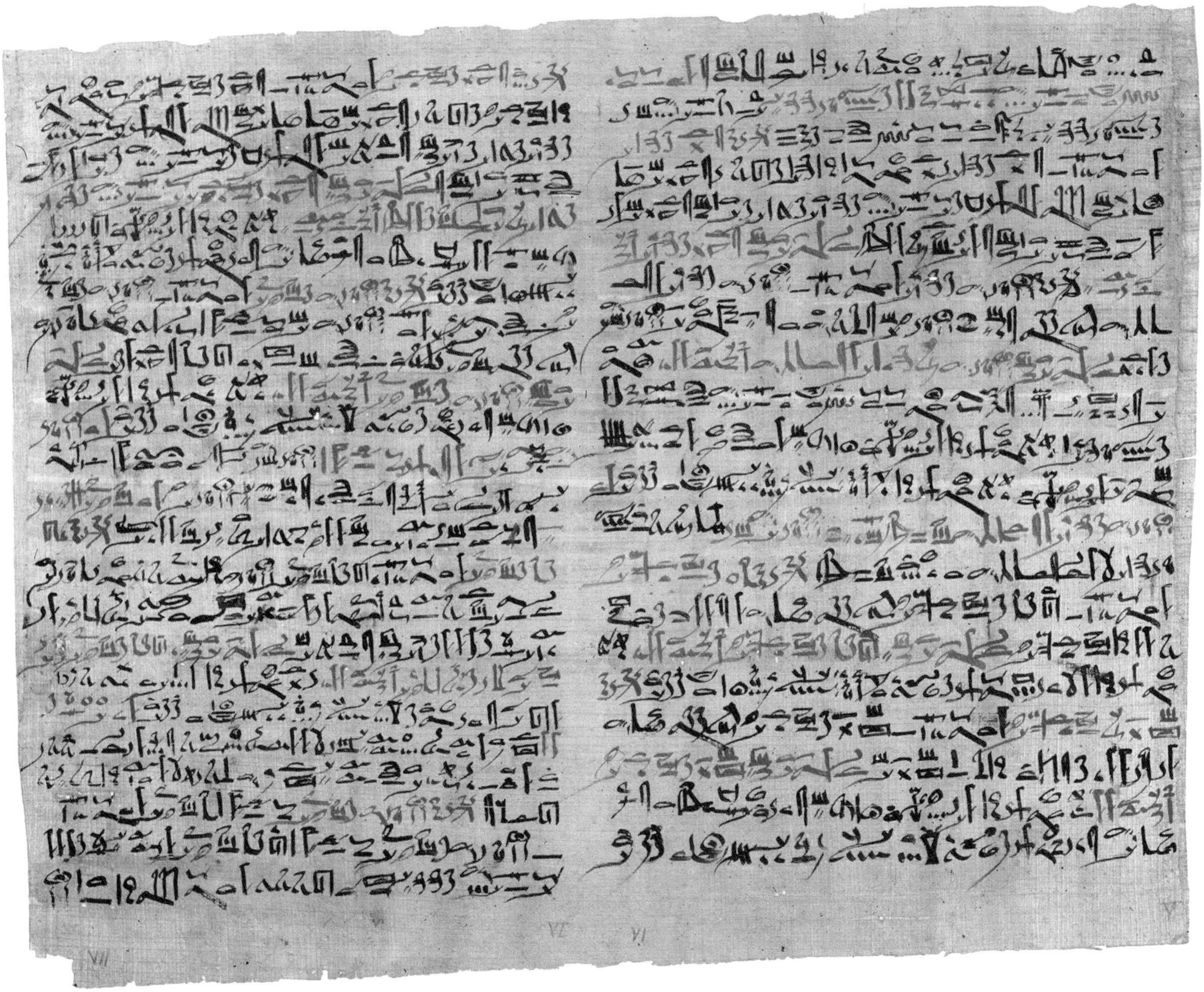

Hieroglyphics supply *the* most beautiful and one of the most expressive of all writing forms, ancient or modern. With an inventory of some 700 images of everyday objects—basket, hand, owl—the system assigned meaning in two possible ways. The image could mean what it showed: a sailboat picture could mean "sailing". Or the image could work as a phonetic prompt or pun, whereby the object's Egyptian-language name would contribute phonetically to some entirely different word(s), much as a rebus word-puzzle operates in English. A hieroglyphic tree branch might mean "wood", or it might help convey the meaning of "after" or "strong", words in Egyptian that sounded like "wood". In hieroglyphics, an owl and reed together commonly denoted the word "there", which in Egyptian would have sounded something like the words "owl-reed" run together.

Among other general traits: hieroglyphics normally ran horizontally from right to left, and their phonetics tended to ignore words' vowel sounds and rely just on consonant sounds. Also, there were 25 designated pictures that could, as one alternative, denote a single consonant sound each: "t" or "m", for example. Here was a rudimentary alphabet, embedded within the immense hieroglyphic system: the 25 major consonants of Egyptian speech were each symbolised by an assigned picture—or, as we would also call it, a letter.

Somehow the Semitic underclass came to comprehend and copy this Egyptian-hieroglyphic alphabetic principle. We will never know how such an unlikely event occurred. Perhaps the Egyptians themselves gave guidance, as might have happened in a large military or mining setting where Egyptian supervisors wished to see their obedient hordes become better organised through the gift of writing.

At any rate, in some century around 2000 BC, Semites in Egypt started writing their language in an alphabet of probably 27 letters. It was the world's first alphabet proper. The letters were pictures. And remarkably, those picture-letters were destined, in their shapes and sounds, to be the direct ancestors of about 19 of our own letters.

The Semites' chosen pictures were copied from Egyptian hieroglyphics, but with all hieroglyphic values discarded. These were not the same images or sounds as those 25 Egyptian picture-letters that had prompted the idea. The Semites' letter list was geared wholly to the vocabulary and the main sounds of their own language—a language that we can confidently re-create today, thanks to our knowledge of a kindred tongue, traditional Hebrew.

The alphabet was a list of consonant sounds that were essential for Semitic writing. Only consonants were shown as letters; vowels were not. Although

give get
give get
give get
give get

TOP
Detail from Mastaba of Ankhmahor, Saqqarah, Egypt. The Mastaba of Ankhmahor is often called the "Tomb of the Physician" due to the several medical and surgical reliefs that are depicted. These hieroglyphics demonstrate the expressive and symbolic nature of pictures as a rudimentary alphabet.

BOTTOM
Forgive and forget rebus puzzle. Rebus puzzles use single letters and pictograms to represent words or phrases. The use of rebuses was one of the most important developments in writing, and a precursor to the development of the alphabet.

Semitic language did use vowel sounds in speech, the writing-out of them was deemed unnecessary (as in Egyptian hieroglyphics). Alphabetic writing was to be a **sstm f cndnsd spllngs tht dd nt rqr vwl lttrs**. Although such vowel-less writing could never work generally for English, it did suffice for Semitic languages—which favour vocabularies of two or three-consonantal roots wherein words typically begin and end with a consonant sound. This consonantal-framing effect makes vowel-less writing a plausible choice ("**... spllngs tht dd nt rqr...**"); and to this day, Arabic and Hebrew writing tends to omit the showing of vowels.

The use of pictures as letters was in keeping with the hieroglyphic inspiration and had a strong logic to it. For a picture has a name—"fence", "wheel"—and the name could prompt the reader as to the letter's sound. The prompt was the first sound of the object's name. The picture of a hand meant not "hand" but the sound "k", which began the Semitic word *kaph*, "hand".

It was as if we were to use 26 pictures for our letters, of which our first letter would be an apple-image, the second a ball, the third a cat, the last a zebra. The object's name would cue the reader to the letter's sound, according to the name's first sound. A word would be spelled as a string of pictures. The English word "bat" would be spelled as "ball"—"apple"—"train", with the images contributing to the phonetics but with no further meaning for the spelled word.

The original Semitic alphabet, being purely a list of consonant sounds, contained some letters that were destined to *become* our vowel letters that did not begin as vowels. Our A, for example, descends from the Semitic letter *aleph*, the ox. But the *aleph* did not signify the vowel sound "a"; it signified a tiny consonant sound, a catch of breath, that in Semitic speech might be used in front of a vowel. This Semitic consonant, difficult to show in English spelling, was the sound that actually began the word *aleph* and that was intended in the letter *aleph*. Similarly, the Semitic letter *ayin*, the "eye", destined to become our O, signified a Semitic guttural throat consonant, unknown in English. Ditto too for the future E, I, and U; all started as Semitic consonants.

Our knowledge of the earliest alphabet comes mainly from about 55 short inscriptions found during the twentieth century AD in locales in modern Egypt, Israel, and Lebanon. The inscriptions survive by chance, having been carved into or painted onto durable material—stone, ceramic, metal—that came to modern eyes through the science of archaeology. Obviously, the extant inscriptions represent just a tiny fragment of alphabetic writings that must

Egyptian "hand" hieroglyph, 2000 BC

The Semitic letter *kaph*, 1750 BC

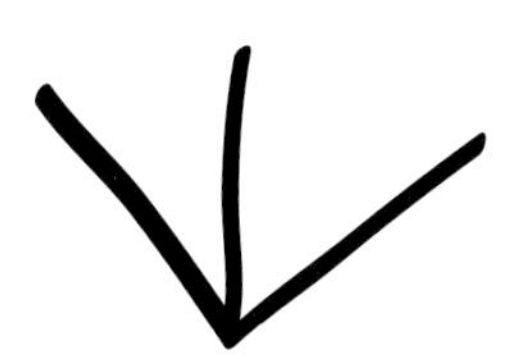

Phoenician *kaph*, 1000 BC

Phoenician *kaph*, 800 BC

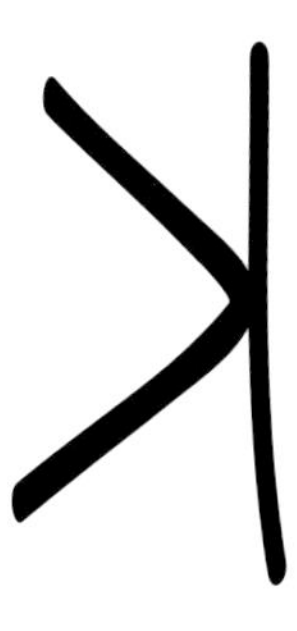

Greek *kappa*, 740 BC

Illustrations showing the development of our K from *kaph*, the Egyptian hieroglyph for "hand".

have existed, 2000–1000 BC, most of them inked onto perishable material like papyrus or leather.

The earliest of our inscriptions, from about 1800 BC in central Egypt, is interpreted by scholars as testifying to the alphabet's invention in Egypt some two centuries earlier. Other early inscriptions seem, in their dates and geographic span, to reflect a gradual northeastward spread of the alphabet, along caravan routes, into the Levant. The later of these inscriptions, from around 1200 BC, show an alphabet of 22 letters (no longer 27), their shapes having shifted from carefully drawn pictures to more-stylised forms.

Thus by 1200 BC, the Semitic letters were almost certainly the same as would provide the famous 22 letter Phoenician alphabet, with the same letter names and values that we know from the 22-letter ancient Hebrew alphabet. The first letter was *aleph*, "ox", the breath-catch sound; the second was *bayt*, "house", the "b" sound; the third, *gimel*, "throwing stick", the "g"; then *daleth*, "door", the "d". Although with some obvious differences, here are the originals of A, B, C, and D.

WESTWARD TO EUROPE: 1000–600 BC

In this era, the alphabet truly began its worldwide spread, jumping from Semitic languages to those of Europe, and reaching the Italian homeland of one European people with a grand destiny: the Romans. Their alphabet would become ours.

But first: the early Semitic alphabet culminated around 1000–700 BC under the Phoenicians, a brilliant Iron Age people based in Lebanon. Ethnically and linguistically, the Phoenicians were cousins to the Israelites (their neighbors to the south) and were remnants of the vanished Canaanite civilisation of a prior era. Today the Phoenicians are remembered for their alphabet, their seafaring skill, and their trade in a precious purple dye—which may explain the odd name "Phoenicians" or *Phoinikes*, "the purple ones", which is what the ancient Greeks called them. What the Phoenicians called *themselves* may have been *Kanannim*, "Canaanites". The seaborne Phoenicians traded widely, eventually across the Mediterranean to Spain.

With the Phoenicians, the Semitic alphabet emerges fully into view for modern study. Some 500 Phoenician inscriptions survive from the few centuries after 1000 BC, plus 6,000 later ones from Carthage (the mighty, Phoenician-founded city in what is now Tunisia). These include sample letter lists, perhaps from children's school lessons. The inscriptions show the Phoenician alphabet to have been a continuation of prior Semitic writing, with the letters' number (22) and sequence permanently fixed, and their shapes reduced to abstract forms that merely suggested the erstwhile picture-images. All the letters were consonants, and writing tended to run from right to left—a Semitic tradition copied from hieroglyphics and preserved today in Hebrew and Arabic.

In the Phoenician list, we find the seeds of our own letters' sequence. The half-disguised prototypes of our ABCD have already been mentioned here. Similarly, the Phoenician K (called *kaph*, "hand") resembled our K and came eleventh in the list, as K does in ours. Next in sequence came the Phoenician L, M, and N—all with shapes resembling our own letters'. The last letter of the Phoenician alphabet was the plus-sign-shaped *taw* ("branding mark"), ancestor of our T.

Soon the Phoenician alphabet was spreading. Probably its first conquest was Hebrew, spoken in the nearby kingdom of Israel. Although the most devout modern Jewish belief holds that Moses received the Hebrew letters directly from God on Mount Sinai, archaeology suggests otherwise—that the Israelites, previously illiterate, acquired writing by adopting the Phoenician alphabet, whole cloth, around 950 BC, perhaps under King Solomon. Phoenician letters appear on early inscriptions from Israel, including two items thought to be the oldest known samples of Hebrew writing.

Other ancient Semitic languages that emerge into history as written in Phoenician letters in the 900s BC include Moabite (in what is now Jordan) and Aramaic (in the Damascus region). The Aramaic alphabet, in its turn, would spread dramatically east and south, into Arabia and across the Iranian plateau, spawning new scripts whose modern descendants include the Arabic alphabet, the Devanagari script of India, and the scripts of Burma, Thailand, and Cambodia.

ABOVE

The ancestor of our T, the last letter of the Phoenician alphabet, was the plus-sign-shaped *taw*, or "branding mark".

OPPOSITE LEFT TO RIGHT

***Alpha* and *beta* are the first and second letters of the Greek alphabet and they form the etymological root of our word "Alphabet", from the Ancient Greek "Alphabetos".**

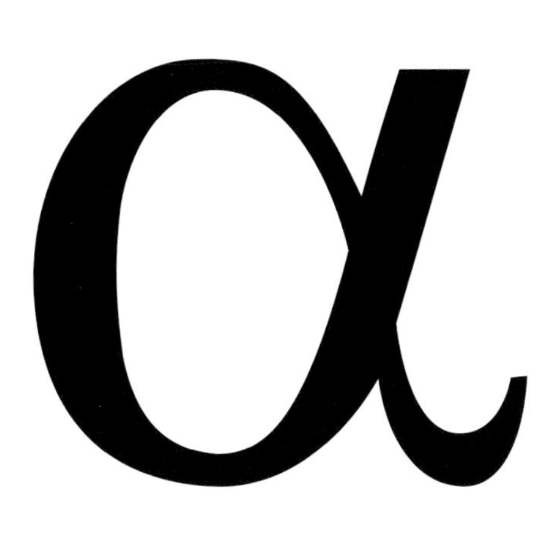

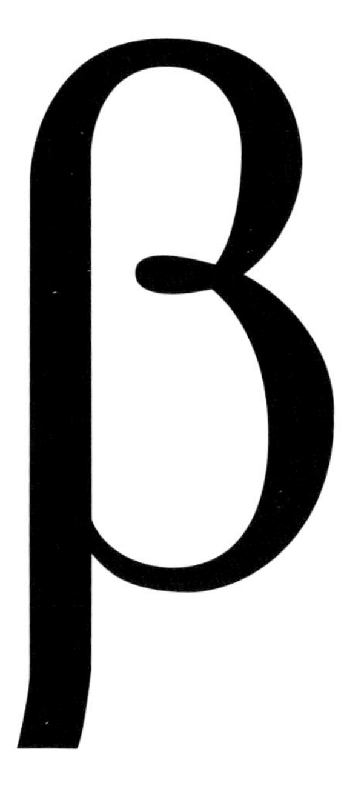

But also—more significantly for our study—the Phoenician alphabet went west. For centuries prior, alphabetic writing had been spreading gradually among Near Eastern peoples who spoke kindred Semitic tongues; however, around 800 BC the alphabet made its first jump to a new linguistic family: Indo-European, as represented by ancient Greek.

The Indo-European family, as its name implies, today includes many languages that range geographically from Europe to India, such as English, German, Irish, Spanish, modern Greek, Russian, Farsi, and Hindi—about 60 modern tongues, plus languages now vanished, going back 1,000s of years. The best-known ancient Indo-European tongues are Greek, Latin, and Sanskrit, with their major literatures.

Indo-European and Semitic languages are unrelated. Their vocabularies sound quite different, except for loan words. Indo-European words, unlike ancient Semitic, might begin with a vowel sound ("I am able") and might rely heavily on vowel sounds to establish words' meanings (pale, pill, pile, peel, pole, pool, pull). Which is to say: Indo-European tongues need to show vowel letters for writing.

During the 800s BC the Greeks were an illiterate but ambitious people, living in mainland Greece, the Aegean islands, the Asia Minor west coast, and the east-Mediterranean island of Cyprus—a sphere just west and north of the Phoenicians' homeland. The two peoples were trading partners. Phoenician ships probably visited Greece; and Greeks and Phoenicians co-existed in settlements on Cyprus and at an important trading station in the north Levant. The Greeks at this time lagged behind the Phoenicians in technical skills but the two peoples shared an aggressive, mercantile spirit and a love of seafaring. They may have intermarried—some evidence exists in documented Greek personal names—which would have produced bilingual children. Eventually the Greeks began 'copycatting' Phoenician technologies, including methods of ship design, navigation, and metalworking. Also, probably around 800 BC, they began writing Greek with the letters of the Phoenician alphabet.

Most of the 22 Phoenician consonant letters were suitable for writing Greek, but the list did not suffice for Greek. The challenge to the Greek adaptors was to invent vowel letters. This they did by reassigning a handful of extraneous Phoenician letters to represent vowels and by creating five new letters to supply further needed vowels and consonants. The fully formed ancient Greek alphabet had 27 letters, later honed to 24, including letters for A, E, I, O, and U. Most of the borrowed Phoenician letters received Greek nonsense names that were imitative of the Phoenician names but had no other meaning in Greek. The Phoenician *aleph*, *bayt*, *gimel*, and *daleth*, for example, became Greek *alpha*, *beta*, *gamma*, and *delta*. As in Semitic tradition, each Greek letter announced its sound in the opening sound of its name.

Typical of the Phoenician-to-Greek transition is the alphabet's first letter. No longer *aleph*, the "ox", written as a stylised two-horned ox head and denoting a subtle Semitic consonant sound, it now denoted the vowel sound "a" and took the Greek nonsense name *alpha*. The Greek letter name thus having lost any ox reference, the letter's shape no longer needed to suggest a picture; and so, within a few generations, the Greeks were writing the letter as standing symmetrically on two legs: A. Today the Greek letters names *alpha* and *beta* supply our word "alphabet".

The Phoenicians wrote from right to left, in the Semitic tradition. Thus their asymmetrical letter shapes tended to project leftward, in the direction of flow. Our letters project rightward, since we write left-to-right. The Western switch to left-to-right began with the Greeks. As extant inscriptions reveal, early Greek writing could run in either direction, left or right, sometimes even alternating line by line in the same text; the various letter shapes appeared as mirror images of each other. This experimental "either-or" approach to writing-direction would be typical of other European peoples, too, in their first centuries of alphabetic writing. One reason why Europe would finally settle on left-to-right may have been the "mess factor": a right-handed person writing in ink might naturally prefer a rightward flow, as tending to place the outer hand and outer sleeve *in front of* the wet ink trail and not behind it.

The Greek adaption of the Phoenician alphabet was one of the most consequential events in world history. At one swoop, it created the several vowel letters necessary for writing European languages, brought the alphabet geographically to Europe, and put it on the shoulders of a people, the Greeks, who would be culturally the most creative and influential of the ancient Western world. Other ancient nations *copied* the Greeks.

For example: the Etruscans were a mighty people—today commemorated in the place name Tuscany, part of their home base—who ruled much of Italy. They became enthusiastic consumers and imitators of Greek goods and culture after Greek traders reached Italy around 780 BC. Eventually, Greek influences would help shape Etruscan religion, art, architecture, military tactics, and social norms. Around 700 BC (as we know from archaeological remnants), the Etruscans began writing their own language in the 26 letter West Greek alphabet.

Etruscan and Greek were tongues completely unrelated, insofar as Etruscan happened to be not Indo-European. Yet—as with the Greeks' adaption of Phoenician letters—the Etruscans were able to appropriate the Greek letters. This required only modest tinkering. For example, Etruscan speech had no "o" vowel sound and no voiced stops (the "b," "d," and "g" sounds) and no use for the corresponding Greek letters. Yet Etruscan apparently employed three different shades of unvoiced velar stop—the "k" sound—and since the Greek alphabet supplied only two such letters, the K and Q equivalents, the Etruscans created the third needed letter by reassigning Greek *gamma* to be an unvoiced velar stop: the letter C. That is why we today inherit the C-K-Q trio, so oddly overlapping in sound—whereas in modern Greek and Hebrew the alphabet's third letter denotes the "g" sound, as it did before the Etruscans changed it.

Once adapted to Etruscan, the alphabet did not tarry. It kept spreading, within Italy, to peoples who were subjects or neighbors of the Etruscans and who spoke Italian tongues not Etruscan. Archaeology affirms that in the centuries after 700 BC, at least *seven* non-Etruscan peoples began writing with the Greek-derived Etruscan letters. One such was the Romans.

The Romans of that era were a humble, illiterate people under Etruscan rule. Centred at their town of Rome, in Latium, they spoke a language they called Latin (*Latina*), linguistically unlike Etruscan. Archaeology around modern Rome has clearly revealed the emergence of Roman writing. Excavations at early seventh century levels have found inscriptions in Etruscan letters that convey the Etruscan language; but at levels around 620 BC, something remarkable starts to happen: on some of the found artefacts, the Etruscan-lettered inscriptions spell-out words of Latin, not Etruscan. The Romans had begun adapting the Etruscan letters to Latin. A Roman alphabet had been born.

ROMAN LETTERS, LATIN LANGUAGE: 250 BC–500 AD

The Roman alphabet's history is entwined with the Romans' grand achievement and the Roman Empire's immense legacy in cultures and languages of Western Europe. By 270 BC the Romans had conquered and unified Italy; by 130 AD they had won an empire that stretched from Solway Firth to the River Euphrates and the first cataract of the Nile. Latin, with its Roman letters, was the language of imperial authority and, in parts of the empire, was the masses' language as well. Today, a good portion of the world's population speaks one or other of the major Romance languages—Spanish, Portuguese, French, Italian, and Romanian—which descend from Latin.

The Roman alphabet reached its first mature stage around 250 BC in 21 letters, A to X. (Missing, by our standards, were J, V, W, Y and Z.) By then the Romans had fully fitted the Etruscan letters to Latin: They had dropped three extraneous letters, reassigned two others to create our F and G, and resuscitated three old Greek letters to supply B, D, and O, which the Etruscans had not needed. Also by 250 BC, about a third of Roman letter shapes had evolved from their Etruscan shapes, and Roman writing had settled at left-to-right. All 21 letters would have been familiar to us today, their shapes easily recognisable as being our capital forms.

Surprisingly, the ancient Romans kept the ineffective C-K-Q trio, an Etruscan holdover. In writing Latin, they relied on C (which was always hard C); they reserved Q for specialty use with U to denote the "kw" sound (as in *equus*, "horse"); and they almost never used K. Today C remains far favoured over K and Q in the spellings of Romance languages, while K tends to dominate in Germanic and some Slavic tongues. English, with its mixed Germanic and Romance influences, prefers C, although not radically.

The Trajan Inscription formed part of Trajan's Column, which was erected to commemorate the Dacian military campaign of 101–106 AD. The inscription is carved into a marble slab measuring four feet wide by one and a half feet deep, and was mounted over the door of a burial chamber. Damage to the marble has made the exact translation of the inscription a matter of debate, but the meanings of the words themselves are of secondary importance, as the inscription is regarded as the finest example of Roman capital letters. Although strictly Roman in form, the letters have a Classical Greek feel to them, and the bold, clear, and constant proportions of the lettering have ensured the Trajan Inscription has remained a benchmark even after centuries of innovation in font design, and is widely held as an ideal for Western lettering.

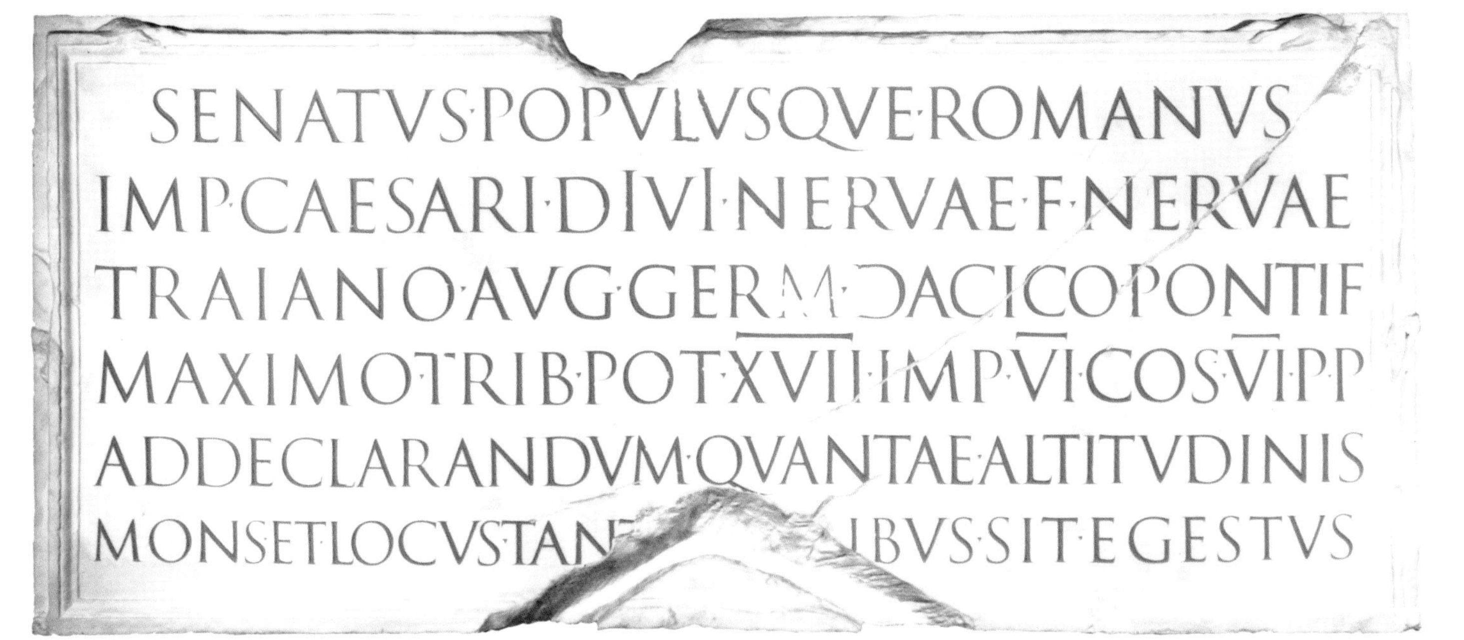

By about 100 AD two more Roman letters had been born: Y and Z, appended to the list expressly to help transliterate Greek words into Latin. (The Romans, like the Etruscan before them, were besotted by Greek culture.) The Z was to represent the Greek consonant *zeta*. The Y denoted the Greek vowel *upsilon*, which took a narrowed "u" sound, somewhere between a Roman U and I. This Roman Y was exclusively a vowel (as in our "system" and "symphony"). Y's alternative use as a consonant ("year", "lanyard") would be a future development within Medieval French and English. Today the Y remains exclusively a vowel in German and certain other northern European tongues; in fact, the letter's German name is *üpsilon*. For spelling the consonantal "y" sound, German uses J, not Y.

The absence of ancient Roman J, V, or W needs a quick explanation here. Despite modern English spellings like "Julius", "Jupiter", or "Venus", ancient Latin actually had no "j" or "v" sounds and no need for those letters. Latin did contain a "w" sound, which it spelled through consonantal use of the letter U. For example, the goddess's name Venus was actually spelled in Latin as *Uenus* (pronounced "Way-nus"). That first U, placed before the vowel E, provided a consonant: the "w" sound. The word's second U, placed before a consonant, was a vowel. Our use of a letter V in "Venus" is just modern spelling convention. Similarly, the ancient Roman name Julius was actually spelled *Iulius* (pronounced "Yoo-lius"), the first letter I being a "y"-sound consonant and the second one being a vowel. In sum, Latin's 23 letters served it perfectly well, there being no need of a Latin J or V.

But more important, perhaps, are the letter shapes. It was the Romans who added to their letters the finishing touches that we today take for granted.

Marble-carved inscriptions from the Empire show two techniques used by Roman masons to style their letters: 1) the subtle widening of separate sections of a letter—one leg of the A, two opposite sections of the O—for a graceful, three-dimensional effect, and 2) the addition of small finishing touches (serifs) at the letters' end points. Both details appear, for example, in the shapes of Roman A, E, or S. These ancient shapes closely resemble certain fonts like Times New Roman or Garamond or Bembo in our personal computers, and with good reason. For, in the late 1400s AD, 13 centuries after the Roman heyday, the first generations of European printers would look to imperial Roman letter shapes—carved into stone that survived as rubble throughout Italy and elsewhere—to provide models for the printers' "roman" typefaces, to be cast in metal. (Note therefore the difference between our "Roman" alphabet and our "roman" type. Some versions of the Roman alphabet, such as our pen script or certain modern typefaces, do not use roman print shapes.)

The Roman era also saw the first appearance of what would one day be our lowercase letter shapes. Today we recognise 28 lowercase forms, one for each capital, plus an extra each for A and G: **ɑ** / **a** and **g** / **g**. Although not all at once, such shapes began to emerge around 300 AD in Roman ink writing.

In that era, all the Roman letters were thought of as capitals; the notion of a second tier, of lowercase or minuscule forms, still lay in the future. But Roman penmanship did allow for stylised or abbreviated capitals, for the sake of speed and convenience in writing. And so, in extant Latin manuscripts penned in the "uncial" lettering style, we first find the shapes a, d, e, h, and a few others, intended as abbreviated forms of capitals: H / h. Subsequent centuries would see other reduced shapes in ink, some of them destined to supply our lowercase print forms. Of all the lowercase shapes, the last one to show up in ink was the t (about 1200 AD).

ROMAN LETTERS, ENGLISH LANGUAGE: 600–1850 AD

The Roman Empire's collapse, around 500 AD, created a new map of Europe: one mainly of barbarian kingdoms. The thousand-year-long Middle Ages had begun. Crucially, Rome's alphabet survived. It lived on, not just in the Church and diplomatic Latin of the West and in Romance languages like French and Spanish, but also —a pattern we should by now easily recognise—in being fitted to the writing of newer European languages, such as English and German. The Roman letters were not just for Latin anymore.

The rich, complex history of our English tongue cannot be done justice here. The Angles, Saxons, and Jutes who invaded Britain by sea in the 400s AD brought a language that was basically an ancient form of German. Starting with its arrival on British soil, it conventionally becomes known as Old English, and its country becomes known as England ("Angle-land"). Soon, Christian missionaries had brought Church Latin and Roman letters to the pagan Anglo-Saxons. By 600 AD, the Roman letters were being used to write Old English.

The next 12 centuries tell the story of the alphabet's gradual adjustment to become a more perfect vessel of English—an adjustment complicated by major changes *within* English, after the Norman Invasion of England in 1066. From the fusion of Old English and Norman French, a fundamentally new tongue emerged: Middle English. By about 1660, this had evolved into a form of Modern English. By the long process' end, around 1850, the English alphabet had gained its last three letters: W (first), then J and V. Other developments included the arrival of printing in England (1476), the ascendance of roman type fonts, and the slow standardisation of English-language spellings—a process never to be fully completed, amid today's differing spelling rules for Britain, the United States, and certain Commonwealth countries.

German goldsmith Johann Gutenberg's invention of a printing press, around 1452, with movable metal type and non-smearing ink, was a landmark of world history—even if Gutenberg himself was but a brilliant technician who merely solved a mechanical problem that others were studying at the time. The press' rate of output—one week for three men to print 500 book copies, versus two months for three scribes to hand-copy three books—with the resultant cheaper sale prices, brought books to the middle class and, eventually, reading to the masses. The consequences were enormous, in society, culture

and politics. As the first mass medium, print ushered-in modern journalism and advertising. It helped feed and organise popular unrest in eruptions like the Protestant Reformation (1500s) and the American and French Revolutions (latter 1700s).

For the alphabet, print led to standardisation in the letters' number and shapes. Letters came no longer mainly from a pen but from laboriously prepared metal blocks, and across Europe the new profession of printers felt the business-need to standardise.

Print production favoured uniformity—for example, fonts of type that could be bought, sold, carried across borders, and used for several languages. (The word "font" originally meant the collected metal blocks of a single print typeface—that is, all of its letters, in upper and lower case, plus all punctuation marks and related symbols.)

One outcome of this standardising drive was the triumph of roman typefaces, as pioneered by printers in Italy in the late 1400s. Inspired by ancient Roman capitals, roman designs added a lowercase tier based on minuscule shapes from the popular, beautiful Italian "humanist" script of the day (which drew on earlier Latin

OPPOSITE

Illustration of a Medieval German printing press, from Jost Amman's *Eygentliche Beschreibung aller Stände,* 1568.

ABOVE

Typical metal block typefaces.

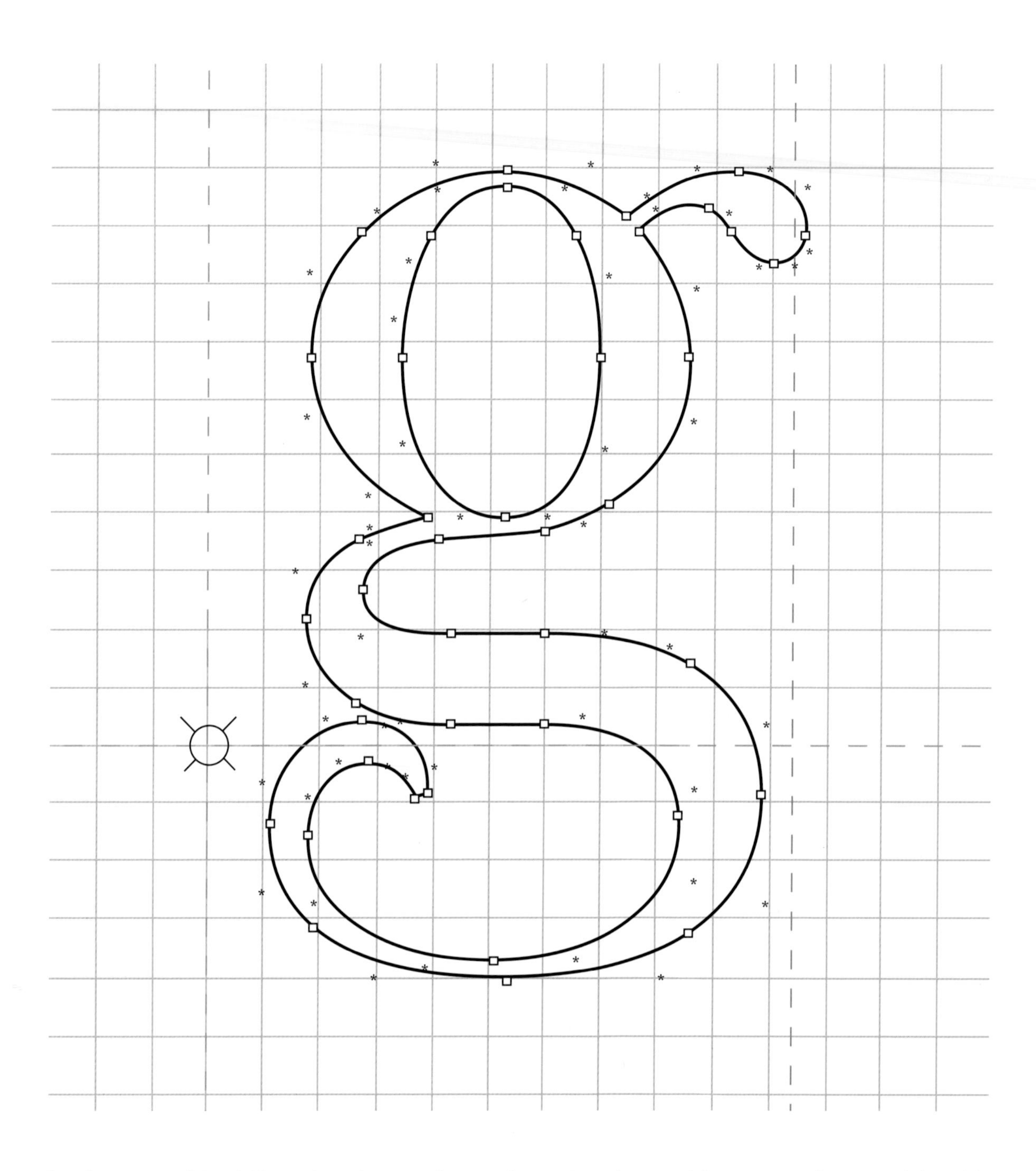

handwriting traditions). The end product: typefaces with a handsome, Roman-like look.

Soon, throughout most of Western Europe except Germany, roman typefaces had ousted rivals of Gothic lettering (whose shapes came from the Gothic or black-letter Medieval ink style). Modern roman type would reach perfection in designs such as Baskerville (1757), Bodoni (1795), and Times New Roman (1931). Today, roman typefaces normally comprise our books, newspapers, magazines, and extended text online—while a second popular category, called "sans serif" or "sanserif", styles the letters without use of serifs and is a frequent choice for display type (in magazines, print ads, or public postings, for example) and for short text in advertising or postings. Another major category is italic, *which imitates the slanted letters of certain Renaissance Italian penmanship* and which is used today as a secondary form of a roman or sans serif typeface.

Partly from print's impetus, the letter W joined our alphabet probably in the mid-1500s. It had emerged unofficially during the Middle Ages, due to discontent with the old Latin-consonantal-U method of showing the "w" sound. For added clarity, to denote "w", Medieval writers of Latin or German or Norman French might double the U, making it UU or uu. In England, eventually, this doubled U gave rise to a letter name and a letter shape; in print, the shape became our angled W. Originally W followed in alphabetical order right after U, its mother-letter. But by the 1800s W was being pushed back one place, with the arrival of V.

J and V's emergence was a product of slow, Medieval changes in spoken English and French, whereby the sounds "j" and "v" were occurring in speech but were not being consistently symbolised in writing. For complicated reasons, "j" was thought of as a consonantal sound of the letter I, and "v" as a consonantal sound of U; and for centuries, in English, letters I and U were employed to represent those two sounds as well as the letters' vowel sounds. This double duty proved unsatisfactory, and by the 1600s the variant letter shapes J and V were being used more or less consistently to cover the two troublesome sounds.

Yet official admission to the alphabet had to wait another 200 years, as scholars argued whether J and V were proper letters or just variants of I and U. Noah Webster, while not the first writer to observe a 26 letter alphabet, was the first major lexicographer to do so, in his 1828 *American Dictionary of the English Language*; and by 1850, J and V had been universally recognised as letters of the English alphabet and had been placed in order right behind their mother-letters, I and U. The English alphabet was final, at 26 letters. (Meanwhile, in French, W was the last letter to arrive, in the late 1800s.)

THE NEXT ROMAN EMPIRE

The future of our Roman alphabet looks rosy indeed. While English pursues its own involuntary world domination as the international language of commerce and online media, nations continue to turn to Roman letters to write *their own* languages, too. Vietnam and Turkey, from the early twentieth century, have already been mentioned. But today, in the Caucasus and Central Asia, nations like Azerbaijan and Uzbekistan—former Soviet provinces—are jettisoning the Cyrillic alphabet in favour of the Roman one, while on outlying islands of Indonesia, for example, the use of Roman letters for native languages makes continual inroads against traditional scripts. Lovers of heritage and multiculturalism may lament, yet the movement seems inevitable.

People ask: would the alphabet ever add another letter? The answer: highly unlikely. Latecomers W, J, and V were in use in handwriting before print's arrival and were gradually finalised in print. Since then, the force of print has frozen the alphabet at 26 letters. And who would declare a twenty-seventh letter, anyway: the Chancellor of Oxford University? The US Congress? English and its alphabet are global phenomena, beyond any group's control.

Yet certain English *spellings* may someday change, as daily writing starts to admit more nonalphabetic keyboard symbols and phonetic spellings (for example: @ or the popular "nite"). Fuelling this change could be young people's messaging slang, which seems to be returning us to a place of syllabic puns, vowel omission, and interpretive images, somewhat like Egyptian hieroglyphics of 4,000 years ago. Consider this text message, just in from your 14 year old daughter:

M @ KT's doing
hmwk. :-(wll fone.
thnx 4 the gr8
lunch U packed
2day. <3 ya. -Molly
Options Back

One thing is for certain: through their magical flexibility and adaptability, our little letters have proved invincible. A stupendous force in global history, and now buoyed by world English and New Media, they will not be stopped anytime soon. They are our new Roman Empire.

OPPOSITE

A contemporary computer rendering of Baskerville Old Face.

ABOVE

An example of today's ubiquitous text messaging spelling.

a

A IS FOR ALPHABET

The development of modern alphabets has, throughout history, been charted visually through literary publications and artistic interpretations. From documenting the changing shapes and functions of letters themselves, as well as their implications within modern culture, *Alphabets: A Miscellany of Letters* considers the changing role of the alphabet and demonstrates how it has permeated every area of our daily lives, whether we are aware of its presence or not.

There are traditional ways that the alphabet is perceived—as a learning tool, and as a means of interaction or direction. However, its influence is far wider and its connotations are constantly being developed and subverted by artists, scientists, writers and advertisers. The results of this are exciting visually, socially and intellectually, making the alphabet one of the most valuable tools in modern design and culture. Its extensive impact and varied applications demonstrate the versatility of the alphabet as a medium and a stimulus to learning and education; the letters are no longer restricted to purely literary purposes, and can be acknowledged outside of an alphabetic context as aesthetic symbols. Language and art are two of the most fundamental forms of self-expression, as is evident from the fact that the first alphabets were made up of pictures. It is natural therefore that these two contrasting methods of communication are still frequently used collaboratively to enforce ideas with greater impact and universal appeal.

Alphabets: A Miscellany of Letters includes a chapter for every letter of the alphabet, each of which explores how letters have been used in specific ways, or incorporated into a certain field of interest. This allows for the exploration of typography, literary history, text-based art and illustrated alphabets. Each alphabetical entry here suggests new ways of seeing the alphabet and draws attention to its already integral role in places where, due to our over-familiarity with it, it might ordinarily go unnoticed. The connections made are both literal and abstract, and the interpretations are often surprising, reflecting how the alphabet has developed some unexpected associations and purposes through being ever-present in our social consciousness.

ABOVE
ALPHABETTI SPAGHETTI
HJ Heinz Company

Heinz was established in 1869. It was a small company selling bottled horseradish, which was grown on founder Henry J Heinz's own land, and made according to his mother's recipe. Since then, the company has developed into one of the most recognised brands worldwide, advertising its products in over 200 territories and countries. Alphabetti Spaghetti, which is produced by the company, is pasta that has been cut and pressed into letters of the alphabet and added to a tomato sauce, and was sold for 60 years before being discontinued in 1990. It was later reintroduced in 2005 along with its numerical equivalent, Numberetti.

OPPOSITE
ALPHABET SNAP
Early Learning Centre, 2007

An alphabet snap card from the Early Learning Centre depicting a lower case letter a. Flashcards are a popular tool for teaching children how to read and spell.

ALPHA BETA

Magne F, 2009

Magne Furuholmen has had a parallel career as a visual artist through his time as songwriter and keyboardist in Norwegian band a-ha. This Alpha Beta collection shows his lifetime fascination with words and language. Magne F has broken down the instantly familiar alphabet into its singular components, letters, in order to construct new words and meanings. He has used all the letters of the Latin alphabet, plus three Norwegian letters æ, å and ø and an exclamation point along with scribbled handwriting, ink, images and layered cut-outs, to create a new, compelling alphabet. Some letters are obviously linked with phrases, such as N becomes "note to self" but others are less obvious, leaving the judgement in the viewer's hands. This collection demonstrates how the alphabet is the starting point for expression.

The ABC, that gateway to all wisdom....
—Bertrand Russell

B IS FOR

The alphabet's relationship with the bestial world is one of the first associations that is learned as a child. There is a rich tradition of animal lore in alphabets that has been passed down over the centuries. Bestiaries, or compendiums of beasts, were prevalent in the Middle Ages, occupying an important position in the culture of the day. They often consisted of an illustration and a natural history of each animal coupled with a moral lesson. This prevalence is usually attributed to the religious symbolism of animals in the Bible and religious literature and Western Christian art. These religious symbols and allegories are rife in the Bible; just as the eagle rejects any of its young who cannot stare unflinchingly into the sun, so God will reject sinners who cannot bear the divine light. These references ensure that the Earth is seen as a world of God's creation.

The alphabet and animals not only have a link with the Church and religious morality, but also to literacy. The animal world is a great way to introduce children to the letters of the alphabet, but also to the weird and wonderful animals of the Earth. This way of linking knowledge to an image is one of the best ways to ensure information retention. Due to this link to literacy, bestial alphabets often engage in a love of wordplay and the use of *lipograms*—words and sentences which only use a limited set of vowels—and alliteration. This ensures that the viewer has to pay attention to the letters just as much as the image.

Bestiary alphabets have been a very traditional way of linking the written word with knowledge and literacy, but many modern artists have been inspired by the animal kingdom to create very interesting works utilising the animal form, from stylish picture books, to high concept "abecedaries" and beautiful pictograms. The wonderful use not just of imagery but of language shows a real dedication to animals and ensures that those creatures who are extinct or endangered will live on in art and literature.

BELOW

DINOSAUR

Lanka Kade

This colourful dinosaur jigsaw can only be completed when the alphabetic blocks are placed together in the correct order, bringing the element of play into the learning of order.

OPPOSITE AND OVERLEAF

ALPHABEASTIES: AND OTHER AMAZING TYPES

Sharon Werner & Sarah Forss, 2009

***Alphabeasties* is a cleverly constructed alphabet of beasts, where each one is formed from its initial letter in a typeface that suits the characteristics of each creature—a bat shaped from Gothic Bs has vampire connotations, while the shape of the Os recalls the tentacles of the octopus. The clever wordplay and innovation of form encourage readers to reflect on the power of type, the personalities of typefaces—and of animals.**

bat

Animals are such agreeable friends—they ask no questions; they pass no criticisms. –George Eliot

LEFT AND OPPOSITE

LETRASET ANIMALS

Marcus Fischer, 2010

Marcus Fischer is a multimedia artist and musician currently living in Portland, Oregon. Fischer has been working on a series of alphabet animals created from rub-off letrasets so as to create an animal family. The three included here are a penguin, standing on a letraset iceberg, an owl and a quail. Fischer also records and performs music under the name map~map and as part of the duo unrecognisable now.

RIGHT

LUPUS: AN ALPHABET OF WOLVES

Holly Trill, 2009

The grey wolf, *Canid lupus*, is the largest wild member of the *Canidae* family. For *Lupus: An Alphabet of Wolves*, London-based illustrator Holly Trill took these misunderstood creatures as inspiration for an alphabet book. Taking terminology from languages and histories that relate to wolves to create an alphabet that explores the poetic beauty of the wolf. Featured here is *Bertulph*, a term of German origin meaning "bright wolf", hence the ring of light illuminating the howling animal. The letter C is *Chanteloup*, which in French translates as the "song of the wolf".

LEFT

ALPHABET

Jules-Auguste Habert-Dys, c 1880

Jules-Auguste Habert-Dys was a French artist working at the end of the nineteenth century. He struggled at first to gain recognition as an artist. His style is sensitive, and is characterised by his meticulous attention to detail and delicacy, which meant that it was very difficult to reproduce at the time. However, he went on to be a prolific illustrator, contributing to many French art and design magazines. He studied with Felix Bracquemond, who was one of the first French designers to be influenced by Japanese art, after finding a book of Hokusai's drawings, and Habert-Dys in turn adopted the style that was later called "japonisme". The Japanese influence can be seen in his use of colour and composition, as well as his subject matter. Bestiary is a common theme in his work, especially birds and fish, and he combines many exquisitely detailed elements in each of his illustrations, making them, visually, incredibly rich.

LINOTYPE ZOOTYPE

Victor Garcia, 1997

The Argentine designer, Victor Garcia, designed this *Zootype* font in 1997. Animal heads peek into the black block forms of the letters, demonstrating the playful and, seemingly, happy nature of the animal world.

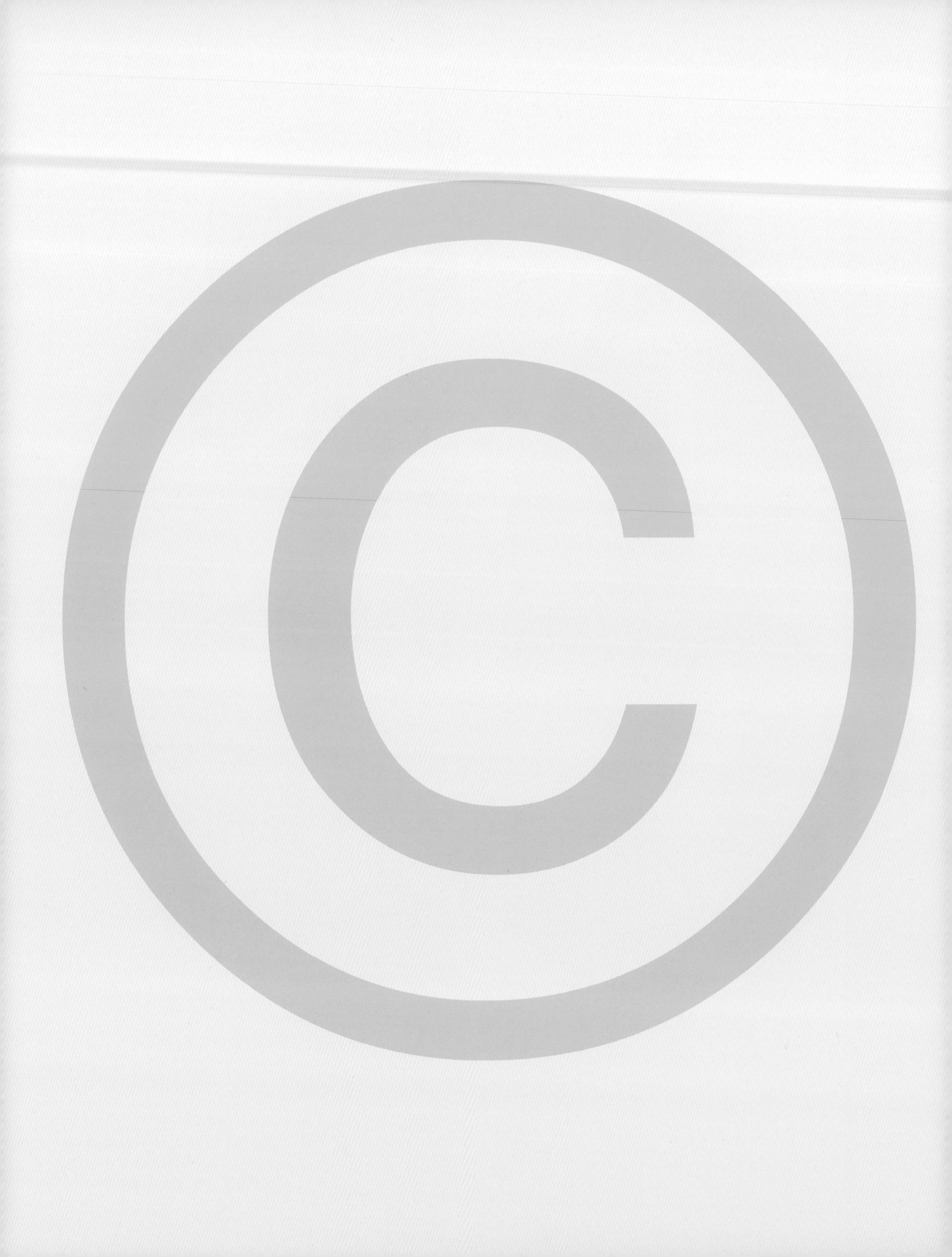

C IS FOR ©OMMERCIAL

There is a rich source of alphabets in the modern environment with more typefaces being created every day with various point sizes and faces. The mass circulation of books, newspapers, journals and advertising exploits writing and the alphabet as a visual language, taking advantage of the appeal the written word has, not just to the mind, but to the eye also. In a commodity driven world, this translates to the fact that the word has to be even more eye-catching with visually assertive typefaces playing a predominant part.

The nineteenth century saw typefaces developing, especially for advertising purposes, with the latest display faces creating the base of the newly forming 'street typography'. Now, in the twenty-first century there is an abundance of alphabets in the commercial world, from window lettering to ticket stubs. The neon street signs that enrich the urban environment have almost become a modern art form, with some logos and signs establishing themselves as iconic 'Pop Art'. These signs are no longer recognisable as individual letters, but have meanings and purpose in their own right, with legendary examples being the infamous Enron E, or the glowing M of McDonald's.

The alphabet itself provides a massive source of inspiration for the commercial world with many companies taking their name from the ABC and its individual letters. Integral to this, of course, is the fact that having a brand name as an acronym of AAA or ABC provides higher ranking in the telephone directory and other search engines, appearing right at the front of the listing. It may even be possible to speak of the alphabet as being commercialised, taken over by corporations and turned into a source of profit.

OPPOSITE

The copyright symbol, shown by a circled C—©, is the symbol used in copyright notices for commercial works. Its use is described by the Universal Copyright Convention as one of three types of intellectual property law, along with patents and trademarks, giving authors and creators a limited right to control the use of their artistic expressions. Before the development of the printing press, it was relatively easy for the powers that be to maintain control over the publication of ideas since publications had to be hand-copied and so were expensive and few. The history of copyright law dates back 300 years, when the British parliament enacted the first copyright statue, the Copyright Act of 1709, which is also known as "the Statute of Anne".

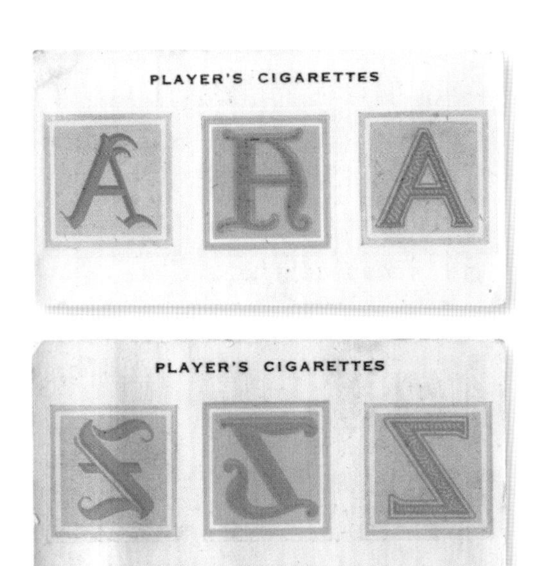

YOUR INITIALS
COMPLETE ALPHABET IN THREE DESIGNS
A SERIES OF 26
TRANSFERS

For smooth or finely-grained paper, wood or leather: place this transfer in *lukewarm* water for about a minute. Remove, lay transfer face downwards in position and press firmly all over. Slide off paper *while still wet;* lightly wash face of initial with tip of finger to remove glaze.
For coarse-grained materials: trim transfer square, cutting away white paper. Apply adhesive thinly to initial, place in position and press firmly. When dry, moisten and remove backing; wash lightly with finger to remove glaze. A thin coating of varnish renders transfer permanent.

ISSUED BY
JOHN PLAYER & SONS
BRANCH OF THE IMPERIAL TOBACCO CO. (OF GREAT BRITAIN & IRELAND), LTD.

LEFT

ALPHABET CIGARETTE TRANSFER PAPERS

Issued by John Player & Sons, Branch of the Imperial Tobacco Co of Great Britain & Ireland Ltd.

These alphabetic transfer papers were issued as collectable items in cigarette packets by UK tobacco company, John Player & Sons. The whole alphabet was available for collection as 26 separate transfers in three different designs. Beginning in 1875, companies issued collectable series with notable beauties, sports stars, military heroes and Indian chiefs. These transfers use the alphabet as a commercial tool.

Being good in business is the most fascinating kind of art. Making money is art and working is art and good business is the best art. –Andy Warhol

COMMERCIAL SIGNAGE

Neon electric street signs have become a classic American art form and, as such, document changes and trends in design and technology. Commercial signs have a role in identifying or attracting business for the sign owner and each sign has a unique story to tell; from who created it, to what inspired it, and when it was made. This jumble of broken letters shows an alphabet soup of commercial electric light signs that are no longer in use and lie discarded—an emblem of a 'throwaway' commercial culture.

'Headings in 12-pt. Helvetica Bold u/l with body matter in 10-pt. Helvetica with Italic. It's just the sort of thing for this ad.'

'We'll have the text in 8 on 12 Helvetica. Plenty of leading enhances the legibility.'

'Helvetica would lend itself to your new house style as it's so adaptable. It enlarges well due to its intrinsic beauty.'

'I think the choice should be a grot. One of the body sizes of Helvetica would be admirable for this edition.'

'Helvetica, of course.'*

Helvetica: the face all print *men are talking about (are you?)

A folder showing the range of sizes and weights of 'Linotype' Helvetica is available from Dept. PH2, Linotype & Machinery Ltd., Woodfield Road, Altrincham, Cheshire.

OPPOSITE

ADVERTISEMENT FOR HELVETICA

Print Design and Production, 1966

The typeface *Helvetica* was developed in Switzerland in 1957, and its name comes from the Latin word for Switzerland in recognition of this. The typeface is uniform and simply structured, which makes it especially versatile, as its design has no strong associations. As a consequence, it is used by a large number of commercial public services, shops and institutions. The font's successful design is marked by the fact that, due to simple changes in colour, point size and density, it can be used in a variety of different ways and contexts. This humourous advertisement for *Helvetica* appeared in *Print Design and Production* magazine in 1966 and exalts the font as something sophisticated and professional.

LEFT AND BELOW

COMMERCIAL USE OF HELVETICA

These photograph show *Helvetica* in use, in conjunction with the New York subway system, the US homeware store Crate & Barrel, and London's Hackney Council. The typeface was designed with an emphasis on legibility, and this makes it an ideal font for signage and commercial branding. Versions of *Helvetica* have been designed to suit a range of global scripts, demonstrating its universal appeal. It has also inspired fonts, such as the *Rail Font*, which is used by the British railway and airport authorities as well as the NHS. *Helvetica* has therefore been highly influential within typographical design and has a timeless appeal that will, no doubt, result in its continued use.

THE
AUCKLAND
VARNISH Co
KIWI
BRAND
MOA BRAND
BUY ONLY
NEW
ZEALAND
MADE
GOODS
TUI BRAND.
MADE IN NEW ZEALAND
ROLLED
OATS
MOIR & Co
THE
GREAT
MOKO
COUGH
CURE
Come Into The Garden Maude
And Do Your Bit

THE PRADALPHABET

M/M (Paris), 2010

The Pradalphabet **is an alphabetical collection of 26 ornamented initials designed by M/M (Paris) for Prada. M/M (Paris) is an art and design partnership between Mathias Augustyniak and Michael Amzalag, established in Paris in 1992.** ***The Pradalphabet*** **was released as a collector's edition of t-shirts displaying the letters P-R-A-D-A/M, creating an ephemeral logotype for Prada. Each letter in** ***The Pradalphabet*** **is built as an architectural monument or an autonomous engine, yet each is related to all the other characters, in the same way that a regular alphabet is a set of different but comparable signs. M/M see buying a Prada t-shirt, adorned with its logo, as comparable to buying a souvenir from the distinct world offered by the Prada brand, thus creating, in 26 letters, a Prada world to buy into.**

OPPOSITE

A—*Mercato telematico*

RIGHT

B—*Rendimenti e costi a confronto*

C—*Beni di consumo*

D—*La delusione delle utilities*

D IS FOR DECONSTRUCTED

The word is the centre of communication in our modern world. So much time is spent devouring texts, from newspapers to advertising, and from graffiti to emails. However very little time is spent by the casual reader thinking about the methods of communication that we are so dependent upon. Every word in the English language is created from just 26 letters, but do these letters hold enough possibility to express everything? The alphabet is the starting point for all our words, sentences and expressions, and it is important to sometimes stop and consider what these words actually mean, and how they are constructed.

Since the mid-twentieth century, there has been a shift towards art that studies language in the context of visual communication. Artists have used language, the alphabet and text in their projects to move away from purely pictorial representations. This is in part due to the literary theory of Deconstruction, which was introduced by the French philosopher Jacques Derrida in the 1960s. Derrida attacked the neutrality of language, by arguing that words can only refer to other words through texts subverting their own meanings. In this way, any texts have several contradictory yet inextricable meanings and interpretations. Deconstruction theory attempts to expose all the internal contradictions upon which a text is built, and tries to show that these foundations are irreducibly complex, unstable and impossible.

The deconstruction of the alphabet is a critical activity; it is the mode of questioning the founding metaphors of representation. Modern artists have deconstructed the conventional ways that visual information is conveyed and have reconfigured letters to give the alphabet and language new meanings and new appearances. The differing interpretations and contradictions in the written word have inspired many modern artists to analyse the relationship between language, letters and art; to literally deconstruct the meaning of the alphabet and its significance in everyday life, and so words have become not just a vessel for speech but functioning art forms in their own right.

BELOW

THE MOST TO LEAST USED LETTERS OF THE ALPHABET

Amy Wicks, 2009

The East End Arts Club hosted an exhibition named Said Why Eggs?, where 26 artists, printers and designers created art around the concept of the written word. One such graphic designer, Amy Wicks, was inspired by the role of the alphabet in the English language to create this poster. She has disrupted the official ordering of the letters of the alphabet and instead arranged them in order of each letter's frequency within its everyday use. The direction of the sequence is from left to right and from top to bottom, echoing the way English is written and read.

OPPOSITE

LAPHABET

Jonathan Lander, 2009

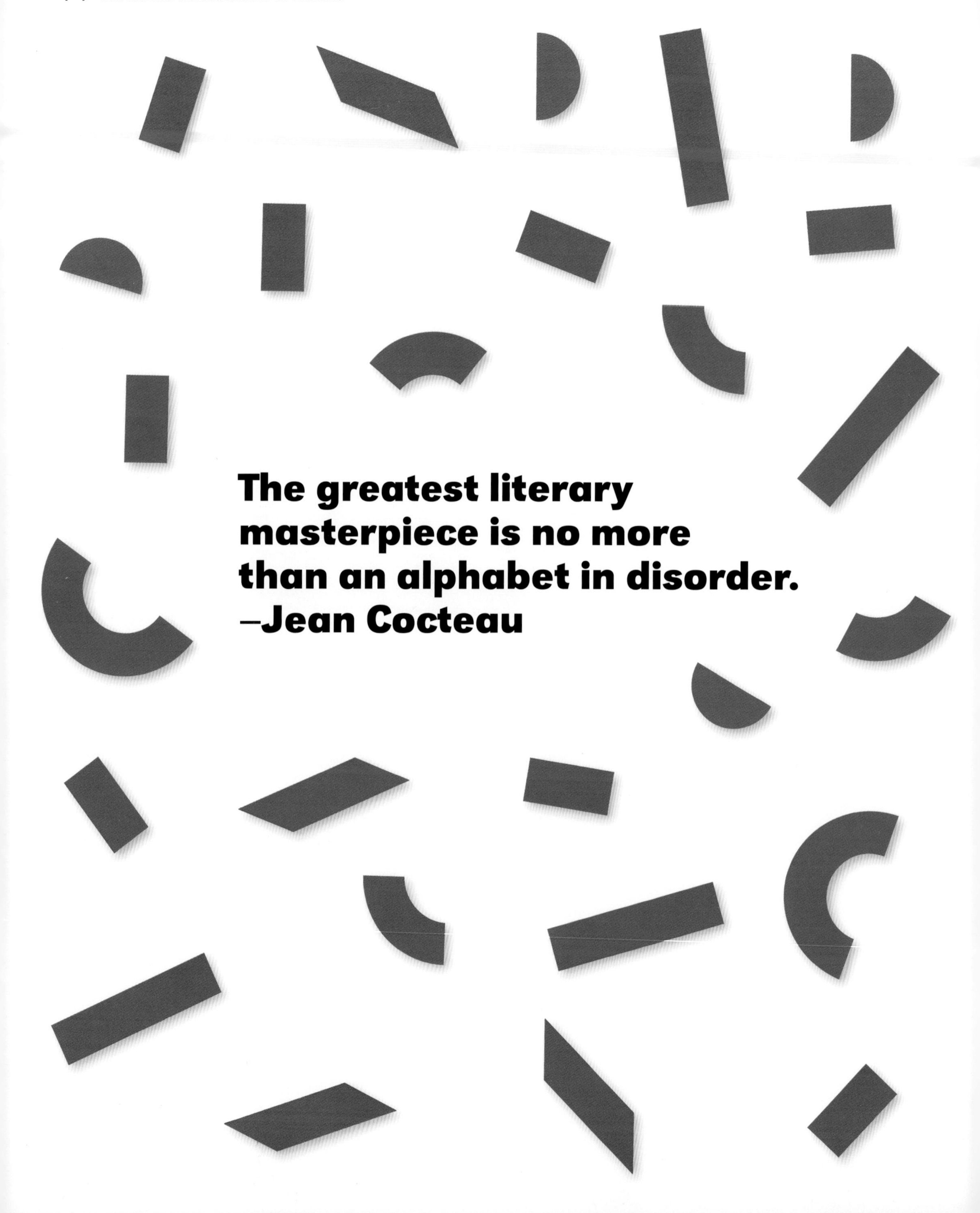

The greatest literary masterpiece is no more than an alphabet in disorder.
–Jean Cocteau

ABC CON FANTASIA

Bruno Munari, 2008

The eclectic Italian artist and designer, Bruno Munari, created this as a fun game for children. Each capital letter of the alphabet can be constructed out of the 26 curved and straight lines; the straight lines may be vertical, horizontal or diagonal and the curved lines can take different directions, and be opened or closed. These elements are flexible and modular, allowing for experiments with the construction of letters. This deconstructed alphabet game gives people the chance to build their own fantasy letters and to thereby re-invent the alphabet. The shapes opposite show the full set of Munari's deconstructed letter forms, suggesting the potential to create each and every letter.

RIGHT AND BELOW

LAPHABET

Jonathan Lander, 2009

Jonathan Lander created the *Laphabet*, a new typeface that explores the visual potential of the alphabet. By playing with mirroring techniques, Lander has given each letter a whole new appearance. The visual imagery of the letters are explored and not just their symbolic significance. The booklet documenting *Laphabet* comes complete with a CD including the fully usable typeface.

OPPOSITE

COMPONENTS, IN ORDER

Tauba Auerbach, 2005

New York-based artist Tauba Auerbach deconstructs the orthodox way visual and perceptual information can be conveyed, dissecting language as a code of symbols. With *Components, In Order*, Auerbach disassembles each letter, stripping the alphabet down into its vital components.

EVERY WORD UNMADE

Fiona Banner, 2007

Letters, words and punctuation are at the heart of Fiona Banner's work. The English artist explores letters in their function as generators of meaning, but she also looks at words as a channel of expression in themselves. The large-scale work of *Every Word Unmade* consists of neon letters of the Latin alphabet created by the artist herself. The breaking down of language into individual letters demonstrates the potential of the alphabet; every word, every meaning is there, it just needs to be constructed and defined. Banner works with the idea that everything both real and imaginable is constructed from these 26 elements.

NOPQRSTUVWXYZ

OPPOSITE

MUSICIAN'S TYPEFACE

Connie Dickson, 2009

UK-based graphic designer Connie Dickson has created a typeface that takes its inspiration from musical notations. The typeface has a visual effect that works on two completely different levels—first, as a regular usable typeface, and secondly as a musical composition. Using notations such as clefs, beamed notes, articulations, and repetitions, this typeface becomes not just an alphabet, but a representation of a musical score and the unique language of symbols that encompasses this.

LEFT

A THREE-DIMENSIONAL TYPEFACE

Karina Petersen, 2009

This three-dimensional alphabet, created by Karina Petersen, breaks down the forms of letters from some angles, but reconstructs them from others. Petersen investigated how to transform regular typography into three-dimensional objects, creating a sculptural typeface that deconstructs both how we view letters and how they are created. Depending on the angle of the spectator, the objects will either be recognisable as a typeface, or they will appear simply as abstract forms, as shown by these images.

E IS FOR

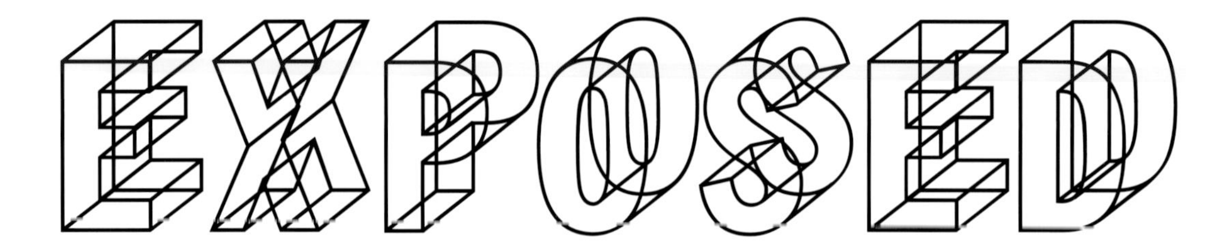

Every letter of the alphabet has its own sounds, its own personality and its own cultural associations; for example, A implies excellence, F denotes falsehoods or failure, X symbolises a kiss and e has technological associations. The development of the alphabet transformed the ancient world and has never been superseded in our modern societies, constantly gaining new reputations with each cultural shift.

The E that titles this chapter is highly important in the English language: just ask a Scrabble player. Including English, it is the most used letter in 11 languages. As the most frequently found letter, many writers have challenged themselves to produce lipogram works which omit the letter. One of the earliest and most praised examples is *Gadsby*, a 50,000 word novel published in 1939 by Ernest Vincent Wright, written without using the vowel. Another later example is George Perec's French novel *La Disparition*, first published in 1939 and later translated into English in 1969 as *The Void*.

Our letter E is derived from the Greek letter *Epsilon*, which was used for many of the same purposes as today. Due to the Great Vowel Shift—a peculiar change in pronunciation in the English language—the letter is pronounced in two varieties: long (such as in the word bee) and short (like in the word bell). The letter also has massive importance in the worlds of mathematics and science. E is not only essential in mathematics as the constant element, but it forms the base of Napier's system of logarithims with its value of 2.71828. The letter also has a role to play in physics as an abbreviation of 'energy', featured by Einstein in his famous equation of the relationship between e, m and c.

The letter is also often found all over households in the European Union, where packaged goods are often found to bear the letter 'e', which means 'estimated sign'. This is a required mark, to be added to the nominal mass or volume printed on pre-packaged goods, which are to be sold within the European Union. The symbol certifies that the actual contents of the package comply with specific trade regulations.

In our digital age, E demonstrates anything related to the technological revolution. At first, the E was a shortening of the word electronic but it can now be added to almost any word to indicate its link to technology; words such as e-mail, concepts such as e-learning, and companies such as eBay have become part of our daily vocabulary. It has also gained mass appeal in modern culture as the colloquial name for the class A drug Ecstasy.

The entries here also consider, indeed 'expose', the beginnings and the ends of three other fascinating letters—I, K and X—as an attempt to examine the public's perception of these symbols. These in particular stand out because of their strong standing in modern culture and their defined identities as characters of the alphabet, demonstrating their omnipresent place in our consciousness.

E is the foundation, the pillar and the roof—all architecture contained in a single letter. —Victor Hugo

OPPOSITE
SHINY LETTER E
Designer Things

Composed of myriad letter Es—resplendent in a bright X-ray style neon rendering—this image appears almost to move on the page.

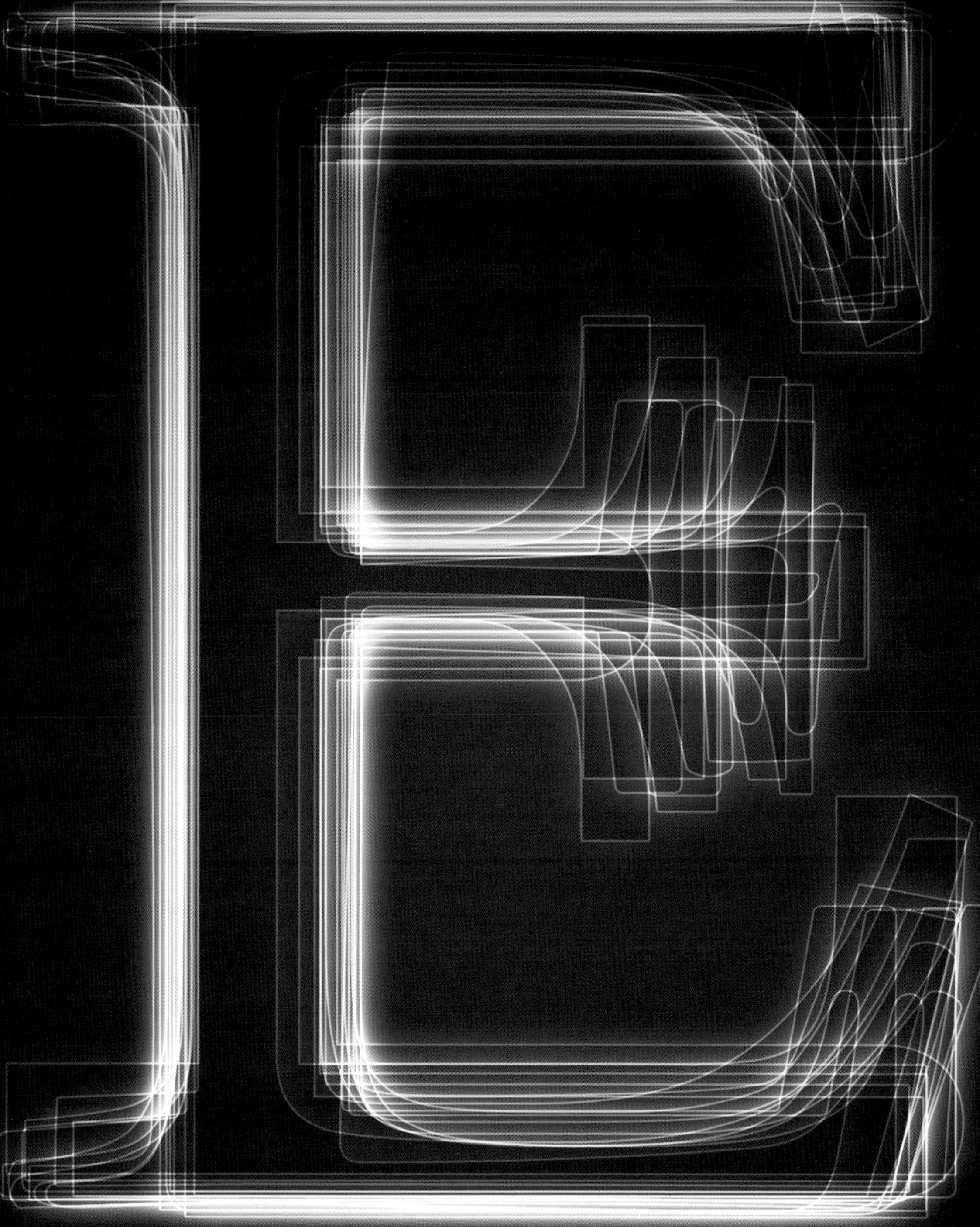

From its foreign associations, confusing sounds, slang meanings, satirical misspellings and its centrality in the all-American phrase OK, the letter K is one of the most fascinating letters of the English alphabet.

K is the eleventh letter in the English and basic modern Latin alphabet; it is the Greek numerical symbol for 20 and is pronounced "kay". It descended from the Semitic *kaph*, which is believed to have been a symbol of the palm of the hand, with the fingers held apart. When reversed, this symbol became the Greek letter *Kappa*, its recognisable form today. K is a rare letter, and is surveyed as being either the fourth or fifth least used letter in the alphabet, giving it a high value of five points on the Scrabble board.

Similar in sound to C and Q, K has serious rivalry in its usage. The Etruscans of the ancient world had three different "K" sounds because of the peculiarities in their language. These three sounds are the ancestors of the modern day C, K and Q. The letters were passed down through history and became part of the Medieval European languages. As the English language takes its roots from both Romance and Germanic languages, both C and K have distinct uses. The softer C often wins through, especially in the more southern Romance languages, with the harder K staying in the northern and eastern European countries with their more Germanic-based languages. Even though K could theoretically overtake C and Q in words such as kontrakt and kook, the softer Francophone C is continuously favoured.

The menacing aspect of the letter may stem from the three Ks forming the Ku Klux Klan in the twentieth century, or K might have had associations for the reader with communism and totalitarianism, due to its significant usage in the languages of the regimes of Eastern Europe and Germany. Stemming from this association, K is a favourite letter among satiric misspelling, where one letter is replaced with another for a rhetorical purpose. This occurs both in informal internet writing but also in serious political writing which questions the status quo, such as the American leftist group the Yippies, who in the 1960s would refer to the US as Amerika. The simple substitution of one letter for another, also seen in Franz Kafka's novel Amerika, creates connotations for the reader. By using the German spelling, the group hoped to stimulate comparison between totalitarian regimes and Nazism with contemporary foreign policy. In broader uses, the substitution of C for K is used to express disillusionment with political ideas, for example Bill Clinton being referred to as Klinton or Klintoon.

The British-American New Spelling movement of the twentieth century praised K as being the most reliable letter because it has just one symbol and one sound. This is highly unusual in the English alphabet and so makes the letter simple to use. However, the appearance of K in its silent form can often baffle the reader; words such as knight, kneel, knowledge or knit only serve to demonstrate the confusing use of the letter in the English alphabet. This confusion makes K a favourite among advertisers and copywriters who catch our eye with deliberate misspellings. After the popularity of the name Kodak, K has become a top player in the commercial world with Krispy Kreme, Kool Aid and Kleenex following in Kodak's footsteps. This ability of K to change the appearance and the meaning of a word makes it so valuable, alternating the meaning of a word just by its mere presence.

KACHAHLHLICHI
Marksteen Adamson (designer)
Neil Taylor (writer), 2004

In 2004, the writing group 26 and the International Society of Typographic Designers joined forces to explore the DNA of language. 26 business writers were randomly paired with 26 graphic designers, each pair were given one letter and asked to create a collaborative work that celebrated and explored that letter. Paired with Neil Taylor, Marksteen Adamson was given the letter K. Adamson and Taylor looked at the concept of extinction in words, beginning with K, that are now no longer in use. Focusing on languages from Taino, the Bahamas, Mohawk and Potawatomi, Marksteen wanted to create an edible poster adding more weight to the concept of dying words—words you really could eat. Entitled *Kachahlhlichi*, meaning "to let someone have a bite" from the threatened native language of Alabama, the poster was printed on 60 edible panels using consumable materials and inks encased in perspex to ensure its freshness. The final outcome was the creation of the world's largest edible poster, with smaller A3 sizes produced in a limited edition and sold at the British Library exhibition, so that people could take them home and eat them. The posters were displayed throughout the library as part of The London Design Festival.

I find the letter K offensive, almost nauseating, and yet I write it down, it must be characteristic of me. –Franz Kafka

I'm in reflective mood. Glancing back. Pondering how I got here. Who I
am. What I stand for. What's that you say? Indulgent? Well it's late. I've
had – imbibed – a few drinks. I'm sitting here idly, alone with my
thoughts. Gently rolling the I's in the bottom of my glass. Where's the
harm in that? So where was I? Ah yes. You'll find this quite interesting. My
background's quite cosmopolitan, you see. I'm part Phoenician, part
Greek. Some say there's even a bit of Egyptian in me. Of course I was
adopted by some Romans later, but that's another story. So yes, I'm quite
the international playboy. The Omar Sharif of the alphabet. I've even
had several aliases in my time. Different identities. Nothing cloak and
dagger about that, just a sign of the times. Way back, people called me
Yodh. It actually means 'a hand bent at the wrist'. Not that there's anything limp-wristed about me, you understand. Oh no. I may be a bit
intense, but I'm not that way inclined. I looked pretty good at the time,
though I say so myself. Impressive. Like a kind of vertical zig-zag. Later,
when I was going through my Greek phase, I straightened myself out a
bit. I became more or less the fine, upstanding mark you all know and
love today. And I changed my name again. This time to Iota. As in 'not
one iota'. Because at that time I was the smallest letter around. Bloody
sizeists, those Greeks. They invent democracy and then think they can go
around calling everybody names. I've really gone off the Iota aka now. It
implies there's not a lot to me. I may look a bit simple, but actually, I'm a
complex character. Illustrious. Imposing. Iconic. I like to think of myself as
the purest, most perfect member of my family. A single, sleek stroke. A
magic, minimalist mark. Immaculate. Impeccable. I and mighty. By the
by, did you know that if you took just me and my cousin O, a half-decent
type designer would have all the clues they needed to put together a
whole alphabet? That, I think you'll agree, shows just how influential I
am. But I digress. You're wondering about my dot, aren't you? I can just
tell by the way you're looking at me. Eye-to-i contact. It's the finishing
touch. The icing on the cake. Well, I have to admit, I'm a bit hazy on this
one. They say people started to dot their i's in the 13th century. So that I
didn't get lost on the page. As if. After all, I am the fourth most popular
letter in the English language. Just wait till I see that little bastard e again.
I can tell you what my dot is called though. It's a 'tittle'. Somewhere
between a titter and a nipple. Tittle ye not. Aye, it's been one hell of a
journey. Lesser letters could get tired just thinking about it. But not me.
I'm indefatigable. Incorrigible. I crop up everywhere. In chemistry, I
stand in for iodine. In maths I'm the imaginary unit, a complex number
whose square is –1. Whatever that means. But you get my point. I have
my fingers in a lot of pies. I get around. There was even a Swedish film
called I, which came out in the sixties. A bit obscure, I grant you, but how
many letters can say that? OK, you've got your X-Men and Dial M for
Murder, but they're hardly the stars of the show, are they? And you
might have noticed that I've reinvented myself a bit recently. Yes,
I'm a thoroughly modern, up-to-the-minute kind of guy – I mean i.
There I am, sitting pretty on iMacs and iPods, and all the rest of
those dinky iThings, fronting the digital revolution. I do go on, I
know. Looks are deceptive. You'd think it'd be less is more with me.
The ultimate modernist mark. Mr Stripe. The one-liner. But I am
what I am, and I like to be inclusive. Think about it. I'm right there,
heading up everything from infinity, to the continent of India, to an
insignificant ickle insect. If the mood takes me, I can be inventive or
inspirational. Inebriated or insouciant. Idealistic or idiotic. Iota?
What did those kebab eaters know? It gets me quite irate just thinking about it. But that's enough about me. Or should that be I? What
about you... Story by Jim Davies . Typography Derek Birdsall . 2004

Formed simply out of a straight line, I is one of the oldest signs of human communication. Although it is may be the simplest letter visually, it is definitely one of the most important. The letter I is the ninth letter and third vowel in the basic modern Latin alphabet and is descended from the Semitic consonant *Yod*, and the Greek vowel *Iota*. In Roman numerals, it has the value of one, and this is most probably due to its similarity to a raised finger.

As a vowel, I has an important role in holding the words of the English language together. Nearly every word has at least one vowel, and they have a major purpose in making words more pronounceable for the reader. I has both long and short sounds and can be pronounced "ai", or more rarely as "ie". It is one of the most used letters of the alphabet, being the fourth most frequent letter after E, T and A. The frequency of I is usually attributed to the word is, and the occurrence of -ing words in English such as eating, going, sleeping.

I is charming not just for its use as a letter but for being the only letter of the alphabet that is a stand alone word. I is used as the first person pronoun in the English language and I, meaning me, first appeared around 1400 BC. This I is central to the English language.

As one of the English language's five main vowel letters, I is often seen as the pillar of English, not just in its commonness but in its physical appearance. The letter mimics the strength of the human body, standing tall with feet apart. Along with the letter O, they form the basic shapes of the whole alphabet. Typographers base great importance on the capital I as it forms the basis in the creation of any typeface due to the fact that it establishes both the height and the thickness of all other letters in an alphabet.

As in the modern day Turkish, the Medieval I was actually just a line —it had no dot lying above it. The dot was added as the letter was indistinguishable on a full page of handwriting; the simple sweeping line could easily be lost in the midst of other straight-sided letters such as M, N or U. The addition of the dot led to the creation of the proverbial phrase "dot all the i's and cross all the t's". Even today in our heavy print culture, the letter runs the risk of being lost or viewed as just an ornamental feature. In fact, some magazines and publishers are strict about not having words beginning with I starting titles, as next to the gutter, they can appear to be decoration, not a letter.

In the modern day world of communication, the I is often used as a simple acronym for the internet. The lower case i in particular is associated with anything technological, which has been greatly enforced in the past few years by the i-cult of Apple and the subsequent i-generation.

I

Derek Birdsall (designer)
and Jim Davies (writer), 2004

This poster was the result of the collaborative efforts of Derek Birdsall and Jim Davies. Birdsall is an influential book designer who, therefore, works closely with letters in his day-to-day work. Davis, a writer, has contributed works of fiction and non-fiction to a variety of publications, and his humorous interpretation of the letter's history is characteristic of his work. The I is made up of negative space, highlighted by the text that surrounds it. The text is an account of the history of I, written in the first person from the letter's perspective. The letter is given a pompous voice, and lists its many uses in language and technology, drawing attention to its strong aesthetics, which make it suited to graphic art.

I is the first letter of the alphabet, the first word of the language, the first thought of the mind, the first object of affection.
—Ambrose Bierce

Though X is a relatively infrequently used letter, no other has taken on so many different personalities and meanings. It implies mystery, exoticism, technological progress, immorality and is used in politics, advertising and sociology; from X marks the spot, Xmas, Malcolm X, X for sincerity, X for extreme, to Generation X, X-rays, X for kiss, and many more. Its history and connotations make X the alphabet's most infamous letter.

Also a numerical symbol for the number ten, X began its current life in the ancient Roman alphabet where it was the twenty-first letter. The ancient Romans copied the letter from the Etruscan alphabet at around 600 BC, which had previously copied it from the Greek. The passing of the Roman letters to the Medieval European languages ensured that X became an English letter. The sound of the letter was adopted from the basic "ks" sound from the Greek letter *Xei*, but it was re-assigned to the X form of another Greek letter, *Chi*, for which there was no use.

Its mystery perhaps comes from its lack of usability in the English language. X is one of the least employed letters. The mystery surrounding X is also derived from its use in mathematical equations. This is often attributed to the French philosopher and mathematician Descartes, who apocryphally used *X*, *Y* and *Z* as his three unknown quantities, with *Z* as the most important. However, when it came to printing the equations in *La Geometrie*, his printer asked to change the importance over to the letter *X*, as he had far more letter blocks for X (in French, X is used far less than Y and Z). The links with algebraic equations only serves to add to its symbolic significance as something hidden and mysterious.

One of the most accessible uses of the letter X is through its implying of affection. Historically, this is derived from the letter's importance as a preliterate symbol in the Middle Ages, a time when most of the population were unable to read or write. The symbol X was used as a substitute for a signature on official documents; the signature would then kiss the cross to signify their sincerity and their will to stick to the agreement. Over the years, X has come to symbolise a kiss and not a signature.

Modern culture, advertising and technology relies on the letter X becoming almost a defining letter of our age—from Kylie Minogue and her album *X* to the film *American History X*, from *The X Factor* to the *X-Men*. The instant effect gained by adding X to a title has often been exploited for advertising and marketing purposes. X also has a major use in typography as the x-height, or height of the letter x, refers to the distance between the baseline and the meanline in a typeface.

From X-ray to Malcom X, the letter has found a use as a question mark. American human rights activist Malcolm Little changed his surname to X in 1952. The X was to symbolise his lost African heritage and the family names that he would never know. The term 'Generation X' was popularised by the Canadian writer Douglas Coupland, as a reference to those people born after the end of the Second World War baby boom, ranging from 1961 to 1981.

X is often a symbol for the extreme, with the modern day X Games which focus on extreme sports, and X-rated films. After the Motion Picture Association of America introduced audience ratings, the X-rated category included violent and pornographic films. Over the years, X has become known as the 'certain something' and 'the unknown quantity', giving it a firm place in modern day culture.

X signifies crossed swords, combat—who will be victor? Nobody knows—that is why philosophers used X to signify fate, and the mathematicians took it for the unknown.
—Victor Hugo

X STORIES
Thomas Manss (designer), Mike Reed (writer), 2004

Completed as part of The London Design Festival, *X Stories* is Thomas Manss' and Mike Reed's collaborative interpretation of the letter X. Manss and Reed responded to the letter by examining how it plays tricks on many levels; from a distance it clearly reads as a three-dimensional letter, yet, on closer examination the X appears to be the one element that is not there. Instead, the letter emerges from the spaces left over by ten stories about the alphabet's most notorious letter, from Malcolm X to X-ray.

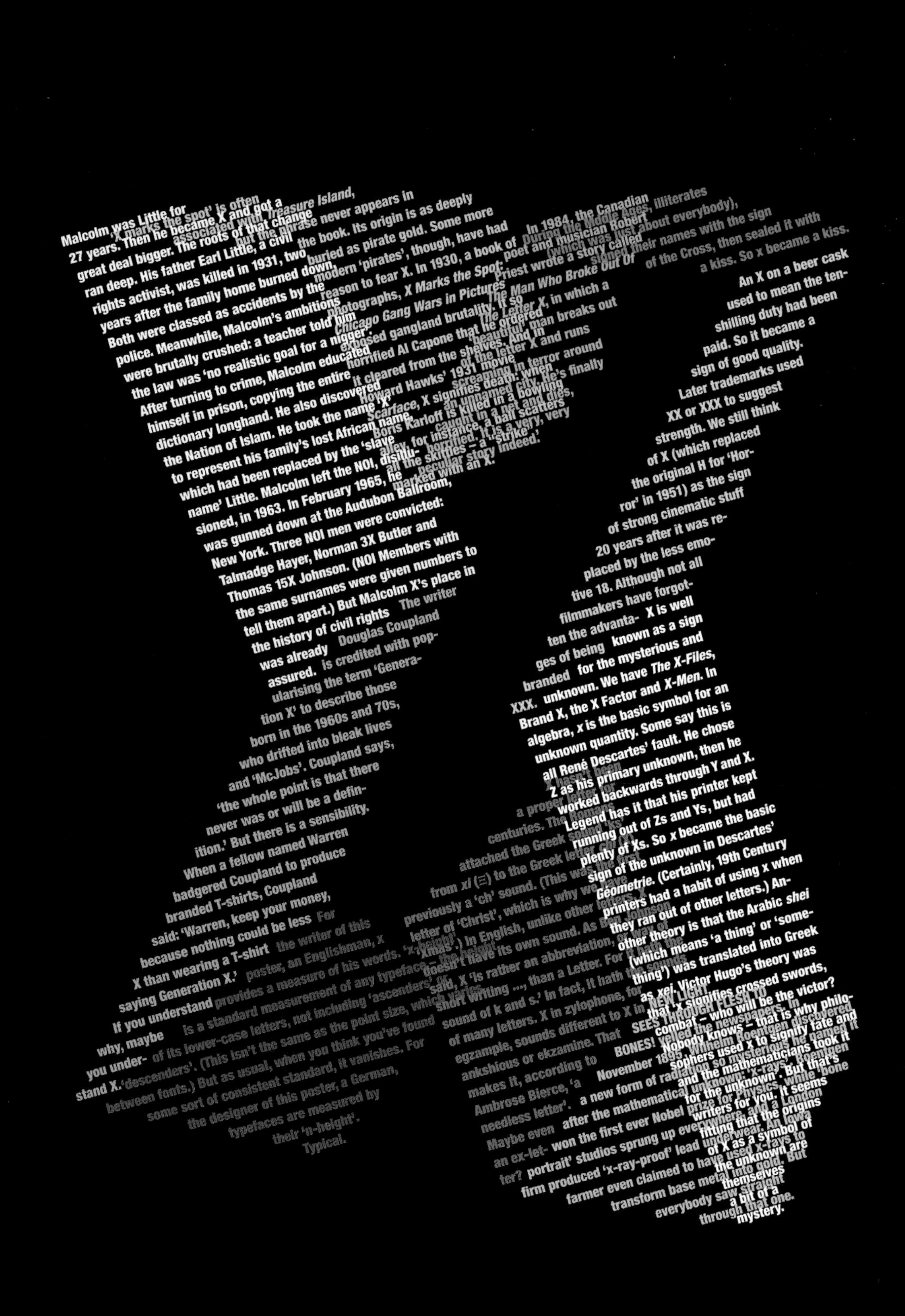

Malcolm was Little for 27 years. Then he became X and got a great deal bigger. The roots of that change ran deep. His father Earl Little, a civil rights activist, was killed in 1931, two years after the family home burned down. Both were classed as accidents by the police. Meanwhile, Malcolm's ambitions were brutally crushed: a teacher told him the law was 'no realistic goal for a nigger'. After turning to crime, Malcolm educated himself in prison, copying the entire dictionary longhand. He also discovered the Nation of Islam. He took the name 'X' to represent his family's lost African name, which had been replaced by the 'slave name' Little. Malcolm left the NOI, disillusioned, in 1963. In February 1965, he was gunned down at the Audubon Ballroom, New York. Three NOI men were convicted: Talmadge Hayer, Norman 3X Butler and Thomas 15X Johnson. (NOI Members with the same surnames were given numbers to tell them apart.) But Malcolm X's place in the history of civil rights was already assured.
The writer Douglas Coupland is credited with popularising the term 'Generation X' to describe those born in the 1960s and 70s, who drifted into bleak lives and 'McJobs'. Coupland says, 'the whole point is that there never was or will be a definition.' But there is a sensibility. When a fellow named Warren badgered Coupland to produce branded T-shirts, Coupland said: 'Warren, keep your money, because nothing could be less X than wearing a T-shirt saying Generation X.' If you understand why, maybe you understand X.
'X marks the spot' is often associated with Treasure Island, but the phrase never appears in the book. Its origin is as deeply buried as pirate gold.
An X on a beer cask used to mean the ten-shilling duty had been paid. So it became a sign of good quality. Later trademarks used XX or XXX to suggest strength. We still think of X (which replaced the original H for 'Horror' in 1951) as the sign of strong cinematic stuff 20 years after it was replaced by the less emotive 18. Although not all filmmakers have forgotten the advantages of being branded XXX.
X is well known as a sign for the mysterious and unknown. We have The X-Files, Brand X, the X Factor and X-Men. In algebra, x is the basic symbol for an unknown quantity. Some say this is all René Descartes' fault. He chose Z as his primary unknown, then he worked backwards through Y and X. Legend has it that his printer kept running out of Zs and Ys, but had plenty of Xs. So x became the basic sign of the unknown in Descartes' Géometrie. (Certainly, 19th Century printers had a habit of using x when they ran out of other letters.) Another theory is that the Arabic shei (which means 'a thing' or 'something') was translated into Greek as xei.
X STORIES

F is for Fox, an animal sly,
As you'll easily guess by the look of his eye;
Let us hope that the dicky-birds perched on the letter
Will fly away home—they had very much better!
F
Ff
ऐफ़
f
Flag (फ़्लैग) झंडा
F f
F is for fishes with glittering scales
Ff
F, f (ĕf), n. [pl. F's; Fs; f's; fs (ĕfs)], the sixth letter of the English alphabet, or its sound (for certain uses, see alphabet, Note); F, Chem., the symbol [F] for the element fluorine.
FULCRUM
A, lever; B, fulcrum; C, weight.
December, 1819.
But as for me and my house, we will serve the Lord.
Joshua xxiv. 15.
F
Ralph Walker
F
F
F
F
Reynard, the fox, has been out most of the night hunting. He is hurrying home for a long sleep.
Falcon.
PISCES: REPRESENTATIVE LIVING FISHES.—1, dog fish; 2, ray; 3, sturgeon; 4, short-nosed gar pike; 5, tarpon; 6, cod; 7, sanelus; 8, sea devil, a deep-sea fish with phosphorescent organ on the snout; 9, eel, or moray; 10, Australian lungfish; 11, sea horse; 12, mackerel; 13, flounder; 14, flying fish; 15, sunfish.
7. Frog Fish.
FOX
fox
FOWLS
fowls
WILLS'S CIGARETTES
ST. GEORGE.
ST. ANDREW.
UNION FLAG 1606.
ARMS OF FITZGERALD.
THE UNION FLAG.
F.......................for vessen
F ..—. F
F for FOX
FOX.
F f
FISH
FROG
FUSCHIA
Festival.
Fantastic.
Favourite.
Feather.
Flamenco.
Football.
Fountain.
Ff
Fan
Fingal's Cave, Staffa.
F
f
F, f, the sixth letter of the English alphabet, is a labial articulation, formed by the passage of breath between the lower lip and the upper incisive teeth. The figure of the letter F is the same as that of the Eolic digamma (Ϝ), to which it is also closely related in power. As a contraction, it stands for fellow; as a numeral, it denotes 40; and with a dash over it (F̄), 40,000. In music, F is the fourth tone of the diatonic scale of C. F sharp (F♯) is a tone between F and G.
F
f
Ff
Fow
FENCING POSITIONS
Showing important thrusts and their parries: 1, on guard 2, prime; 3, tierce; 4, carte; 5, septime; 6, octave.
F
FOUGHT FOR IT
F [6]
F ...... Foxtrot
FAUCETS
F
f, 6
Fox.
f
FLOUNDER (¼)
FROGS (¼)
FEATHER
frog (frŏg), n. [<A.S. frogga, frog] a small, tailless amphibian with a smooth skin and webbed feet, notable for its swimming and jumping ability.
F
Fir-tree.
F
F
FISH
fish
F
F
4D
PER LB
A B C D E F G H I J K L M

F IS FOR

The letters of the alphabet are everywhere; on the street, in the air, on the walls. With the abundance of the written word in Western civilisation, the alphabet and its use in communication often go unnoticed, its importance only acknowledged once denied.

At times, however, alphabets appear to individuals as if out of nowhere, otherwise hidden within their environment. The 'throwaway society' so ubiquitous to the Western mind, means that many letters and alphabets are discarded, and then found by others, to be transformed. In today's world there is a certain fascination with found items as these provide a glimpse into somebody else's life. Found objects have a history; they can be fragile reminders of what once was and an evocation of the past. The endless possible stories behind found alphabets capture the imagination by transforming something mundane into something fascinating.

Found objects, in an artistic sense, are any objects that were not originally designed for an artistic reason, but ones that earlier had an alternative purpose. These found objects are then used by an artist in an artistic manner and are labelled as 'found' so as to distinguish them from purposely created items used in the art forms.

From artists who have found letters in the street, to those who have created alphabets from found objects, these rediscovered alphabets open a window on to a fascination with items that have had a previous life, creating a beauty and excitement witnessed in the everyday.

For there is nothing lost, that may be found, if sought.
–Edmund Spenser

OPPOSITE
LETTER F (DETAIL), ALPHABET
Peter Blake, 2007

OVERLEAF
ALPHABET
Peter Blake, 2007

Peter Blake trained at the Royal College of Art, and emerged in the 1960s as one of the leading figures of British Pop Art subsequent to his work being exhibited at the Young Contemporaries exhibition in 1961 alongside the likes of David Hockney and RB Kitaj. He gained wider public attention when he featured in Ken Russell's film on Pop Art, *Pop Goes the Easel* in 1962, and was elected a Royal Academician in 1981. He became fascinated by letters, font and typography while studying for a National Diploma in Graphic Design prior to starting at the Royal College of Art in 1953. The artist's work incorporates 'found' imagery from magazine covers, fairground art, and similar popular ephemera, often including elements of collage. Blake's *Alphabet* portfolio is demonstrative of his passion for collecting letters and imagery; each individual letter is surrounded by images, typefaces and words, all of which are part of Blake's extensive collection of found materials, which combine to create a cohesive range of prints.

A is for apples so juicy and red
A .... for 'orses
Apple (ऐपल) सेब
A a
Ark
A APPLE PIE
A .... Alpha
Apple
A for APE
abracadabra
A [1]
abcdefghijklmnopqrstuvwxyz

B is for baker who bakes buns and bread
B .... for mutton
Baby (बेबी) बच्चा
B b
Baby
BIT IT
BOY
boy
Bric - a - Brac.
Bell
B for BEAR
B .... Bravo
B [2]
abcdefghijklmnopqrstuvwxyz

C is for cat and the cat where you sleep
Cat (कैट) बिल्ली
C .... for miles
C ...... Charlie
C for CAT
C c
Cat
CUT IT
C [3]
abcdefghijklmnopqrstuvwxyz

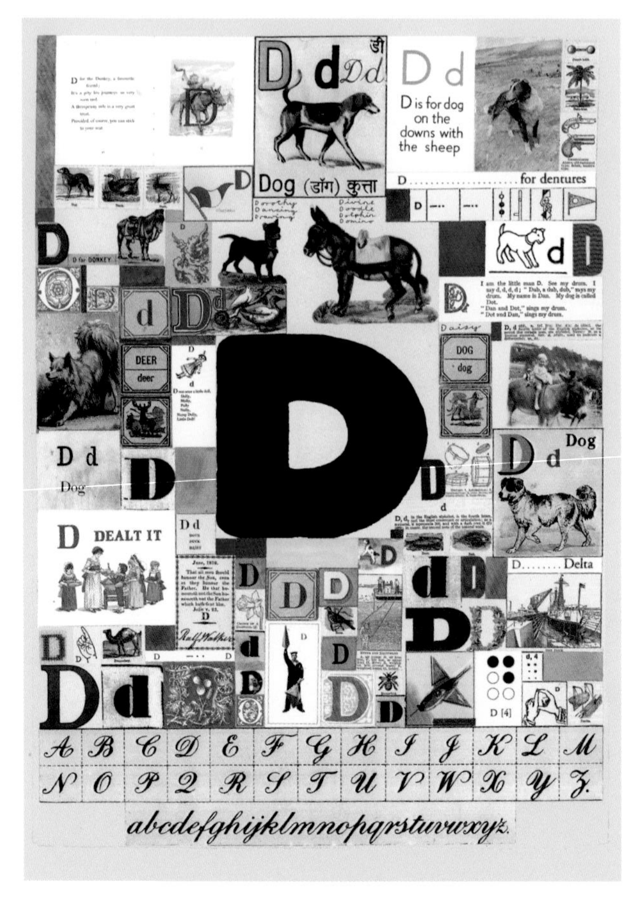
D is for dog on the downs with the sheep
Dog (डॉग) कुत्ता
D .... for dentures
D for DONKEY
DEER
deer
DOG
dog
D d
Dog
DEALT IT
D .... Delta
D [4]
abcdefghijklmnopqrstuvwxyz

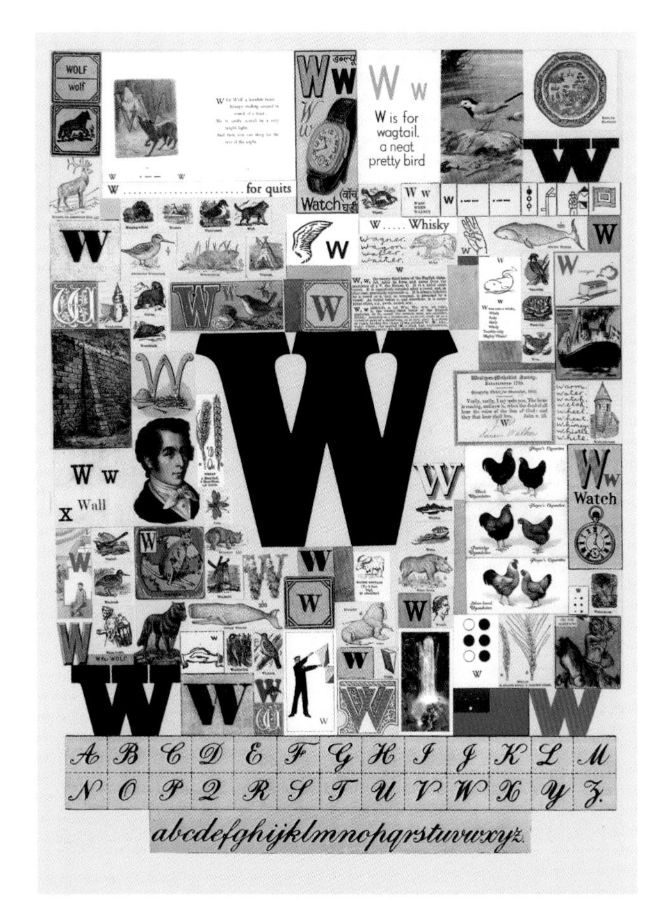
W is for
wagtail,
a neat
pretty bird
W .... for quits
W ..... Whisky
Watch
Ww
Wall
abcdefghijklmnopqrstuvwxyz.

X hardly
ever comes
first in
a word
X .... for breakfast
Xmas
X .... X-ray
Card
abcdefghijklmnopqrstuvwxyz.

Y is for
yacht and
youngsters
like you
Yard
Y .... for mistress
Yy
Yew
Yacht
Y .... Yankee
abcdefghijklmnopqrstuvwxyz.

Z is for
zebra
you see
at the Zoo
Zebra
Z .... for breezes
ZEBRA
zebra
Z .... Zulu
Zz
abcdefghijklmnopqrstuvwxyz.

TYPE THE SKY

Lisa Rienermann, 2005

Whilst standing in a courtyard in Barcelona in 2005, German artist Lisa Rienermann noticed that the shape of the letter Q was formed in the sky by the outlines of the buildings which surrounded her. Over the next few weeks she trawled the narrow streets of the Spanish city looking up to the sky. Gradually she found and photographed each letter of the alphabet as it was inadvertently shaped by the urban landscape. The photographer's perspective provides a stark contrast between the brightness of the sky and the looming edifices which enclose her, creating a silhouetted frame for each letter. Rienermann's photographic font also includes exclamation and questions marks, which are cleverly envisaged by utilising the city's streetlamps to interrupt the negative space which the sky occupies. Rienermann's innovative alphabet was awarded a Certificate of Typographic Excellence by the Type Directors Club New York in 2007.

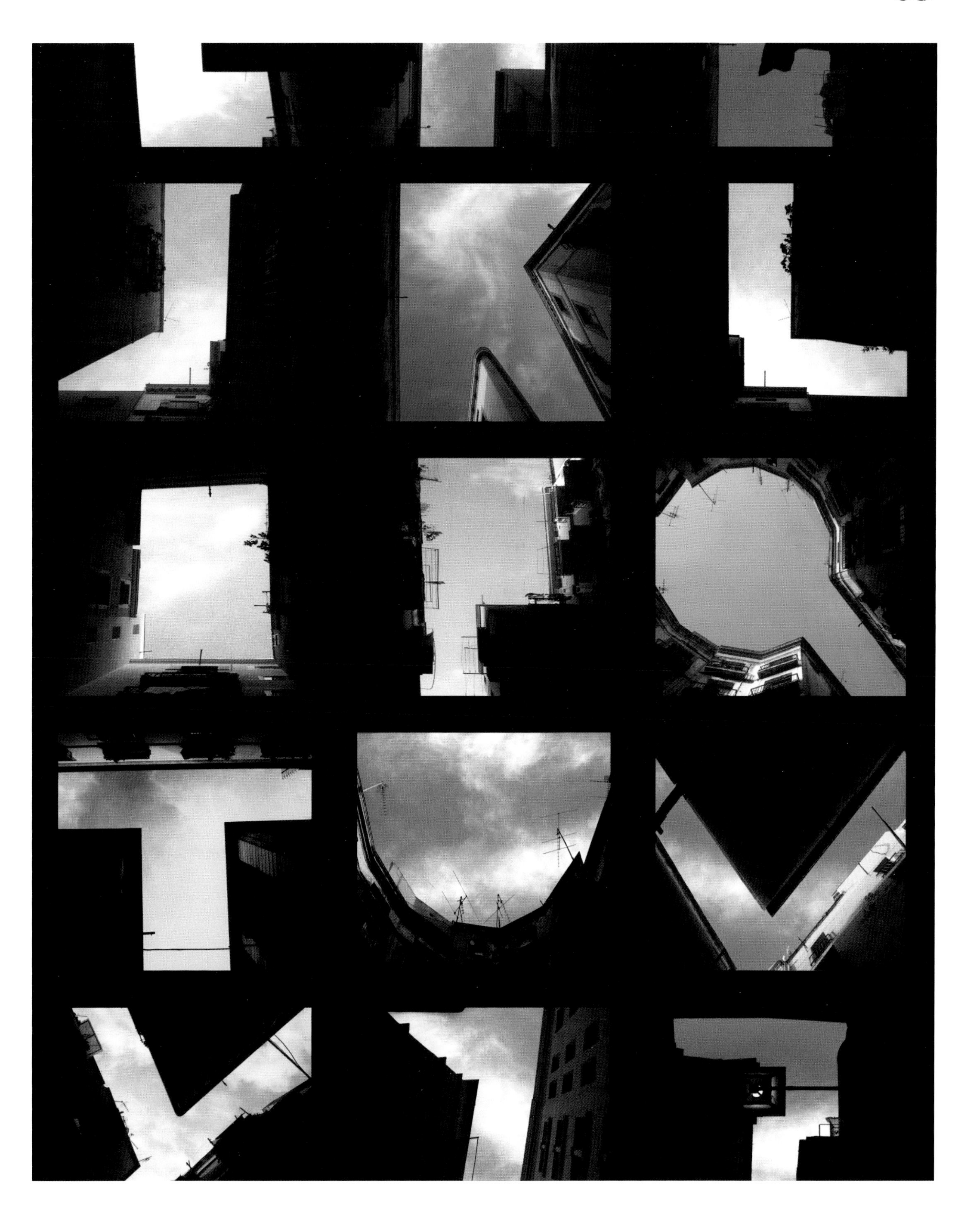

FREQUENCY

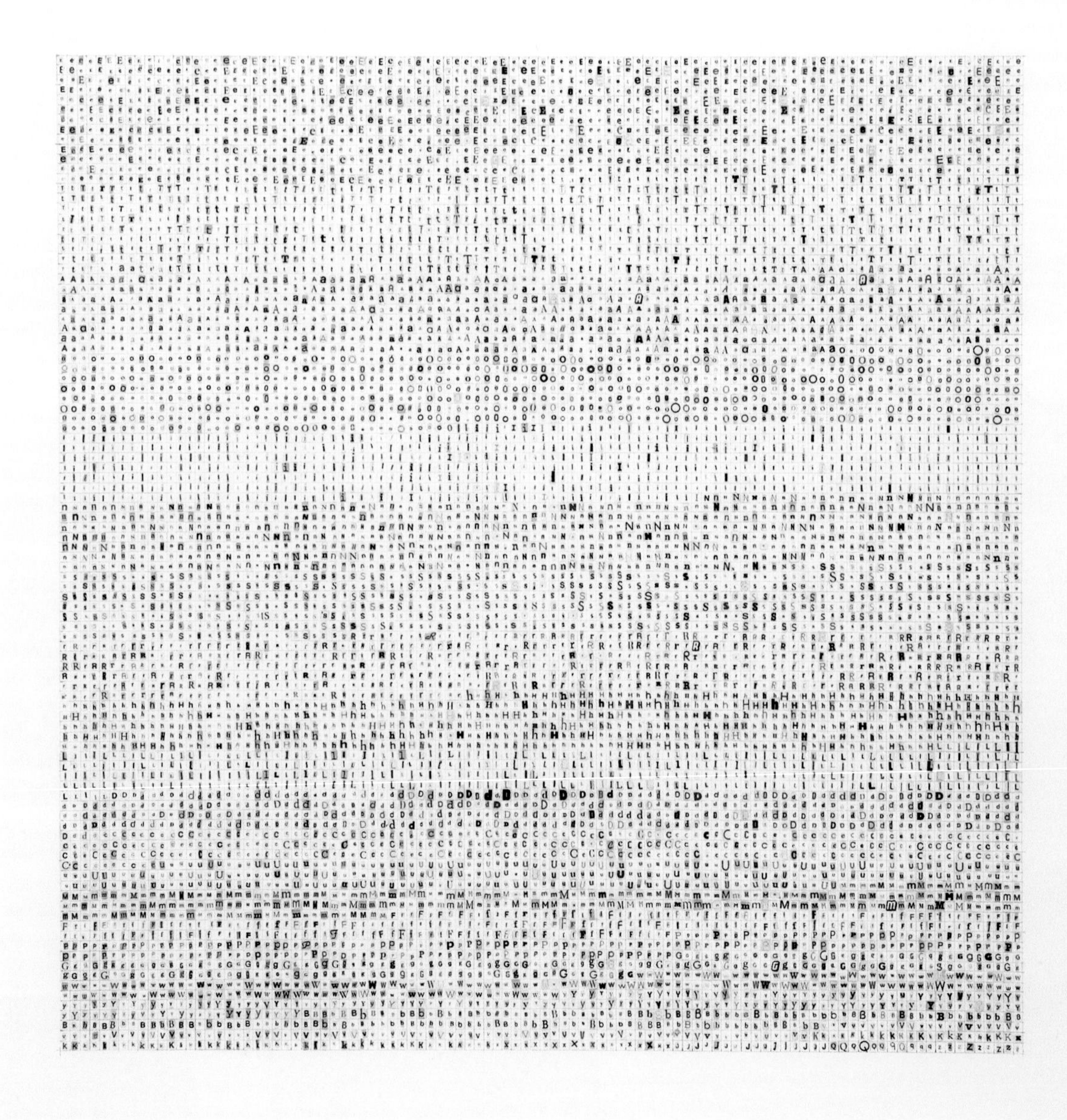

OPPOSITE

FREQUENCY

Tauba Auerbach, 2005

Tauba Auerbach's ongoing exploration of the alphabet and its visual language is expanded to the popularity of letters in *Frequency*. The work consists of 10,000 collected and cut out letters found in magazines, systematically organised in order of their usage. The work highlights the relevance of different letters to the English language, as well as revealing the varying structure and forms of each character through the repetitive and densely populated grid of symbols.

RIGHT

ALPHABETS

Bela Borsodi, 2009

Austrian photographer Bela Borsodi shot *Alphabets* for *WAD* magazine in 2009. The issue's theme was the Alphabet and each artist was given a letter to work with, Borsodi's being A. From his point of view, A stands for the word Alphabet, so he used clothes, people and random objects from his apartment to create three-dimensional letters. Only through the camera lens do the letters really take their shape; from anywhere else in the room they would simply appear as an abstract collection of objects.

G
2

G IS FOR

Alphabets provide the foundation for some of the most iconic and ubiquitously played games in the world: from Scrabble and Scattergories to crosswords and card games. The letters of the alphabet are easily adaptable to different gaming scenarios, and have consistently featured in word and board games with the flexibility to be played competitively, as a group or individually. Games which revolve around the alphabet strike a perfect balance between simplicity and complexity; easy to pick up, but packed with variety.

When playing word games, winning is determined by the skilful manipulation of the alphabet, where intelligent and pragmatic thought is the true path to victory. In creative puzzle games, such as tangrams, the letters of the alphabet are a challenging and varied series of structures that can be constructed from individual shapes or building blocks. Alternatively, games such as Scrabble rely on verbal dexterity and a creative approach to letter combinations and wordplay. The infinite number of possible combinations guarantees that no two games can be the same, justifying the game's long-standing popularity.

The alphabet has the power to transform and revolutionise traditional gaming features and new applications of alphabets are continuing to be developed. Indeed, the 20 faces of the alphabetic Scattergories die play their very own games with convention. The entries here highlight the lasting relationship between games and the alphabet, a bond that continues to play the same winning hand again and again, whilst still maintaining traditional values but constantly evolving and developing new strategies to entertain at the same time.

It is in games that many men discover their paradise.
—Robert Lynd

OPPOSITE
SCRABBLE
Alfred Mosher Butts, 1948

SCATTERGORIES

Produced by Hasbro through the Milton Bradley Company, 1988

Scattergories is a fast-thinking, quick-scribbling, creative word game. In each round, the players are presented with 12 categories and one letter of the alphabet. The contenders are then given three minutes to think of words that correspond to each category and begin with the letter that has just been rolled on the alphabetic die. With 20 faces, the icosahedron features every letter of the alphabet except Q, U, V, X, Y and Z, as even a seasoned Scattergories player would struggle to come up with many words related to these difficult letters.

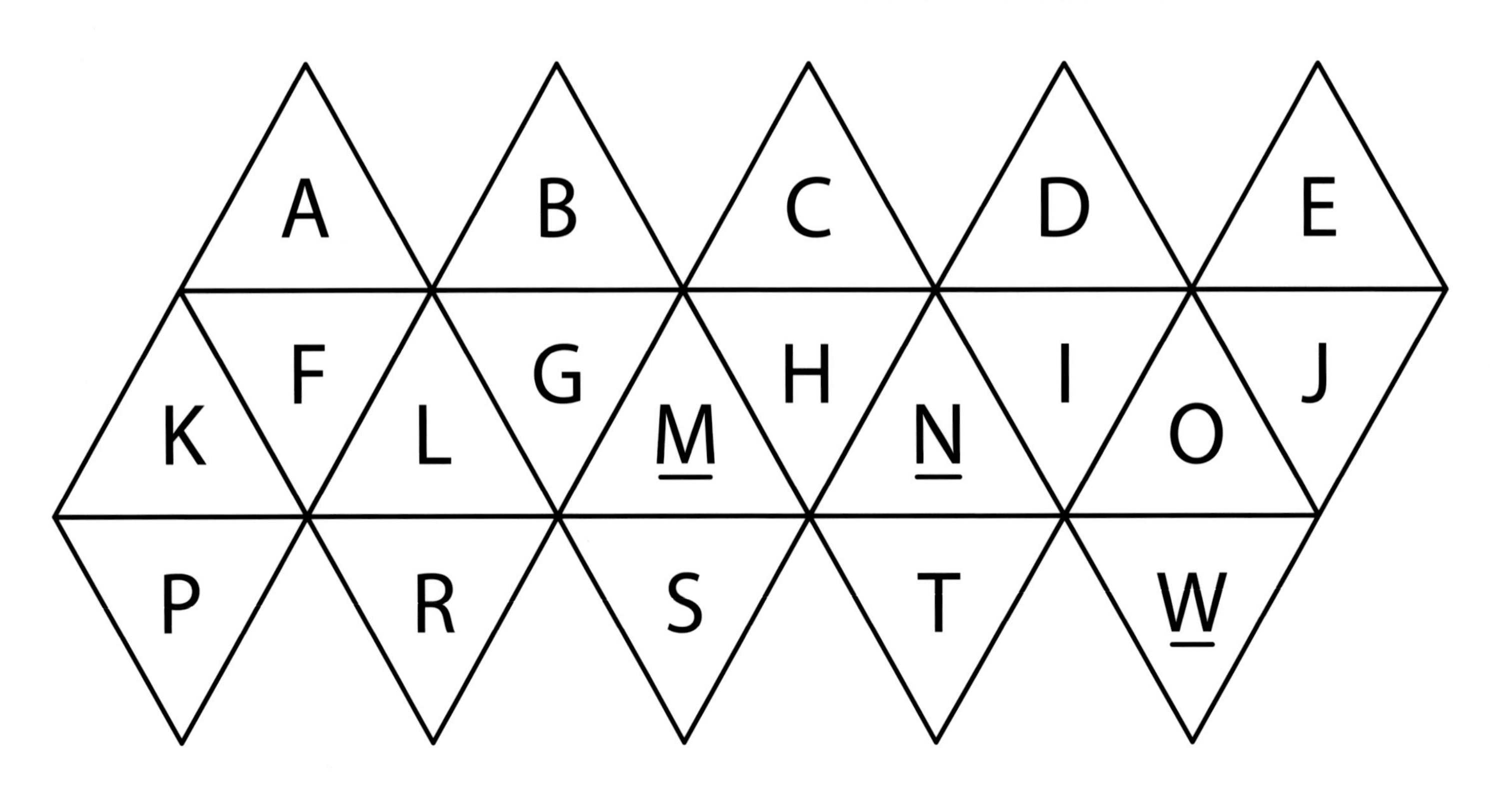

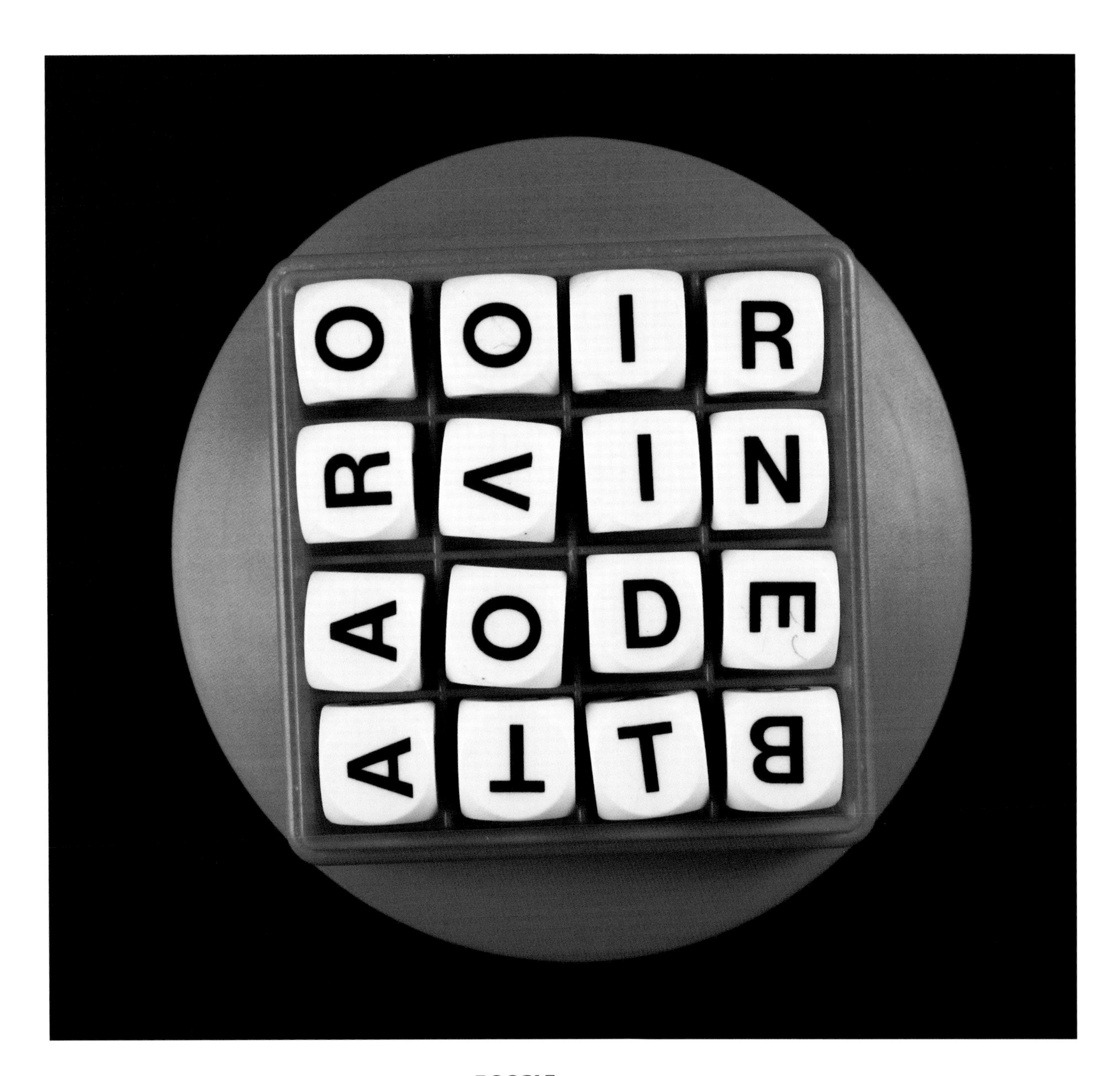

BOGGLE

Designed by Allan Turoff, 1996

To a certain extent Boggle is a cross between Scrabble and Scattergories. Similar to Scrabble, it is a letter arrangement game where more complex words mean more points are won; and like Scattergories, Boggle uses alphabetic dice—not a single icosahedron but a tray of 16 cubic dice—and players are given three minutes to test their intelligence. In each round, the tray of dice is shaken and participants are required to search for words that can be created from sequentially contiguous cubes. The winner will be the player with the largest amount, longest and most original set of words. Words that are discovered by more than one player are not awarded points, and thus innovation is key in this three-dimensional wordsearch game.

SCRABBLE

Alfred Mosher Butts, 1948

Scrabble is the world's best-selling word game. Invented by Alfred Mosher Butts, the game was eventually copyrighted in 1948 after many years of developing different prototypes known as Lexico, Alph and Criss-Crosswords. It is now sold in 121 countries across the world, and over 100 million sets of the game have been sold in 29 different languages.

The aim of the game is to create words from a series of alphabetic tiles, which are arranged on a board in crossword fashion. Being based partly on luck and partly on skill, the game is an enjoyable alternative to simple games that are centred purely on fortune and intellectual games that are focused solely on tactical proficiency.

PUZZLE 57

E	G	I	T	E	M	E	R	E	T	R	A	U	Q	P
L	E	A	N	N	L	N	D	E	P	R	I	M	E	R
L	R	P	I	Q	I	L	L	N	N	T	E	H	Q	E
A	A	T	E	T	U	E	I	S	O	R	O	I	X	S
S	A	O	E	B	P	A	F	O	B	C	O	L	K	S
E	N	L	T	L	O	R	R	A	F	N	E	T	O	D
Q	U	E	X	E	I	R	S	T	G	S	X	S	N	O
S	B	B	I	P	N	P	C	U	A	B	E	U	D	E
T	E	A	S	P	T	N	A	S	J	T	O	A	P	C
H	V	T	L	A	T	R	T	L	R	P	A	U	O	R
R	F	E	F	E	D	E	S	I	M	E	R	Y	B	E
U	S	D	O	D	S	N	U	O	H	I	E	C	O	I
S	L	I	R	B	T	T	C	E	G	N	U	L	U	T
T	A	L	T	A	E	B	R	D	D	N	I	B	T	B
E	P	G	E	U	E	S	L	A	F	S	G	T	D	A

On guard

Take a stab at finding these fencing terms in the grid!

APPEL
BALESTRA
BEAT
BIND
BOUT
COMPOUND
EPEE
FALSE
FEINT
FOIL
FORTE
GLIDE
HILT
IN QUARTATA
LUNGE
ON GUARD
POINT
PRESS
PRIME
QUARTE
REMISE
SABRE
SALLE
SECONDE
SIXTE
THRUST
TIERCE

WORDSEARCHES

Norman E Gibat, 1968

The concept of a wordsearch is simple: a set of pre-specified words are hidden within a grid of letters, and must be found. The first wordsearch was published in 1968, in Oklahoma by Norman E Gibat, and spread rapidly from there. They are now common in newspapers and puzzle books, providing uncomplicated entertainment and distraction for players of all ages.

In this puzzle the alphabet is used to challenge and to entertain. It provides puzzle designers with infinite possibilities in terms of subject matter and allows for different levels of difficulty to be introduced, resulting in a game that cannot be exhausted.

OBJECTOGRAPHY

OBJECTOGRAPHY by JAMIE HEARN

Objectography - The deconstruction of typography into its most simplistic form, representing character strokes with objects or shapes.

Contents information

30 different components

340 separate pieces per alphabet (consisting of letters A to Z and numbers 0 to 9).

Please check all components are present before attempting to assemble.

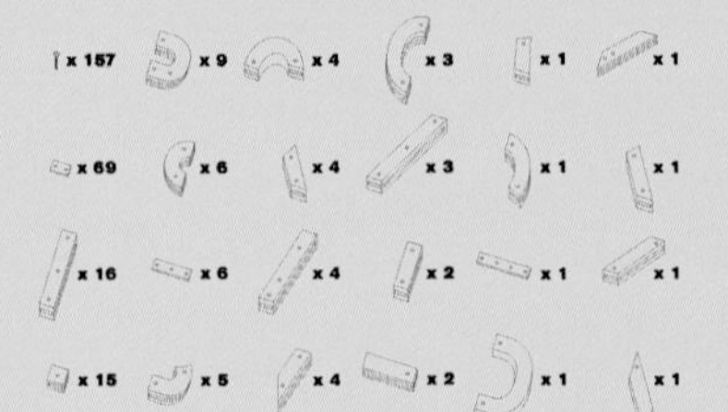

Tools Required

*Pencil not essential but can be used to mark baselines, ascender lines etc.

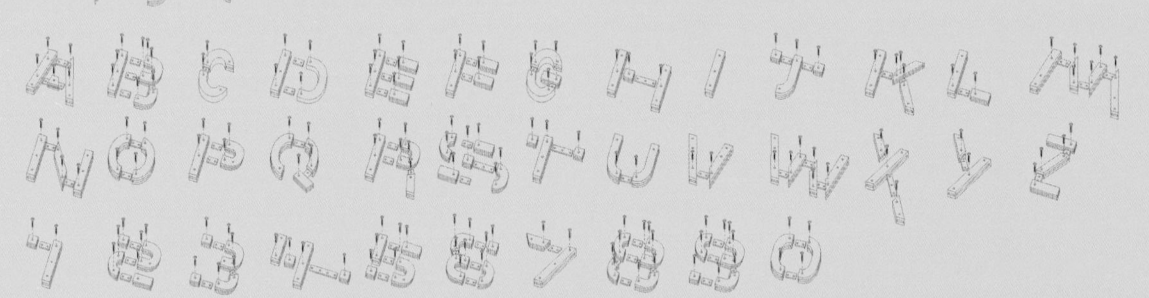

Instructions for assembly

Follow the easy step-by-step guide to complete the assembly of each letter.

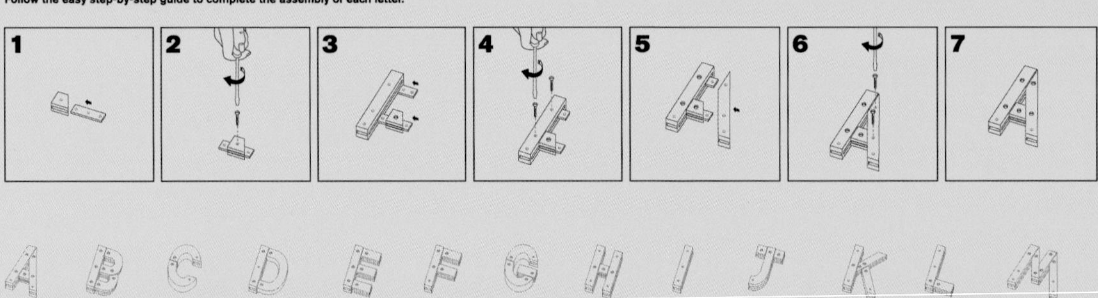

typ. hearn

OPPOSITE

OBJECTOGRAPHY

Jamie Hearn, 2009

Graphic designer Jamie Hearn created a typeface resembling a traditional construction game, similar to Meccano. Hearn took inspiration from the layout designs of the Swiss typographer, Jan Tschichold's *Die neue Typographie*, designed in 1928, creating a game where the letters of the alphabet can be built from a set of straight and curved components. His poster reads like the instructions on the inside of a board game box, listing all the pieces needed for the game and informing us "how to play".

RIGHT

TANGRAM TYPE

Oriol Gayán, 2009

The tangram is an ancient Chinese puzzle, comprising seven flat polygons of different shapes and sizes which have been cut from a single square. Since its invention, the modular brainteaser has provided artists with a challenging group of basic shapes from which to create curiously geometric representations of other instantly recognisable images. Oriol Gayán's alphabetic construction does not conform to the tangram's set of rules, neglecting to use all seven 'tans' for each letter; however, it proves to be an innovative and accurate interpretation of the alphabet, effectively utilising the sharp angles and stocky character of the pieces to create a stimulating series of block letters.

H IS FOR HANDS

Hands and the alphabet are inextricably linked and together create a powerful tool of communication. Our hands are the most blatant form of non-verbal expression and are used constantly; from gestures to greetings and from sign language to origami. It is believed that thoughts are first articulated through the body and the hands on a subconscious level, expressed through physical gestures. Sign language and its manual alphabet provide the most used means of expression for deaf people and this importance is often construed in art forms. Hands are used to spell out the alphabet but they are also readily employed for reading the alphabet. The fingertips contain some of densest areas of nerve endings in the human body, and so they are the richest source of tactile feedback. Therefore the hands are perfect for systems such as Braille, where the alphabet is read through raised dots symbolising each letter, number and punctuation mark.

Hands can not only communicate the alphabet, but they can, of course, make the alphabet too. Hands can sew, write, fold, print, paint and much more. There are many artists who have chosen to focus their work on the alphabet demonstrated by hands, but there are also artists who have created handmade alphabets using techniques such as origami and finger shapes. The theme that ties all of these together is the relationship between verbal and non-verbal expressions in the articulation of meaning.

The Devil finds work for idle hands.
—Proverb

OPPOSITE
BRAILLE ALPHABET LETTER H

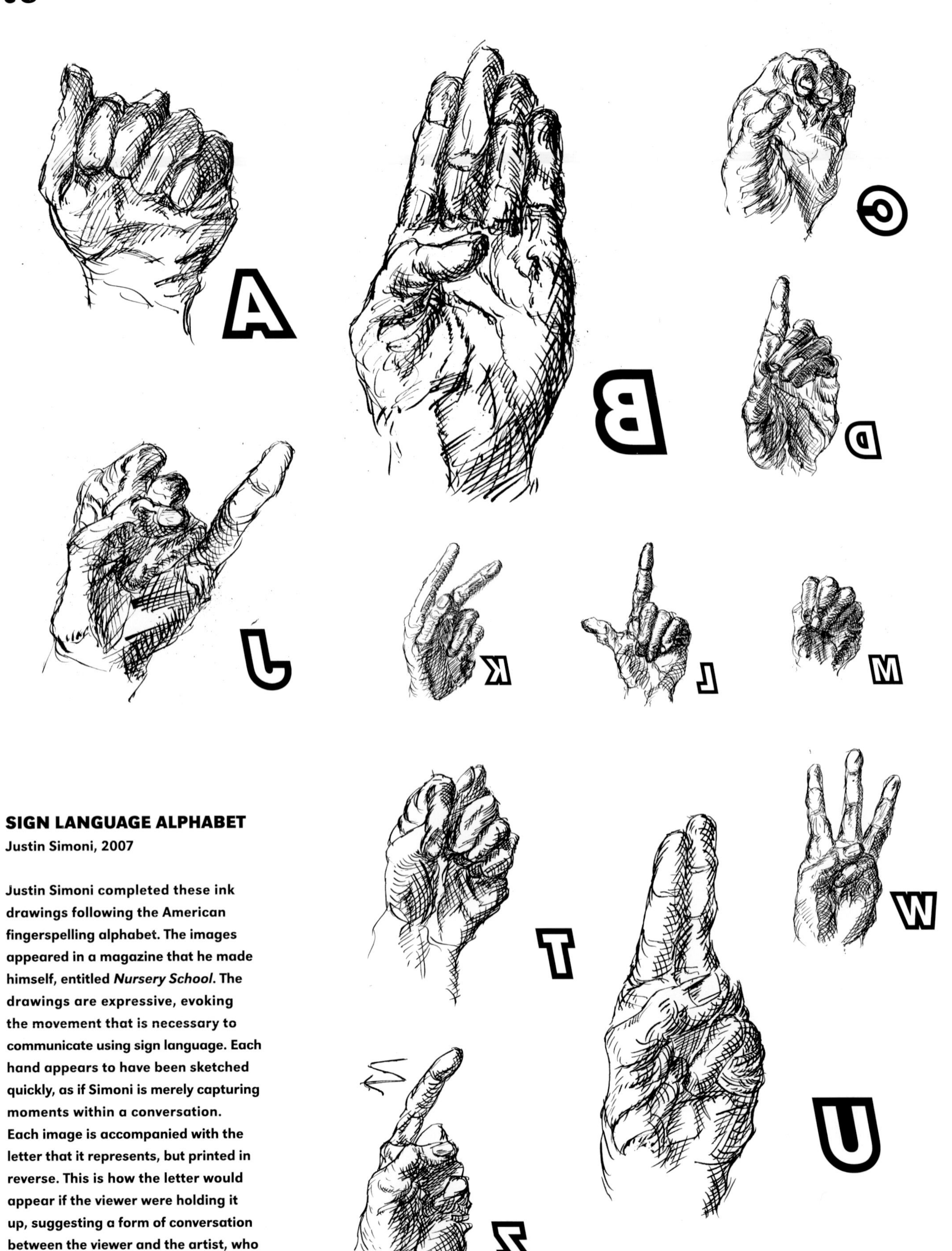

SIGN LANGUAGE ALPHABET

Justin Simoni, 2007

Justin Simoni completed these ink drawings following the American fingerspelling alphabet. The images appeared in a magazine that he made himself, entitled *Nursery School*. The drawings are expressive, evoking the movement that is necessary to communicate using sign language. Each hand appears to have been sketched quickly, as if Simoni is merely capturing moments within a conversation. Each image is accompanied with the letter that it represents, but printed in reverse. This is how the letter would appear if the viewer were holding it up, suggesting a form of conversation between the viewer and the artist, who is responding with the physical sign.

TOP

RNID FINGERSPELLING

Proper nouns do not always have a specific 'sign' in sign language, and so the technique of fingerspelling is used to spell out the whole word in conversation. Fingerspelling can also be used to emphasise words within a sentence by drawing attention to them. There are differences between the British and American fingerspelling alphabets, which are recognised and approved by the Royal National Institute for the Deaf (RNID) in Britain and the National Association of the Deaf (NAD) in the United States. The main inconsistency is that British fingerspelling uses both hands, whereas American only uses one, which means that although there are some similar signs, the two forms are effectively different languages.

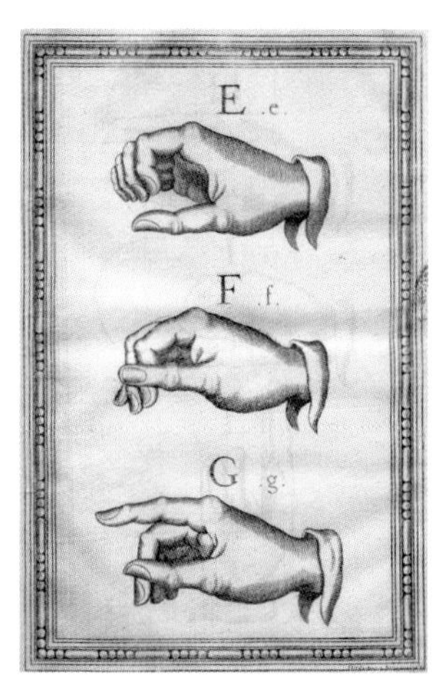

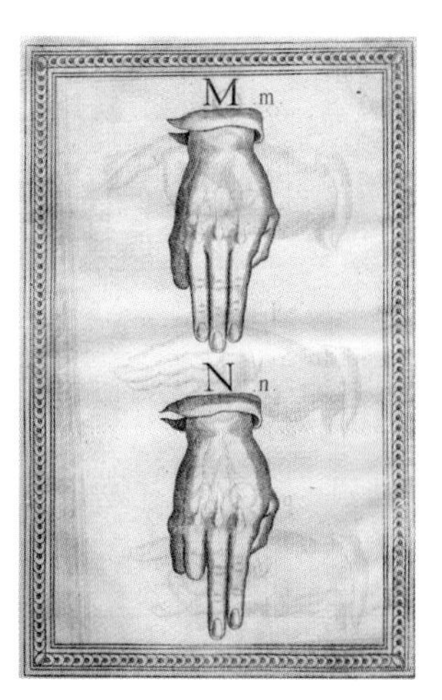

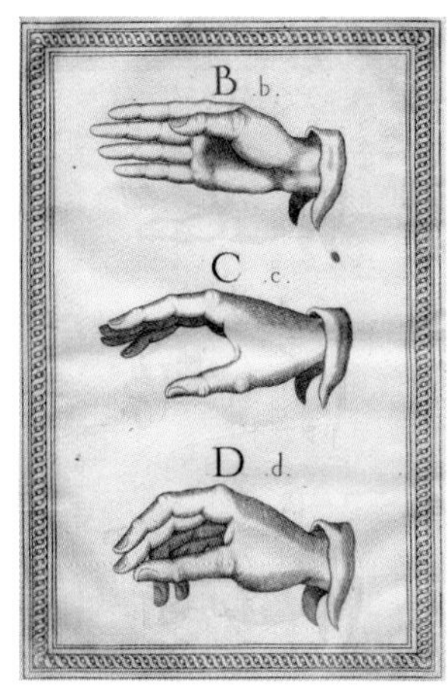

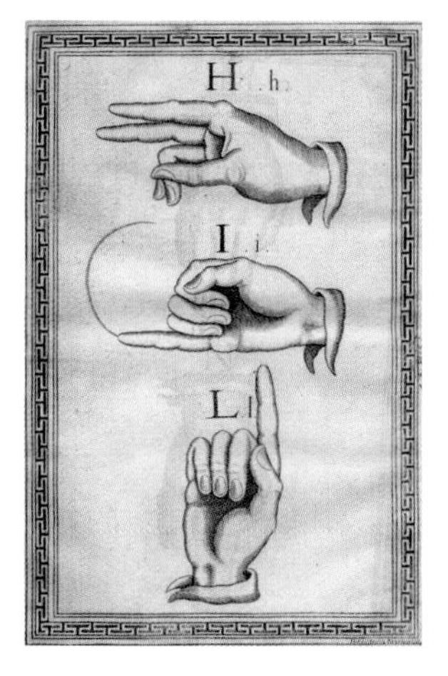

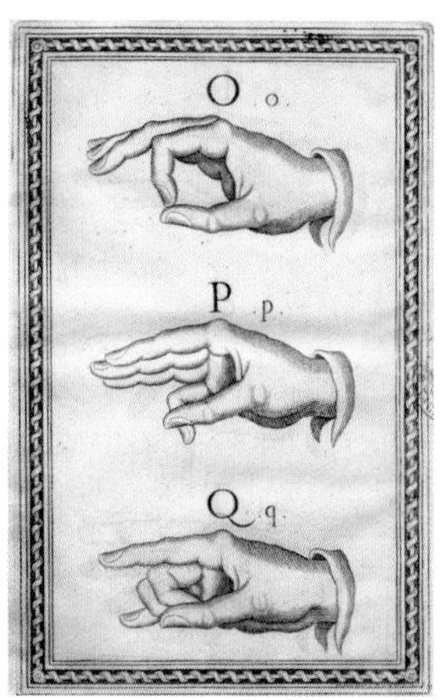

BOTTOM

ABECEDARIO DEMONSTRATIVO

Juan Pablo Bonet, engravings by Diego de Astor, 1620

Juan Pablo Bonet was a Spanish priest and pioneer of education for deaf people. He published his first book on deaf education in Madrid in 1620: *Reducción de las letras y arte para enseñar a hablar a los mudos* (*Summary of the letters and the art of teaching speech to the mute*). Bonet's book proposed a method of lip-reading and hand signals in the form of a digital alphabet. It is considered the first modern treaty of the phonetics of sign language and the use of signed language to teach speech to the deaf. Bonet's system of signs and manual alphabet has influenced many other sign languages, such as the Spanish and American Sign Language.

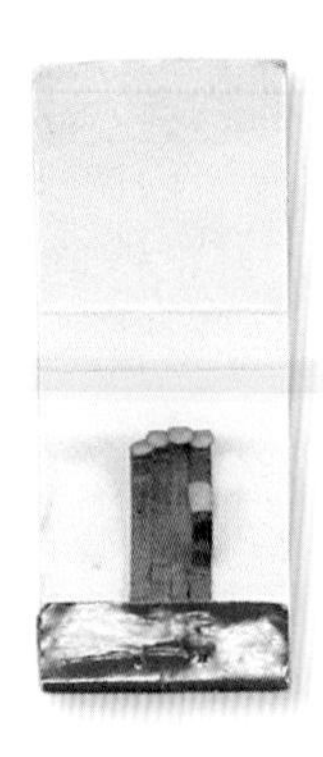

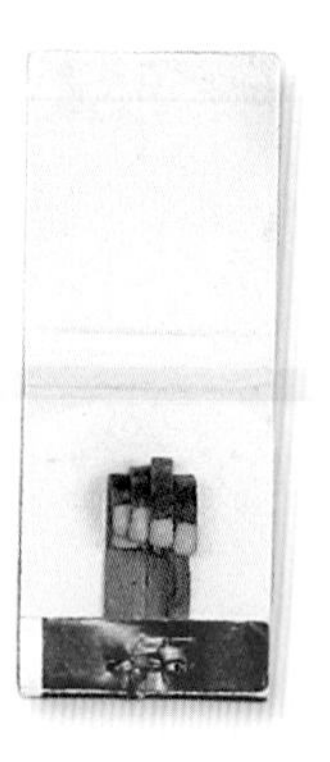

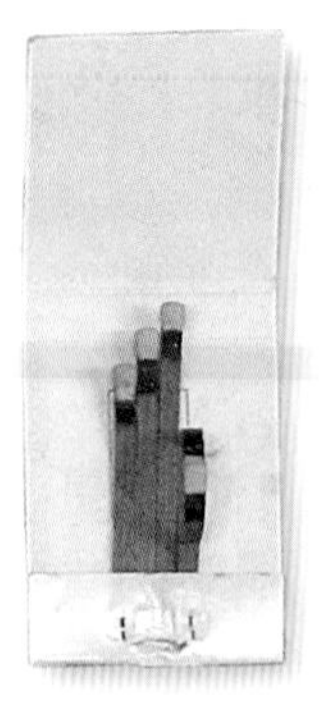

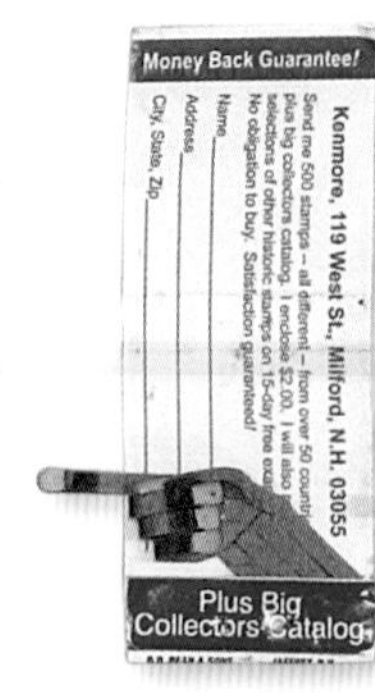

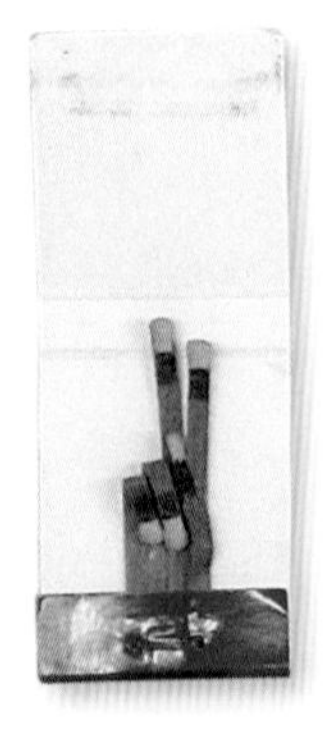

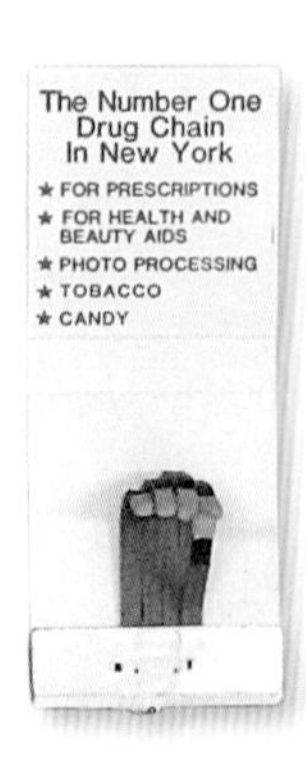

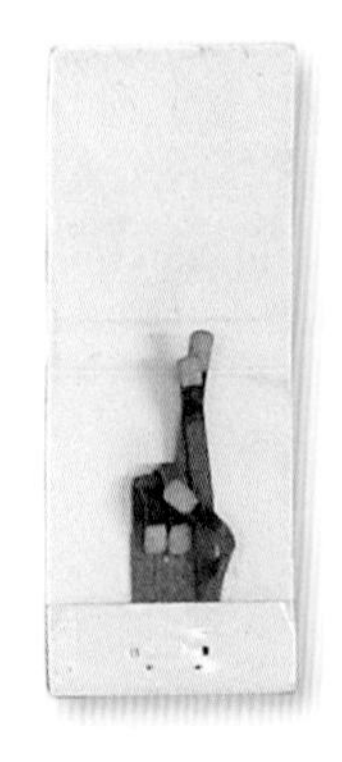

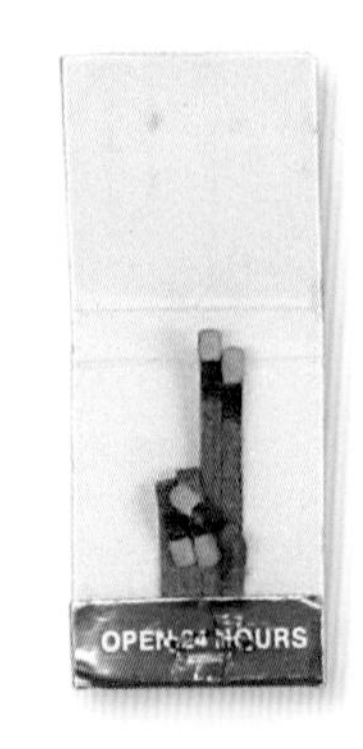

ASL FINGERSPELLING MATCHBOOKS

JK Keller, 2005

The American Sign Language, ASL, is the dominant language of deaf Americans, and designer and artist JK Keller borrowed its fingerspelling alphabet for a project in 2005. Fingerspelling, or *dactylology*, is the practice of communicating through the hands by representing alphabetical signs. Keller uses the ASL fingerspellings of the letters A–Z to create an alphabet fabricated entirely from matches. His collection of matchbooks, which he found and altered, demonstrates the hand formations of each letter of the alphabet.

ALPHABET RELIEF

Tim Fishlock, 2010

Alphabet Relief is a three-dimensional alphabet created by London designer Tim Fishlock. Each letter is made by hand from paper, and then photographed. The alphabet was litho printed on premium paper and hand embossed, as a limited edition of 300.

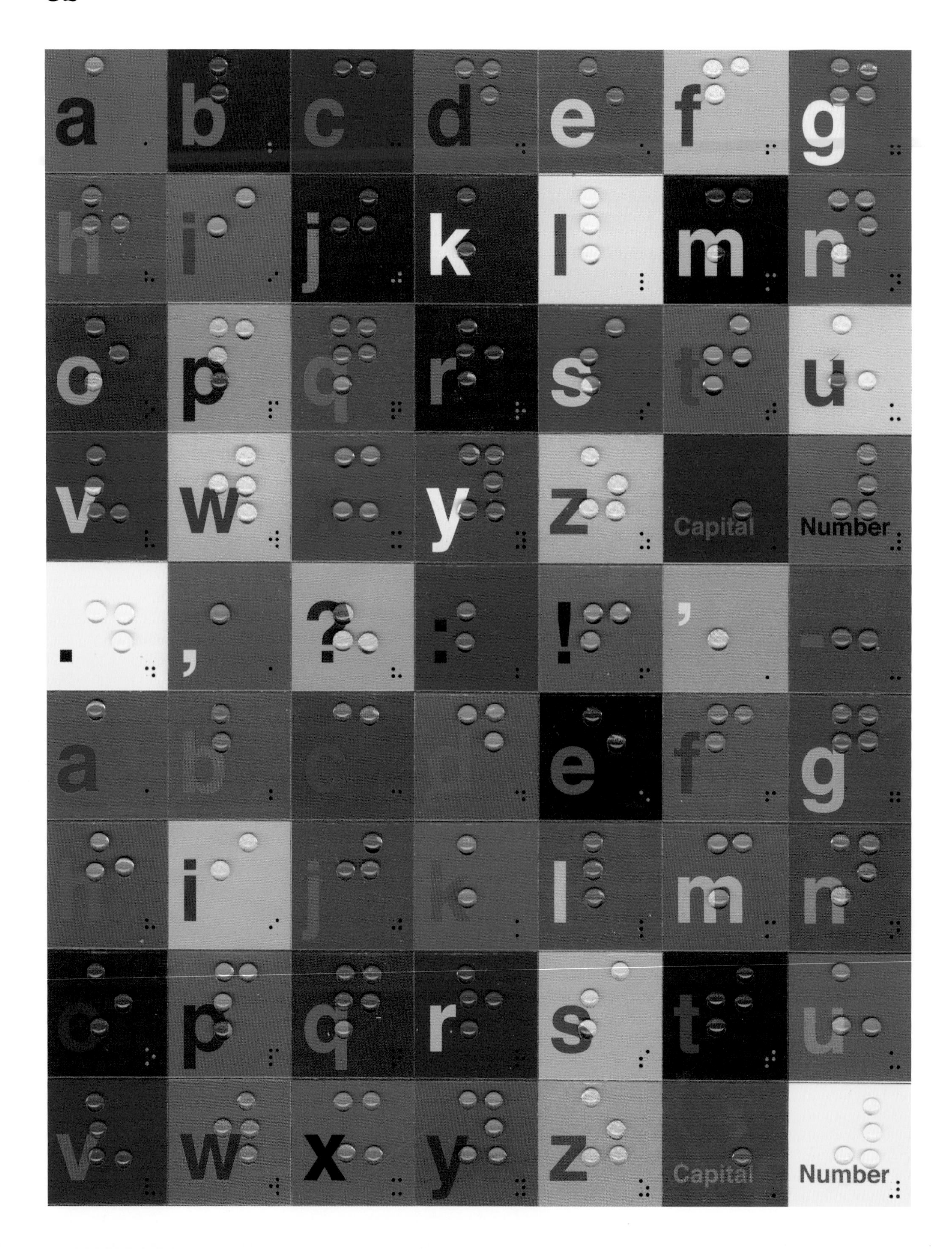
a
b
c
d
e
f
g
h
i
j
k
l
m
n
o
p
q
r
s
t
u
v
w
y
z
Capital
Number
.
,
?
:
!
’
-
a
b
e
f
g
i
j
k
l
m
n
p
q
r
s
t
u
v
w
x
y
z
Capital
Number

OPPOSITE

BRAILLE FRIDGE MAGNETS

Greggo Magnets Inc.

Braille is a system widely used by blind and partially sighted people for the purposes of reading and writing. It consists of patterns of raised dots arranged in cells of up to six dots in a domino configuration, enabling people to read using the tips of their fingers. Each cell represents a different letter, numeral or punctuation mark, as each dot may be raised at any of the six positions to form 64 possible subsets. The system was devised in 1821 by Louis Braille, a blind Frenchman, and was based on a communication method originally developed by Charles Barbier as a response to Napoleon's demand for a code that soldiers could use to convey messages silently and without light. This system was called night writing. Since Braille's initial development, it has since been adapted to different writing systems, including Chinese, and for musical and mathematical notations.

LEFT

MOON ALPHABET

RNIB

The Moon System of Embossed Reading, commonly know as the Moon Alphabet, is a tactile writing system for the blind, which was invented by Dr William Moon in 1845 in Brighton, England. Unlike the raised dots of Braille, Dr Moon's alphabet uses embossed shapes, which have been derived from the outlines of the Roman alphabet. The Moon Alphabet is made up of 14 characters used at various angles, each with a clear bold outline, all read by touch. The Moon Alphabet is considered by some to be much easier to read than Braille, particularly by those who have lost their sight later in life, as they already have knowledge of letter shapes. Once taught and printed on four continents, William Moon's reading code is now little used outside the UK.

RIGHT
ALPHABET TOP
Mango, 2010

Traditionally, a sampler was a piece of embroidery that was produced as a demonstration or example both of designs and of different stitches. They often included the alphabet as well as figures, motifs and decorative borders. The oldest surviving samplers date back to the fifteenth and sixteenth centuries and in their earliest forms, were put together as a personal reference portfolio for embroiderers. These pieces would have been the handiwork not of young girls, as are those of a later date, but of experienced embroiderers and professionals. This contemporary design, sold by the retailer Mango, demonstrates the continued popularity of the traditional alphabet sampler.

OPPOSITE
DIAMOND FONT
Steve MacDonald

Diamond Font **is a hand-sewn typeface created by San Francisco-based artist Steve MacDonald, otherwise known as Ramblin Worker. In his projects, MacDonald combines classic sewing craftsmanship with an urban edge to create works that redefine the concept of fibre art. The antiquated craft of embroidery is fused with energetic colours and a Pop aesthetic to create whimsical yet graphically bold imagery.**

MAPPLETHORPE ALPHABET II

Amandine Alessandra, 2009

Amandine Alessandra is a photographer and graphic designer based in London. This particular exploration of the alphabet is created by using vinyl gloves, a scanner, and, of course, the key means of communication, her hands. It is the second version of her *Mapplethorpe Alphabet*, and is one of several of Alessandra's alphabets. She often works with alphabets as part of her research into how to enable a letter to mean more than it reads. Her *Mapplethorpe Alphabet II* takes its inspiration from the world of the American photographer Robert Mapplethorpe, who is renowned for his large-scale, highly stylised black and white photography.

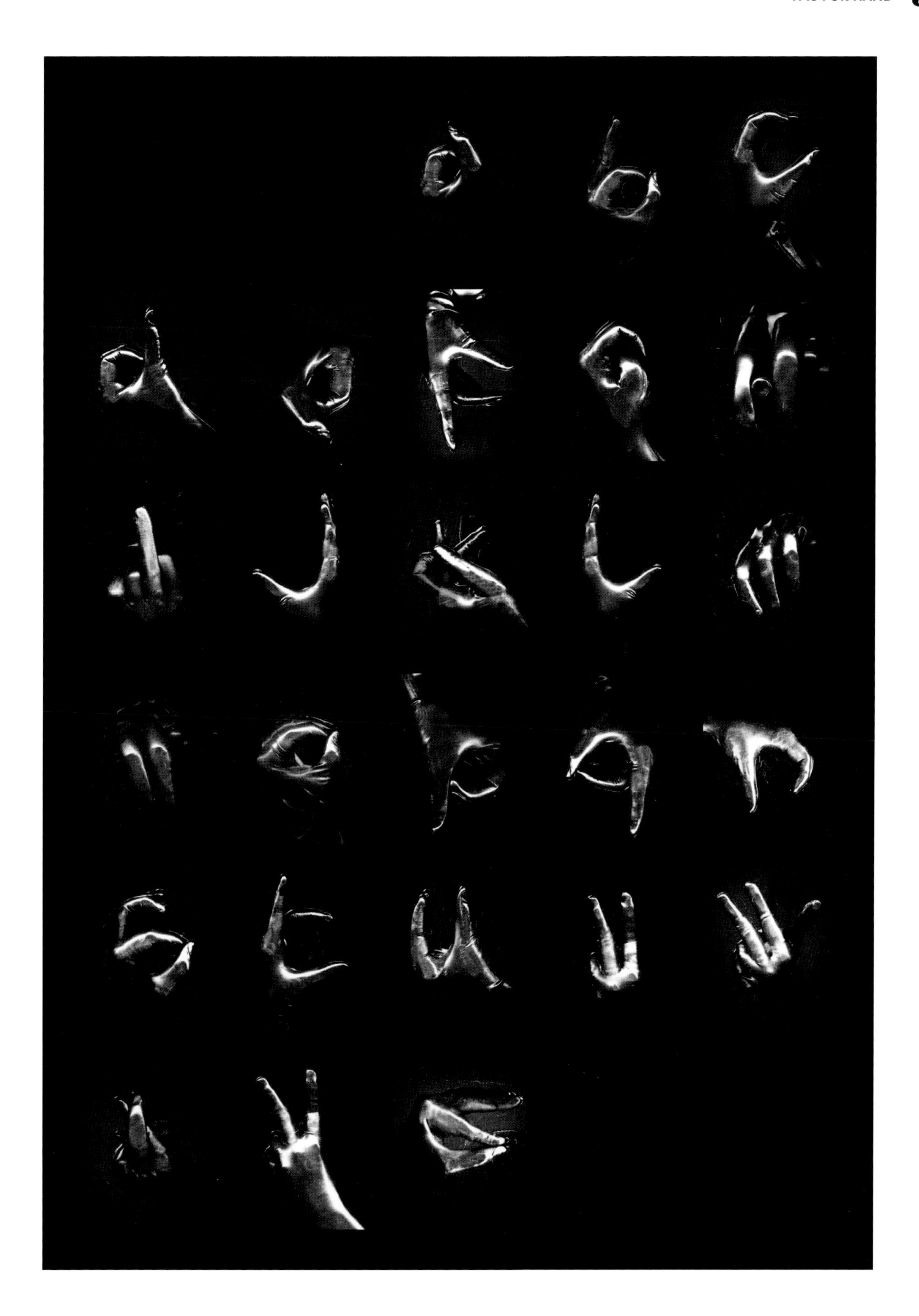

I IS FOR ILLUMINATED

The letters of the alphabet can be illuminated in more than one sense of the word; decorated by artistic embellishments, switched on like a light bulb, or set alight. During the Middle Ages, the letters of the alphabet played an integral role in the creation of illuminated manuscripts. These religious texts were endowed with enlarged and beautifully decorated letters known as 'historiated initials'. Typically the first letter of a page or paragraph, they were intricately illustrated, and embellished with gold or silver leaf. This meticulous craft was practiced by members of monasteries or convents in workshops known as scriptoriums. The most famous examples still in existence—believed to have been produced in the late seventh and early eighth century—are the Celtic *The Book of Kells* and the Northumbrian *The Lindisfarne Gospels*. The ornate letters were illuminated by the artist's paintbrush, but in turn they augmented the significance of the Catholic texts. The illustrations characteristically incorporated religious symbolism, and, in conjunction with the text, they would elucidate the holy subject matter. Illumination is synonymous with celebration, and the magnificent typography of these rare and prestigious manuscripts venerated God, honoured saints and brought honour to their producers.

During the nineteenth century, a reawakened interest in illuminated manuscripts occurred as part of the Gothic Revival. This was a direct reaction to the faster and cheaper, but ultimately inferior, mass-production of the printing press which stemmed from the Industrial Revolution. The author, critic, and theorist John Ruskin romanticised Medieval approaches to work and art, believing that refined and meticulous handiwork would reinstate the ties between a work and its creator. William Morris appropriated this sentiment and started the Arts and Crafts Movement with other devotees of 'honest design'. They were dedicated to the reintroduction of handmade quality and the dismissal of modern production methods. As part of this movement, Morris established the Kelmscott Press in 1891, producing handmade books which were Medieval in design and incorporated historiated letters. These books provided stunning illumination to a wide variety of texts and reinvigorated approaches to book design.

In the twenty-first century, historiated lettering is rare, and the examples of illuminated alphabets we see now are likely to be created using electricity. Neon lights saturate cityscapes, advertising fast food joints and electronics companies. Though occasionally dazzling, they essentially serve commercial, rather than artistic, functions. However, some artists and designers have salvaged the concept of the illuminated alphabet. Indeed, the purity and aesthetic appeal of glowing letters does still exist—interior designers, photographers and artists have extracted letters from words or from a commercial context, presenting them as individual characters to be appreciated for their own visual aesthetic.

ABOVE
THE BOOK OF KELLS
c 800 AD

***The Book of Kells*—a Gospel book written in Latin with the four Gospels of the New Testament—is a stunning example of an illuminated manuscript. Written in black, purple, red and yellow ink, it is a masterwork of Western calligraphy and one of the finest examples of 'Insular illumination'. The artist, though unattributed, would almost certainly have been a Celtic monk, living and working around the year 800 AD. The illumination is loaded with Christian symbolism and features ornate swirling motifs, full page illustrations, gold and silver leaf, mythical beasts, Celtic knots and bright colours. The manuscript would have had a sacramental rather than ornamental or academic purpose, and would likely have been stored in the sacristy of a church.**

OPPOSITE
ILLUMINATED I
From the *Bible of the Monastery of Saint-Andre aux-Bois*, twelfth century AD.

RIGHT

WILLIAM MORRIS AND THE KELMSCOTT PRESS

As well as being a designer, writer and social reformer, William Morris was the father of The Arts and Crafts Movement. One of his most important legacies was the founding of the Kelmscott Press in 1891, which saw a revival of interest in older forms of page designs. The Press and its books were an attempt to revive the skills of the hand painting and printing methods of the fifteenth century. Morris responded to the environment of mass-production, mechanisation and diminishing skills involved in printing at the time and sought to recreate the integration of page decorations and the importance of ink and paper which were so prevalent in earlier centuries.

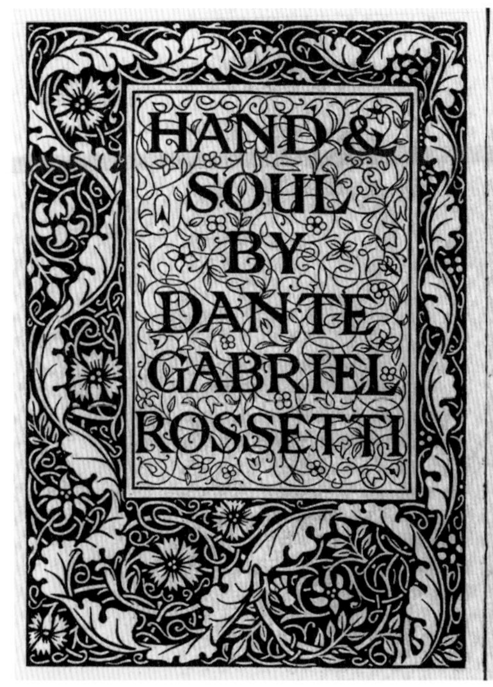

HAND & SOUL BY DANTE GABRIEL ROSSETTI

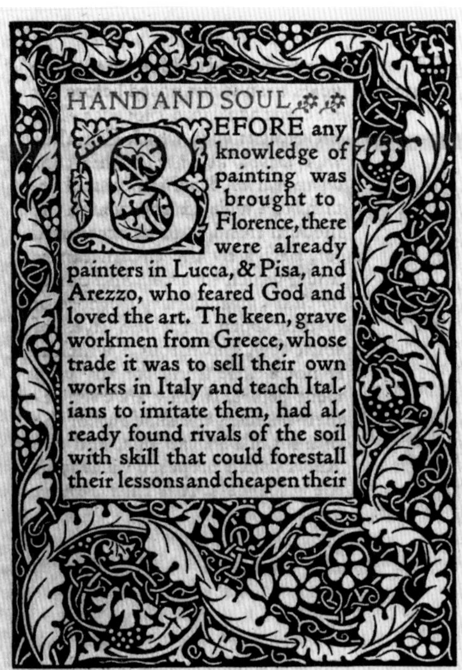

HAND AND SOUL

BEFORE any knowledge of painting was brought to Florence, there were already painters in Lucca, & Pisa, and Arezzo, who feared God and loved the art. The keen, grave workmen from Greece, whose trade it was to sell their own works in Italy and teach Italians to imitate them, had already found rivals of the soil with skill that could forestall their lessons and cheapen their

OPPOSITE

THE LINDISFARNE GOSPELS

Eadfrith, c 700 AD

Just a single scribe, named Eadfrith, produced one of the most celebrated examples of illuminated manuscripts, *The Lindisfarne Gospels,* on Holy Island in Northumbria. This example of the unique style of religious art, known now as 'Insular art', combined both Anglo-Saxon and Celtic themes and was created in the late seventh or early eighth century. Eadfrith's incredible skill as both a writer and artist is evident through his stunning letter decorations and wide use of colour. Very expensive in both time and material, this is one of Britain's greatest religious and artistic relics and is an important testament to the strength of Christian belief in one of the most difficult periods in British history.

Epilogue to this side, as you interrupt my view."

I FELT vexed, for, standing where he asked me, a glare struck on the picture from the windows, and I could not see it. However, the request was reasonably made, and from a countryman; so I complied, and turning away, stood by his easel. I knew it was not worth while; yet I referred in some way to the work underneath the one he was copying. He did not laugh, but he smiled as we do in England: "Very odd, is it not?" said he.

52

THE other students near us were all continental; and seeing an Englishman select an Englishman to speak with, conceived, I suppose, that he could understand no language but his own. They had evidently been noticing the interest which the little picture appeared to excite in me. Epilogue

ONE of them, an Italian, said something to another who stood next to him. He spoke with a Genoese accent, and I lost the sense in the villanous dialect. "Che so?" replied the other, lifting his eyebrows towards the figure; "roba mistica: 'st' Inglesi son

53

From its brilliancy everything is illuminated.
—Guru Nanak

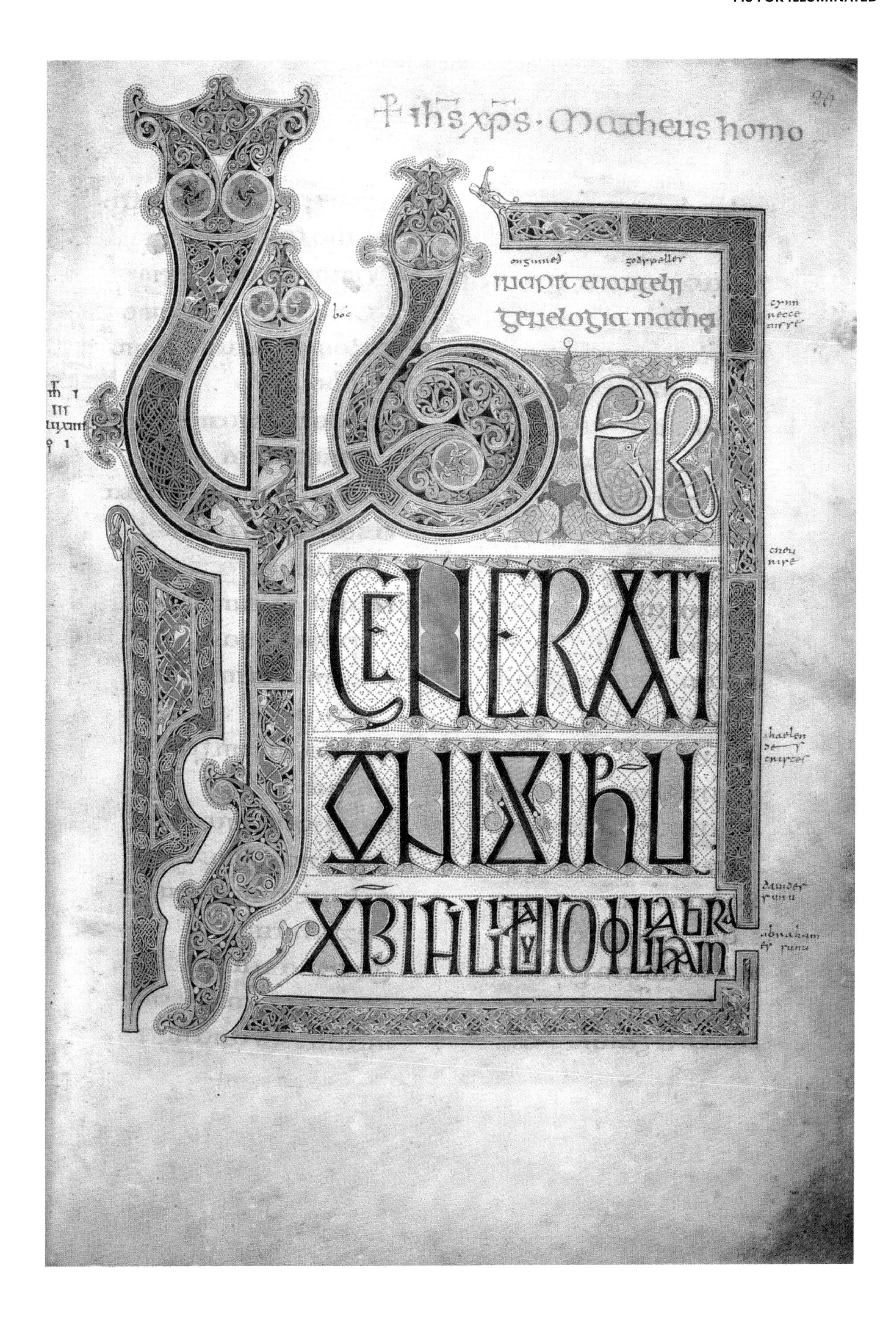
ihs xps · matheus homo
incipit euangelii
genelogia matthei

PROFILE

Kumi Yamashita, 1994

Japanese artist, Kumi Yamashita works with light, shade and simple materials such as wood and paper to create astonishing visual effects. The technique that she employs is commonly known as shadow art, whereby two-dimensional shadows cast by a three-dimensional sculpture create an artistic effect. Yamashita plays with light and shadow to turn something simple into something beautiful. In her work, *Profile*, she has used shadow to create her subject; the alphabet and number blocks have been lit from the left, casting a silhouette of a man's profile.

RECYCLED CHARACTERS

Character

Character are a Finnish company who save neglected neon signs from demolition. As companies change, relocate or close down, their electric signs are taken down, dismantled and abandoned. Character began collecting, taking apart and repairing these signs by replacing old neon tubes with LEDs, adding a transformer and installing a power cord. These alphabets are saved from being forgotten, given a new lease of life as decorative interior lighting and reborn as unique design objects.

J IS FOR JOURNEY

It is good to have an end to journey toward; but it is the journey that matters, in the end. —Ernest Hemingway

In everyday terms, a journey is a trip or a voyage; it typifies travel, but a journey is much more than travelling from A to B. There are many types of alphabetical journeys, from the physical transportation of consumer objects to the emotional journey through the imagination and the technical guides and aids to travel. The physical journey can involve the movement of people, objects and knowledge from one place to another. This movement often documents the alphabet found in the urban environment and the travelling of words and languages across continents and cultures. The alphabet itself has journeyed far and wide—namely the Roman alphabet which has travelled across the globe, commonly known as 'The Alphabet Spread'. From Europe to Asia, the Roman Alphabet is the most widely used alphabetic writing system in the world.

However, a physical journey can only carry someone so far, and the focus of a journey is not always the physical movement but also the travel through the emotions and the imagination. The different letters of the alphabet, from the leading and strong E to the foreign and exciting X, encourage and stimulate artistic creativity. Many artists have drawn on their fantastical ideas of journey and movement to inspire their alphabet artwork. The letters lend themselves well to imagined travel and possible encounters: the inclusion of the alphabet in these journeys creates a link between the fantasy, the reader and the reality. In these imagined journeys, travellers meet the alphabets with anticipation, excitement and foreboding.

The alphabet is not only a means of expressing the imagined journey but also a means to travel and a way of documenting travel time. In the day-to-day world, there are several alphabetical aids to travel such as the Morse Code, international maritime signal flags and Semaphore Flags that artists, photographers and typographers recreate and reuse in their projects. From the A–Z street guides, to the A–Z story books of our youth, the concept of the alphabet as a journey is well documented in art, photography and design.

OPPOSITE
MORSE ALPHABET POSTER (detail)
Konst & Teknik, 2009

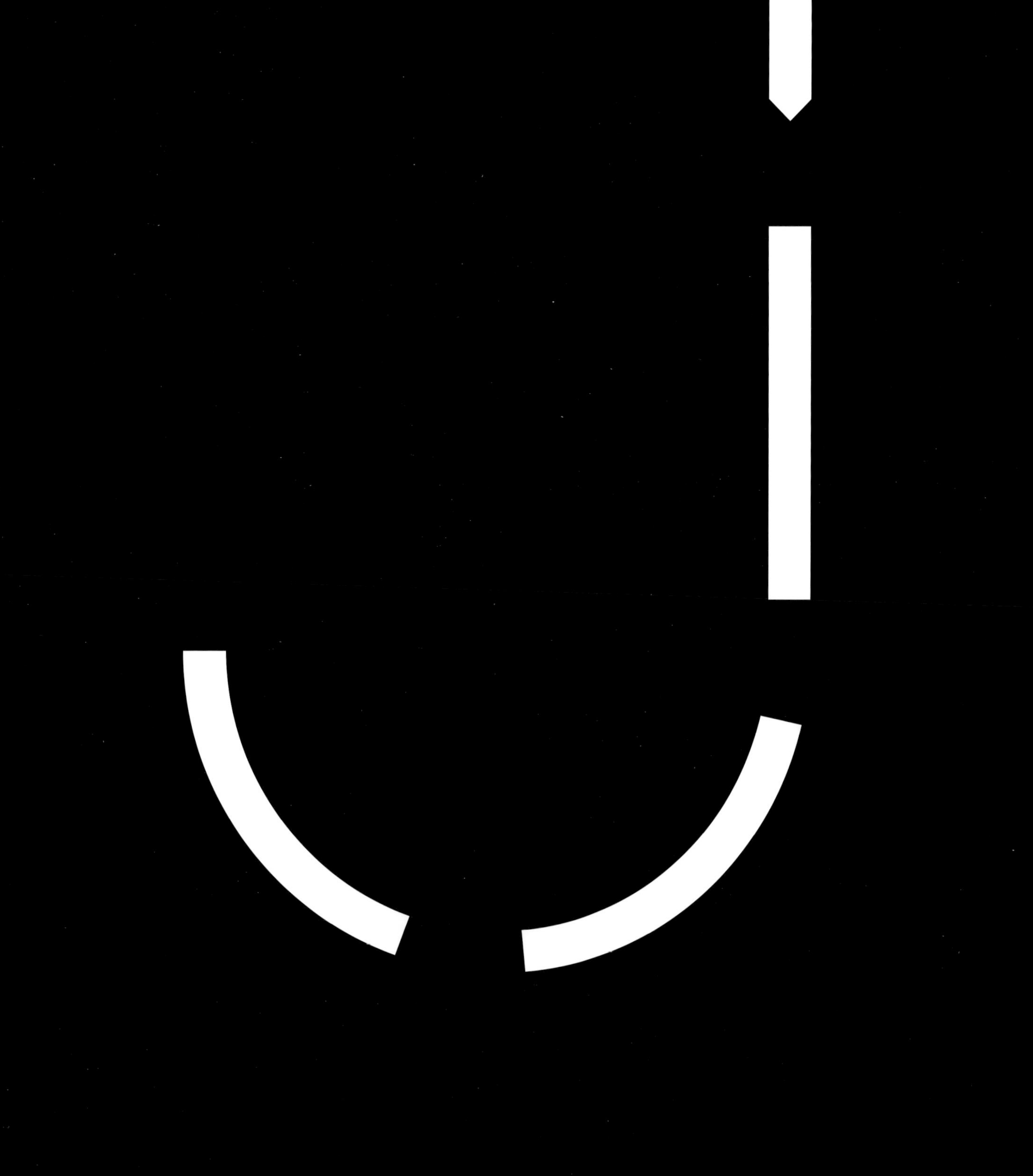

AN A–Z OF POSSIBLE WORLDS

AC Tillyer (Author), Dave Roberts (Cover Design), 2009

***An A–Z of Possible Worlds* is a collection of 26 original short stories, which journey their way through the alphabet. Each story is printed as a separate booklet and then collated in a red slipcase. Inspired by the author's daily commute, the stories explore aspects of fantastical places; from a road so lovely that drivers become fatally addicted to it, to an archipelago where a whole race are burying themselves alive. These interlinking stories are a journey around the imagination and are individually informed by the startling and the absurd.**

ABECEDERIA

Blexbolex, 2009

Multi-award winning French comic artist and illustrator Blexbolex has created a novella that combines imaginative storytelling with idiosyncratic graphics and experimentation with literary form. *Abecederia* is the twisted tale of two bank-robbing brothers who are on the run from the law, and who are forced into a colony in the dangerous jungles of Katagonia. The robbers descend into madness as they travel through the alphabet; the surrounding paradise becoming an inescapable hell. With references to sci-fi thrillers, film noir, detective whodunits and dystopian literature, this beautifully printed novella is a nightmare journey in the alphabet, both for the brothers and for the reader.

"ABECEDERIA! A LAND FLOWING WITH MILK AND HONEY."
ALL I CAN SEE IS A JUMBLE OF TUMBLEDOWN SHACKS UP AGAINST THE FOREST, AS IF THEY'D BEEN DROPPED THERE BY AN UNLUCKY CRAPS PLAYER. NOTHING TO GET EXCITED ABOUT. AS WE GET FURTHER INTO THIS GODFORSAKEN PLACE, THERE'S AN ACRID SMELL THAT I CAN'T PLACE, BUT IT CATCHES IN OUR THROATS. YOU FEEL AS IF YOU'RE IN A WAR ZONE.

ALPHAPOSTER

Happy Centro Collaboration with Scalacolore (Federico Galvani, Roberto Solieri, Giulio, Andrea Manzat), 2008

The *Alphaposter* project is a series of letter posters designed around the concept of travelling. The designers involved in the project initially took a letter of the alphabet, then found a selection of ten world cities whose names begin with that letter; the languages that are spoken in these cities were then added to the list. Finally, the designers listed where they themselves are from and which language they speak.

10 Nomi di città con la "F"	Lingua parlata
Falmouth - Stati Uniti	Inglese
Ferreñafe - Perù	Spagnolo
Fethiye - Turchia	Turco - Curdo - Dimli
Fohnsdorf - Austria	Tedesco - Lingue regionali
Foix - Francia	Francese
Folgaria - Italia	Italiano
Fougamou - Gabon	Francese - Lingue regionali
Francoforte - Germania	Tedesco
Freetow - Sierra Leone	Inglese
Funafuti - Tuvalu	Lingua tuvaluana

Designer

Federico Galvani - Happycentro

Città - Nazione d'origine

Verona - Italia

Lingua parlata

Italiano

RIGHT

MORSE CODE

Samuel FB Morse, c 1840

Morse Code has been in use for 160 years and was originally created by Samuel FB Morse in the early 1840s for his electric telegraph. It is a form of character encoding that sends telegraphic information using rhythm, where standardised sequences of long and short elements are formed by sounds, marks and pulses to represent letters, numbers, punctuation and special characters. The code was used extensively in the 1890s for early radio communication and was heavily relied upon in the early part of the twentieth century as the main form of international communication. Today, Morse Code is mainly employed by amateur radio operators and as a form of assistive technology for people with a variety of disabilities. However, it will always remain a highly reliable way of sending information in difficult communication conditions.

A .-
B -...
C -.-.
D -..
E .
F ..-.
G –.
H ....
I ..
J .—
K -.-
L .-..
M –
N -.
O —
P .–.
Q –.-
R .-.
S ...
T -
U ..-
V ...-
W .—
X -..-
Y -.–
Z –..

LEFT

MORSE ALPHABET POSTER

Konst & Teknik, 2009

In 1984, German design studio Mendell & Oberer created a famous poster with the statement "Design is art that makes itself useful." The *Morse Alphabet Poster* is an attempt to be just that, by injecting an additional purpose in the stencil letter form. Using the standardised sequence of long and short elements to represent the letters of the alphabet, Mattias Jakobsson and Peter Ström of Konst & Teknik have created this striking typeface design, which questions the usefulness of art.

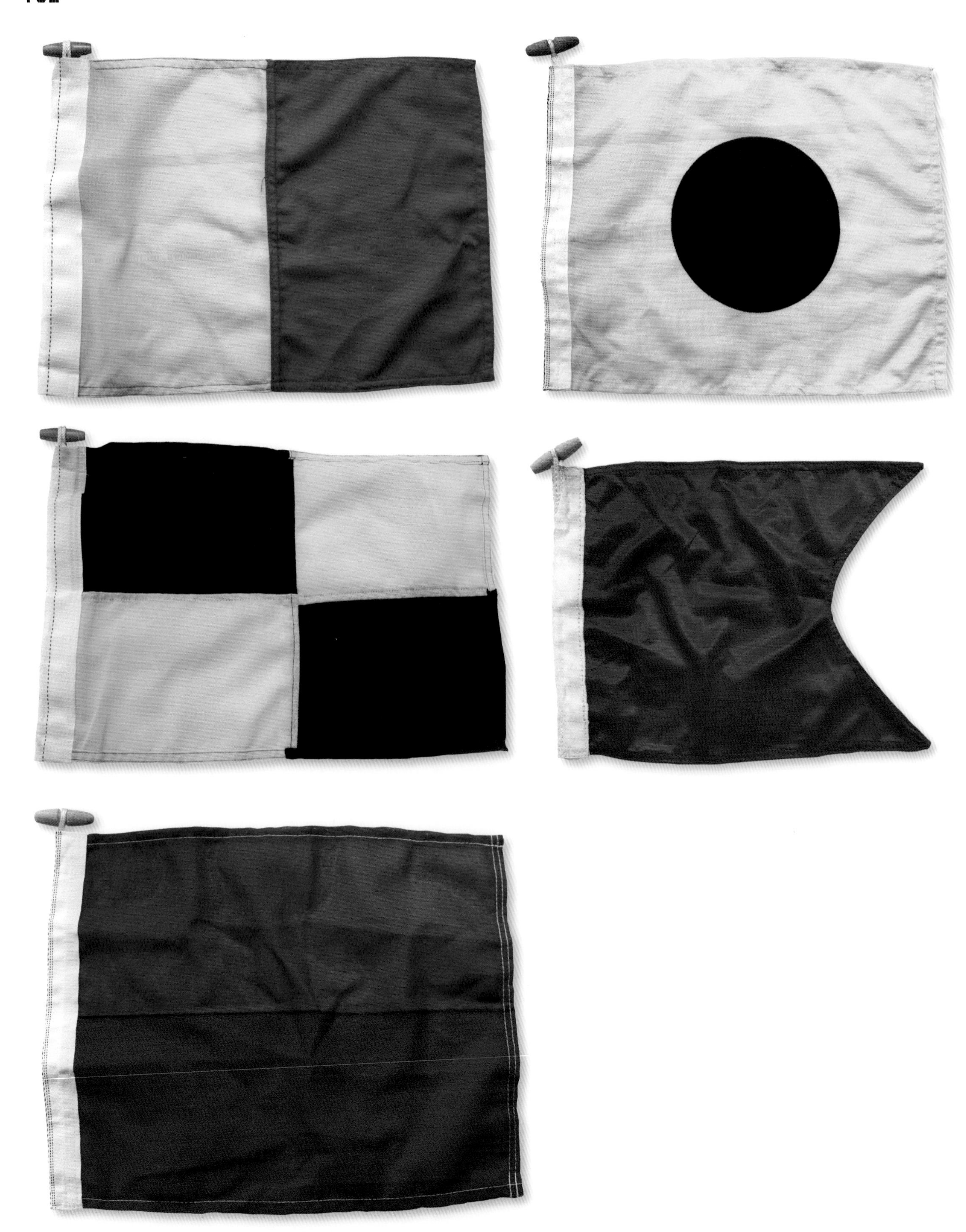

MARITIME FLAGS

International Maritime Signalling Flags form a system whereby each letter of the alphabet corresponds to a coloured flag. Only a few colours can be distinguished at sea: red, blue, yellow, black and white, and these are used in differing combinations to create the system. Each flag corresponds to a letter and can be used sequentially to create short alphabetic messages, but they also have specific meanings such as "man overboard" or "I require assistance". The flags can be used as part of a code or during yacht and dinghy racing where the meanings change.

OPPOSITE TOP LEFT TO BOTTOM LEFT

K (Kilo, "I wish to communicate with you"), I (India, "I am altering my course to port"), L (Lima, "The ship is under quarantine"), B (Bravo, "I am taking in, or discharging, or carrying dangerous goods"). E (Echo, "I am altering my course to starboard").

ABOVE

Y (Yankee, "I am dragging my anchor").

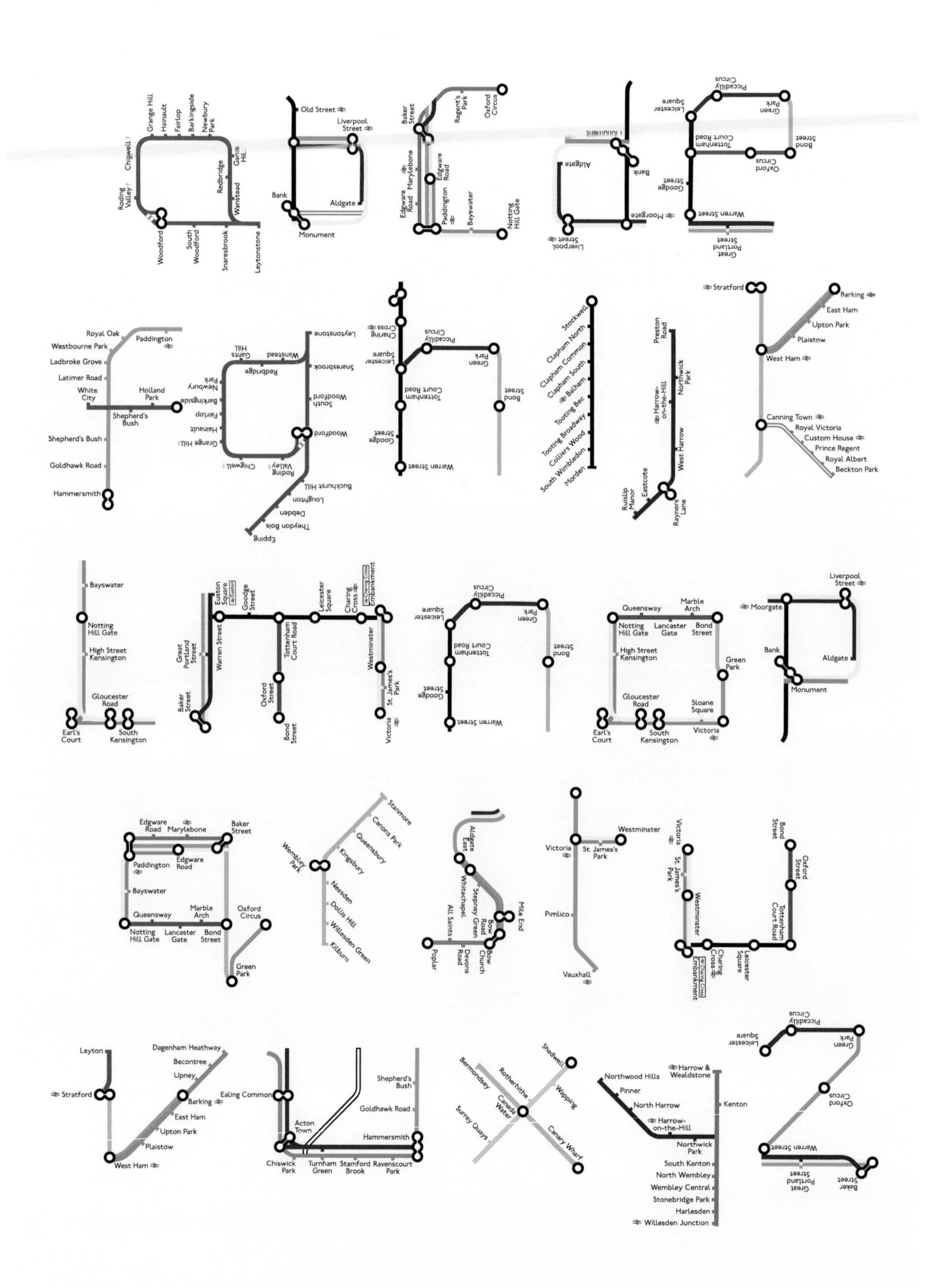

Grange Hill
Hainault
Fairlop
Barkingside
Newbury Park
Chigwell
Roding Valley
Redbridge
Gants Hill
Wanstead
Woodford
South Woodford
Snaresbrook
Leytonstone
Old Street
Liverpool Street
Bank
Aldgate
Monument
Baker Street
Regent's Park
Oxford Circus
Edgware Road
Marylebone
Paddington
Bayswater
Notting Hill Gate
Aldgate
Bank
Moorgate
Liverpool Street
Piccadilly Circus
Leicester Square
Green Park
Tottenham Court Road
Bond Street
Oxford Circus
Goodge Street
Warren Street
Great Portland Street
Royal Oak
Westbourne Park
Ladbroke Grove
Latimer Road
White City
Paddington
Holland Park
Shepherd's Bush
Goldhawk Road
Hammersmith
Leytonstone
Snaresbrook
South Woodford
Woodford
Buckhurst Hill
Loughton
Debden
Theydon Bois
Epping
Charing Cross
Stockwell
Clapham North
Clapham Common
Clapham South
Balham
Tooting Bec
Tooting Broadway
Colliers Wood
South Wimbledon
Morden
Preston Road
Northwick Park
Harrow-on-the-Hill
West Harrow
Eastcote
Ruislip Manor
Rayners Lane
Stratford
Barking
East Ham
Upton Park
Plaistow
West Ham
Canning Town
Royal Victoria
Custom House
Prince Regent
Royal Albert
Beckton Park
Bayswater
Notting Hill Gate
High Street Kensington
Gloucester Road
Earl's Court
South Kensington
Euston Square
Goodge Street
Leicester Square
Charing Cross
Embankment
Great Portland Street
Warren Street
Tottenham Court Road
Westminster
Baker Street
Oxford Street
Bond Street
St. James's Park
Victoria
Queensway
Marble Arch
Lancaster Gate
Bond Street
Green Park
Sloane Square
Liverpool Street
Moorgate
Aldgate
Edgware Road
Marylebone
Baker Street
Paddington
Queensway
Notting Hill Gate
Lancaster Gate
Oxford Circus
Green Park
Stanmore
Canons Park
Queensbury
Kingsbury
Wembley Park
Neasden
Dollis Hill
Willesden Green
Kilburn
Aldgate East
Whitechapel
Stepney Green
Mile End
Bow Road
Bow Church
All Saints
Devons Road
Poplar
Westminster
Victoria
St. James's Park
Pimlico
Vauxhall
Charing Cross
Leyton
Dagenham Heathway
Becontree
Upney
Ealing Common
Acton Town
Shepherd's Bush
Goldhawk Road
Hammersmith
Chiswick Park
Turnham Green
Stamford Brook
Ravenscourt Park
Shadwell
Bermondsey
Rotherhithe
Wapping
Canada Water
Surrey Quays
Canary Wharf
Harrow & Wealdstone
Northwood Hills
Pinner
North Harrow
Kenton
South Kenton
North Wembley
Wembley Central
Stonebridge Park
Harlesden
Willesden Junction

OPPOSITE

A TO Z

Tim Fishlock, 2009

This work, by London-based designer and illustrator Tim Fishlock, takes the form of a poster where each letter of the alphabet has been fashioned out of sections and lines of the London Underground map, originally created by Harry Beck.

RIGHT

A TO Z ATLAS AND GUIDE TO LONDON AND SUBURBS

Geographers' Map Co Ltd, 1938–1939

Originally designed and hand-drawn by Phyllis Pearsall in 1935, this edition of the *A to Z Atlas* presents an insight to a very different London, one of trams and trolley buses, one still reeling from Victorian industry and most importantly, one before the Blitz. This book marks an important beginning not just in cartographic history but in design history. For anyone with a love of maps and their aesthetic complexity, the *A to Z Atlas and Guide to London* is a great work of art, not just a street guide.

TOP

US HIGHWAY TYPEFACES

The typefaces mainly used on signs in the United States and in Canada are part of the Federal Highway Administration (FHWA) alphabet series. The modern, rounded alphabet series were standardised in 1945 after development by the Public Roads Administration during The Second World War. Since then, the typefaces have been adopted in countries as far afield as Peru, China and The Netherlands.

BOTTOM

TRANSPORT TYPEFACE

Margaret Calvert and Jock Kinneir, 1963

Transport is a mixed case font and is used for all text on fixed permanent signs in the United Kingdom except route numbers on motorway signs. Both *Transport* and its related typeface *Motorway*, were developed for the Anderson Committee and are the only ones permitted on road signs in the UK. All other typefaces are forbidden in government guidelines and are technically illegal.

London
Sheffield
Portsmouth
Glasgow
Bridgwater

ALPHABET TRUCK

Eric Tabuchi, 2008

Parisian artist Eric Tabuchi spent four years travelling thousands of kilometres collecting photographs for his *Alphabet Truck* project. Tabuchi photographed trailer trucks on empty motorways, each one bearing a letter of the alphabet, creating a visual typology of truck typography. The 26 trucks in Tabuchi's set—removed from their usual context—are perfectly uniform in lighting, scale and composition, creating an unusual documentary series. Through language (the alphabet) and motion (the trucks), Tabuchi questions the concepts of mass-production, identity, displacement and belonging.

Abyssinians
Bedouin
Chinese
Dyaks
Egyptians
Feejees

OPPOSITE

PICTURE ALPHABET OF NATIONS OF THE WORLD

T Nelson & Sons, 1874

This children's book shows portraits of a nationality or ethnicity for each letter of the alphabet except Q and X. Each caricature is accompanied by a short explanatory verse, and although these were presumably intended to educate children about the diversity of the world, the colonialist stereotypes portrayed seem very outdated today.

RIGHT

MY ALPHABET OF SPACE EXPLORATION

Colorpix, Pigment and Hue, 2008

Pigment and Hue have published a series of alphabetic colouring books, which although obviously aimed at children, do have an adult edge to them, through their examination of themes such as health and safety, women in Jewish history and Norman Rockwell. One such book is *My Alphabet of Space Exploration*, which not only documents the journey through space travel made by astronauts and spacecrafts past and present, but the language, thoughts, motivations and consequences involved in space travel.

K IS FOR KINETIC

ki•net•ic
–adjective
1. pertaining to motion.
2. caused by motion.
3. characterised by movement.

Kinetic energy is one of the driving forces of our planet. Every static object has the potential for energy—for movement—through the applied force of kinetics. This relates to the impact needed to accelerate a body of given mass from rest to its maximum velocity. Although essentially arbitrary symbols and codes, the letters of the alphabet can also have the law of kinetics applied to them through kinetic art and typographic interpretation.

Kinetic art, by definition, is art that relies on motion for its effect, or contains moving parts. This motion can be powered by the observer, as in the form of pop-up books or the observer can watch the kinetics in motion. Although books and the written word are by their nature two-dimensional, for more than 700 years, artists, philosophers, scientists and book designers have challenged the boundaries of the two-dimensional static letter. The design of such books is known as 'paper engineering'—flaps are added and revolving parts constructed. Pop-up books actually pre-date print culture and it is believed that the first movable book was an astrology book in the fourteenth century. From here we have moved on to pop-up books where every element of the design can potentially become kinetic, the letters themselves leaping out of the pages.

The alphabet can also become kinetic when the modes by which it is represented are linked to movement, whether through dance, rotation or video. Kinetic typography refers to the technical process of creating text, which has long been widely used in film and television, and especially advertising. Modern alphabet games also result in the movement of letters, the different characters folding in on themselves to reveal the next, whilst simultaneously familiarising one with the structure of the alphabet, and in this way kinetic, moveable alphabets can create a playfulness around letters which makes it easier for new learners of the alphabet to absorb the different letters and their sounds.

OPPOSITE AND BELOW
ABCING: SEEING THE ALPHABET DIFFERENTLY
Colleen Ellis, 2009

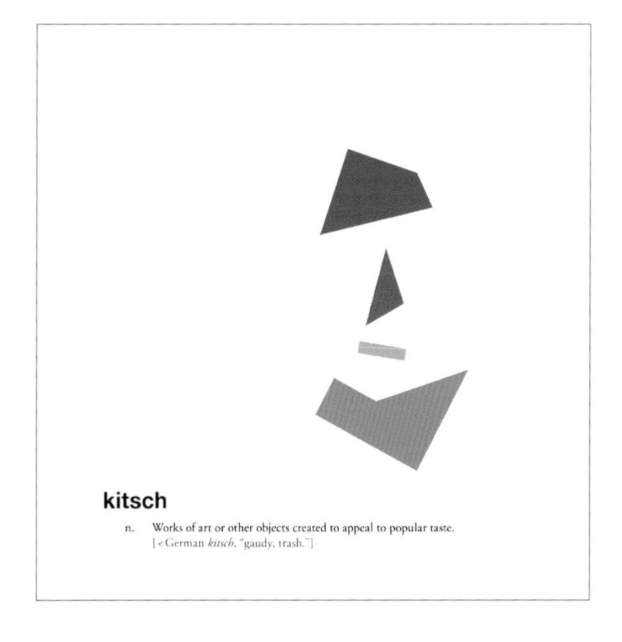

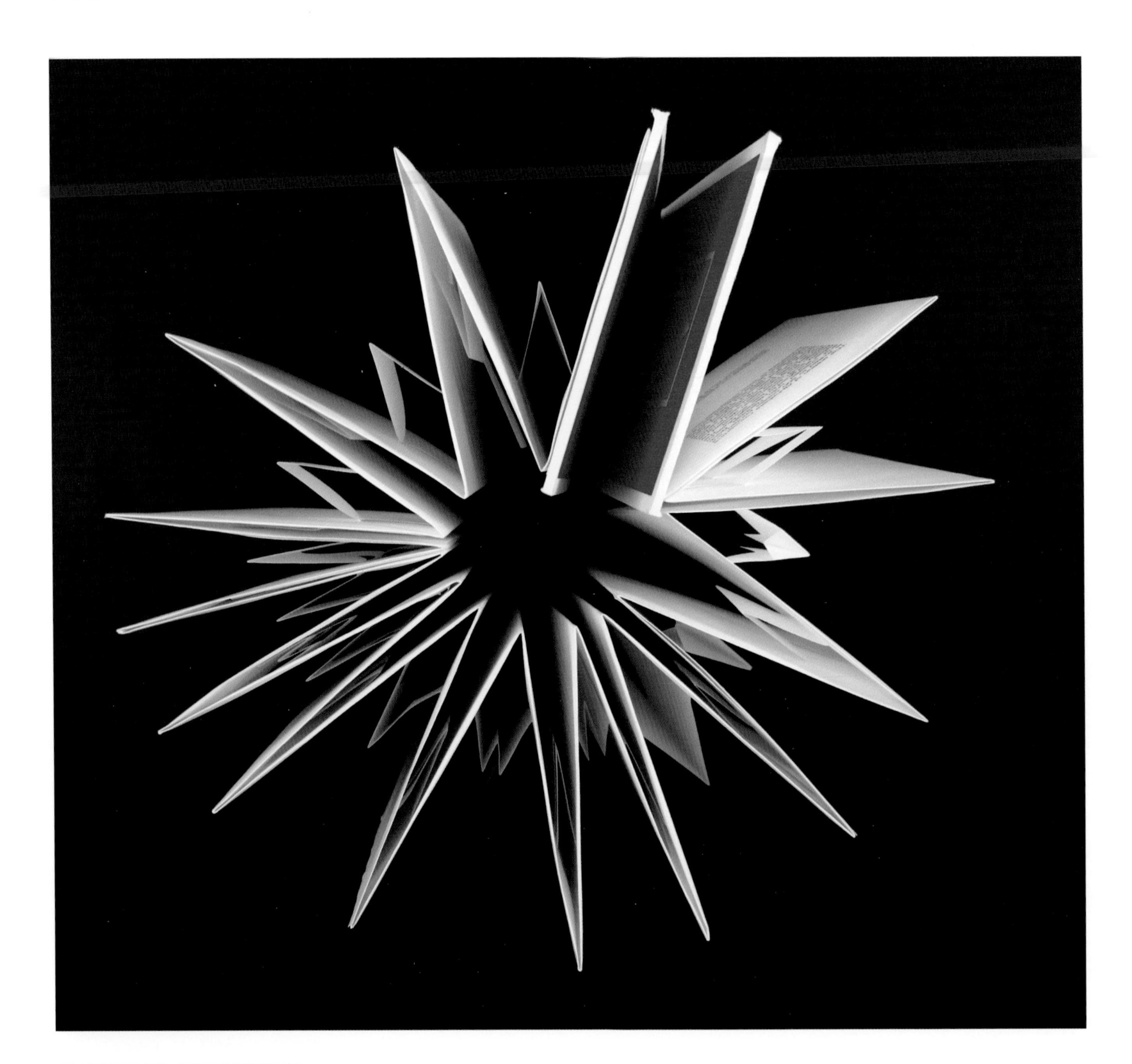

ALPHABETA CONCERTINA

Ron King, 2007

This double-sided concertina alphabet book by designer and artist Ron King is a new version of King's capital letter 1983 version, and is a fusion of art, typographical experiment and paper engineering. Published both as upper case letters, and as *Alphabeta Concertina Minuscule* featuring lower case letters, the concertinas create a kinetic alphabet of three-dimensional pop-up letters.

F
G
H

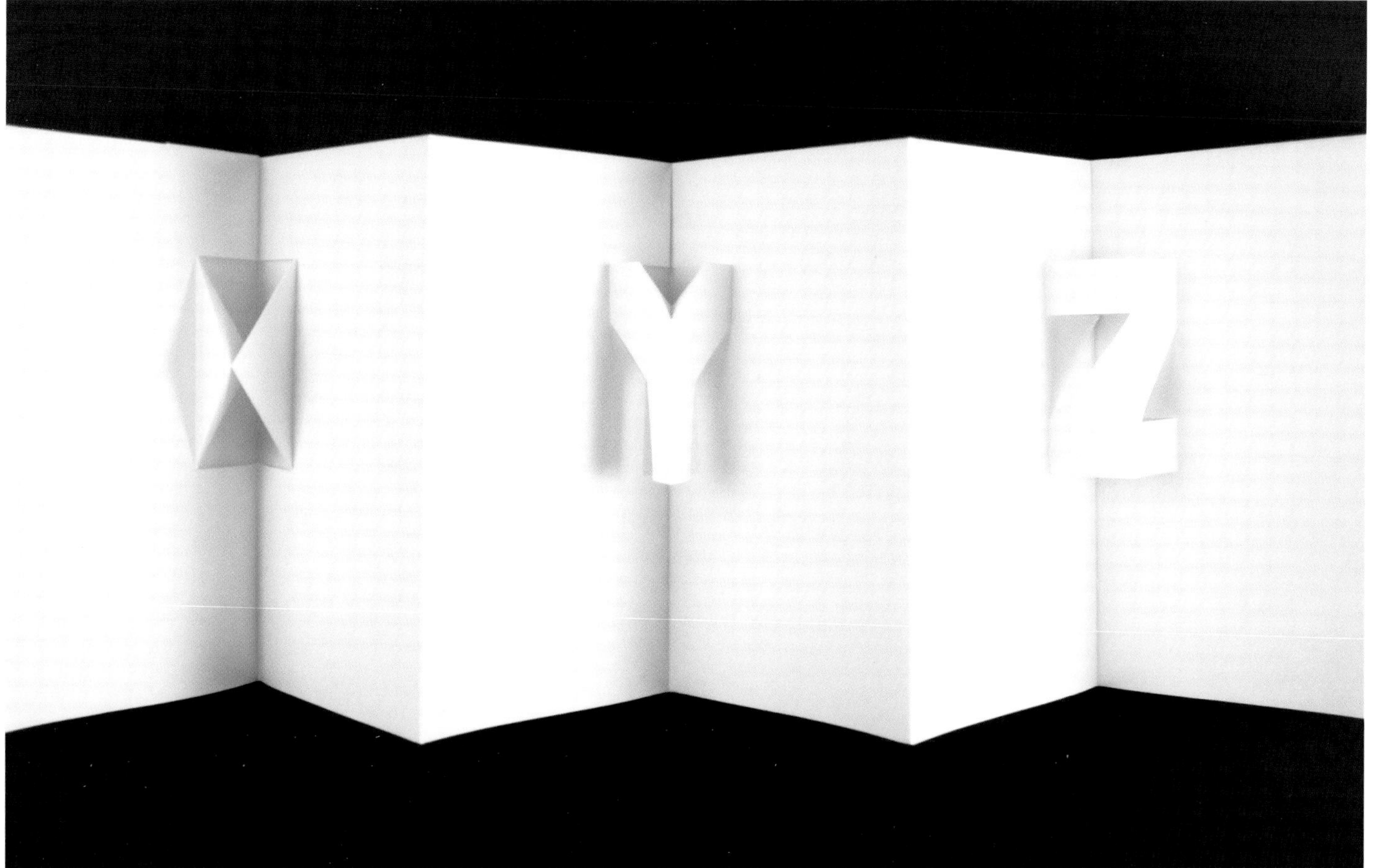
X
Y
Z

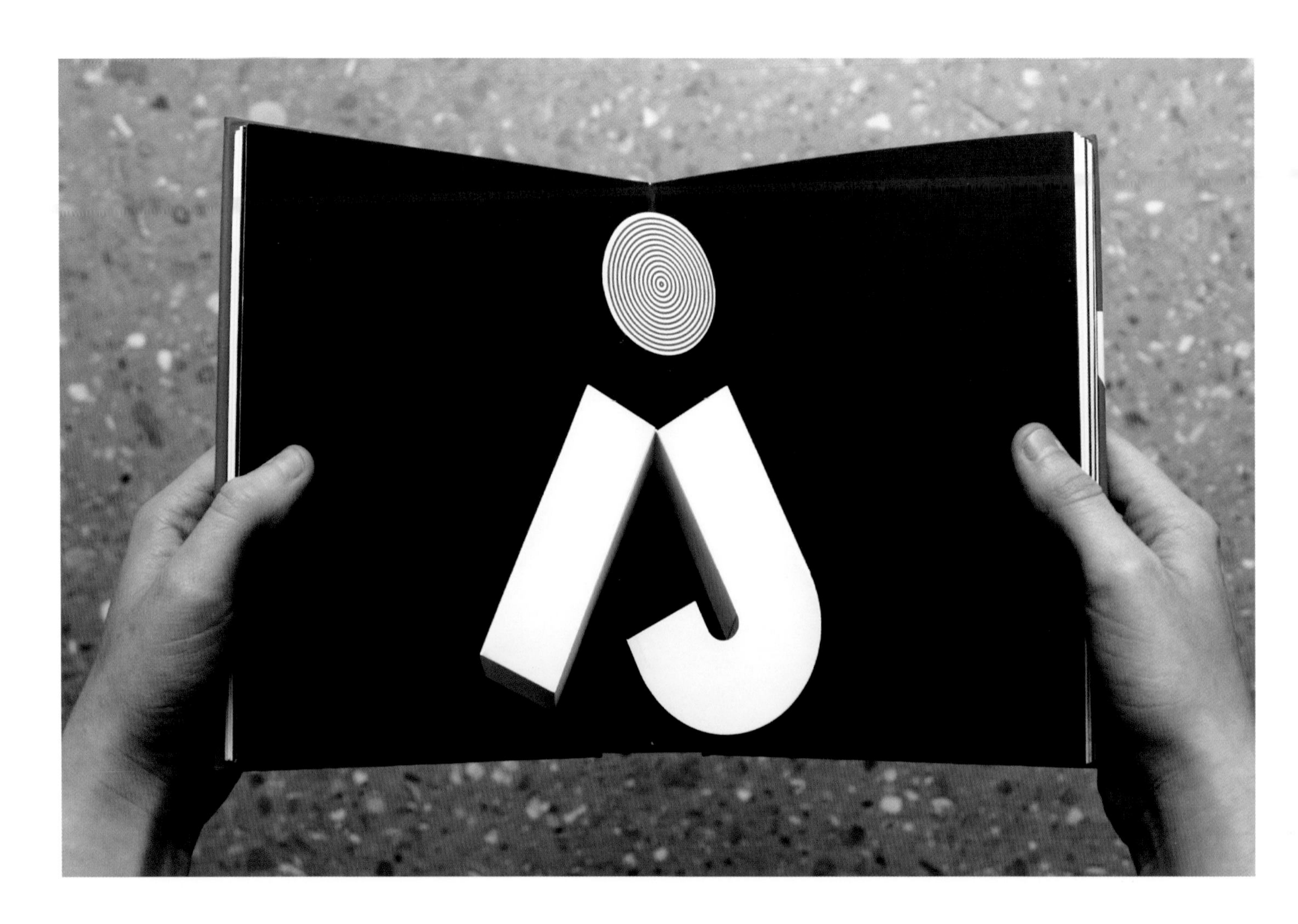

ABOVE

ABC 3D

Marion Bataille, 2008

Paris-based graphic and book designer Marion Bataille created this innovative pop up ABC book, where the alphabet comes to life on paper in an ingenious fashion. Each of the 26 three-dimensional letters move and transform into each other before your eyes: C flips over to become the curve of D, I and J share a dot, M stands to attention, a mirror turns V into W, and there is a lenticular cover that changes with the angle the book is held in one's hands. With a bold red, black and white palette this stylish hand-sized book is a whole new way for young alphabet learners to see the connections and the differences between the letters, and for adults to rediscover the enchanting nature of the alphabet.

OPPOSITE LEFT

ABC CONE

Liliane Lijn, 1965

OPPOSITE RIGHT

WHAT IS THE SOUND OF ONE HAND CLAPPING?

Liliane Lijn, 1975

Liliane Lijn is a prominent pioneer of kinetic art; she experiments with movement, words, light, film, liquids and industrial materials, to create works that view the world as energy. *ABC Cone*, part of her *Poemcones* sculpture series, is one of her earliest works exploring the notion of language as energy. Conical forms have been part of her work since the 1960s, combining text with rotation to turn words into vibrations, visualising the energy of their potential meaning.

For her titles, she converted the word cone into the phonetically similar koan—a Zen Buddhist term for word riddles given to monks as a meditation aid. These koans/cones have formed the core of her kinetic works, dissolving text into lines, light, colour and energy. In 1975, Lijn completed her first 16mm film, taking its name from a famous koan: *What is the Sound of One Hand Clapping?* This film documents her work with cones up till 1975, stills from which are shown here, illustrating the *ABC Cone*.

cd de eee ff gg
cd de eee ff gg

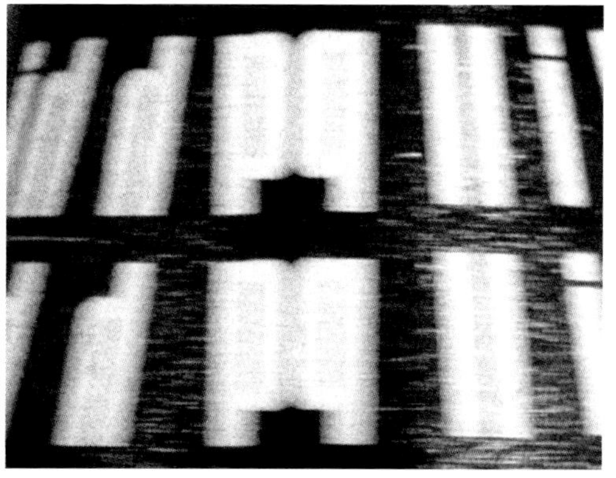

ABC YO-YO

Marianna Ludensky and Justin Weber, 2009

Photographer and videographer Marianna Ludensky collaborated with internationally renowned yo-yo professional Justin Weber, to produce this kinetic typeface created entirely out of yo-yos in motion. From P is for Pumpkin, to O is for Octopus, and to U is for UFO, this dynamic typeface sees flying yo-yos creating wonderful letters and images. All visuals and sounds are created entirely out of yo-yos. The video can be viewed in full on Vimeo.

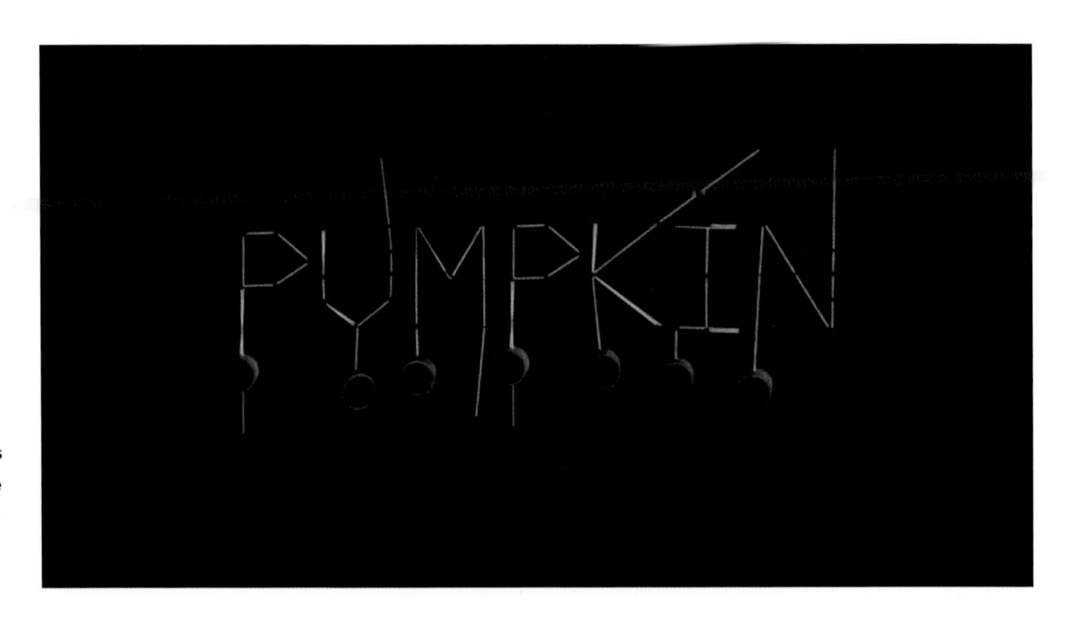

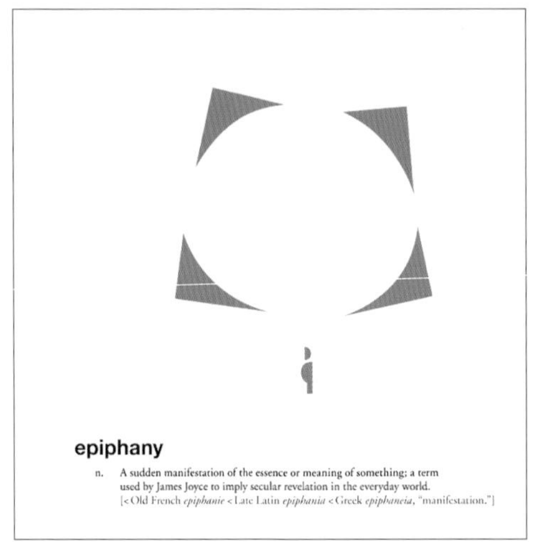

ABCING: SEEING THE ALPHABET DIFFERENTLY

Colleen Ellis, 2009

Abseeing.com was created by Colleen Ellis as a dynamic interpretation of her book ***ABCing: Seeing the Alphabet Differently***. Ellis, an artist who lives and teaches in Massachusetts, used motion and sound within 15 second narratives to offer viewers another perspective on her book. She uses the terms "abstract" to "zeitgeist", to create narratives which each 'see' a different way to visualise and discuss art and design. Each letter is created using only negative space, and these shapes are dismantled into their various components, rotated and resized across the screen to create a new shape. These newly formed shapes are a visual translation of a word's meaning, creating visual and conceptual connections between the individual letter, the word and the surrounding space.

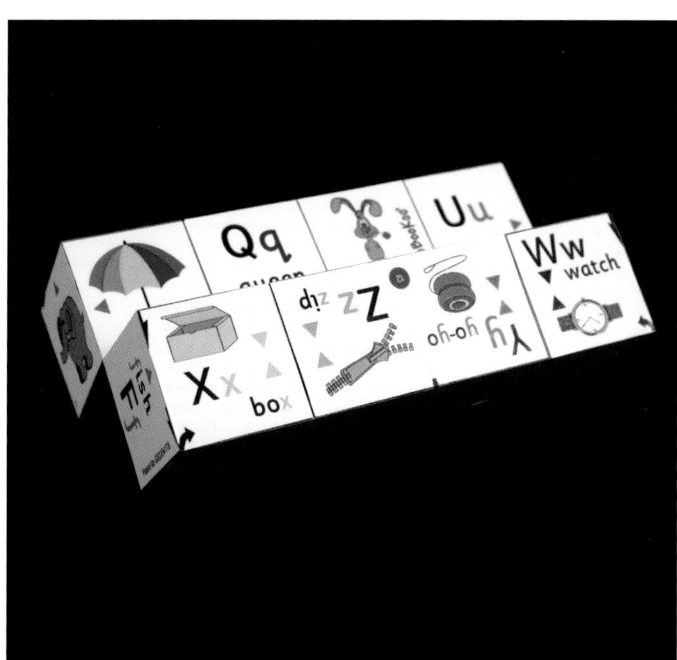

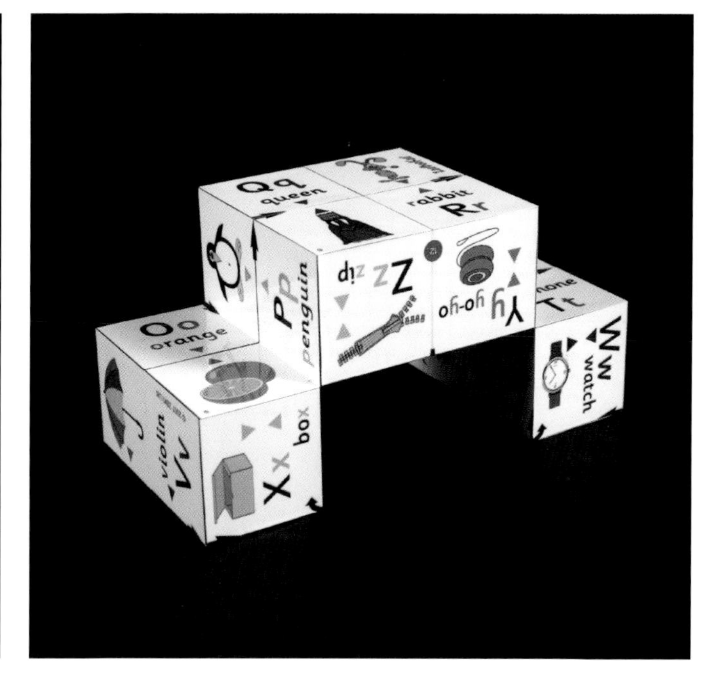

THE ORIGINAL CUBE BOOK

Alphabet First Phonics
with Colour Matching

Alongside visual and auditory learning, kinaesthetic activity is very effective for those who learn best whilst engaging in physical activity. This tactile learning cube sees the alphabet move at your fingertips. The cube book has six faces on either side that can be turned and manipulated until they reveal an entirely new set of faces. With arrows to help follow the ordering of the alphabet, intriguing movement and colour matched phonics, this cube is both irresistible and educational.

L
2
TWO

L IS FOR

Learning

Learning is the process of acquiring knowledge, skills, values, understanding and behaviour, and can occur on both a conscious and unconscious level. The alphabet is the basis of language and so education would not be complete without it. Letters, their shapes and their ordering are committed to memory from an early age. There are different activities at different ages that be practiced to help individuals understand and learn the alphabet.

Historically, hornbooks gave children their first introduction to the ABC. They were usually a piece of wood shaped like a paddle, which had a sheet of letterpress attached, upon which the alphabet was printed in both upper and lower case with a short syllabarium and the Lord's Prayer. It was not until the time when religion ceased to completely dominate instruction that the element of play was brought in to help children learn; this enlightened age saw the emergence of books as a form of enjoyment for children. In the twenty-first century, children's early years are saturated with the letters of the alphabet and the element of play is used to encourage retention. Play is often thought of as the first form of learning and so children have fun building words out of flash cards and blocks whilst learning how to spell correctly. Learning to read is a cultural and social necessity, and many beautiful, inventive and imaginative books and games are produced to help children learn—and enjoy learning—the alphabet.

In modern day education, the phonics method is probably the best known and widely used method to learn how to read and write the English language. It relies on the alphabet being taught before words, as it teaches how to connect the sounds of spoken English with letters. Once children have learnt the letter sounds, they can begin to blend them to produce pronunciations of unknown words.

As literacy has continued to rise through the centuries, the demand for reading material has been amplified. In the modern age, literacy is often linked with knowledge in a more general way, and the alphabet is seen as a tool for acquiring new facts, skills and methods. This link between the alphabet and intelligence has been granted enormous validation in Western society. The alphabet is often also used as a mnemonic tool where the letters serve as a reminder of an altogether different topic. The alphabet is also a tool for learning in itself; a great number of things can be learned from the foundational structure of the alphabet. The letters can easily be learned by heart and so information can be attached to the letters.

From beautiful flash cards to playful blocks, and from traditional copybooks to abacuses, the entries here document the many activities that are employed to learn to alphabet.

Anyone who stops learning is old, whether at 20 or 80.
—Henry Ford

OPPOSITE

ABC BLOCKS

Traditional alphabetic learning cubes

ABC

This children's alphabet book incorporates brightly coloured illustrations with playful rhymes and memorable figures. Fairy-tale characters such as Mother Goose, Red Riding Hood, Aladdin and Cinderella have been paired with fun rhyming couplets to help children learn their ABCs.

NARCISSUS

ORPHEUS

22

U u

In U we've Ulysses, that crafty old boy,
Both by day and by night the tormentor of
Troy.

ULYSSES

CLASSICAL LETTERS OR ALPHABET OF MEMORY; INTENDED FOR THE INSTRUCTION AND AMUSEMENT OF YOUNG GENTLEMEN

Published by J Harris, 1817

This rhyming alphabet of 23 Graeco-Roman literary and historical figures was published in 1817, and was created primarily for the education and amusement of upper and middle class boys. Each letter features a colour illustration along with a rhyming couplet describing the classical legendary individuals such as Dido, Narcissus and Ulysses. At this time, the study of classics was already well ingrained in juvenile education. However, this book was part of the rising interest in light-hearted educational books for children, as opposed to the more rigid and austere tomes of former times. *Classical Letters* demonstrates the usefulness of the alphabet as a mnemonic tool.

37
A A A
A A
Si sabrá mas el discipulo?

OPPOSITE

MIGHT NOT THE PUPIL KNOW MORE?

Francisco de Goya, 1799

This image is part of a series of prints, entitled *Los Caprichos*, in which Goya criticised the Spanish society that he was a part of. He laments the loss of logic, which he fears is being replaced by superstition, as well as passing judgement on established members of society. The prints' controversial nature resulted in the artist removing them from circulation having only sold a few copies, most likely for fear of coming under the scrutiny of the Spanish Inquisition. Goya later offered all the unsold copies of his work as well as the original copper plates to King Charles IV of Spain in return for a pension for his son. In this print Goya uses donkeys in place of humans, suggesting that ignorance is simply being passed down the generations instead of the young having the opportunity to learn from the mistakes of their predecessors. The image shows the younger donkey being taught to read. The connection to the alphabet emphasises the theme of learning in this piece, making it obvious that the flaws Goya sees in the education system are having an effect from a young age.

RIGHT

A IS FOR APPLE PIE

Kate Greenaway, 1886

Kate Greenaway was an influential children's writer and illustrator in the late nineteenth century, and her books continue to be popular today. Her alphabet, *A is for Apple Pie*, is a charming approach to the alphabet, recounting the attempts of children to be given a slice of apple pie. The result is a book that teaches the alphabet and entertains simultaneously, and which appeals to children and parents alike.

TOP

OLD AUNT ELSPA'S ABC

Joseph Crawhall, 1884

This ABC learning book was offered at one shilling without colouring, or coloured throughout for two and six pence. The book was originally designed by Joseph Crawhall, who enjoyed caricature and managed to include himself and members of his family into his sketches; with *Old Aunt Elspa's ABC* he shared family jokes with his daughter. The light-hearted nature of this ABC book can be seen within the humorous rhymes and lively engravings, demonstrating the inclusion of the element of play into the learning process.

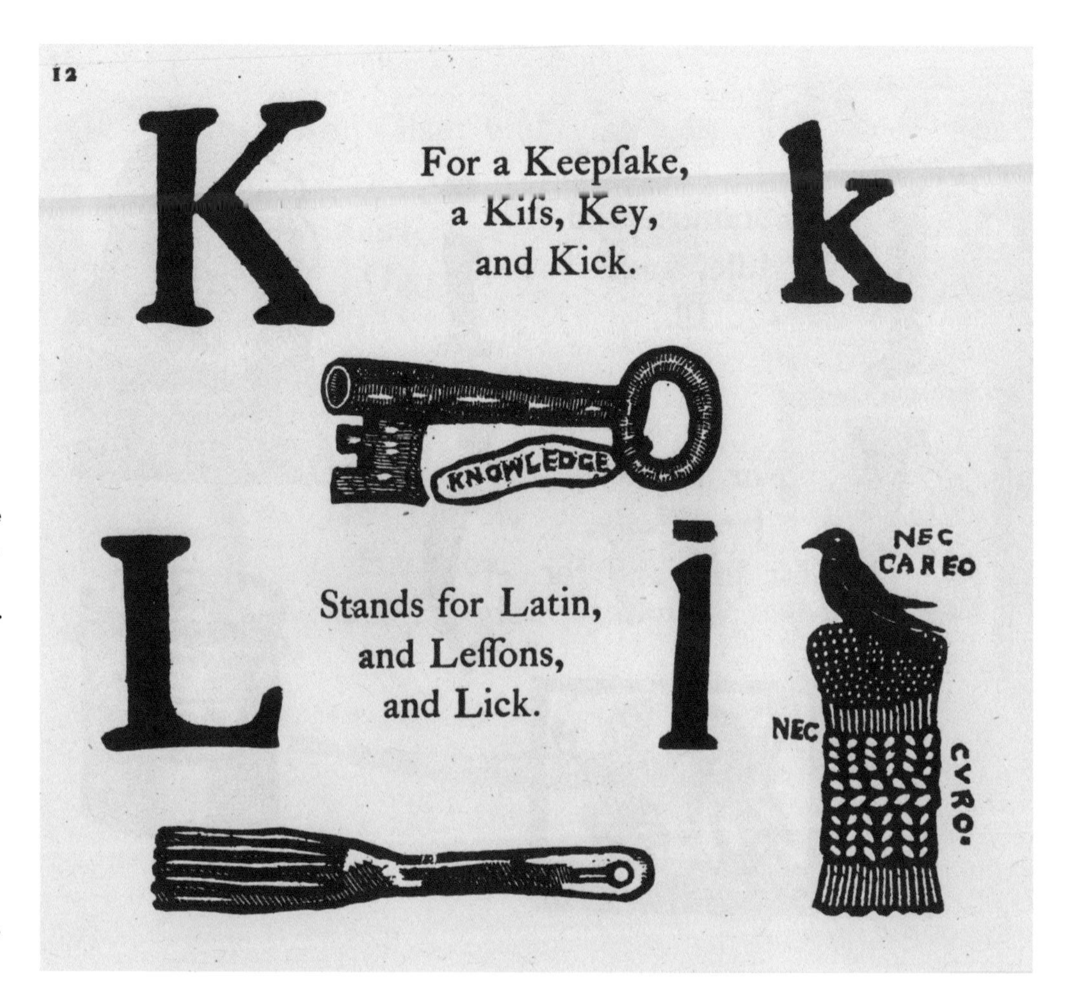

BOTTOM AND OPPOSITE

ALPHABET BLOCKS AND ABACUS

Alphabet blocks—first designed in the seventeenth century—were one of the first toys to aim to provide education and enjoyment. They have since become a classic children's toy, and wide variations of designs are available in many different alphabets. Blocks can be used to teach the alphabet, allow children to experiment with making words, and to help develop motor skills and hand-eye co-ordination. Similarly, the alphabet abacus is aimed at very young children. It is typically made up of two-sided tiles, one side of which is painted with a letter, and the other side with an object beginning with that letter. This helps children familiarise themselves with the shapes that make up the alphabet, and build up associations with different letters, which helps them to retain this knowledge.

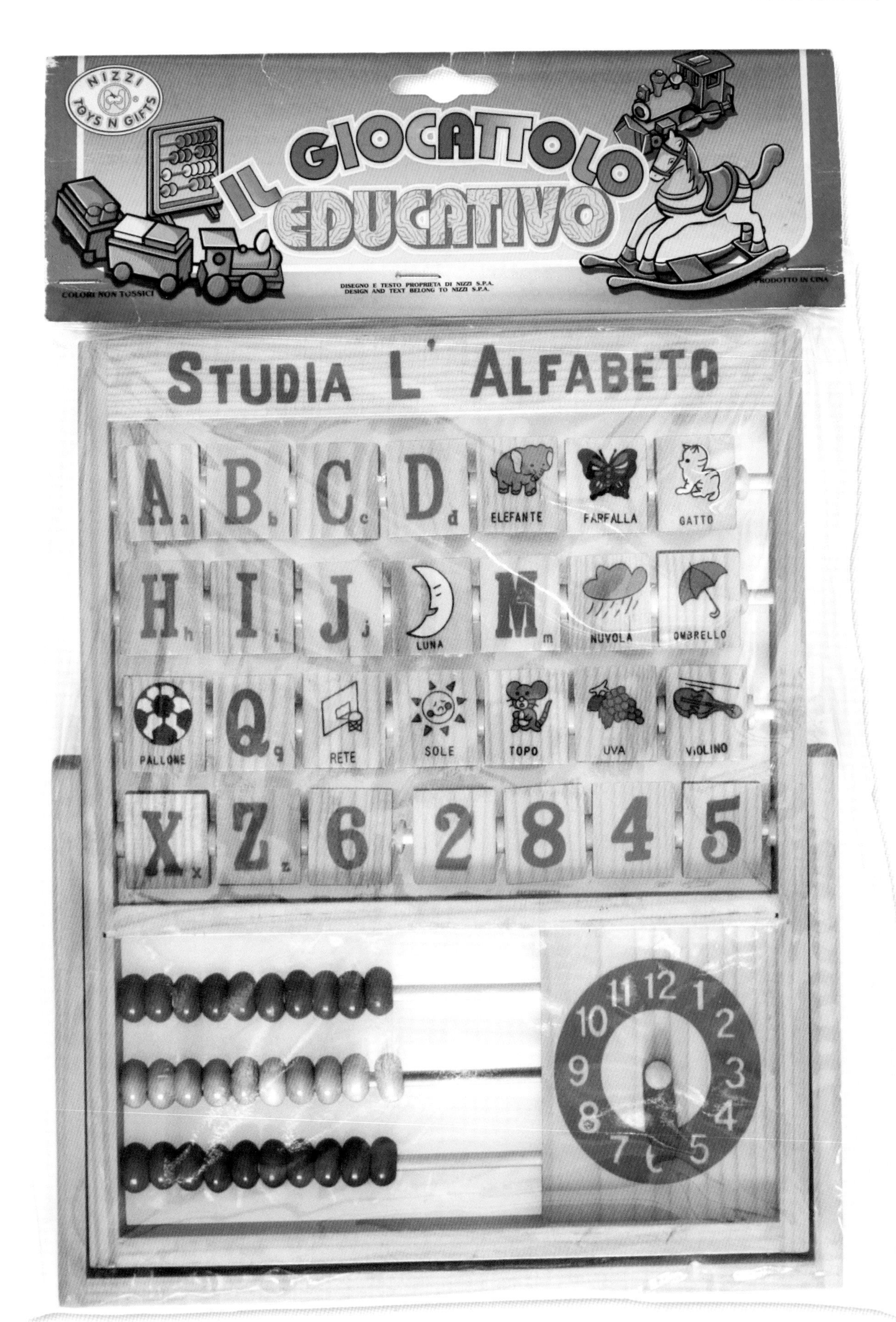
NIZZI TOYS N GIFTS
IL GIOCATTOLO EDUCATIVO
COLORI NON TOSSICI
DISEGNO E TESTO PROPRIETA DI NIZZI S.P.A.
DESIGN AND TEXT BELONG TO NIZZI S.P.A.
PRODOTTO IN CINA
STUDIA L' ALFABETO
ELEFANTE
FARFALLA
GATTO
LUNA
NUVOLA
OMBRELLO
PALLONE
RETE
SOLE
TOPO
UVA
VIOLINO

M IS FOR MORAL

A strong moral basis is arguably fundamental to society, whether it has sprung from religious teachings and commandments, or from an oral culture rich with instructive folktales that have been passed down through the generations. With the development of language and of alphabets, it is therefore unsurprising that these have been used as a tool to strengthen moral understanding, by recording traditional stories, or through pictorial alphabets illustrating different virtues.

Illustrated alphabet books, originating in colonial America, are normally designed in order to teach the alphabet to children. Often letters are connected to cautionary tales, which means that moral codes are conveyed largely through association. This is especially the case when the moral of a particular story is not made explicit, but is left up to the reader to deduce. Purely decorative alphabets often refer to existing tales such as fables and myths as they offer a shared cultural reference point and have strong moral undertones.

A moral is defined as a lesson that is learnt from a story or tale; something that can be concluded from a series of events. However, morality also concerns human character. It is understood to mean a comprehension of the difference between right and wrong and this traditionally gives the word religious connotations. *The New England Primer* was a popular example of an alphabet book that attempted to inspire ideas of religious fervour in its young readers, and combined rhyming couplets with arresting woodcuts depicting biblical stories.

The form of illustrated alphabets strongly lends itself to satire and has been used as such throughout literary history, from Victorian periodicals ridiculing the social values of the time, to socio-political commentaries on modern governments and corruption. *Punch* magazine has for decades used satirical cartoons as a defining element of its political commentary, and contemporary alphabets such as Anton Kannemeyer's *Alphabet of Democracy* series, continue to use cartoon-like imagery to represent serious cultural and racial issues. Through the use of satire the illustrated alphabet is used not to encourage a particular set of morals, but to criticise the immorality of others.

Everything's got a moral, if only you can find it. —Lewis Carroll

ABOVE AND OVERLEAF

ALPHABET OF DEMOCRACY

Anton Kannemeyer, 2008

Anton Kannemeyer is a satirical artist and co-creator of the comic magazine *Bitterkomix*, who uses the form of comic artwork to translate his ideas. Although the series exhibits a variety of drawing styles, *Alphabet of Democracy* typically uses simple backgrounds and typography, which is in keeping with the style of children's illustrated alphabets. This is deceptive however, as the alphabet is in fact highly controversial. It exposes the preoccupations of politicians and civilians, drawing attention to hypocrisy and injustice in a scathing way. Kannemeyer primarily considers the political situation and traditions with South Africa, but his work can be extended to relate to wider social issues such as discrimination and racial stereotypes, corruption and alienation.

OPPOSITE

GRAVESTONE M

Jim Kuhn, 2008

b is for black
black adj. opposite of white, dirty, messy, without light, dark, illegal, dim, smuggled, sombre, disasterous, dismal, obscure, sullen, bad-tempered, angry, horrible, grotesque, malignant, unlucky, unhappy, depressed.
SOURCES: CHAMBERS & OXFORD DICTIONARIES
1/35
AKANNEMEYER 2008

w is for white
white adj. colour of milk or fresh snow, innocent, unstained, pure, unblemished, bright, anti-revolutionary, auspicious, reliable, favourable, honorable, honest, upright, without bloodshed, free from guilt.
SOURCES: CHAMBERS & OXFORD DICTIONARIES

RIGHT

THE CHILD'S FIRST ALPHABET OF BIBLE NAMES

Printed for the Religious Tract Society

This religious chapbook exists to provide children with both a learning tool for the alphabet and Christian figures and messages. Beginning with, "A is for Adam, Who Was the First Man", the book expresses its moral and religious fervour through alphabetic associations with biblical stories.

OPPOSITE

THE GOOD CITIZEN'S ALPHABET

Bertrand Russell (writer) & Franciszka Themerson (illustrator), 1953

***The Good Citizen's Alphabet* began as a private joke in correspondence between the philosopher and logician Bertrand Russell and Stefan and Franciszka Themerson—the illustrator-founders of the Gaberbocchus Press, who eventually decided to publish it. Russell declared it—tongue in cheek—as being "precisely such as in the present perilous conjuncture is needed for the guidance of the first steps of the infant mind". Indeed this socio-political alphabet teaches more than mere letters. Combining the whimsical humour of the drawings with the satirical bite of the words that accompany them, the book is at once moral and subversive through its use of satire. The juxtaposition of words with seemingly opposite, or cynical definitions encourages the reader to question the true meaning of terms such as "Christian—Contrary to the Gospels", or "Liberty—The right to obey the police", and how they are used and exploited by society and politics.**

G

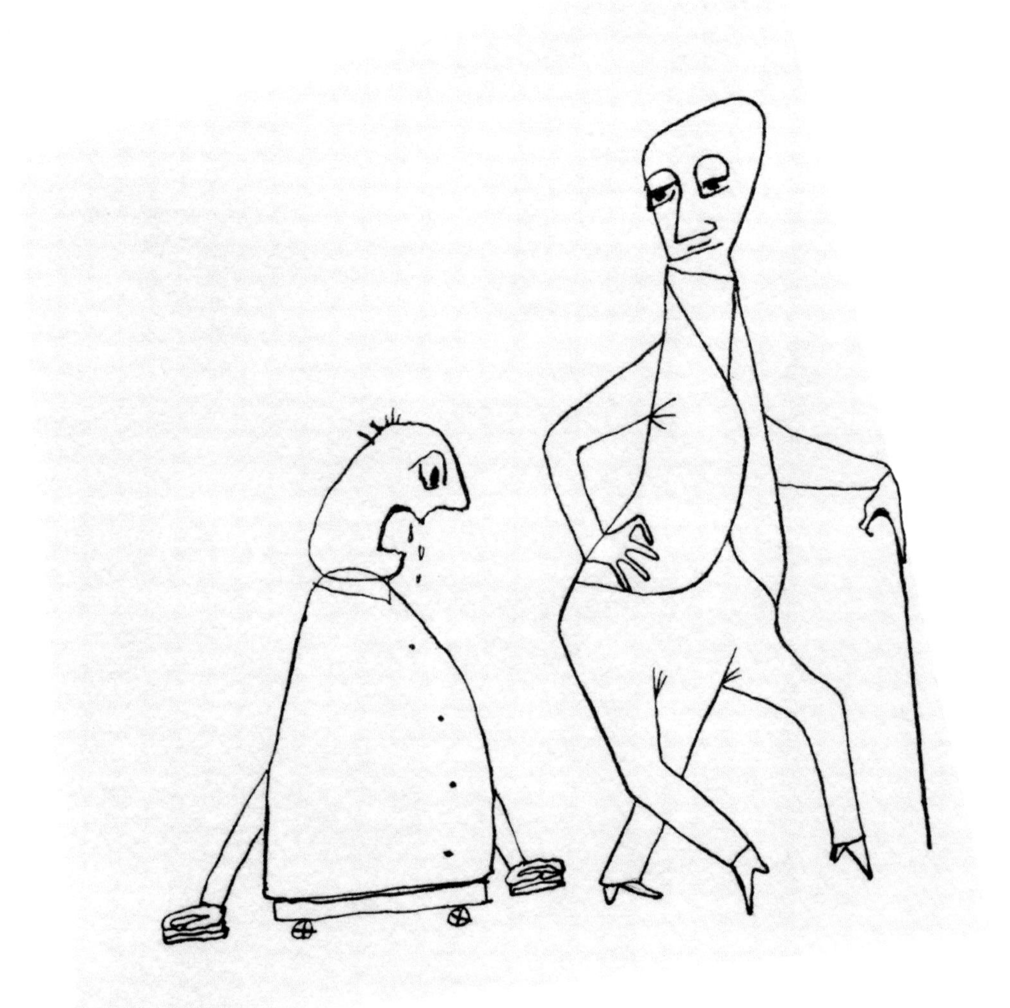

GREEDY —Wanting something I have and you haven't.

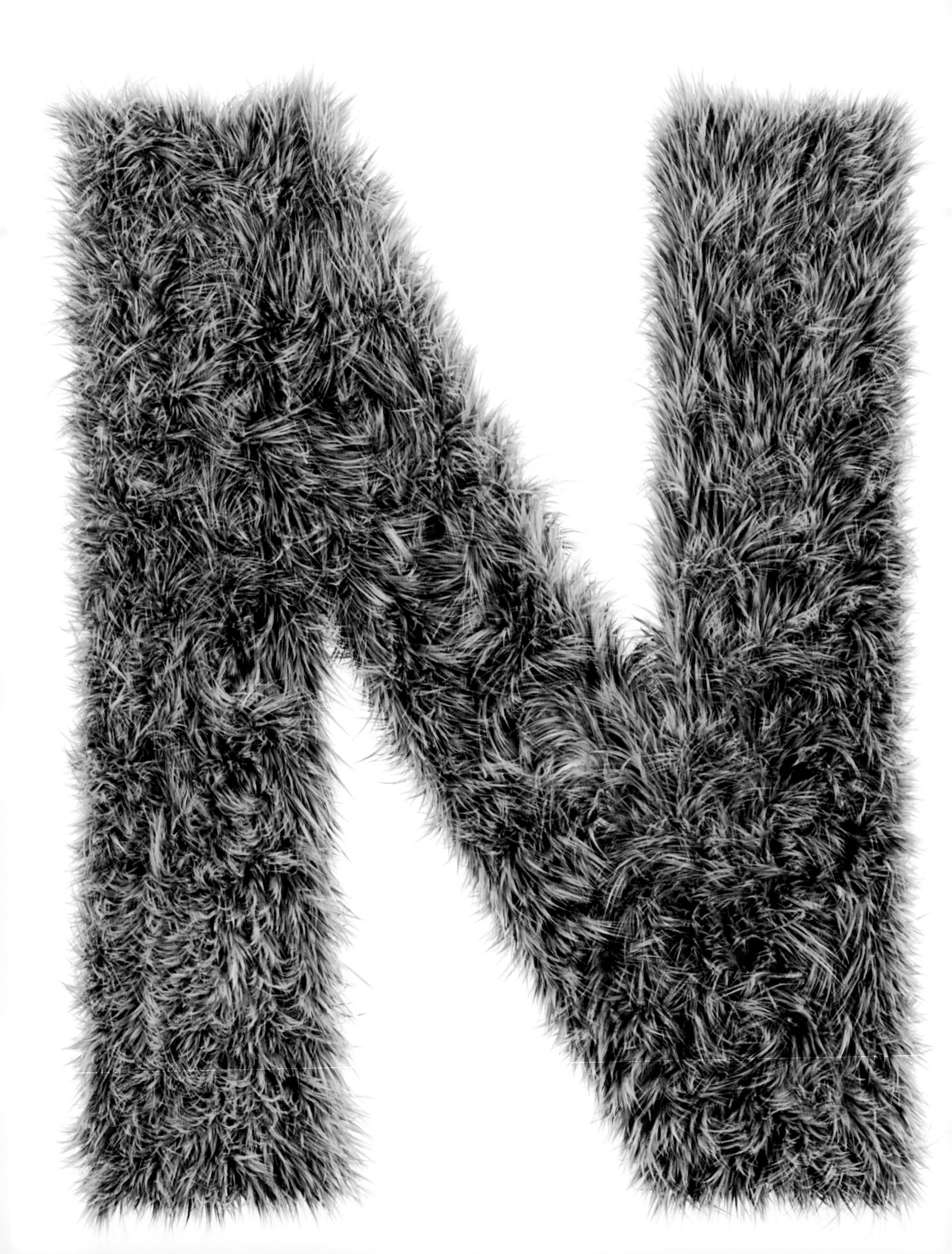

N IS FOR

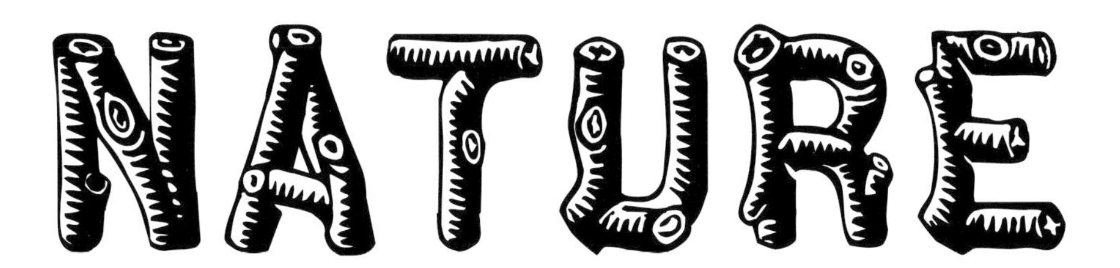

The presence of alphabets in relation to environmental and biological phenomena exemplifies humankind's attempts to understand the sublimity of nature. Untouched, vast and unfathomable, the natural world compels humans to conjure up pragmatic and structured means to cope with its mysteriousness and incomprehensibility. In a variety of scenarios, the letters of the alphabet facilitate the perpetual relationship between civilisation and the natural world, playing an integral role in humankind's perception, enjoyment and abuse of nature.

Outdoor pursuits provide people with an opportunity to explore and interact with nature. In this domain, the characters of the alphabet thrive: guiding plucky ramblers along the world's many hiking trails, teaching young children about the joys of camping, and offering a structure from which to educate people about the responsible enjoyment of countryside activities.

Nature is continuously abused by human endeavour. Industrial development and population growth have caused widespread pollution that is detrimental to the entire spectrum of the earth's ecosystems.

The natural world, however, is not simply an imposing and thought-provoking spectacle. It also has the capacity to be intriguing and eccentric in its appeal. The unfamiliar quality of the ocean, in particular, provides artists and craftsmen with a fantastical theme from which to produce whimsical works of art. The combination of oceanic tropes and alphabets is a frequently explored concept, with cross-stitch designs, posters and illustrations repeatedly featuring aquatic themed alphabets. The diverse shapes of the alphabet's characters can be manipulated by artists to resemble tropical fish or individual coral reef formations. However, this idea extends into real life too, as certain varieties of fish can only be identified by scuba divers and marine biologists because of their letter-shaped body parts. The 'Ocean Surgeon', for instance, can only be distinguished from its cousin, the 'Doctorfish', because of their respective C and D shaped tailfins.

The relationship between alphabets and nature is not only confined to rural landscapes and oceanic habitats. As this entry here demonstrates, the genetic composition of humans themselves derive from the letters of the alphabet, namely in the form of the X and Y chromosomes. Indeed, humankind's continual interaction with nature through the use of the alphabet is not always a voluntary and calculated act; often it just happens naturally.

ABOVE
APPALACHIAN TRAIL
1937–present

The Appalachian Trail is one of America's most famous National Scenic Trails. Extending from Springer Mountain in Georgia, through 14 states and eight national forests, to Mount Katahdin in Maine, the footpath is approximately 2,178 miles in length and is rumoured to take approximately five million footsteps to complete. More than 10,000 people have reportedly hiked the entire length of "The Trail", as it is otherwise known. The entire footpath is marked along the way by a series of white blazes that are painted on trees and official trail markers that are etched into posts. These distinctive signs combine the letter A with the letter T to create an arrow shape, which guide hikers through forests and over the many ridges that comprise the trail.

OPPOSITE
GRASS LETTER N
Christophe Rolland

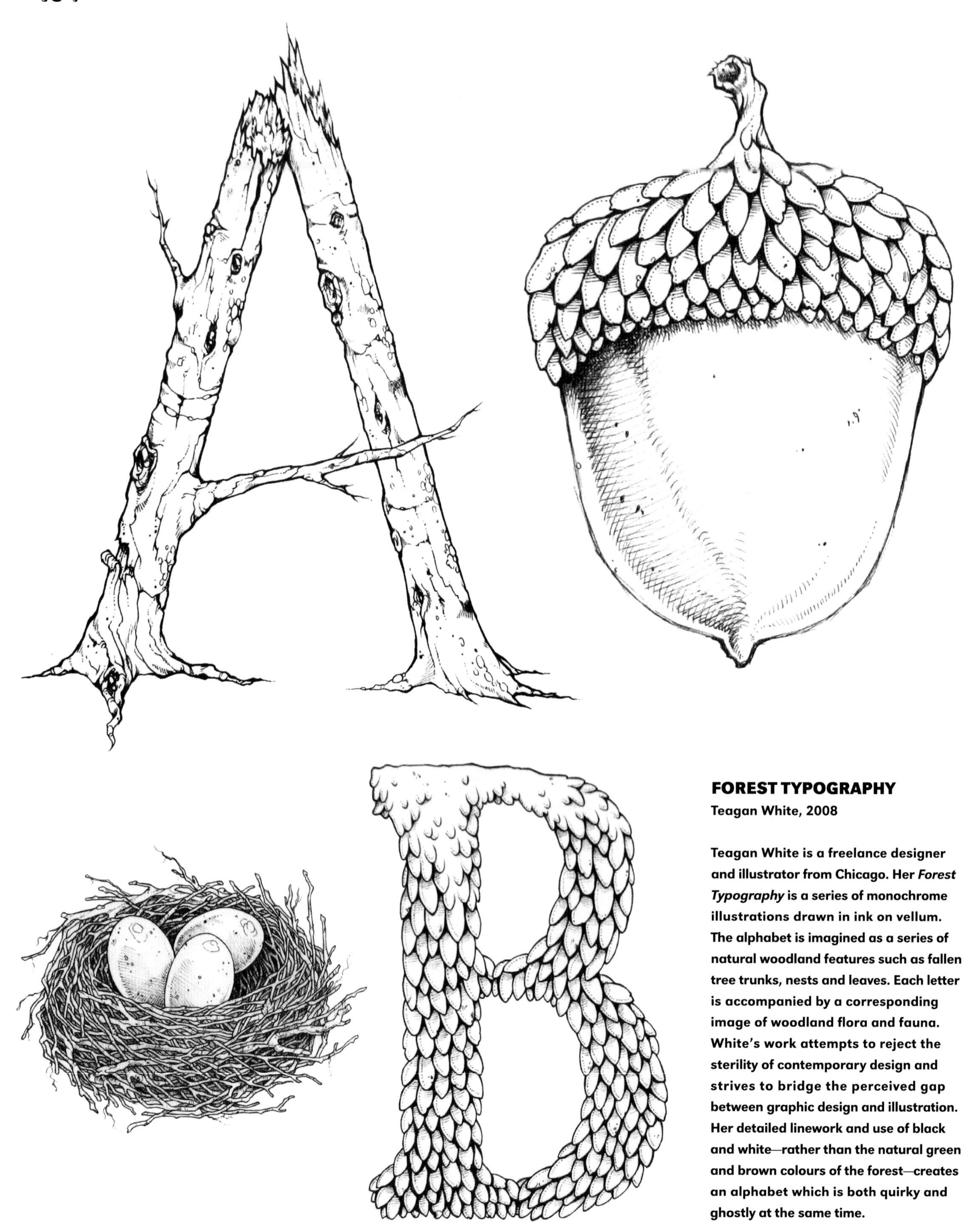

FOREST TYPOGRAPHY

Teagan White, 2008

Teagan White is a freelance designer and illustrator from Chicago. Her *Forest Typography* is a series of monochrome illustrations drawn in ink on vellum. The alphabet is imagined as a series of natural woodland features such as fallen tree trunks, nests and leaves. Each letter is accompanied by a corresponding image of woodland flora and fauna. White's work attempts to reject the sterility of contemporary design and strives to bridge the perceived gap between graphic design and illustration. Her detailed linework and use of black and white—rather than the natural green and brown colours of the forest—creates an alphabet which is both quirky and ghostly at the same time.

ALPHABET OF ENDANGERED SPECIES IN THE BRITISH ISLES

Present and Correct, 2007/2010

The phenomenon of endangered species is signified by a diminishing population of organisms, which typically derives from a change in environmental conditions, the introduction of foreign species, or a lack of sustenance in natural habitats due to deforestation activity. The overwhelming force of human development is the biggest influencing factor in the decline of animal and plant life across the world. As humankind relentlessly consumes space and natural resources, more and more species are dying out. Many nations have laws to protect and conserve endangered flora and fauna; however, not all species are helped by this legal protection and many become extinct without recognition. The most high profile cases of endangered species tend to exist in the more exotic areas of the world, with the Black Rhino, the Giant Panda and the Tiger topping the list of the world's most at risk of extinction. However, the British Isles itself currently has a list of over 100 endangered species. The graphic design company, Present and Correct, have created this attractive and informative *Alphabet of Endangered Species in the British Isles*. Printed on recycled paper and illustrated with earthy green and brown hues, this poster exhibits a selection of the endangered species in Great Britain, ranging from the famous Adder to the lesser-known Zonate Tooth Fungi. The poster revives the traditional A–Z learning format with its simple but sophisticated images and its environmental subject matter.

ALPHABET OF CAUGHT FISH

Joanne Young, 2009

Joanne Young's illustrations are commonly inspired by animal hybrids. The artist's *Alphabet of Caught Fish* was drawn in pen and ink, and then painted in watercolour washes. Young's alphabet is envisaged as a series of forlorn fish which have been skewered by peculiarly shaped fish-hooks. The image is laced with a grotesque tone, as the majority of the fish on display are not hooked conventionally, through the lip. Instead, the alphabetic hooks alarmingly puncture fins, heads and bodies; with the fish attached to the O-shaped ring even appearing as either dead or dying. Once hooked the fish are removed from their natural habitat and are thus imagined here with seemingly distressed expressions. The only fish not to have been captured is the letter G, which has a decidedly more contented look on its face. Despite the inclusion of this happier character, and the letter D which is drawn as a seaweed covered mound, the illustration is dominated by images of pain and anguish; and may be perceived as a comment on humankind's invasive interaction with nature, as exemplified by inhumane fishing practices.

CHROMOSOME

Krista Shapton, 2010

All human life derives from two specific letters of the alphabet: X and Y. There are 23 pairs of chromosomes in each normal human cell. 22 of these pairs are the same in both males and females, but the remaining pair are different between the sexes. These are known as the sex chromosomes. There are only two types of sex chromosome, X and Y, and when viewed under a microscope, they actually physically resemble the shapes of their respective letters. Females have two X chromosomes, while males have one X and one Y chromosome.

Sex cells are produced by a process called meiosis, where the chromosomes in the cell split and produce two new cells, each with only 23 single chromosomes. These split cells are known as gametes: ovum for female, sperm for male. An ovum contains only the X sex chromosome, whilst a sperm may contain either the X or Y chromosome. In reproduction, the two gametes join to create a zygote. Here, the 23 single chromosomes from each gamete combine to create a cell with a full set of 23 chromosome pairs. This zygote will have either an XY—as seen below—or XX sex chromosome pair, depending on what was in the sperm, and will thus create either a new male or female human life.

Canadian Biomedical illustrator Krista Shapton attempts to visualise complex scientific concepts in a fun, accessible and visually striking way. Her image opposite depicting a single X chromosome appears to have an electrostatic charge with strands of light bursting across it, thus giving the 'character' an intrinsic sense of natural vitality.

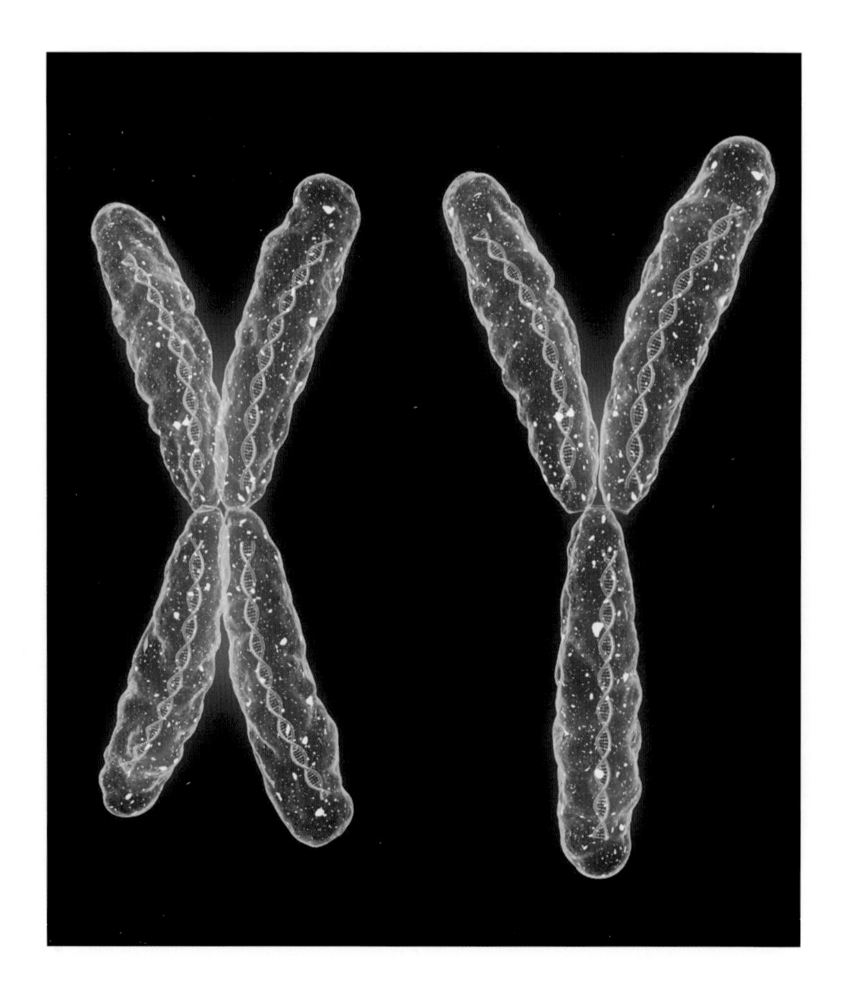

There is a way that nature speaks, that land speaks. Most of the time we are simply not patient enough, quiet enough, to pay attention to the story.
—Linda Hogan

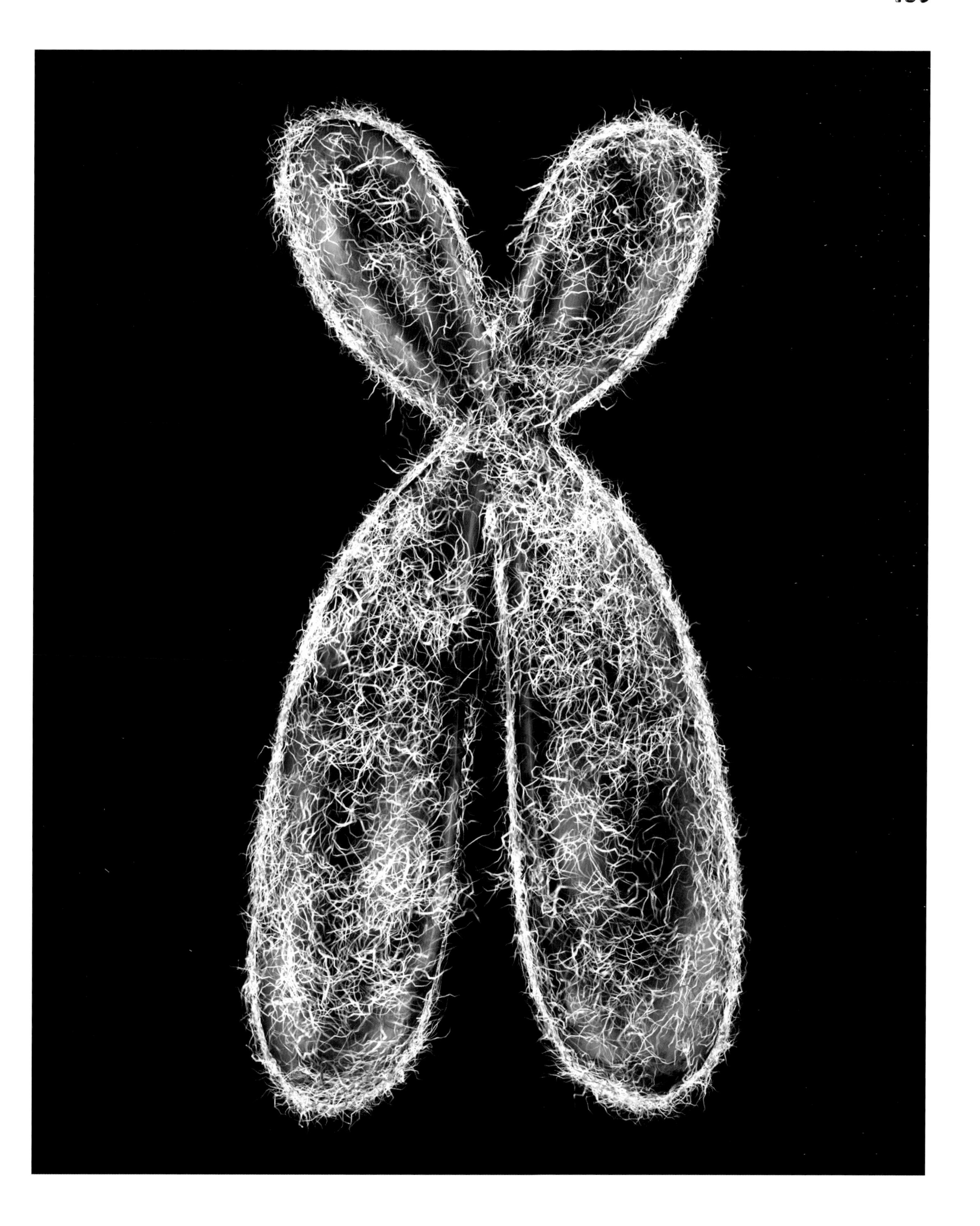

O IS FOR

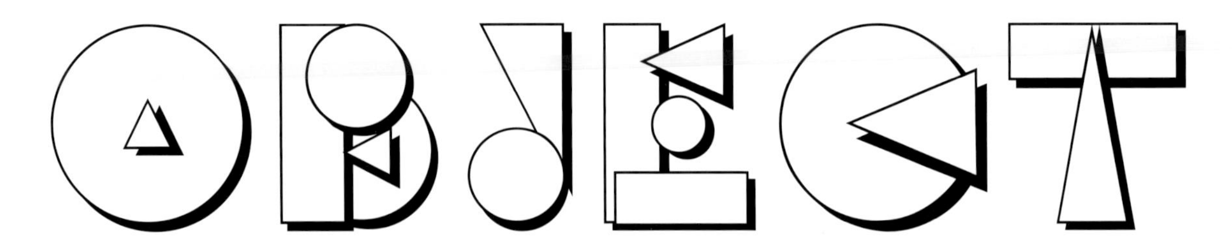

Pictorial languages, such as Chinese and Japanese, have their origins in images of objects. Ancient Egyptian hieroglyphs—which formed the earliest coherent alphabet—and Chinese characters were developed from visual depictions of the things they describe, suggesting that the physical world and the world of language are inescapably linked through symbolism. Ferdinand de Saussure concluded, from his studies of linguistics, that words, or signs, are arbitrary without the signified—the object that they refer to. This strengthens the argument that language and objects have a co-dependent relationship, as, according to Saussure, one cannot be understood without knowledge of the other.

Over time however letters have also acquired an aesthetic appeal of their own and, despite the shared history between objects and alphabets, they no longer require a surface in order to be exhibited; they have become an integral part of our visual culture. The use of letters in sculpture enables artists to build up complex patterns with a recognisable framework. This can create a sense of intricate beauty at the same time as confusion, resulting in a great potential for mystery and therefore engagement with the viewer. The alphabet is increasingly appearing as a visual element in interior design and as such there are more varied ways for it to enter the home. This is clearly visible through items of furniture that are made up of letters, printed fabrics and decorative ornaments as well as children's toys and books.

Clearly the ties between objects and alphabets are constantly being developed, and will continue to be as text becomes prevalent in a wider range of creative areas. Saussure's ideas imply that words are dependent on objects, as they have no meaning without them. Although this theory could be seen as limiting, it actually allows for extensive artistic experimentation. If words are only significant because we have associated them with certain objects, then surely we can assign them new meanings. As the appearances and purposes of objects are continually changing so are linguistic conventions. It would be unrealistic, therefore, to assume that the relationship between the two should remain static. Whether text is being used as a literary or a purely visual tool, it will always have a place in the material world. The nature of its role, however, is subject to evolution and will no doubt progress alongside new artistic techniques and priorities.

It is seeing which establishes our place in the surrounding world; we explain that world with words, but words can never undo the fact that we are surrounded by it. —John Berger

OPPOSITE
O ICE CUBE
Muji

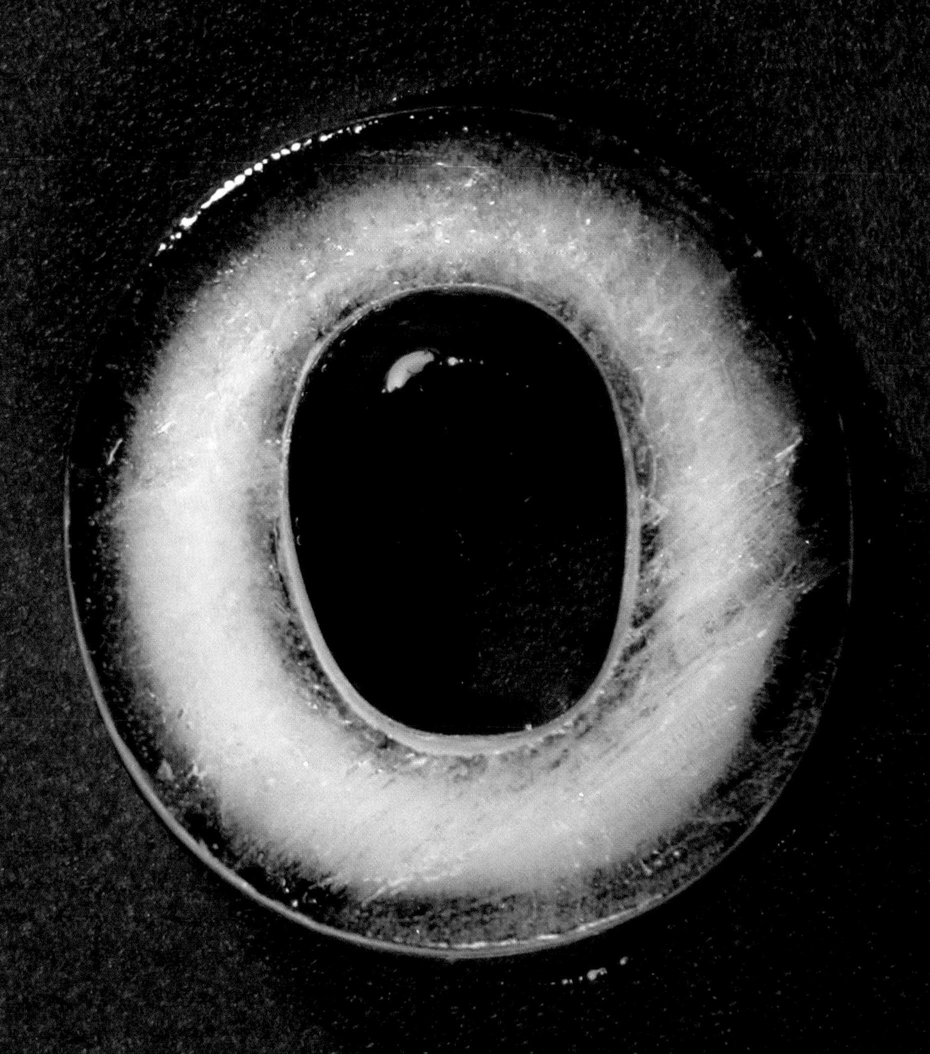

RIGHT AND BELOW

MONUMENT TO THE ARMENIAN ALPHABET

2005

This vast alphabet monument was erected in 2005 just outside the village of Artashavan, Aragatotn Marz, Armenia. All 36 letters of the Armenian alphabet were placed in the grassy landscape for people to admire and enjoy, creating a playground for typophiles. The Armenian alphabet has been in use since 405 AD and was devised by a monk named Saint Mesrop Mashtots. It has been said that no more important tool was given to the Armenian people than their alphabet. It has played an enormous role in the preservation of the national and cultural identity of the Armenian people, and has allowed them to avoid assimilation during invasions, hence this celebratory tribute to its letters.

OPPOSITE

SYNTAX

Steve Tobin, 2003

Steve Tobin is a contemporary American sculptor, whose works have gained increasing prominence for his iconic sculptures inspired by shapes found in nature and science. Tobin's six-foot *Syntax* sculpture was created by wielding together cast bronze letters and numbers into a small sphere. Another layer of letters was installed around the core sphere, with a four inch space between it and the previous layer, and then another layer was added, and so on to create a lace-like structure. At the end of the nine month construction period, the sphere was cut into, allowing the viewer to see into the construction. However, about 90 per cent of the letters are not viewable and must be imagined by the spectator. There are enough combinations of letters in this sculpture to sum up all possible knowledge and expression.

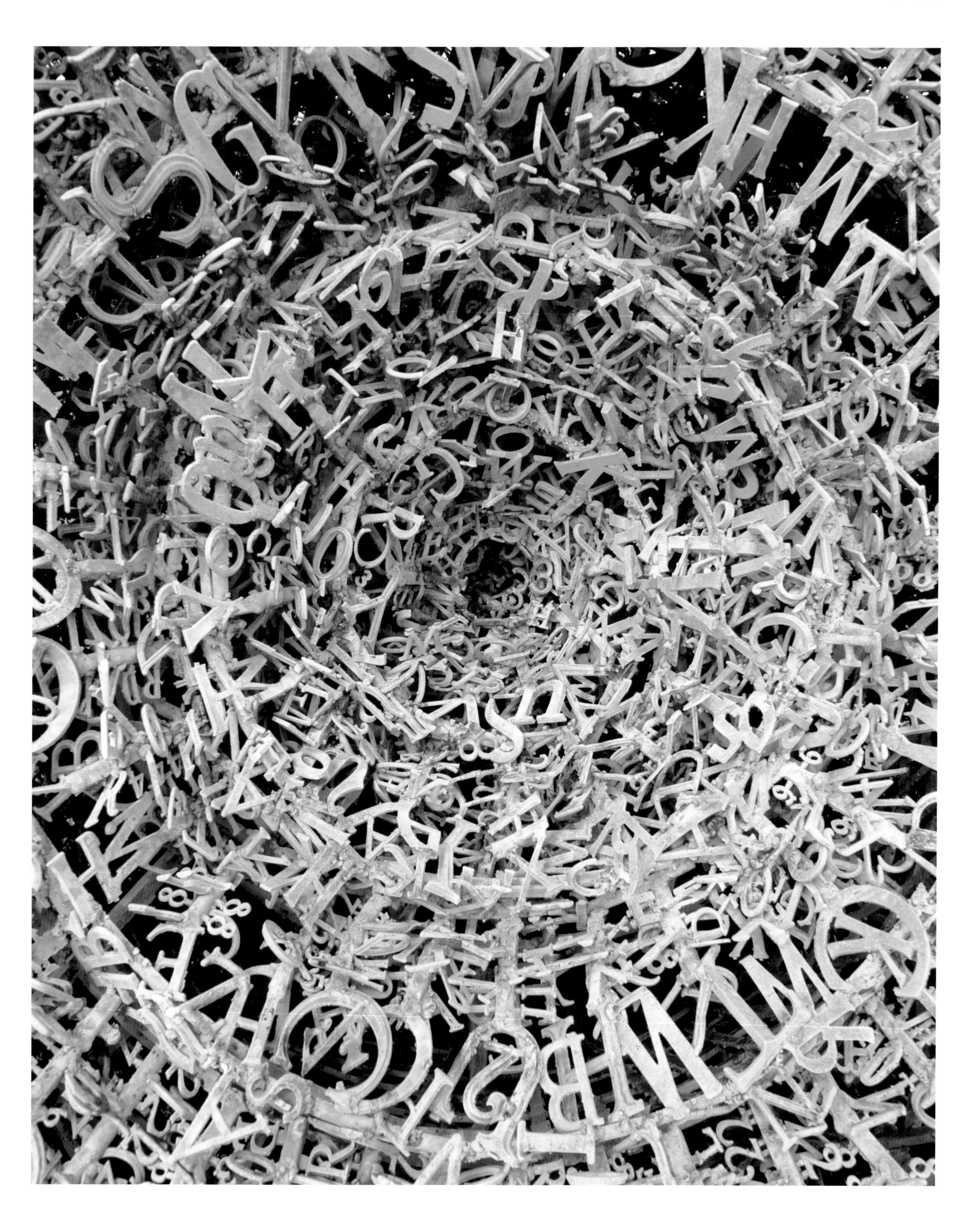

ICE CUBES AND COOKIE CUTTERS

Muji

The Japanese retail company Muji distinguishes itself through minimalistic design and a no-brand policy, creating in actuality very distinguished and recognisable products. Here, the full alphabet has been created out of steel to form this cookie cutter set and both uppercase and lower case silicon ice cube trays. Muji derives its name from the first section of *Mujirushi Ryoshin*, which means "No Brand Quality Goods", and so they focus on plain uniform packaging, simple designs and nominal advertising.

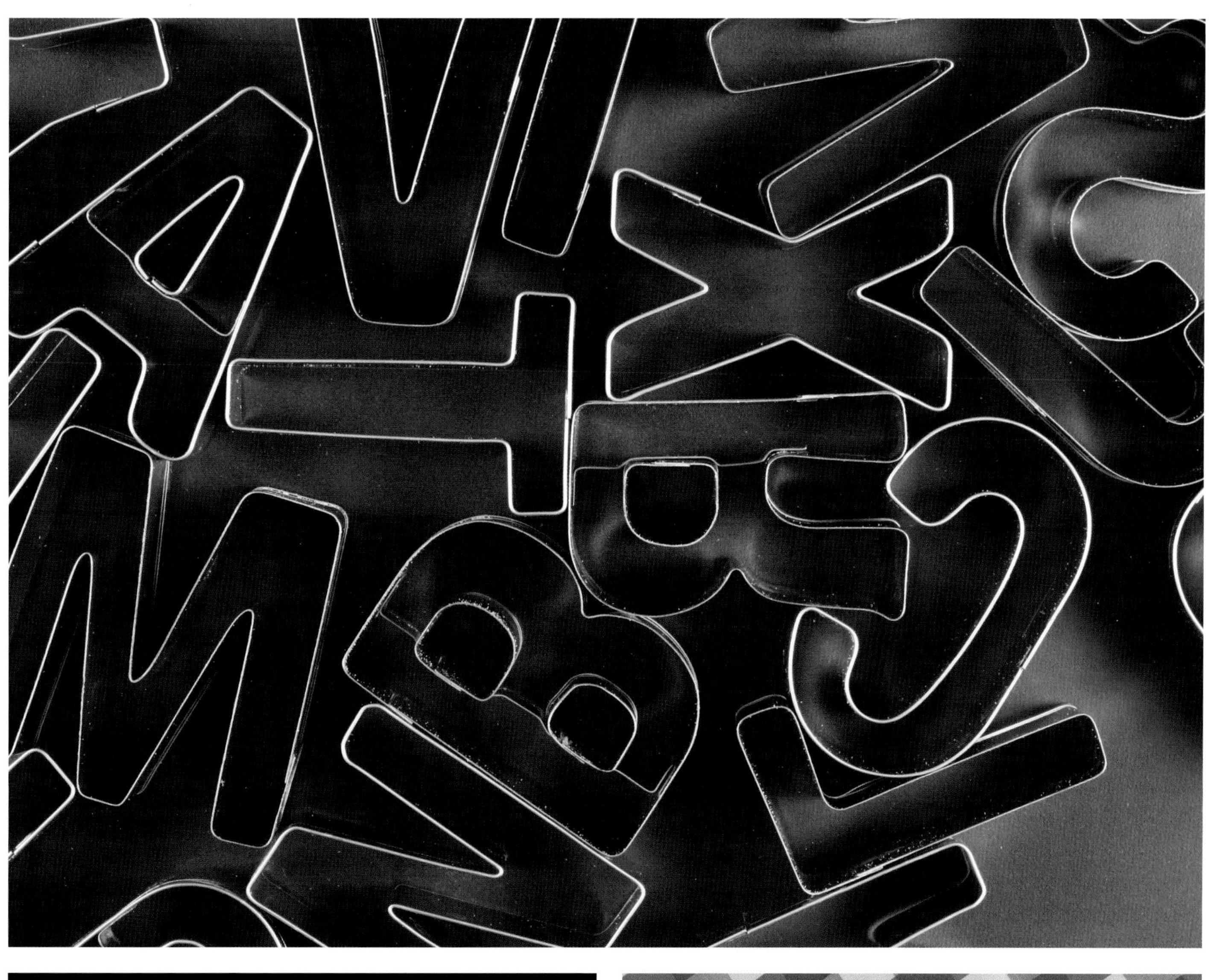

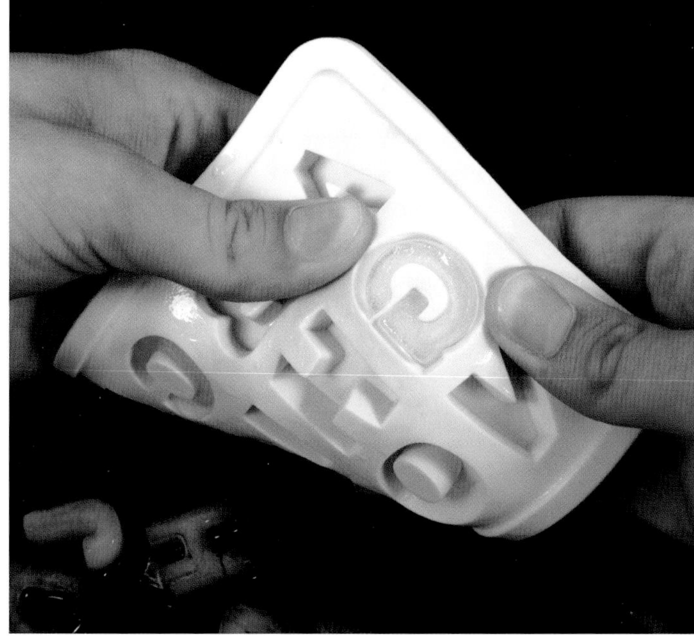

YUM

BELOW

ALPHABET DRAWERS

Kent and London Handmade Furniture

Designed for Kent and London Handmade Furniture, this chest of drawers is based on the concept of old wooden printing blocks, with a drawer for each letter. In this piece of furniture it is not only the aesthetic appearance of the alphabet that gives it value, but also its social and historical connotations as it refers to the significance of literary traditions and their developments. There is an air of intrigue built up around antiquated objects and techniques, and this piece acknowledges our fascination with tradition whilst meeting the modern need for functionality.

RIGHT AND OPPOSITE

ABC LAMPSHADE

Urban Outfitters

The alphabet is incorporated into a mobile-like lampshade for this unique interior design item from Urban Outfitters. The hanging characters are clear and concise through the multi-coloured lettering, providing a bright and vibrant light when the bulb is turned on.

P IS FOR PHYSICAL

Self-expression that is achieved by physical movement is perhaps the oldest and most instinctive form of communication. Our body language contributes to at least 55 per cent of our communication, whereas the words we use only amount to seven per cent—we interpret each other's physicality as if we were reading text from a page. This demonstrates how physical expression is still the basis of our understanding of each other.

Anthropomorphic alphabets—designed to reflect the human form—have been both illustrated and enacted throughout time. These are often physically demanding and always require a certain degree of contortion. Using the alphabet as a starting point successfully challenges people's physical capabilities and the resourcefulness of choreographers and artists. This can be seen in Vítězslav Nezval's *Abeceda*, where the alphabet is vigorously played out as a dance. Here each letter is a dynamic move, linked to the physical form itself in this key modernist approach to physical typography.

Illustrative examples of figurative alphabets are not held back by the physical limits of the body, and can therefore exaggerate the figures' flexibility and proportions, often creating an uncomfortable, if not gruesome, effect. There is more scope for symbolism amongst these examples as human forms can be combined with animals or emblematic objects and set against any backdrop.

Communication that is reliant on the body will always have an air of performance, as it must be over-exaggerated in order to be consciously apprehended. Physical alphabets are open to development and improvisation, suggesting that they constitute an art form, as well as a language.

It seems to me to be the road toward freedom.... Rather than starting inside, I start outside and reach the mental through the physical. –Jim Morrison

WEARABLE LETTERING

Amandine Alessandra, 2009

Amandine Alessandra, a photographer and graphic designer, developed a green sleeve that, when worn in different ways, allows the wearer to personify every letter of the alphabet. The quick movements that this allows between letters, and the fact that whatever is written will be transient, reflects the fleeting nature of most communication. Alessandra is making language transportable and approachable. As part of the project a group of people, wearing the sleeves, stood at the crossing on Abbey Road and spelled out words such as "pause" and "halt". The only record of this is from a public webcam, which again opens up language, making it available to any audience.

ABECEDA
Karel Teige, 1926
Written by Vítězslav Nezval
Performed by Milca Mayerová

The collaborative work *Abeceda* is a coming together of dance, poetry, and graphic design, in an avant-garde approach to the alphabet. Inspired by Vítězslav Nezval's alphabeticised poem, *Abeceda* makes use of the forms of letters and the choreography of dancer Milca Mayerová, who interprets each letter as a physical movement through her alphabetic dance. The artist who brought the two together was Karel Teige, a Constructivist and Surrealist poet, photographer and typographer. Through the works of Teige and his contemporaries—in Dadaist poetry, Constructivist architecture and design—a wide range of experiments focused on the fundamental building block of language. This in turn saw the strength of the alphabet as a possible tool for creative renewal and social revolution. *Abeceda* is widely recognised as an enduring masterpiece of Czech Modernism.

AMERICAN FOOTBALL OFFICIALS

A game of American football is controlled and regulated by no fewer than seven officials in the professional and college leagues. Each adjudicator wears a black and white striped shirt, which has an individual letter of the alphabet displayed on the back. Each letter corresponds to the official's specific role during the game: R is for Referee, U is for Umpire, H is for Head Linesman, L is for Line Judge, F is for Field Judge, S is for Side Judge, and B is for Back Judge. The use of letters makes an essential distinction between the officials and the players, who characteristically have numbers on the back of their shirts.

ABOVE

LA BOXE

c 1950

This impression of a vintage French poster, is part of a series of educational posters, which accompanied *Poucet et Son Ami*, a reading book for primary school children. Each poster featured an image connected to the phonetics of the French language, as well as handwritten and standard printed letters to aid alphabet recognition.

ABOVE AND LEFT

X FOR X-RAY AND Y FOR YOGA

Paul Thurlby, 2009

These are two examples of images from Paul Thurlby's *Alphabet*, which is, in fact, a series of prints. Thurlby takes an alternative interpretation to each letter and the images are drawn with a simple style, which gives them a retro feel, making them appealing to both adults and children. These images both incorporate a physical element, by transforming the letters into people. *X for X-Ray* in particular relates physicality to alphabets. The purpose of an X-ray is to reveal the internal structure of the body, and in this case it shows a body full of letters. In a whimsical way Thurlby alludes to the vital role language plays in our lives.

Q IS FOR
Question Mark

There have been several names for one of the English language's most important punctuation marks, "question point", "interrogation point", "interrogation mark", "eroteme", "query", and of course "question mark". It has been described as being created by the combination of the first and last letters of the Latin word *quaestio*—question—which were placed over one another in early writing abbreviations. This was later simplified through scripts and printing types to its modern day appearance.

Punctuation is essential to the reading of the English language. It provides direction to readers and speakers by signalling points, breaks, signals, rhythm, mood, stress and tone. When speaking, emphasis can be acknowledged through a change in tone or a pause; however, when writing, no such aids are available, so punctuation is used to indicate these places of emphasis. The smallest change in punctuation can change the whole tone and meaning of a sentence, giving it a playful role in the alphabet. The famous amphibology that Lynne Truss used for her celebrated book illustrates this perfectly. The "Infamous Panda" story demonstrates the ambiguity of sentences without the use of punctuation, where "Eats shoots and leaves" becomes the much more dangerous "Eats, shoots and leaves".

The earliest forms of writing had no punctuation, and its beginnings lie in the classical rhetoric of Ancient Greece and Rome; when a speech was prepared in writing, simple marks were used in order to indicate where, and for how long, the speaker should pause for. Despite this, prior to printing, the use of punctuation was not standardised and was haphazard. William Caxton—the man who printed the first books in English during the fifteenth century—only used three punctuation marks: the period (.), the colon (:) and the stroke (/). In the modern world, punctuation is not only essential to reading and writing, but also for conveying emotions in the technology driven age. *Emoticons*—the use of punctuation to form facial expressions—are ingrained in modern communication :-).

English is one of the very few European languages that does not make use of diacritical marks, which give certain characters special meaning. The exceptions are foreign loanwords from French and Spanish, such as *café*, *façade* or *résumé*. English never adopted the Spanish system of making stresses, or the French custom of indicating vowel quality with diacritical marks. Even spaces in French have rules, with many punctuation marks being superseded by a blank space. English does not exploit such language aids, resulting in it being difficult to read and pronounce, even for native speakers. The question mark is used differently in other languages, such as in Spanish, Galician and Leonese. In these cases, there are inverted question marks and exclamation points at the start of every sentence, and in Greek the semi-colon is used instead of a question mark.

This chapter celebrates and admires those artists, typographers and photographers who have never underestimated the wonderful world of small dots, squiggly lines and curvaceous forms that affect the way we speak just as much as letters.

ABOVE AND OPPOSITE
?, NUIT BLANCHE PARIS
Robert Stadler, 2007

This light installation in the Parisian church of Saint-Paul Saint-Louis was part of the annual all-night festival, *Nuit Blanche*. Visitors entered the church through a lateral door and first saw a scattered group of luminous spheres hovering in the choir. As the visitors approached the centre of the nave, the spheres began to form a giant question mark. The question mark evolves as the spectator's position changes, and as the viewer moves through the church, it decomposes. Robert Stadler created a provocative display by juxtaposing the profound symbolic association of light and knowledge, with the innate darkness embodied by the question mark's reference to doubt in an environment that conflicts belief and knowledge.

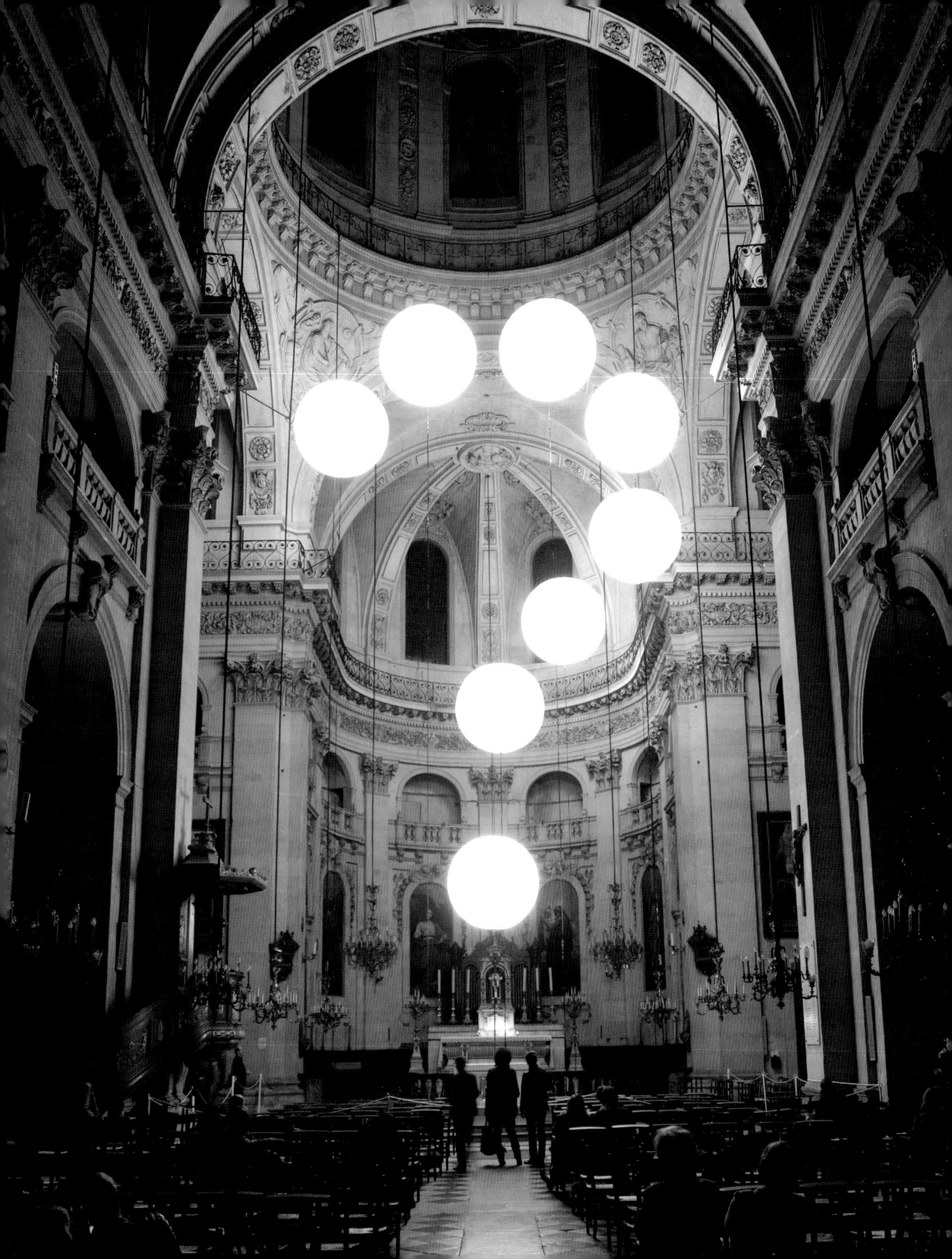

ROBERT'S first interview with MR STOPS.

Young Robert, could read, but he gabbled so fast;
And ran on with such speed, that all meaning he lost.
Till one Morning he met Mr Stops, by the way,
Who advis'd him to listen to what he should say.
Then, entring the house, he a riddle repeated,
To shew, WITHOUT STOPS, how the ear may be cheated.

LEFT AND BELOW

PUNCTUATION PERSONIFIED, OR POINTING MADE EASY

John Harris, 1824

Punctuation, since its emergence in the fifteenth and sixteenth centuries, has attracted much attention from tutors and grammarians determined to impose regulations and govern usage. This quirky children's grammar book stands out, however, as one of the most charming, with cheerful phrases such as "See, how Semicolon is strutting with pride; into two or more parts he'll a sentence divide." *Punctuation Personified* first appeared in 1824 as one of several beautifully hand-coloured instructional texts published by John Harris in his *Cabinet of Amusement and Instruction*. Intended to help children learn the art of grammar, but also to amuse. The series of larger-than-life characters such as Mr Stops and Counsellor Comma bring its lessons to life with witty verses.

COUNSELLOR COMMA, marked thus ,

Here counsellor Comma the reader may view,
Who knows neither guile nor repentance;
A straight forward path he resolves to pursue
By dividing short parts of a sentence;
As Charles can sing, whistle, leap, tumble, & run, —
Yet so BRIEF is each pause, that he merely counts ONE.

OPPOSITE

PUNCTUATION FACE

Valentine Makhouleen, 2007

American designer Valentine Makhouleen has used apostrophes and periods to create this face, a simple and charming demonstration of punctuation illustrating facial expressions.

HAPPINESS IS A WARM GUN
Matthias Ernstberger, 2005

This poster was part of a series devised by the New York graphic design company Sagmeister, Inc., documenting punctuation symbols, where each symbol was celebrated on a poster created by a different designer. Matthias Ernstberger was given the apostrophe, whose job it is to eliminate a letter. Hence he chose to represent this with a revolver.

In all affairs it's a healthy thing now and then to hang a question mark on the things you have long taken for granted. —Bertrand Russell

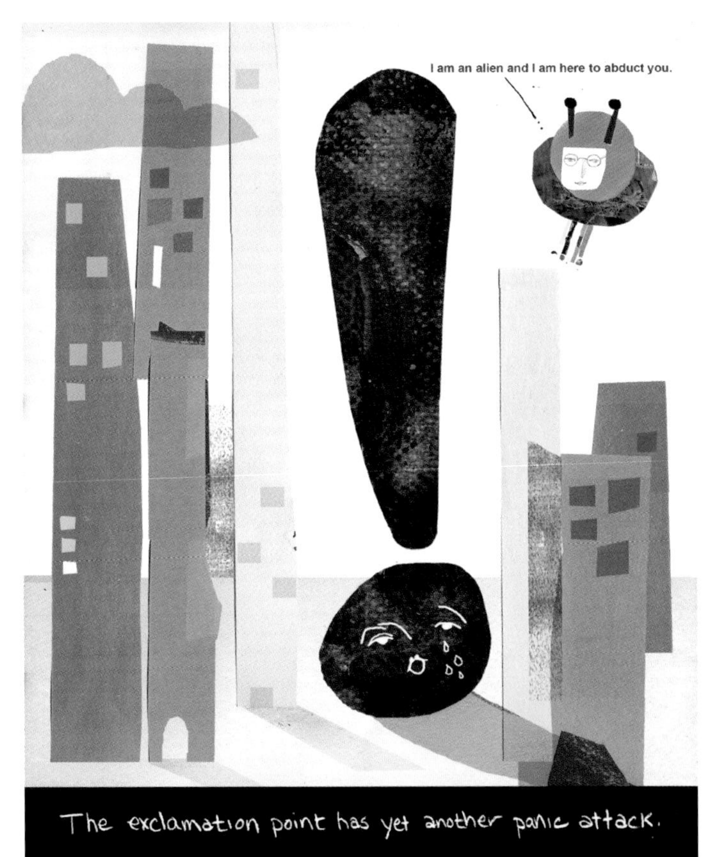

EXCLAMATION POINT, COMMA AND QUESTION MARK

Andrea D'Aquino

This series of prints, created by artist Andrea D'Aquino, explores the imagined personalities and neurosis of various punctuation marks. Idiosyncratic and beguilingly surreal, D'Aquino's images maintain a darkly comic tone which bears comparison to artists such as David Shrigley and Edward Gorey.

R IS FOR REVOLUTIONARY

The written word has always been at the forefront of revolutions, through the use of slogans, manifestos and acronymic symbols. It is unsurprising, therefore, that the illustrated alphabet as a form has been adopted to convey political messages. These alphabets might be representative of specific social revolutions, such as the *ABC of Feminism*—which illustrates a different feminist icon for each letter—or they might carry a more general political message, such as Bob and Roberta Smith's *Make Art Not War* blocks. Certain appropriations of existing alphabets have become inextricably linked with twentieth century revolutions; the movements of De Stijl, Futurism and Dadaism all saw artists such as Filippo Marinetti and Kurt Schwitters attempting reinventions of existing languages.

Developments in printing have initiated long-term social changes, resulting in increased literacy and the preservation of knowledge. The fifteenth century Printing Revolution was a contributing factor to the commencement of the Scientific Revolution enabled scientists and intellectuals to share ideas with their international counterparts, at a time when prolific progress was being made in a wide range of fields. This not only allowed knowledge to become more rapidly widespread, it also gave authors a previously unheard of social status. Mass-production meant that it was now possible for a text to have consistency across different editions and it could therefore be clearly credited to one person, whereas before they were printed individually and there were variations between copies.

The international dispersion of languages and alphabets has always been determined by political revolution and conquest. By changing a country—or region's—alphabet, it is possible to isolate the people from surrounding nations, and from each other. This is exemplified by the policy of Russification, which took place across the Russian Empire and, later, the Eastern Bloc and parts of Asia that were under Soviet control. In many countries it became compulsory to learn Russian. This had a detrimental effect on the economies and quality of education within these countries, as it was harder for different generations to communicate with each other. In response to this there were underground education movements, such as the Flying University in Poland, which demonstrates how an alphabet is a central and valued aspect of national identity. The alphabet is therefore a strong political tool and, whether it is being used as a means towards control, or to illustrate a set of positive ideas and principles, it can be manipulated to great effect.

OPPOSITE

VAN DOESBURG TEA TOWEL

BELOW

MAKE ART NOT WAR

Bob and Roberta Smith, 2009

These blocks, designed by Bob and Roberta Smith, are a new approach to the timeless concept of children's alphabet blocks. The blocks are decorated with letters, numbers and punctuation so that countless combinations of words can be made. Bob and Roberta Smith is famous for the phrase, "Make Art Not War", which has appeared in several of their artworks internationally. These blocks present the artwork in a way that the audience can participate in, experimenting themselves with lettering and its place in the art world. Bob and Roberta Smith frequently uses art to comment on politics and modern society, as well as the nature of art within it.

ABC OF FEMINISM

Carrie O'Neill, 2009

The *ABC of Feminism* was completed during Women's History Month. It was part of a larger project, entitled *365 Illustrations of Love*, which involved the artist Carrie O'Neill completing one painting a day for several months. The women illustrated represent a range of causes and include Betty Friedan—the prominent American writer who founded the National Organization for Women—and Harriet Tubman, who escaped from slavery and went on to become a part of an underground network of abolitionists and to help many other slaves find freedom. Also featured is Shirin Ebadi, whose activism on behalf of women, children and refugees enabled her to become the first Muslim woman, and the first Iranian, to win the Nobel Peace Prize in 2003. The images are bright watercolour paintings and are a tribute to the inspirational people involved in the Feminist Movement.

B
THE NIB TO
lison Bechdel
C
Rachel Carson
D
La Poupée
Marguerite Durand
E
SHIRIN EBADI
"I could not get tired, I could not lose hope I cannot afford to do that"
NOBEL PEACE PRIZE 2003
G
Charlotte Perkins Gilman
H
Kathleen Hanna
Fatima Ahmed Ibrahim
I
Sudanese Human Rights Activist
J
Joan Jett
L
"Poetry is prose bewitched a music made of visual thoughts the sound of an idea"
M
ALICE MUNRO
N
Clarina Nichols
O
Yoko Ono
Queen Latifah
R
Ernestine Rose
S
BARBARA SEAMAN
T
Harriet Tubman
W
ECCA WALKER
X
Exene Cervenka
Y
akiko yosano
Z
Mirah

ANTIFASCIST TEXTBOOK

Mauricio Amster, 1937

The Spanish Civil War, 1936–1939, was strongly influenced by the press. The struggle was between the existing Republican government and the Nationalist party, led by General Francisco Franco. The Nationalists were supported by Italy, which was under Mussolini's Fascist dictatorship, and Nazi Germany. Madrid was thus the home of the Soviet-endorsed Republicans, becoming a centre for resistance against Fascism. Manuel Azaña, the Republican President, saw education as very important and it was used as a vehicle for propaganda during the war. In 1937 the Militia of Culture was formed, and became responsible for literacy as well as political education. This textbook was published by the Militia to be used in schools, and condemned Fascist ideas. It breaks down Communist and Antifascist slogans into the vowels and consonants that they are made up of. The alphabet here thereby plays a key role in the translation of ideology, allowing the book to combat illiteracy and Fascist principles simultaneously.

LENIN, NUESTRO GRAN MAESTRO

Le-nin, nues-tro gran ma-es-tro

e, i, u, o, a

L, n, s, t, r, g, m

UNE ASSEMBLÉE TUMULTUEUSE

Filippo Tommaso Marinetti, 1919

The early twentieth century was full of rebellious groups, all denouncing outdated values, attitudes and styles. One of these was the Futurists, whose numerous manifestos documented the need for a new society and the renovation of language. The poet Filippo Tommaso Marinetti was at the centre of the movement and his *Futurist Manifesto* of 1909 called for a cultural revolution in art, society and literature. His intention was to subvert and disrupt, and in order to do this he invented a new visual language of unprecedented directness, which saw words become images. This new language was essentially unreadable as he ignored grammar and syntax, abandoned the traditional restraints of typography, and instead used mathematical and musical notations to replace ordinary punctuation. Futurist typography such as Marinetti's has held a lasting legacy, and still has an important place in today's design world.

The book must be The Futurist expression of our Futurist ideas ... even more: my revolution is directed against what is known as the typographic harmony of the page, which is contrary to the flux and movement of style. —Marinetti, *Typographic Revolution*, 1913

RIGHT

VAN DOESBURG TEA TOWEL

This colourful printed tea towel features the *Architype Van Doesburg* font based on Theo Van Doesburg's 1919 typographic designs for an alphabet. Characteristics of the De Stijl movement, which rejected the traditional aesthetic of natural form and colour in favour of pure abstraction and universality, are evident in the block shapes and the basic colours of this alphabet design.

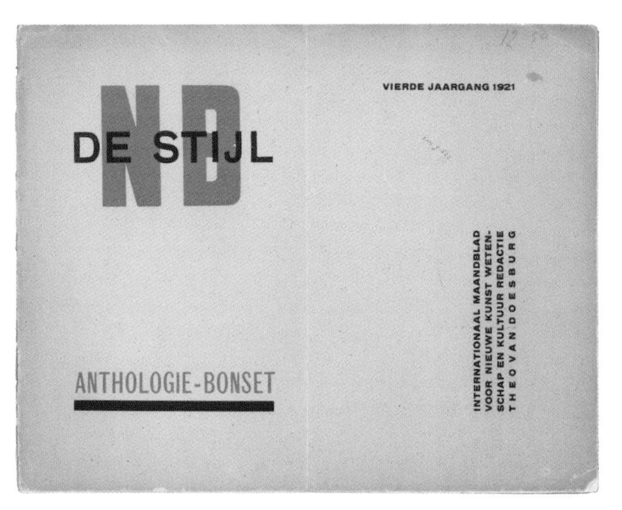

LEFT

KLANKBEELDEN, FROM DE STIJL JOURNAL

Theo van Doesburg, 1921

De Stijl was an art movement founded in The Netherlands in 1917, and took its name from the Dutch for "The Style". De Stijl was also known as Neoplasticism, the new plastic art, and advocated pure abstraction and simplicity. Form was reduced to essential straight lines and geometric shapes, whilst colour was reduced to only primary colours or black and white. A De Stijl member, the painter Theo van Doesberg started a journal named after the movement in 1917, pages of which are shown here. Van Doesburg published these *Letterklankbeelden* ("Letter Sound Images"), which were poems that saw letters arranged, not by their meaning, but according to their abstract sound values. The journal continued publication until 1928 spreading the group's theories and included works by the painter George Vantongerloo, and the architects Jacobus Johannes P Oud and Gerrit Rietveld.

S IS FOR

Typography is art with a purpose. Driven by functionality, the typographer's painstaking craft is dedicated towards the creation of legible and readable characters for printing. Typefaces are silent masterpieces. The nuances and intricacies of an effective typeface go undetected by the reader whose primary concern is the information they are consuming. However, the subtle aesthetic of the letters can have a profound influence in its own right. The careful shaping of each character enhances the reader's experience, and each serif or curve holds its own semantic force. Indeed, numerous typefaces throughout history have played an integral role in constructing national, political and commercial identities. For instance, 'Black Letter' typefaces are inextricably linked with German heritage, and were particularly prevalent in printmaking from the sixteenth century onwards. In the modern world, certain typefaces are used more frequently than others. For instance, the sans-serif font *Helvetica*, developed in 1957, is one of the most commonly used typefaces in the world; with the United States government, New York City's Metropolitan Transportation Authority, and major brands such as American Apparel widely favouring its use.

The inherent functionality of typefaces, however, does not reduce the characters of the alphabet to simple vessels for information; banal and devoid of beauty. The magnificence of the typeface stems from its uniform nature, its structural composition, and the harmony of the relationship between each letter. The appeal of a typeface is certainly dependent on the interaction between the different letters. Once contextualised into the form of a word, or the full sequence of the alphabet, the flourishes and idiosyncrasies of each individual character are highlighted. Standing alone, the complexity of a single character may go unnoticed, but with other letters from the same typeface acting as a point of comparison the sophistication of each letter can be truly realised. The entries here offer a sample of influential and interesting typefaces; a compendium of printed letters, which have a political, commercial, or artistic significance, and have successfully balanced practicality with splendor.

THE QUICK
BROWN FOX
JUMPS OVER
THE LAZY
DOG

ABOVE
PANGRAMS—THE QUICK BROWN FOX JUMPS OVER THE LAZY DOG

The word pangram comes from the Greek *pan gramma* meaning "every letter". Also known as a "holoalphabetic sentence", it uses every letter of the alphabet at least once. "The quick brown fox jumps over the lazy dog" employs 35 letters and has been used since the late nineteenth century to display and contrast various different typefaces. This particular sentence is well-known across the world through Microsoft's use of it in their computer font displays. As part of a collective consciousness this sentence has often been appropriated into the visual arts.

OPPOSITE
TYPOGRAPHIC S'

ABCD
EFGHIJ
KLMN
OPQRS
TUVW
XYZ

A SUITE OF LITTLE ALPHABETS

Leo Wyatt, 1988

This set of alphabets was originally published as a book, but the individual pages have since been re-released as prints. They are a collection of wood engravings, by Leo Wyatt, and show a variety of different typefaces. Some of the fonts are more detailed than others, *Flourished Script* being the most elaborate, but in none of the examples is the legibility compromised by the font's design. This practical approach to typography is further reflected in the way that the pages are consistently laid out, allowing direct comparison between them and letting the fonts speak for themselves.

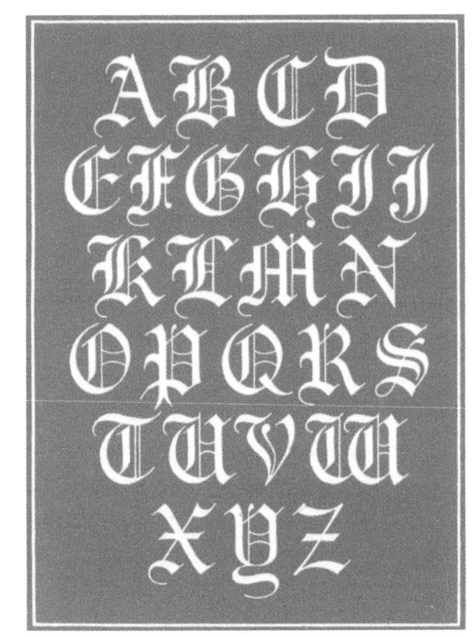

ABCD
EFGHI
JKLMN
OPQRS
TUVW
XYZ

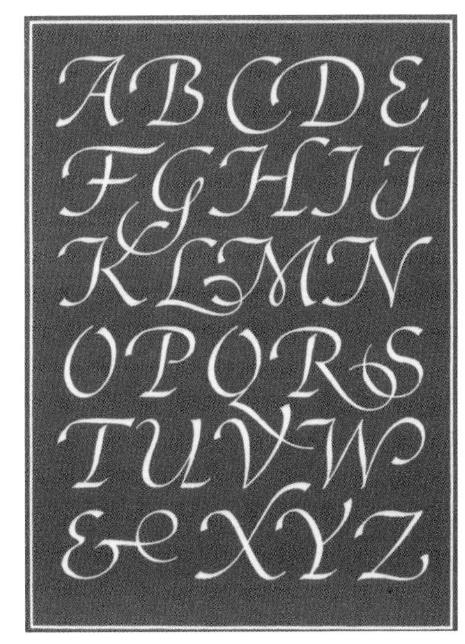

ABCD
EFGHI
JKLMN
OPQRS
TUVW
XYZ

A great typeface is not a collection of beautiful letters, but a beautiful collection of letters.
–Walter Tracy

Reader

AA AA B B C CCC DD D
EE EE FFFG GG HHH II
II J JJ KKK L LL M M M
NN NO OOP PP QQQ
QRR R S SST TT UU
U VV WWW WXX X YY
Y YZ Z Z aa bbb bc ccc
d dde eee fff ggg hhh h
i i jjj k kkl ll mm mn n
n ooo pp pqq qqr rrss s
s tt uu uuv vvvw w wx
xy yyz zz

A1 B9
72pt 72pt
A1 B9
60pt 60pt
A1 B9
48pt 48pt
A1 B9
36pt 36pt

A1 A1 B9 B9
30pt 24pt 30pt 24pt
A1 A1 B9 B9
18pt 14pt 18pt 14pt
A1 A1 B9 B9
12pt 11pt 12pt 11pt
A1 A1 B9 B9
10pt 9pt 10pt 9pt

ABCDEFGHIJKLMNO
PQRSTUVWXYZ
Uppercase – 36pt

abcdefghijklmnopqrs
tuvwxyz
Lowercase – 36pt

0123456789
!@£$%^&*()_-+=?/™
{[]}:;"'"\|~ `<,.>±§
Numerals & Symbols – 36pt

ARCHÆOLOGY
archæology
fœderal – federal
Æthrioscope
Cæsar
ENCYCLOPÆDIA
Ødipus
Œcology
Homœostasis
Grinçant
La gondoła
Extended Ligatures in use – 36pt

READER

Designed by The Entente, released via Colophon Foundry

Colophon is an independent type foundry set up by the Brighton-based design studio The Entente. *Reader* is a neo-grotesque typeface initially created in a medium weight, and now re-cut into a base family of six weights with an additional seventh in the form of *Reader Black*. The typeface itself has been referenced from an RSPB letter dating to 1972. The original typeface, which is unknown, was a monospaced, rounded face. The construction and geometric properties from this type were taken into the sketching process of *Reader* but without the monospaced grid. The proportions of the typeface were rebalanced to give it a 1960s Swiss-style feel, but also referencing the symmetry and geometry of the Bauhaus. Weight has also been added to the face, giving a subtle stress to the characters and allowing easy 'readability'. The ends of every stem have been cut off and replaced with horizontal and angled edges to allow for evenly spaced typesetting. The name takes itself from the original reference to whom the letter is addressed—to the Reader.

T IS FOR TECHNOLOGY

Technology has always influenced communication, and in particular the written word. Printing methods are continuously evolving, as are digital communications, naturally prompting changes in the way that language is used and understood. Johannes Gutenberg invented moveable type in the fifteenth century, and the resulting *Gutenberg Bible* is the most symbolic publication of this era. The success of this technique paved the way for mass printing, influencing the whole future of the print industry, but also creating the impetus for widespread social and political upheaval. Moveable type used metal letters, replacing the previous method of woodblock printing. Wooden letters would wear at different rates, according to frequency of use, which would upset the regularity of the typeface. With the introduction of a metal moveable type this issue was resolved, becoming less time-consuming and more consistent. The success of this method eventually meant that books were to become available to a large number of people, creating an information revolution with a proportionate increase in literacy and communication, which enabled a better informed and more widely dissenting population changing the face of Europe forever.

More recent developments in communication and the written word—from typewriters and computers, to text messaging and e-books—have all changed the way we use language. In the more informal of these channels, syntax is flexible and words are excessively abbreviated in order to match our fast-paced culture. Technology has adapted to accommodate society's changing priorities, and will continue to do so as older forms of language representation begin to die out.

Links between the alphabet and modern technology can be found in art, design and science showing that the alphabet is, and will continue to be, a constant theme in visual culture, regardless of technological advances. As new methods are developed, the alphabet will be displayed in different formats and, although it may be adapted, built on, or deconstructed, it is unlikely that it will ever be replaced.

OPPOSITE AND OVERLEAF

THE BASTARD WORD

Fiona Banner, 2006–2007

Fiona Banner has been experimenting with images of fighter planes and with language since her time at art school. These seemingly disparate themes have become central to her work, and are brought together in *The Bastard Word*. Banner constructs the 26 letters of the alphabet by dissecting and rearranging her drawings of specific aircraft and aircraft components, all of which were in service at the time of the work's production. There is a contrast between the subject matter—with its allusions to violence and destruction—and the sensitive way in which the artworks are created. The connotations associated with aircraft presents the letters with a subtle power, reminding the viewer of the potential for aggression that is always existent within language.

It is the framework which changes with each new technology and not just the picture within the frame. –Marshall McLuhan

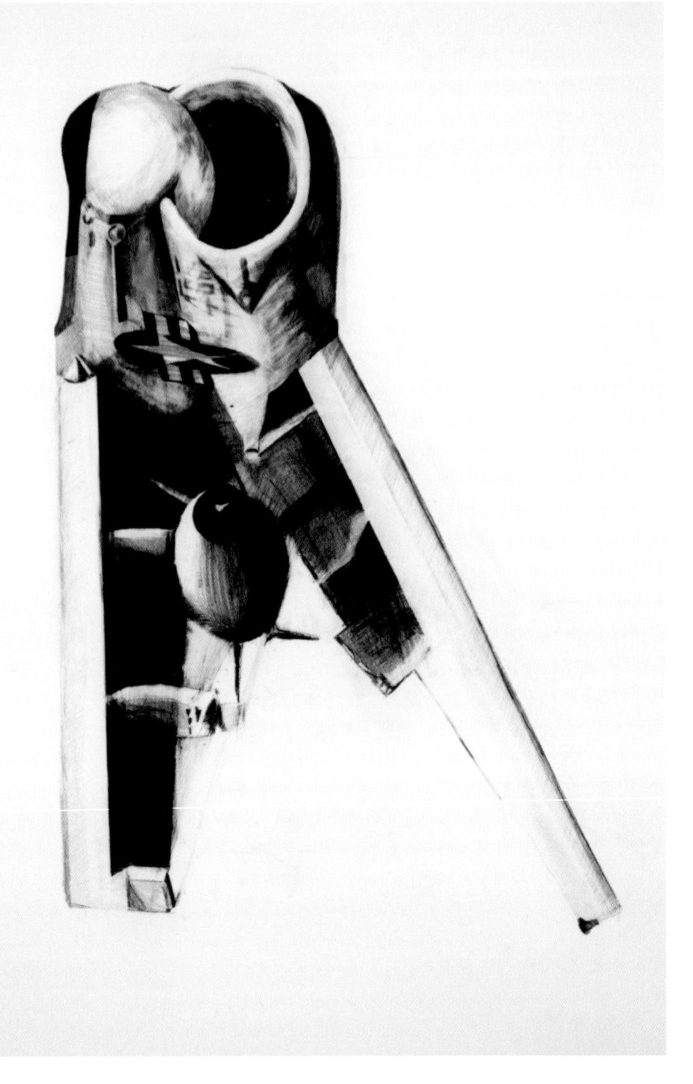

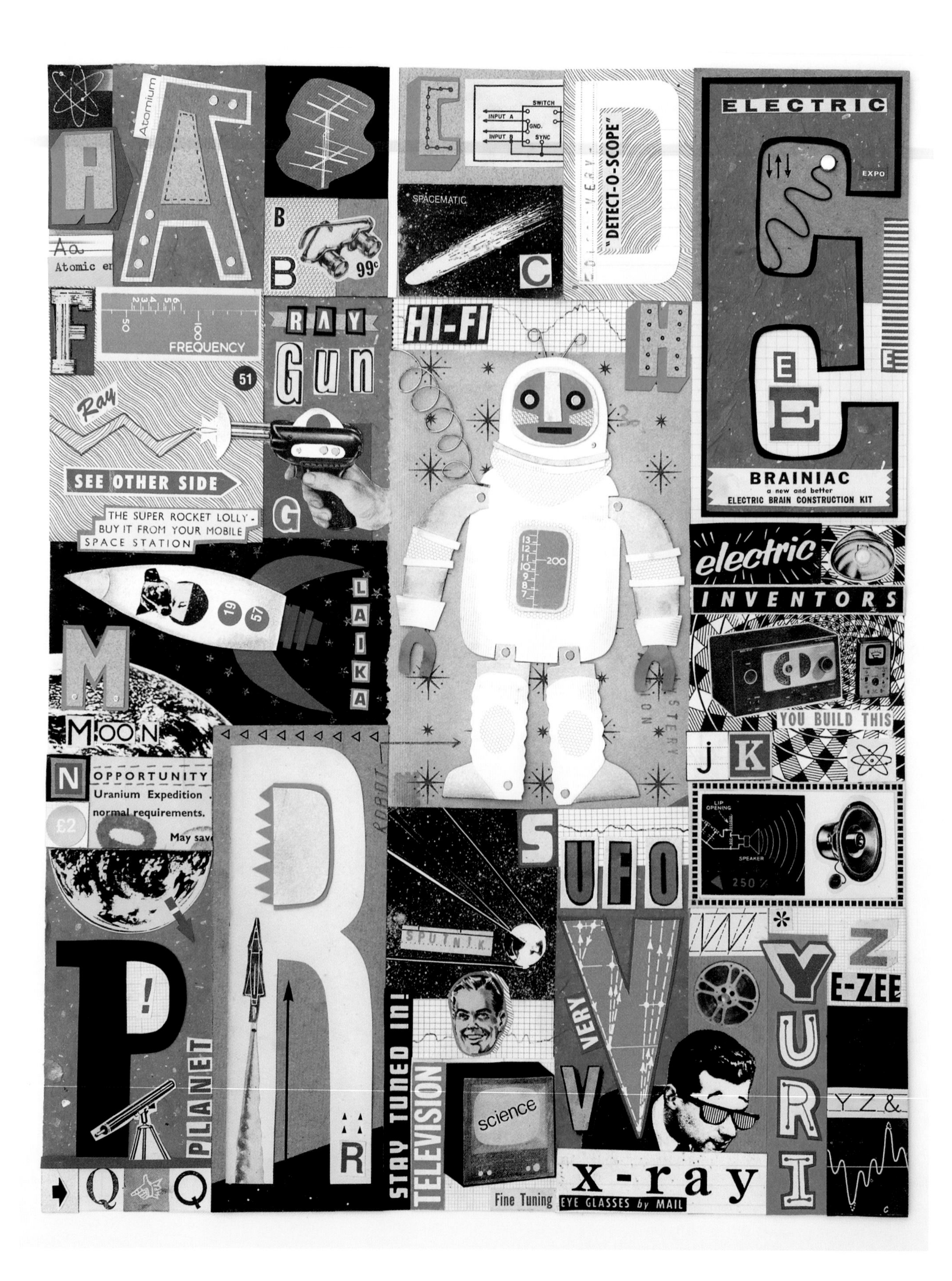
Atomium
Aa
Atomic en
B
B
99¢
SWITCH
INPUT A
GND.
INPUT B
SYNC
SPACEMATIC
C
"DETECT-O-SCOPE"
ELECTRIC
EXPO
E
E
E
BRAINIAC
a new and better
ELECTRIC BRAIN CONSTRUCTION KIT
FREQUENCY
51
Ray
SEE OTHER SIDE
THE SUPER ROCKET LOLLY-
BUY IT FROM YOUR MOBILE
SPACE STATION
RAY
Gun
G
HI-FI
H
electric
INVENTORS
YOU BUILD THIS
j K
LAIKA
19 57
M
MOON
N
OPPORTUNITY
Uranium Expedition
normal requirements.
May sav
£2
LIP OPENING
SPEAKER
250
S
UFO
SPUTNIK
STAY TUNED IN!
TELEVISION
science
Fine Tuning
VERY
V
x-ray
EYE GLASSES by MAIL
Z
E-ZEE
Y
YURI
YZ&
P
!
PLANET
R
R
Q Q

OPPOSITE

ATOMIC ALPHABET

Linzie Hunter, 2008

The *Atomic Alphabet* uses the traditional technique of collage to explore the subject of technology and space travel. Through this unique take on the alphabet, the artist and illustrator Linzie Hunter has created a work that is fun and exciting, replacing more dated, over-familiar and conventional alphabets.

RIGHT

A YOUNG MAD SCIENTIST FIRST ALPHABET BLOCKS

Xylocopa Design

These *A Young Mad Scientist First Alphabet Blocks* combine detailed woodcut illustrations with science-based letter titles, such as "K—Potassium", "L—Laser" and "N—Nanotechnology". The blocks exaggerate the stereotypes linked to science, often through those that have been popularised by literature and film, such as "H—Henchman", which conjures memories of the sidekicks of mad Bond villains. There are also more conventional scientific references, such as "Q—Quantum Physics". The blocks therefore have a playful feel to them, but also have serious undercurrents. "B—Bioengineering" and "V—Virus" are both examples of blocks that when the text and illustrations are considered in conjunction could be seen as raising questions about ethics in relation to modern science and technological development.

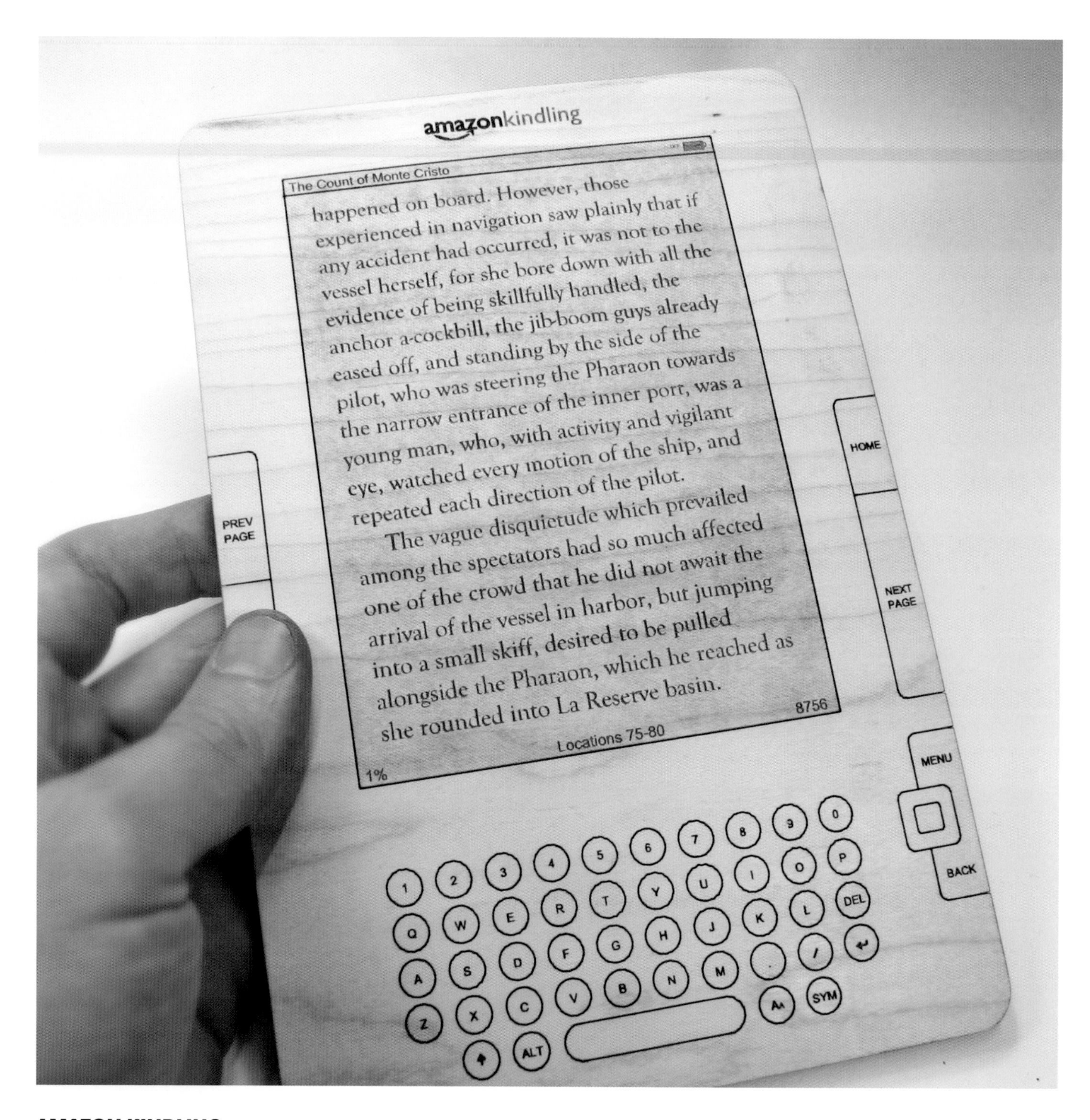

AMAZON KINDLING

Rob Cockerham, 2009

Amazon launched their first Kindle—an electronic reading device—in 2007 to great enthusiasm. In response to this, Rob Cockerham created the wooden *Amazon Kindling*. He designed the *Kindling* based on the original Kindle design, and had it laser-cut out of plywood. The *Kindling* shows a single page of *The Count of Monte Cristo* and was sold on ebay after its construction. The *Kindling* can either be seen as a farcical act of resistance to technology in its application of reading or as a celebration of the potential reduction of wood being used for paper in conventional publishing. However, whether Cockerham's intent was to be critical or not, the *Kindling*, as its name suggests, highlights, in a quirky way, the changes that are occurring within the publishing industry.

MOVABLE METAL TYPE

Johannes Gutenberg is generally credited with the invention of movable type in Europe. Ink was rolled over the raised surfaces of moveable hand-set block letters held within a wooden form, then the form was pressed against a sheet of paper. After a page was printed, the letters could be rearranged and then reused for printing other pages. Compared to woodblock printing, movable type was much quicker to use, more durable, more uniform, and thus more readable. Printing presses rapidly spread across Europe, and later, around the world. This new way of printing dramatically brought down the price of manuscripts and led to the availability of books for the masses. Most movable type printing derives from Gutenberg's system, which is regarded as one of the most important inventions ever.

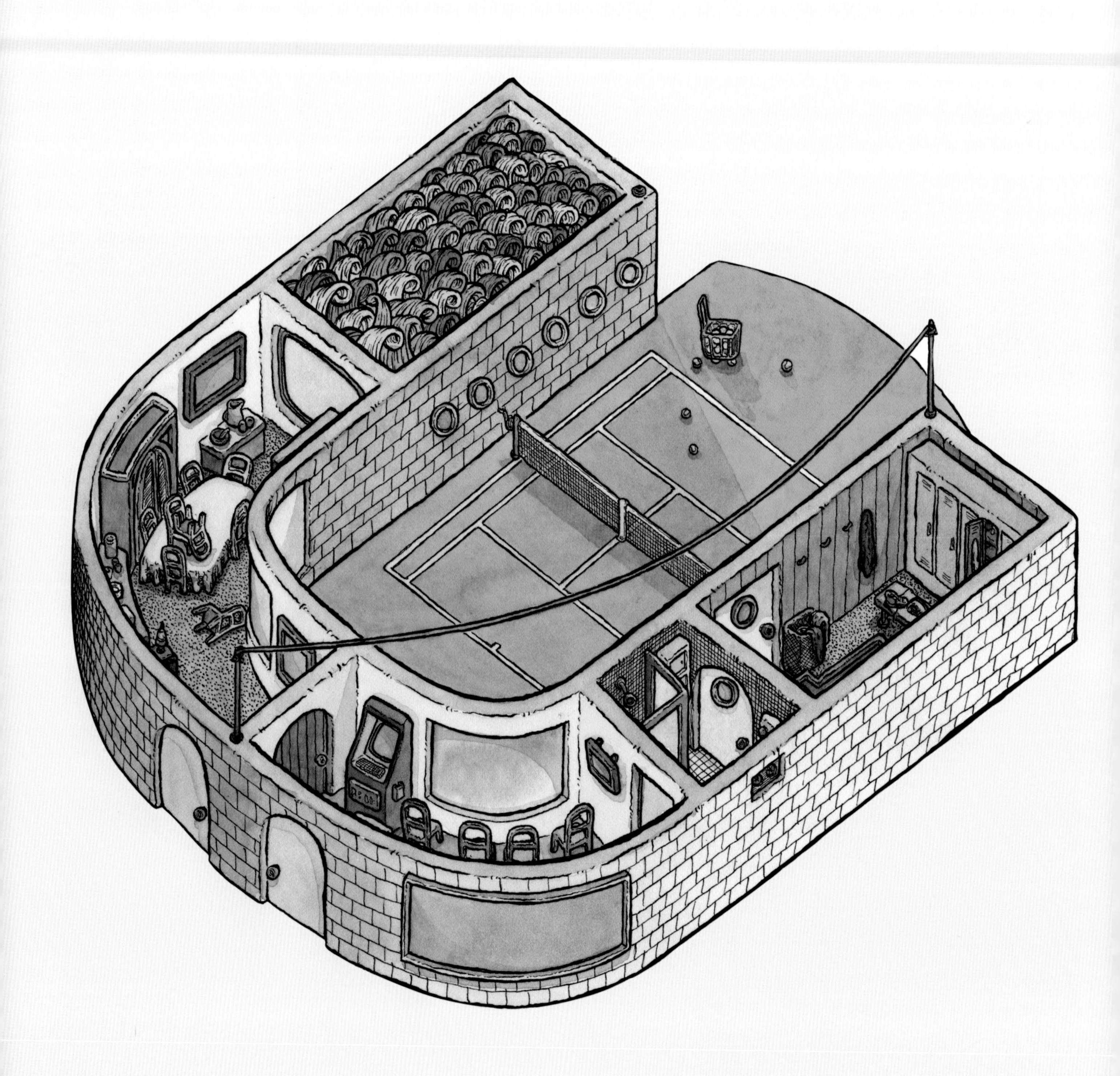

U IS FOR URBAN

The alphabet and the urban environment enjoy a symbiotic relationship. Each letter feeds off the city, relishing the diversity of its inhabitants' tongues and thriving in a hectic world where the urgency of communication is demanded. Road sign abbreviations and the jabber of modern street lingo give letters the freedom to develop beyond the constraints of linguistic and syntactical convention.

Equally, the city's identity would be incomplete without the alphabet's characters to adorn its canvas and provide it with a distinctive voice. Urban areas are characteristically multicultural. At every turn, one hears a different language being spoken, which although entirely dissimilar to the last, is likely to be composed from the same characters of the Roman alphabet, or its relatives.

The appearance of the lowercase alphabet even resembles a metropolitan skyline: the ascender of the 'b' punctuating the firmament like a skyscraper, the descender of the 'p' dropping underground like an escalator to the subway, and the tittle of the 'j' buzzing around like a helicopter reporting on the traffic news. Often, the imposing architecture and transport infrastructure of urban areas literally carve out the shapes of letters. With a keener eye, one can identify the recognisable characters of the alphabet in the fabric of the city in everyday places, which are normally overlooked by the busy public.

In the twenty-first century, the word 'urban' is also frequently related to progressive pop culture, with the term constantly becoming associated with the worlds of fashion, hip-hop music and street art. The facades of buildings provide an ideal material on which graffiti artists can express themselves; abundant, free, and immediately accessible to the public eye. Alphabet motifs feature heavily in these urban masterpieces, and examples can be seen across the world's modern metropolises, from the slums of São Paulo to the bustling streets of trendy Hoxton—the alphabet is truly inextricable from the cultures and subcultures that define the urban world.

ABOVE
ABC
Jason Santa Maria, 2008

This photograph, shot by designer Jason Santa Maria, was taken when he attended a typography walking tour of the Lower East Side of Manhattan in 2008, led by the celebrated typographer Tobias Frere-Jones. The tour focused on engraved and painted signage. Intriguing and diverse, these typographic features play a significant part in crafting the city's cultural identity. Curiously, the words which feature on this abandoned shop front are faded and rusting, but the embossed letters of the ABC stand bold and defiant; still emphatically contributing to the city's distinctive appearance.

All great art is born of the metropolis.
—Ezra Pound

OPPOSITE
ALPHABET FOR ALPHAVILLE
Scott Teplin, 2008

SHUTTERS

Ben Eine, 2002–2007

British street artist Ben Eine has succeeded in transforming the drab shutter fronts of East London's small businesses into a vibrant, alphabetical patchwork. The artist actually started his alphabet concept by accident, when attempting to spell out his pseudonym—which derives from the German word for "one"—onto a series of shutters on Kingsland Road. Halfway through he realised that when the individual letters stood alone, removed from the context of a word, they would raise more questions from onlookers and passers by. Preying on the public's curiosity and the natural structure of the alphabet, he continued to paint his urban canvasses across the city, until each letter ranging from A to Z could be found.

Eine's letters are daubed using bold colours and a circus style font. He also uses the horizontal ridges of the shutters to his advantage, giving the letters a texture resembling corrugated cardboard. With more and more people discovering his work, the typographic 'vandal' was increasingly asked by other shopkeepers to paint their shutters—preferably with the initials of their shop name. Consequently, his collection has made the transition from guerilla graffiti to commissioned compositions and famous purchases; British Prime Minister David Cameron recently acquired one of his alphabet pieces, *Twenty First Century City* for US President Barack Obama, causing a media commotion. Eine's collection now consists of 79 letters in locations across the world, even reaching as far afield as Japan, the USA, along with many European cities.

CHE
BINA SHOES
103
071 739 2742

983
DRINK • DINE • DELIVERIES

93
CRISTINA HANDBAGS
IMPORTERS & WHOLESALERS OF HANDBAGS & LUGGAGE ACCESSORIES
TEL. 0171-739 6235 FAX. 0171-613 0367

CAFÉ 122

ABOVE

PIXAÇÃO

Thomas Heaphy, 2010

Thomas Heaphy's alphabet acts as a homage to the unique form of Brazilian street art called *Pixação*, which originated in São Paulo in the mid-1980s. Characterised by stark, cryptic and distinctive calligraphic lettering, this form of graffiti now adorns urban cityscapes across the world. Typically painted by impoverished youths from the favelas of São Paulo, who see themselves as marginalised and invisible to the rest of society, *Pixação* acts as a sometimes violent and reactionary form of expression. Its practice is more than just simple street art for its purveyors; it is a competitive endeavour between rival gangs, who risk their lives by climbing the tallest urban structures to tag walls with their distinctive signature. Seen as a British *Pixador*, Heaphy's own alphabet provides a structured and accessible insight into the often confusing characters which the *Pixadores* use. Indeed, if each letter were removed from the context of this alphabet it would be difficult to identify which Western character it signifies. Heaphy's work thus acts as a guide for those wishing to identify, appreciate and ultimately use the *Pixação* alphabet for their own devices.

RIGHT

TOWER BLOCK

This photograph shows *Pixação* in use within the urban fabric of Brazil.

RIGHT

C-SQUAT PUNK HOUSE

Lucas Cometto, 2008

Located on Avenue C in the Alphabet City area of New York City, the C-Squat is an infamous 'punk house' which doubles as both a squatting residence and a music venue. The tenement building was abandoned and has been occupied by squatters since the 1980s, most notably by bands from New York's 'Crust Punk' scene—such as Leftover Crack, Morning Glory and Star Fucking Hipsters. The building once had a half pipe for skateboarders in the basement and its resident's still host regular punk rock shows. In 2002, ownership of 11 squats on the Lower East Side of Manhattan, including the C-Squat, was granted to the Urban Homesteading Assistance Board (UHAB). These buildings are now unique urban features of the Manhattan area. The C-Squat's facade is characteristically ramshackle and displays a valiant plaque outside, which features the letter C—sliced through by a lightning bolt—and the rebellious message: "This Land is Ours". The building is now a landmark of triumphant subculture, equally as integral to the city's identity as its other conventionally procured properties.

LEFT

ABC NO RIO

Lucas Cometto, 2008

Founded in the 1980s, ABC No Rio is a centre for art and activism in New York City, and is based only a short distance away from the C-Squat. It is an internationally recognised venue for oppositional culture and is run by a community of punks and squatters. Much like the C-Squat, the members of the organisation now legally own it. The Department of Housing Preservation and Development sold the property to them for just one dollar in 1997, under the condition that they would autonomously raise the money to rehabilitate the old tenement building. The community-run project hosts regular events, including art exhibitions, poetry readings, and punk rock music shows on Saturday afternoons. Committed to political and social engagement, ABC No Rio provides the opportunity for actively aware artists to develop, as well as supporting the community with a library, a public computer lab and a dark room. Another landmark of the Alphabet City area, ABC No Rio is identified by the distinctive, multihued graffiti that decorates its facade.

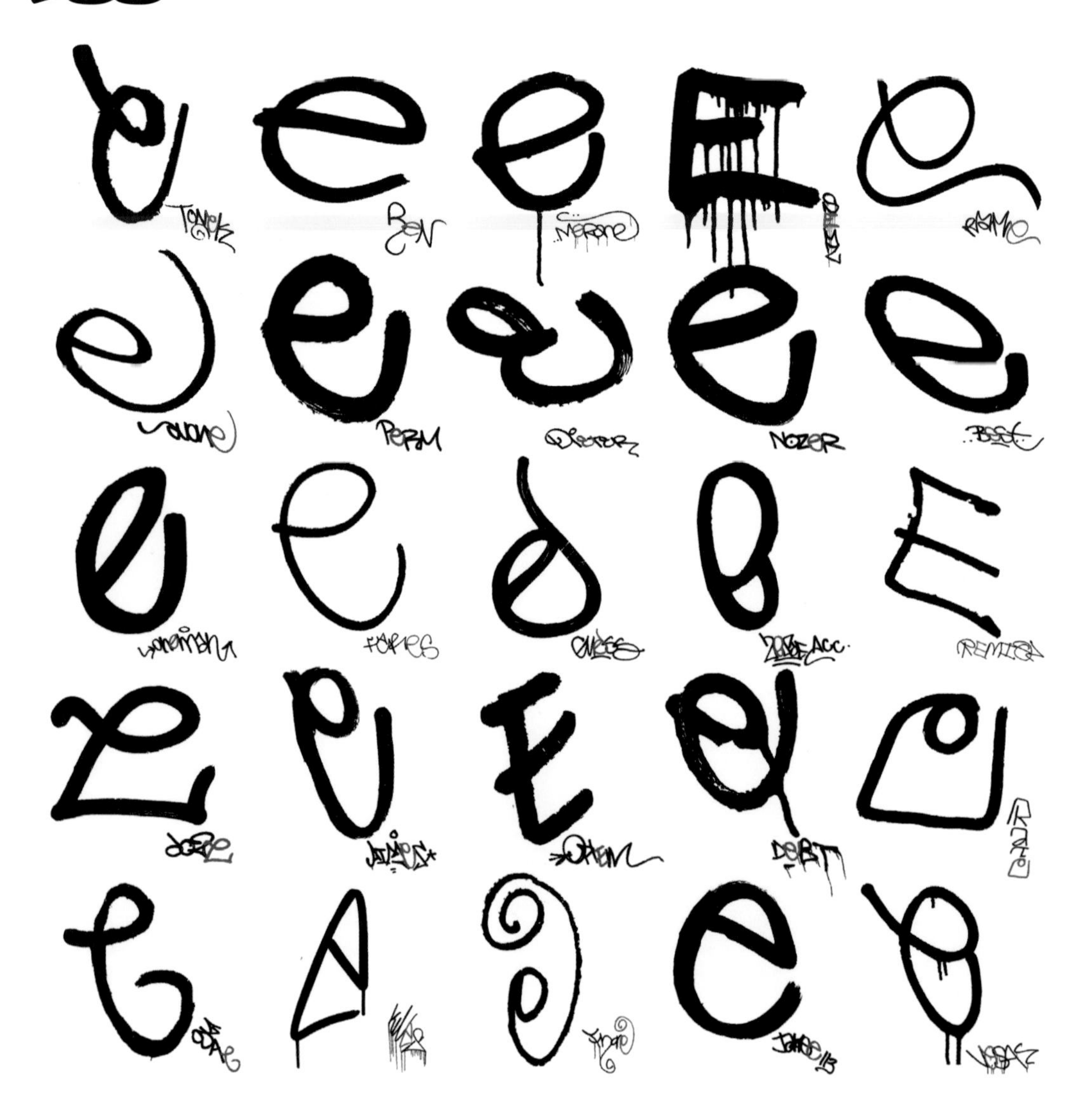

GRAFFITI TAXONOMY

Evan Roth, 2004, 2008 and 2009

Artist Evan Roth's work focuses on technology, tools of empowerment, open source and popular culture. His *Graffiti Taxonomy* project began as part of a research project into the structure of graffiti artist signature names and presents isolated letters from various tags in taxonomical grids. Roth's intention is to demonstrate the diversity of graffiti styles as expressed in a single character. The artist photographed a multitude of graffiti tags, archived them, and then sorted them alphabetically. His original taxonomical representation of the letter S is reproduced from photographs of tags taken in the Lower East Side of Manhattan, while the A is reproduced from tags in Harlem.

Roth conducted another study of the letter E in New York City in 2008, before undertaking his most ambitious and expansive study so far, in Paris in 2009. Here, over 2,400 tags were photographed in each of Paris' 20 districts over a five day period. The ten most commonly used letters by Parisian graffiti writers were identified for further study—A, E, I, K, N, O, R, S, T and U. From each letter grouping, 18 tags were isolated to represent the diversity and range of that specific character. These sets were not intended to display the best graffiti tags in Paris, but rather to highlight the diversity of forms—ranging from upper case to lowercase, simple to complex and legible to cryptic.

Each of the resulting tags were digitally cropped from their surroundings and depicted as solid black on white and then arranged into grids. The rendering of each character in a similar language and at close proximity emphasises the differences in form. Roth's final set of characters consisted of 180 tags from 180 different street artists, and was exhibited on the facade of the Foundation Cartier Museum in Paris. In 2009, *Graffiti Taxonomy* was selected as one of the British Design Museum's Designs of the Year.

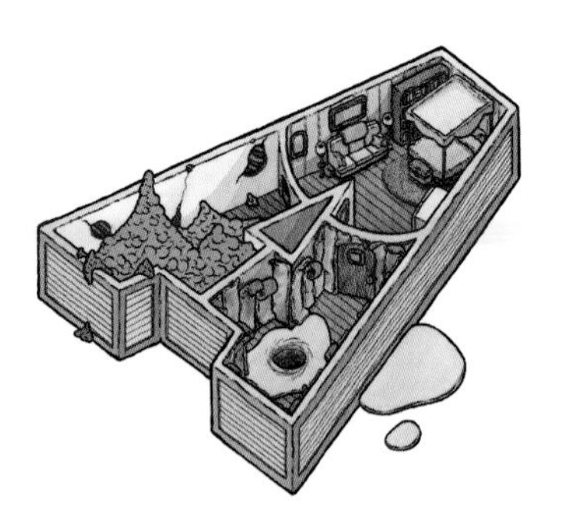
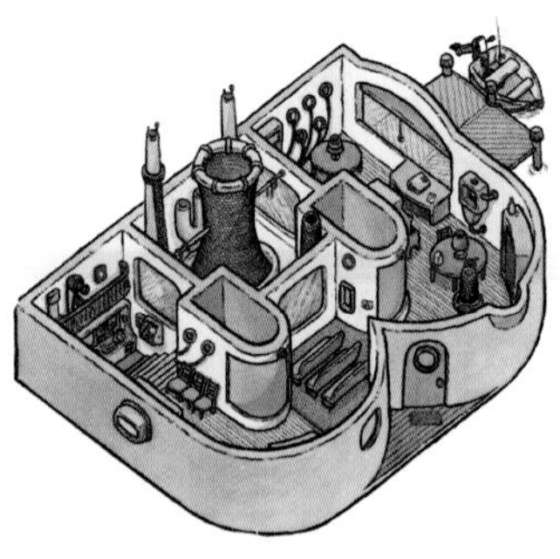
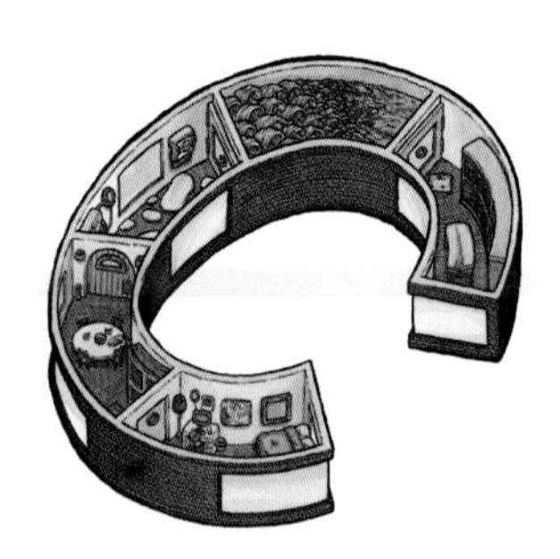

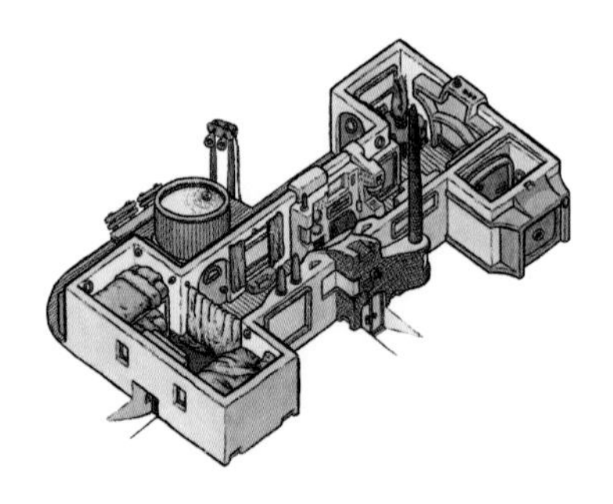
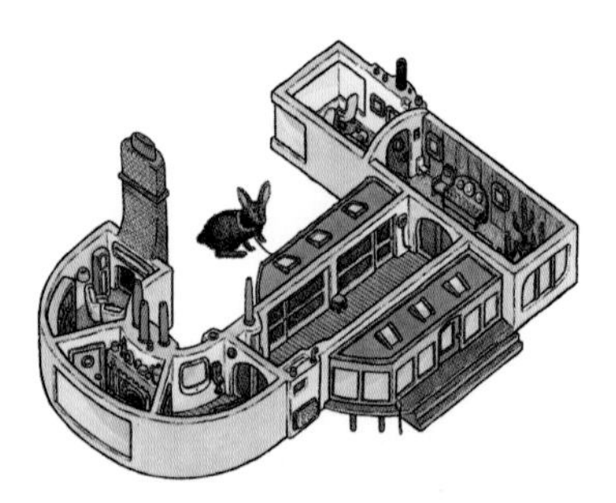
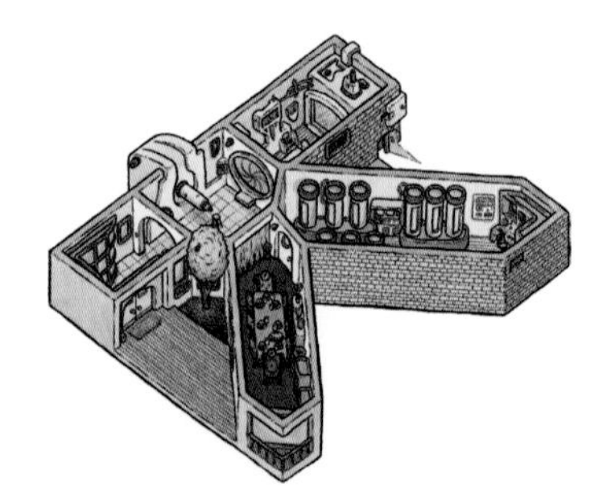
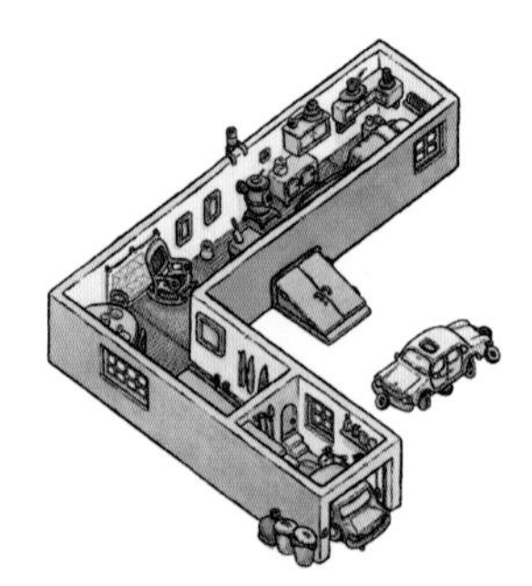

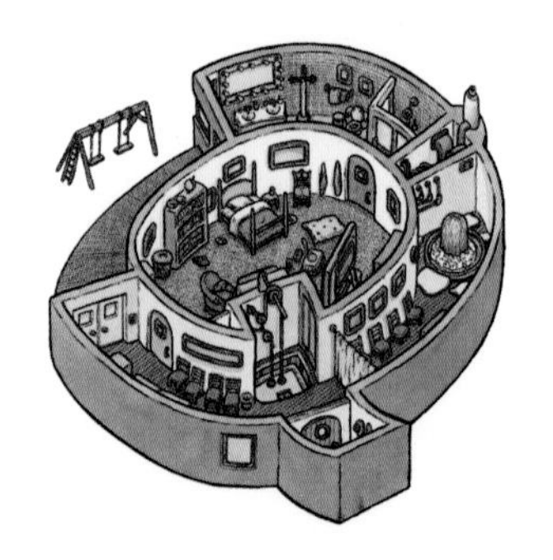
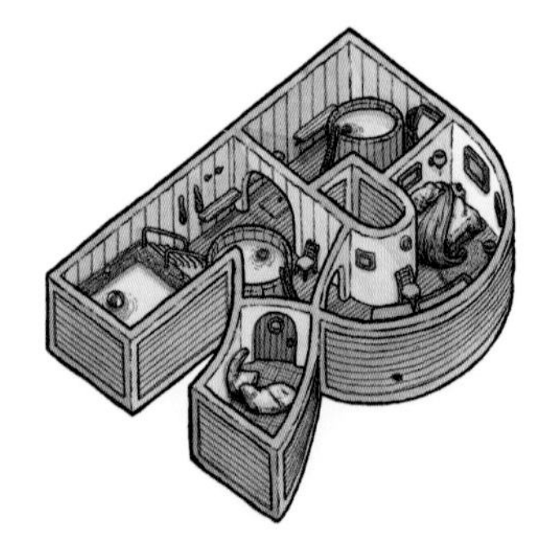

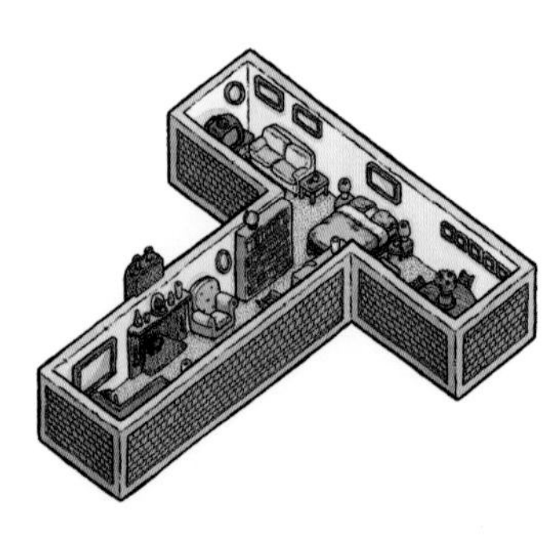

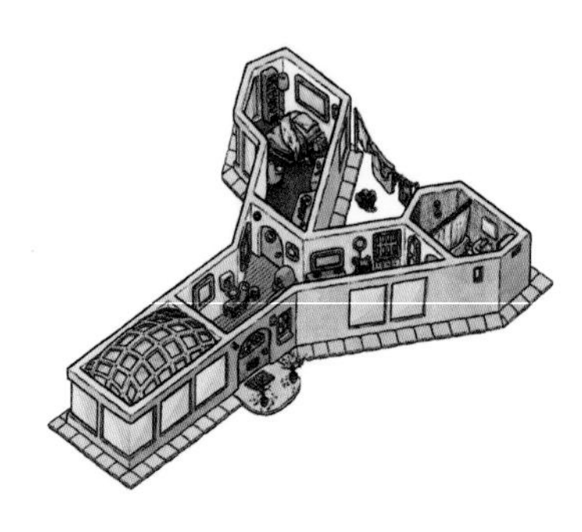
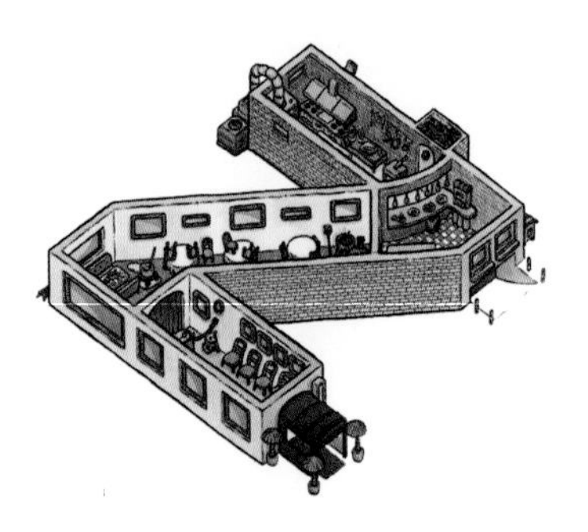

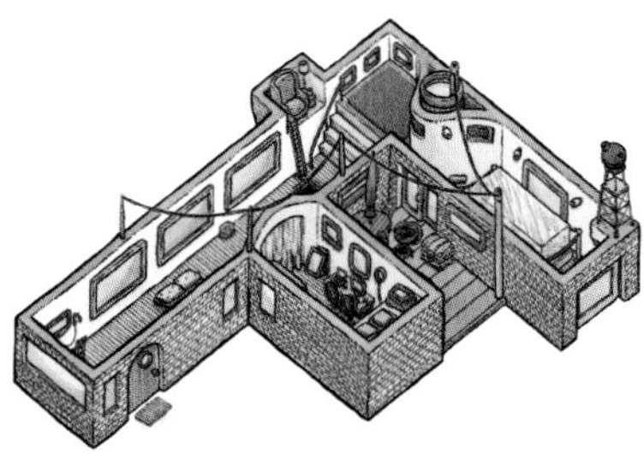

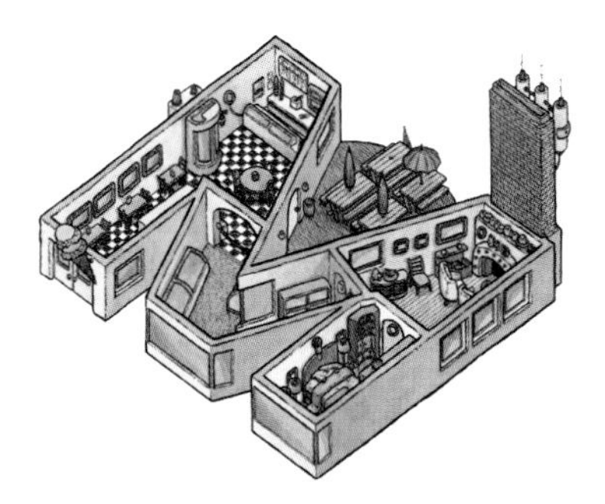
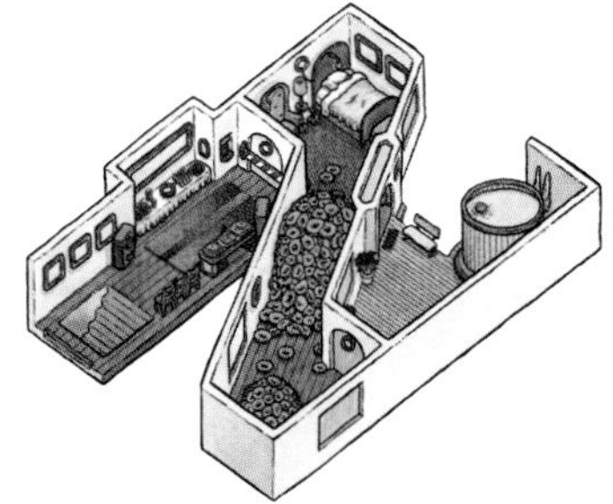

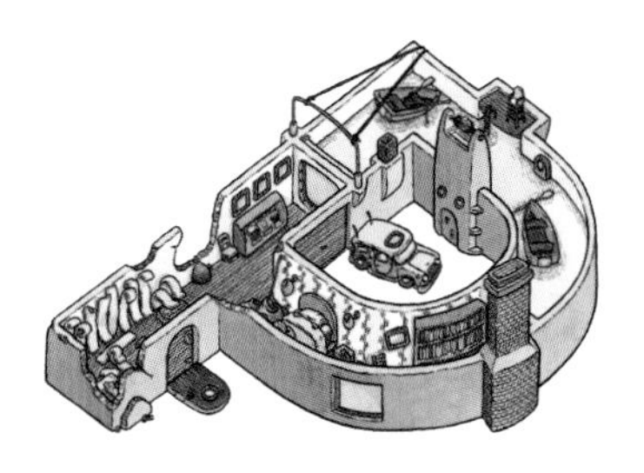

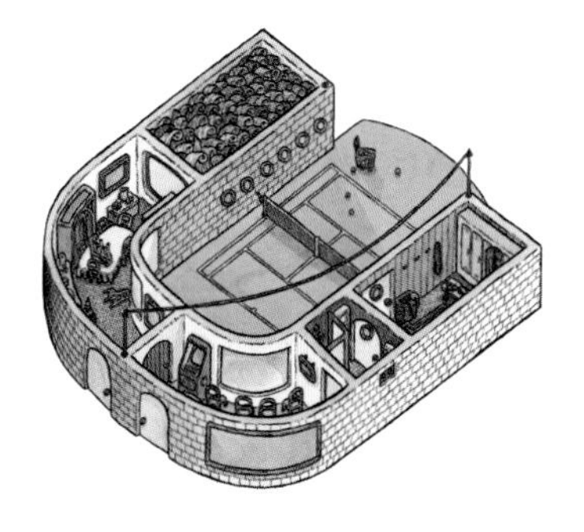
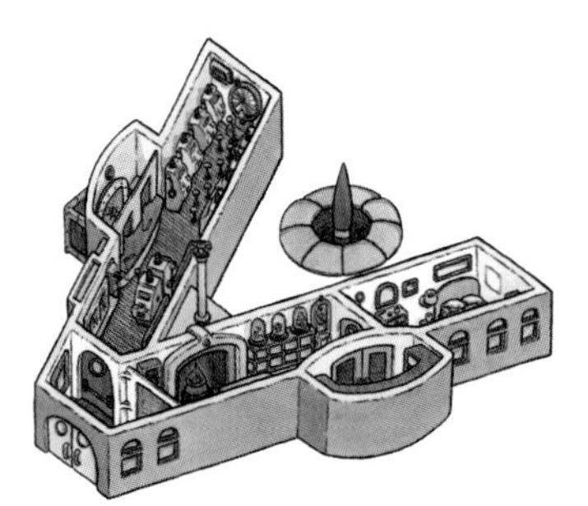

ALPHABET FOR ALPHAVILLE

Scott Teplin, 2008

Scott Teplin, New York-based artist and illustrator, has created a whimsical alphabet of one-storey urban dwellings, which are animated with futuristic fantasy. Each letter portrays an unconventionally shaped apartment with a series of imaginative rooms. Peering into these roofless homes, the viewer discovers strange juxtapositions of interior design and bizarre phenomena which have no place in real life city abodes; an ocean rages in the bathroom of the letter C; a missile pokes from the garden of the V; the corridor of the N overflows with huge pink donuts. First revealed in a solo exhibition at the Adam Baumgold Gallery in New York, Teplin's alphabet is designed to be simple, refined and child-friendly. The artist used pencil, ink and watercolours to create an intriguing alphabet, that is a colourful treat for both the eyes and the imagination.

V IS FOR *Vanity*

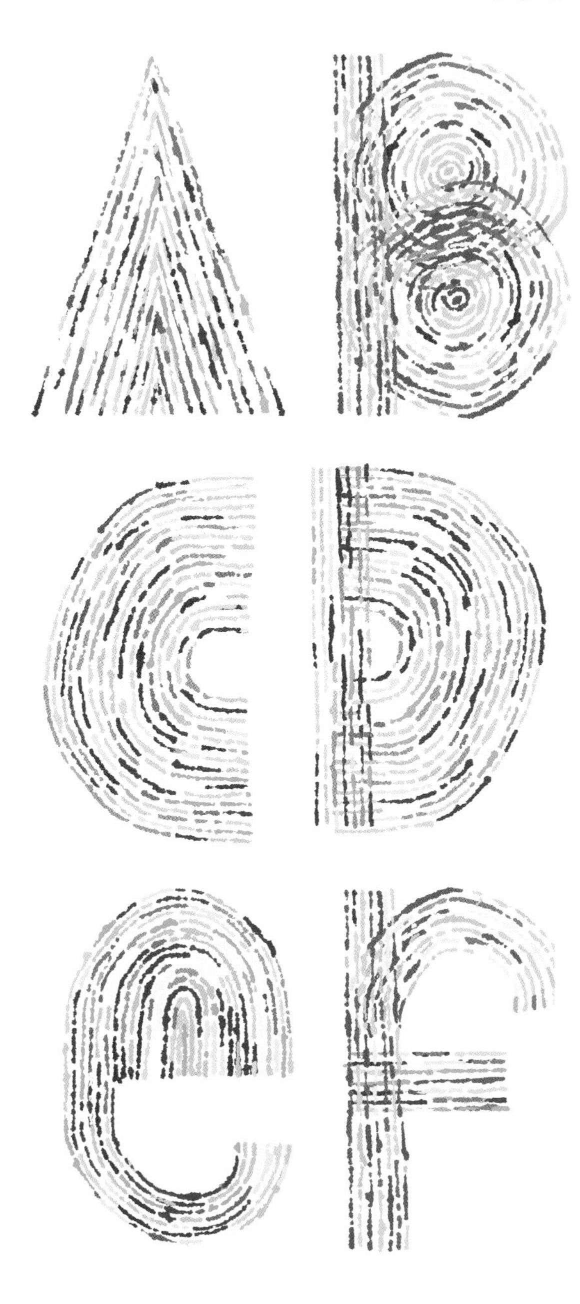

In the hands of calligraphers, advertisers and artists, the letters of the alphabet do not necessarily need to be functional to be effective. The alphabet is a smorgasbord of letters: 26 characters that have the power to stimulate and excite purely through their aesthetic appeal. The alphabet is predominantly used like a linguistic recipe; a writer can create endless moods and emotions, both poetic and beautiful, raw and ugly, by their choice of words and grammar. In an aesthetic sense, a wealth of artists and calligraphers have proven that the alphabet can be appreciated purely for its shapes, kicks and curls.

Calligraphy exemplifies the decadent mantra of art for art's sake. It is the craft of fine handwriting, a visual art where the legibility of letters may be compromised in favour of visual extravagance. Transcending function and meaning, the aesthetic of the letters is no longer secondary to the message. In this context, the legibility of the word is no longer important, only the embellishments, the intricacies and the decorative quality of the letters. The art of calligraphy is a highly important practice in a variety of cultures across the world. Many of these scripts, such as Chinese, Japanese, and Arabic, are indecipherable by those accustomed purely to Western alphabets. If the legibility of the Roman alphabet is compromised by Western styles of calligraphy, then the letters begin to assume a similar appeal as Chinese characters, attractive in their artistic form.

ABOVE
RAINBOW ALPHABET
Blake E Marquis, 2006

The *Rainbow Alphabet* system of characters is an alphabet designed by Blake E Marquis for *Swindle Magazine* in 2006. Marquis is an artist who has built up an eclectic body of work, aimed at a wide range of clients. This alphabet is a pen illustration comprised of meticulously drawn coloured lines. Many of the letters, such as A and W, work as shapes on their own, and therefore the alphabet is more of a vehicle for the artist's creativity than the focus of the work itself.

Against boredom the gods themselves fight in vain. –Friedrich Nietzsche

OPPOSITE
KÖGRA TYPEFACE
Siggi Odds, 2006

KÖGRA TYPEFACE

Siggi Odds, 2006

Siggi Odds designed *Kögra Typeface* when studying at the Iceland Academy of the Arts. His work presents not only the conventional alphabet and punctuation, but also additional Icelandic letters. He has a strong interest in merging typography with illustration, and this immediately highlights the importance of the aesthetic appeal of the font. *Kögra Typeface* was born when Odds was given an assignment where the only requirement was to make use of the archaic and obsolete Icelandic word *Kögra*. Without looking up the meaning of the word, Odds had to create a typeface based on what he thought it might mean.

This approach suggests that the alphabet is something mysterious, and that a certain degree of understanding can be gleaned from the appearances and sounds of words alone. The final design drew inspiration from fractals, repeating the same shape on different scales throughout an image. This gives the alphabet an appearance similar to snowflakes or stained glass; it becomes a kaleidoscopic image that is intricate and fragile, captivating the viewer.

CALLIGRAPHY

Calligraphy is a popular art from, and, unlike a typeface, the content may be entirely illegible, but no less meaningful or beautiful. The term calligraphy comes from two Greek words: *kalli* meaning beautiful, and *graphos* meaning writing. Through the style and composition of written forms, the calligrapher attempts to visually interpret the spirit of texts. Western calligraphy stems from the earliest developments in written symbols, before the invention of printing and when books were made using quill and ink on vellum or parchment. Its presence continued through the Medieval, Renaissance and Baroque periods, with it surviving, to a degree, with the emergence of print in the mid-fifteenth century. Despite the advent of the printing press, the art of calligraphy flourished during the European Renaissance, when the highly popular italic script was invented. Even in our computer age, calligraphy is still a highly important art form. These examples of calligraphy have been sourced from Alexander Nesbitt's *Decorative Alphabets and Initials*, 1987.

TOP
Baroque initials, dating from 1655, taken from the writing book of Paul Franke.

BOTTOM
Decorative initials designed by Paulus Franck-Schatzkammer in Nürnberg, Germany, 1601.

RIGHT

SHAPESET

Tim Fishlock

Tim Fishlock's *Shapeset* design—which is composed of bold colours and geometric shapes—works very much as a complete alphabet. But when isolated, many of the letters become meaningless, appearing to be nothing more than abstract designs. S for example, looks closer to O, and H, made up of two parallel rectangles, would be unrecognisable outside of an alphabetical context. However, the print is intended as an artwork rather than as a usable typeface, and its striking features are to the benefit of this purpose as they create a strong graphic image. *Shapeset* therefore is a clear example of the focus being placed firmly on appearance rather than functionality.

OPPOSITE

VINEY ALPHABET

Jessica Hische, 2009

Jessica Hische's alphabet of vines entreats the eye to explore the calligraphic foliage in search of individual letters. The typographer and illustrator—who works in Brooklyn, New York City—specialises in hand lettering, creating a timeless custom-made type inspired by vintage fonts. Hische's *Viney Alphabet* comprises fluid, intertwining letters tinged with subtle green leaves and warm orange embellishments. Vines need a strong structure to support their growth, and the alphabet's 26 letters provide the perfect trellis for the typographic flora to develop across the page.

THE ALPHAMEN

2003/2004, M/M (Paris)

Through their work as graphic designers and creative directors in the fields of fashion, art and music, Michael Amzalag and Mathias Augustyniak have established M/M as an influential force in contemporary French culture. M/M constructed these A–Zs of high fashion by cutting out letters of the alphabet from portrait photographs of models wearing iconic designer clothes, such as Christian Dior and Gucci, which were originally taken by Inez van Lamswwerde and Vinoodh Matadin. Beginning with the female *The Alphabet* in 2001, M/M went on to create an all-male version—*The Alphamen*—in 2003. Models were used whose names began with the corresponding letter of the alphabet to form the correct order: for example *N is for Nicole*, and *S is for Sacha*.

RIGHT

The Alphamen [Sacha]

OPPOSITE

The Alphamen [Generic]

THE
ALPHA
MEN

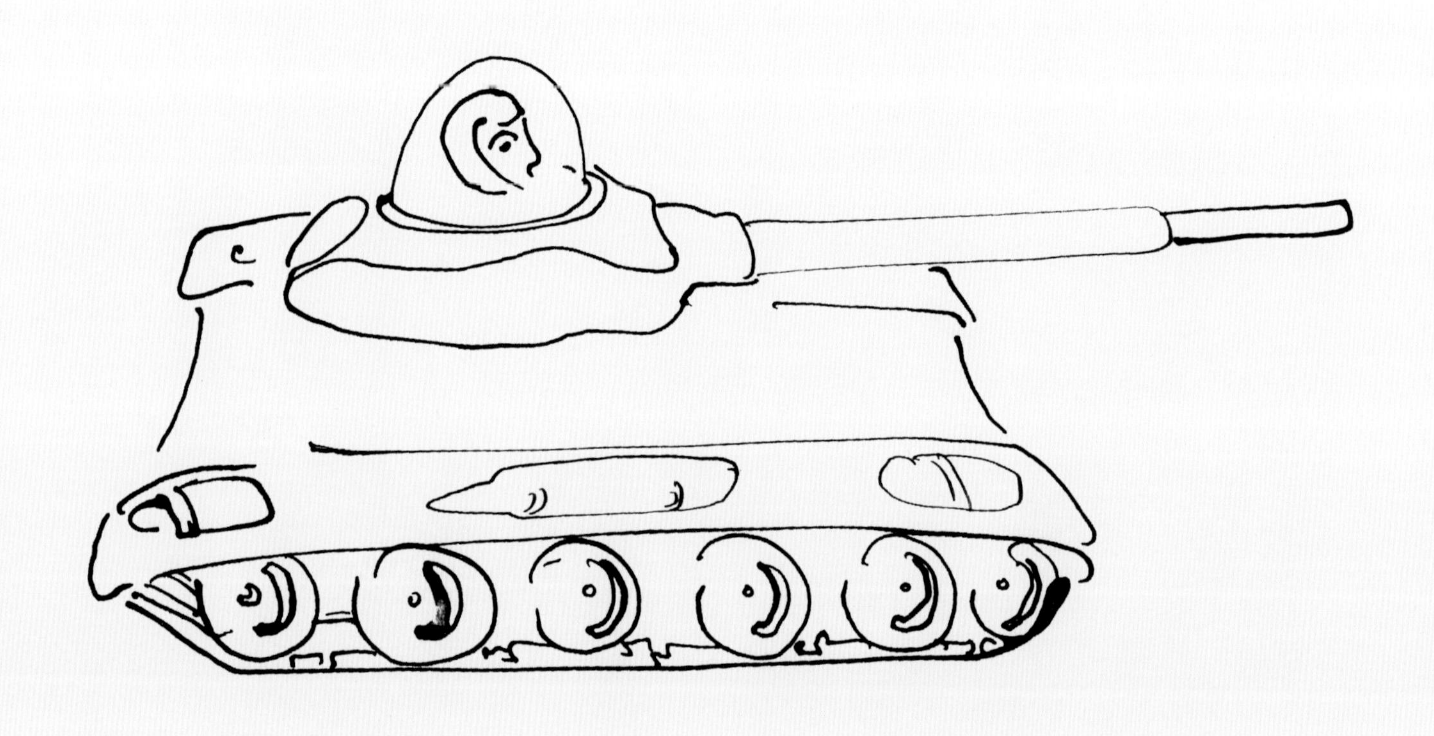

W IS FOR PEACEKEEPER

W IS FOR WIT

ABOVE

Q FOR QUEEN

Jo Ratcliffe, 2008

***Q for Queen* is one of a selection of mixed-media alphabets to have been completed by artist Jo Ratcliffe. The alphabet is evidently a convenient stimulus for many artists, providing a solid structure whilst offering extensive possibilities for interpretation. Ratcliffe's artwork for *Q for Queen* plays on the idea of the Royal family as icons, although the replacement of the queen's face for a large Q immediately provokes a humorous reaction, as well as subtly calling into question the relevance of the monarchy in general.**

The traditional form of the illustrated alphabet is a long-standing one and therefore it has developed connotations that are shared by society as a whole. This makes it an ideal foundation for cartoonists as they have a strong awareness of the reader's expectations, and can counter these in order to draw attention to their own ideas. The results of this are amusing and sometimes even unsettling, largely due to the interplay that occurs between adult subject matter and a form that is typically related to childhood. This contradicts our expectations and forces us to look at things in different ways, forming new associations with established concepts.

The alphabet itself can also be manipulated to great effect. Anagrams are one of the most common forms of word play, and can also be the wittiest. They expose how words are made out of visual sequences, that through slight alterations a word's meaning can dramatically change. The juxtaposition between the definitions of two words that share the same letters, but are arranged differently, can be used to create surprising links between contrasting ideas, producing challenging statements and interesting comparisons.

The macabre generates humour through exaggeration and makes us laugh at things that we would find shocking if we came across them in another context. Famously, Edward Gorey's illustrated alphabets exhibit a dry sense of humour with dark undertones, shown through the relationship between his text and its illustrations and his recurring images of black dolls and tales of hapless children.

The alphabet is primarily a teaching aid and the use of humour is likely to encourage learning, but this also prompts an emphasis on education amongst its parodies. Artists have taken advantage of this in order to 're-educate' their audiences, according to certain political, social or cultural values. Comparatively, there is an extensive range of miscellaneous abecedaries that are compiled with the sole purpose of being amusing. In both cases the artists' attention to detail has a dramatic effect on the overall success of the pieces, as it is this that transforms the illustrations from ones that are purely experimental to finished artworks that are at once playful and intriguing.

Wit is a sword; it is meant to make people feel the point as well as see it. –GK Chesterton

OPPOSITE

A IS FOR BOOK

Bob and Roberta Smith, 2001

A IS FOR BOOK

Bob and Roberta Smith, 2001

Bob and Roberta Smith are known for incorporating their political ideas into their artwork, and this is shown in "A is for Book" and similar pages such as "C is for corruption" and "W"—accompanied by an image of a tank—"is for peace". Throughout *A is for Book* there are instances when the letters do not obviously match up with the words they have been connected with; times when we can summarise the link between word and image, and others when we cannot follow the artists' thought process at all. This is all part of the fun of stepping into the minds behind *A is for Book*. By never saying quite what they mean, Bob and Roberta encourage the reader to constantly question the material, creating new links between symbolic letters and ideas as they go.

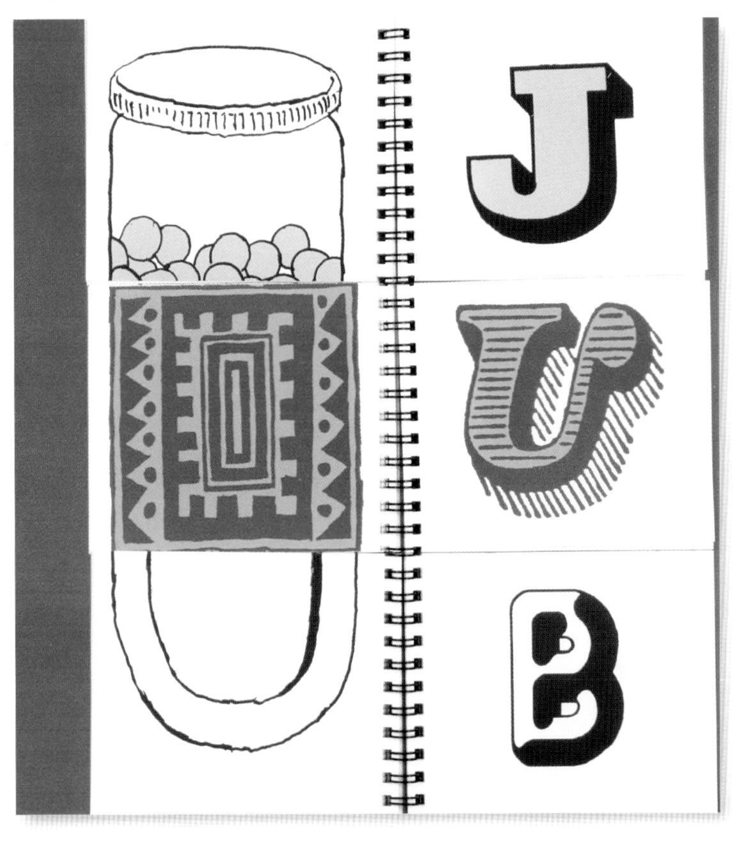

BOB GILL'S A TO Z

Bob Gill, 1962/2009

Bob Gill is a well-known freelance designer, as well as a writer, filmmaker and teacher, who has designed for many prestigious organisations including Apple Corps, Universal Pictures and the United Nations. He has also written many books for designers and children, one of which is *Bob Gill's A to Z*. The book was originally published in 1962, but was reworked in 2009 and has been met by great popularity. The book is an interactive ABC flipbook, which encourages its readers to play with linguistic composition. There is a triptych of images down one side, and letters down the other and, when the panels are correctly aligned, the image is completed and its name is revealed. The book's colourful design and enticing images transform the alphabet, opening it up as something exciting, making it well suited to both children and adults alike.

NONSENSE BOTANY AND NONSENSE ALPHABETS

Edward Lear, 1927

Edward Lear's *Nonsense Alphabets* include seven variations of the alphabet, all with an emphasis on the absurd. Lear was one of the most prominent contributors to the genre of literary nonsense and popularised the limerick with his infamous title, *A Book of Nonsense*. However, some of his funniest work was achieved through adopting a formal tone—or established poetic structure—and using it to communicate nonsensical ideas. This is evident in his alphabets, where ridiculous statements are presented as rational. His fascination with language is infectious and he frequently experiments with the sounds of words, as can be seen in particular when he illustrates the letter X in his *Nonsense Alphabets*.

A

A was an Ass,
Who fed upon grass
And sometimes on hay,
Which caused him to bray.

a!

What a good Ass!

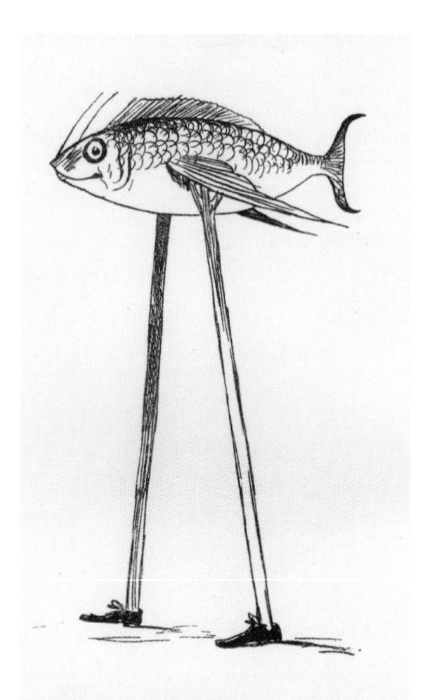

The Fizzgiggious Fish,
who always walked about upon Stilts,
because he had no Legs.

W

W

W was once a Whale,
Whaly
Scaly
Shaly
Whaly
Tumbly-taily
Mighty Whale!

X

X

X was once a great King Xerxes,
Xerxy
Perxy
Turxy
Xerxy
Linxy Lurxy
Great King Xerxes!

LYRICS PATHETIC AND HUMOROUS FROM A TO Z

Edmund Dulac, 1908

***Lyrics Pathetic and Humorous From A to Z*, by French illustrator Edmund Dulac, is comprised of limericks and accompanying images for each letter. He is more famous for his illustrations of fairy-tales and classic literature, and this influence is clearly evident in his *Lyrics Pathetic and Humorous*. The depiction of U—a youthful Undine—shows off his characteristically elegant style, highlighting how it is well suited to folk-tales and fantasy. The punch line of each limerick is surprising, and funnier, due to the contrast between Dulac's formal artistic technique and his colloquial choice of poetic form and language.**

ALPHABETS
A is for A
BEARDED GENTLEMEN
CATS
DOLLS
EMPTINESS
FUR COATS
GRAVES
HAPLESS CHILDREN
INANIMATE OBJECTS
JALOPIES
KIDNAPPINGS
LADIES SWOONING
MENACING SHADOWS
NONSENSE
HIPPETY WIPPETY
OMINOUS SKIES
PO-FACES
QUILLS
RAGING TIDES
SNEAKERS
TOPIARY
URNS
VIOLENT DEATHS
WRITERS
eXotic FASHIONS
YAWNING CHASMS
ZOOLOGY

OPPOSITE

GOREY ALPHABET

Tom Gauld, 2006

Illustrator Tom Gauld's *Gorey Alphabet* illustrates a coming together of both the morbid and the absurd in its celebration of renowned writer, artist and master of all things macabre, Edward Gorey. Fans of Gorey will recognise the auteur trademarks that recur throughout his works, such as Hapless Children, Menacing Shadows and Ominous Skies.

Gauld pays tribute to Gorey through his obvious reverence for him and his style, both visual and thematic. Not only are the 26 identified Gorey motifs witty in their own right, as they are in an original Gorey work, but Gauld manages to mimic Gorey's sombre illustrative style to the point of absurdity, whilst at the same time staying true to his own established artistic signatures.

ABOVE

NOISY ALPHABET

Tom Gauld, 2006

The *Noisy Alphabet*, from a Tom Gauld postcard book, *Robots, Monsters Etc.*, explores Gauld's ongoing fascination with evils both mechanical and bestial. Gauld's dry humour is central in much of his work, and *Noisy Alphabet* plays with stereotypes from science fiction by reducing them to nothing more than noises. The 26 characters see Gauld returning to many of his recurring favourites and distinct styles. He uses onomatopoeia creatively, and most of the humour comes from the sounds of the words he has chosen, linking the alphabet to famous historical nonsense alphabets and the work of Edward Lear.

CANNONBALL

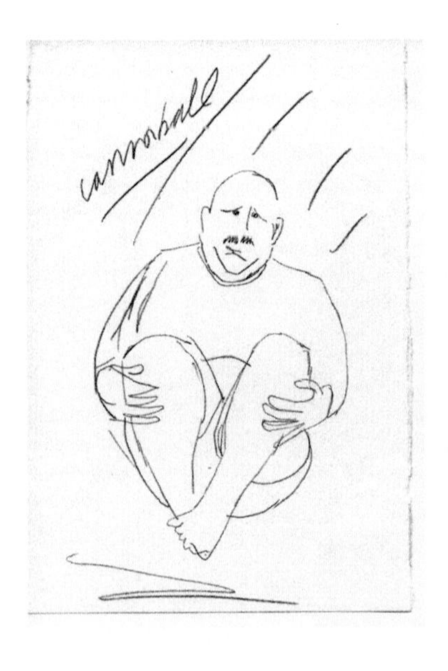

: The wind from one can make you blind.

ABSINTHE

: Extra-violent poison: one glass and you're dead. Journalists drink it while writing their articles. Has killed more soldiers than the Bedouins.

THE ILLUSTRATED DICTIONARY OF RECEIVED IDEAS

Gareth Long and Derek Sullivan, 2009–present

Gareth Long and Derek Sullivan's *The Illustrated Dictionary of Received Ideas* documents the artists' work-in-progress attempt to both translate and illustrate all of the 950 entries in Gustave Flaubert's posthumous encyclopedia, *The Dictionary of Received Ideas.* The books have been produced simultaneously with Long's *Sixth iteration of Bouvard and Pécuchet's Invented Desk for Copying,* created from a design taken from Flaubert's posthumously published final novel, *Bouvard and Pécuchet,* and which takes the role of being the moveable working location for the artists' project.

BALDNESS

: Always premature, is caused by youthful excesses, or the conception of grand thoughts.

X IS FOR X-RATED

Obscenity can be found in every book except the telephone directory. —George Bernard Shaw

The alphabet is not quite as innocent as it seems. In truth, it is a glutton for vice and obscenity. Easily and willingly corrupted, the letters of the alphabet are ambassadors for sex, pornography, and bad language. Throughout history, the alphabet's characters have acted as symbols for the seedy underbelly of human existence; and some letters have been consistently more raunchy and rude than others. X has the greatest sexual potency: emblazoned across the facades of sex shops and flirtatiously winking at people from the pages of pornography and posters for peep shows. The letter F has permanently become associated with verbal profanity; often abusively combined with the word "off" and acting as a substitute for the world's favourite curse word. However, every single letter of the alphabet is susceptible to sexual connotation; with the letter B shaped like bouncing bosoms, and the letter Y resembling legs akimbo.

With every generation becoming more outspoken about sexuality there is the potential to exploit subject matter that might previously have been seen as taboo. The alphabet can be used as a vehicle for expressing graphic, and perhaps shocking, images as it places them within predefined boundaries and manipulates the viewer's preconceptions. This entry demonstrates the alphabet's lustful affair with sexuality, providing a saucy mix of letters that are tainted with pornography, nudity, rude words—and fornicating teddy bears.

OPPOSITE
PIN UPS
Malika Favre, 2008–2009

BELOW
ALPHABET EROTICA
Scott Idleman,
Alyson Tyler (ed.), 2007

The *Alphabet Erotica* is a series of books, one for each letter, each of which is a collection of stories relating to the title, including *B is for Bondage* and *L is for Leather*. The covers, designed by Scott Idleman, show women posed seductively alongside each letter. The series is published by Cleis Press, which is the largest 'queer' publishing company in the United States, having been founded in 1980. The company is still run by its founders, Felice Newman and Frédérique Delacoste and therefore has been able to maintain its strong values for sexual equality and intelligent publications. Cleis Press publish both fiction and non-fiction on the subjects of sexuality, gender studies and human rights and their uninhibited publications, which include sex manuals and lesbian pulp fiction, have helped to alter attitudes towards sexuality and gender over past decades.

ADULT MOVIE THEATRE FLYERS

Cleveland Press
Showtime Magazine, 1967–1977

In the early 1960s, the United States was home to very few adult movie theatres that showed purely X-rated movies. Only 20 or so establishments of this nature were open across the entire country, with the majority located in California. However, in the late 1960s and early 1970s a major boom in the adult entertainment industry occurred, and by 1970 over 750 pornographic cinemas were dotted around the country. The flyers advertising these erotic films utilised the letter X to immediately indicate to potential viewers that the content of the movies was sexually explicit, so that by the 1970s, pornographers consistently associated the letter X with their movies, and some even adorned their advertisements with XXX in order to indicate that more excessive, hardcore material was on display. This trend continues today, as the sex shops, peep shows, and adult theatres of cities across the globe are still universally covered in the most salacious letter of the alphabet.

These flyers are taken from the *Cleveland Press Showtime Magazine* and show the large number of X-Rated movies that entertained Cleveland's gentlemen in the cinemas of the 1970s. However, the lifespan of these theatres was relatively short-lived, as venues such as the Broadvue were closed down in the early 1980s following vice squad raids. The decline of adult movie theatres continued across the world, with the onset of home video and the Internet providing people with a more convenient and private way to enjoy erotic films. Indeed, by 1989 only 250 cinemas were still showing pornography in the United States.

PARIS ART THEATRE
3153 W. 25th 741-9785
(Near Clark)
DOORS OPEN 11:30 A.M.
CONTINUOUS SHOWINGS
DARING
UNUSUAL
ADULTS ONLY
"The EXOTIC Touch"
A VERITABLE
ERUPTION
Plus Adult Co-Hit

ALL NEW LIVE, NON-STOP Traveling
GIRL SHOW in TOTAL ACTION!
A STAGEFULL OF BLONDES, REDHEADS BRUNETTES!
*Angela
*Flaming Desire
*Melody Jones,
Many Others!
Featuring The Hottest Thing on Hi Heels!
Tanya Mitzoko In Person
Carmen Baby Most Talked about girl in Burlesk!
Girls Galore In Person!
PLUS!
1st. Run in Cleveland
SUPER XXX MOVIES
ADULTS ONLY!
LIVE
PARIS 3153 W. 25Th.St.
Free Parking
STAGE: 1:15 • 4 • 7:30 • 10 • MIDNITE SHOW Every SAT. NEW SHOW FRI.

NEW SHOW STARTS TODAY!
This is a wild and wacky adult comedy the likes of which you've never seen before. When Dr. Canute is appointed Director of this Veteran's Hospital, he decides that what the boys that came back from Vietnam need is not Bob Hope or Johnny Carson to entertain them, but GIRLS . . . NURSES . . . NURSES AND MORE NURSES!
"Vietnam vets, vaudeville and vivaciousness combine for THE FUNNIEST ADULT FILM OF THE YEAR!" —Columbia Spectator
Teenage Nurses
"FUNNY ADULT BURLESQUE." "Adult films can be both hot and humorous." —Dapper
IN COLOR - starring
VERONICA MELON
GEORGE HAWKS
AND DOZENS OF NEW FACES
"AMUSING, EROTIC and TRULY ORIGINAL. —Pleasure
PLUS X SPECIAL CO-HIT!
PARIS
THEATRE
3153 W. 25 TH.
Cleveland's NO.1 ADULT THEATRE
OPEN DAILY 11:30 AM • CONTINUOUS ALL DAY
LATE SHOW FRI.& SAT. / AIR CONDITIONED

MEMBER OF NATIONAL ADULT MOVIE CLUB
DENMARK
ADULT THEATRE
4601 LORAIN AVE. 631-2200 Open 9 AM to 1 AM
TORRID PLOT:
CONVALESCING PATIENT PEERS FROM HOSPITAL WINDOW AND DISCOVERS A TREASURE HOUSE OF SIGHTS. HE IS DISCOVERED BY CURVACEOUS NURSE'S AID WHO IS EQUALLY ENTHRALLED AND DECIDES TO JOIN HIM IN HIS VOYEURISTIC ANTICS.
"WILD WINDOW"
PLUS VERY "EROTIC AWARENESS" X
ESCORTED LADIES FREE
Eros
3 PASSION FILLED EUROPEAN FILMS
2006 PROSPECT 694-3722 Open 8 AM to 1 AM
PARKING BOTH THEATRES ★

MEMBER OF NATIONAL ADULT MOVIE CLUB
DENMARK
ADULT THEATRE
4601 LORAIN AVE. 631-2200 Open 9 a.m. - 1 a.m.
BLACKMAIL FOR DADDY
PLUS 2 CO-HITS!
X RATED!
★ ESCORTED LADIES FREE!

ALPHABUNNIES AND PIN UPS

Malika Favre, 2008–2009

***Alphabunnies* and *Pin Ups* use illustrations of women and *Playboy* style bunnies posing in sexually provocative positions to create letters. In both series the women's bodies are made up of negative spaces, creating sharp images. *Alphabunnies* was the original piece, and was adapted for *Wallpaper*'s issue on sex and the erotic, at the magazine's request. The result of this was the *Pin Ups* alphabet. The style is more graphic—the images are simplified and the letters are more obvious, as designer, Malika Favre, wanted to revert to images that were closer to her early sketches. The G is the only letter that has the same design in both pieces, as Favre claims it was her favourite. Aside from this letter, Favre used the *Pin Ups* alphabet as an opportunity to reinvent her original erotic alphabet; the letters act as a restriction, challenging the artist's skill and imagination. The series were designed on behalf of Airside, a creative design agency that specialises in digital artwork.**

ABC OF SEX

Mie Yim, 2008

Mie Yim is a South Korean artist, who has a characteristically ethereal style and whose colourful pastel drawings of stuffed animals are evocative of children's illustration. Yet Yim's style is deceptive; her drawings corrupt their own sense of innocence by placing the toys in uncomfortable, and decidedly adult, situations. The *ABC of Sex* is a controversial, and disturbing, collection. Yim has selected words for every letter of the alphabet that are of a sexual nature, and has illustrated them with images of teddy bears. The book is printed on board, like alphabet books for young children, adding to the existing, inescapable associations that the alphabet has with naivety and childhood, which strongly clashes with the explicit subject matter, establishing a disconcerting juxtaposition.

TYPOGRAPHIC WALLPAPERS
Stephen Herko, 2009

"Fuck" and "Shit" are two of the most frequently used swear words in the English language. Following a study of the British public, "Fuck" was considered to be the third most offensive curse word and is widely censored on both television and radio. "Shit" is gradually becoming a more acceptable word, and has featured more consistently in the media. However, even in a progressive society both terms are still widely branded as taboo or X-rated.

Stephen Herko's *Typographic Wallpapers* subverts the traditional alphabetic form of "A is for Apple" by mixing the alphabet with profanity. His characters are drawn as dignified and decorative letters, but are then accompanied with vulgar small print which express discontent with the world of work.

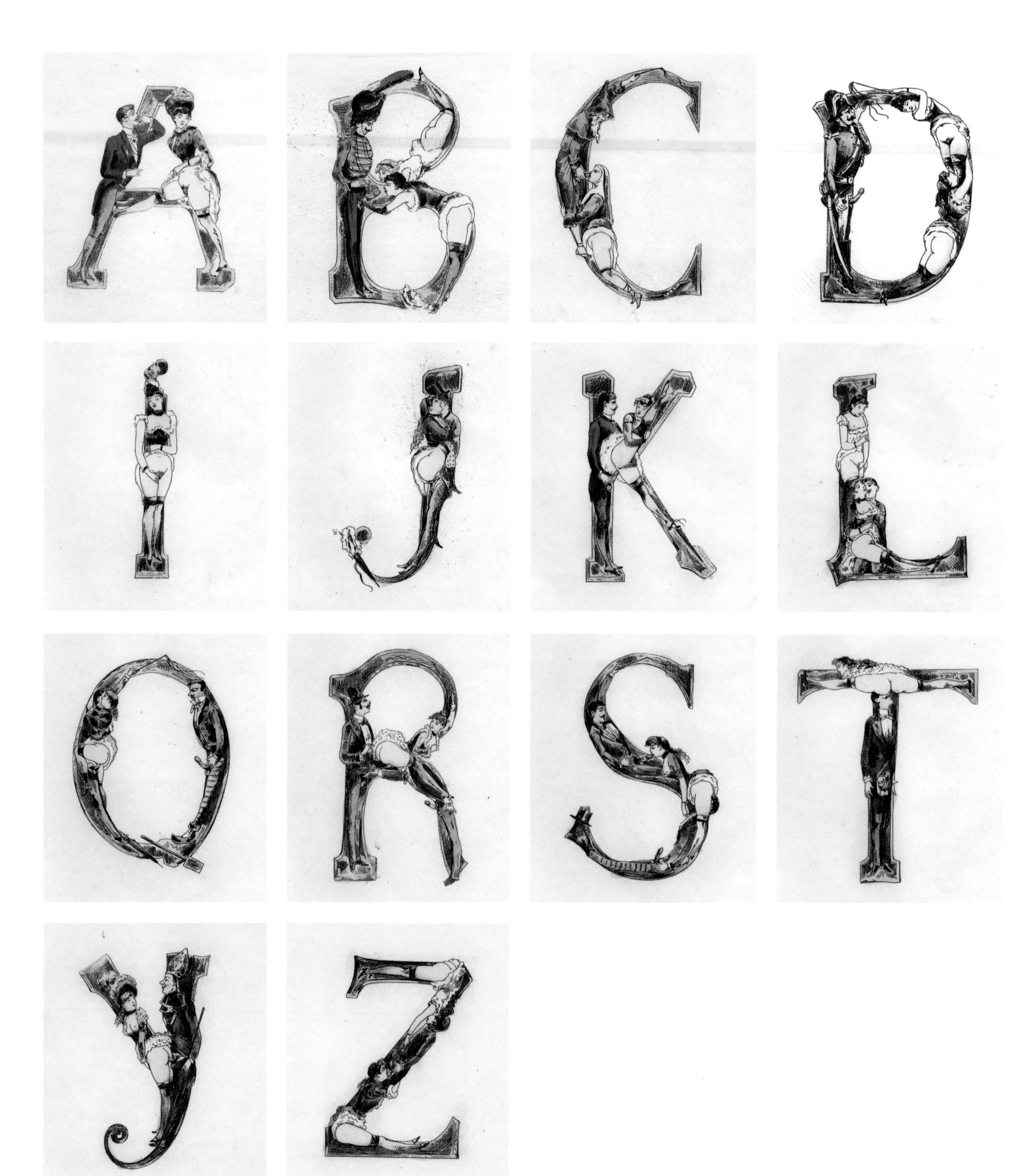

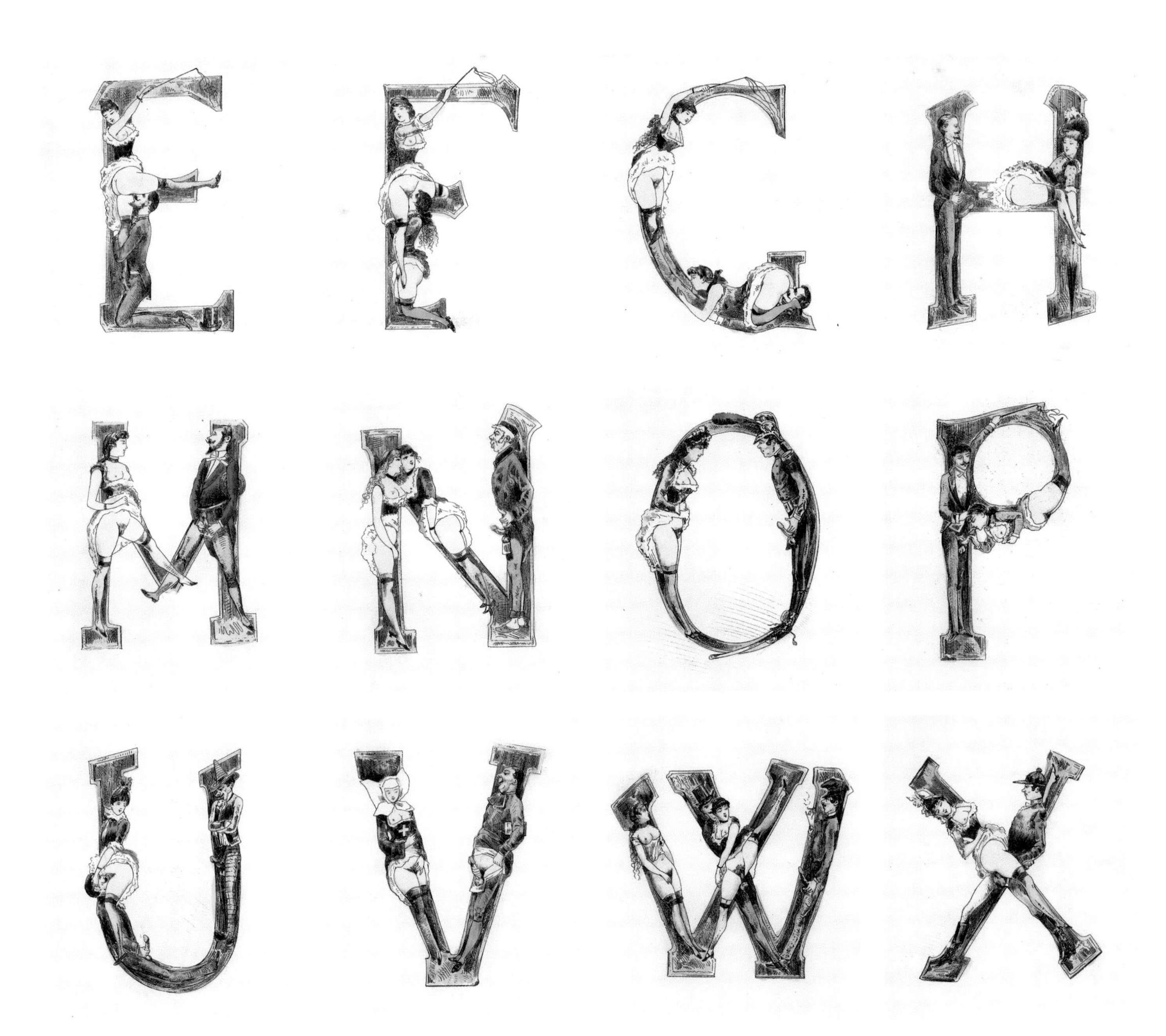

ALPHABET PORNOGRAPHIQUE

Joseph Apoux, c 1880

French genre painter Joseph Apoux worked during the fin-de-siècle period, at the turn of the twentieth century. Renowned for his sexually explicit works, the artist was prolific in creating highly detailed erotic images using dry point or engraving techniques. These etchings were characteristically risqué and imbued with a deep vein of wry humour. His *Alphabet Pornographique* was created c 1880, and is an anthropomorphic typeface that incorporates acts of masturbation and cunnilingus, fellatio and fornication. Apoux's alphabet features both heterosexual and homosexual activity, with each individual letter created from the shapes of lascivious human characters who expose their genitals and embrace each other, or themselves. A number of the titillating images are also tinged with blasphemy, such as the letter C featuring a nun performing oral sex on a hooded monk who is brandishing a bondage device, and the letter Y depicting a bishop who is penetrating a young lady's posterior.

Y IS FOR YOUTH

Ask the young. They know everything. —Joseph Joubert

Youth can be roughly defined as the time of life between childhood and adulthood. The United Nations General Assembly rather arbitrarily deems this period to be between the ages of 15 and 24. However, whilst ultimately unquantifiable, the period of one's youth is undeniably characterised by development, discovery, maturation and rapid change. It is a time for learning, but is not focused on studying the basics of language, as is the case in one's infancy. It is an education uncontrollably forced upon teenagers and young adults by nature, freedom and exposure to modern culture.

In this uncertain time—where one feels compelled to carve out an identity and 'find a voice'—the alphabet provides a reassuring structure on which to attach aspirations, tastes, and newfound opinions. It is a simple avenue for expression and allows young people to exhibit their newfound adult interests, whilst still relying heavily on the familiarity of their childhood.

In a time of transition, young people are confronted with many choices and problems, primarily associated with puberty, sexual discovery and popular culture. Alphabets can be used to help guide and teach adolescents about changes to their body and exposure to new emotions. As young people develop their tastes and opinions about music, fashion and art, the alphabet provides a perfect vehicle for expressing their preferences, and helps them categorise their ever-burgeoning plethora of cultural discoveries.

Characteristically, art associated with popular youth culture retains an element of juvenile exuberance and wide-eyed fantasy, tinged with the bright colour and vivid imagination of comic strips and pop music. Whilst the youth of the nation are generally considered to be at the forefront of cultural change, a tendency towards impressionability and vulnerable obsession can lead to the pursuit of international fads and phases. Such trends can thus be open to ridicule and mockery from outsiders who are not caught up in the rush. The alphabet provides a handy template for the purposes of parody. However, the form can also be used to facilitate adult expressions of nostalgia and a wistful longing for the freedom and excitement that came with youth, that they have supposedly already lost.

OPPOSITE
THE CONTEMPORARY TEENAGE ALPHABET
Julian Jensen, 2008

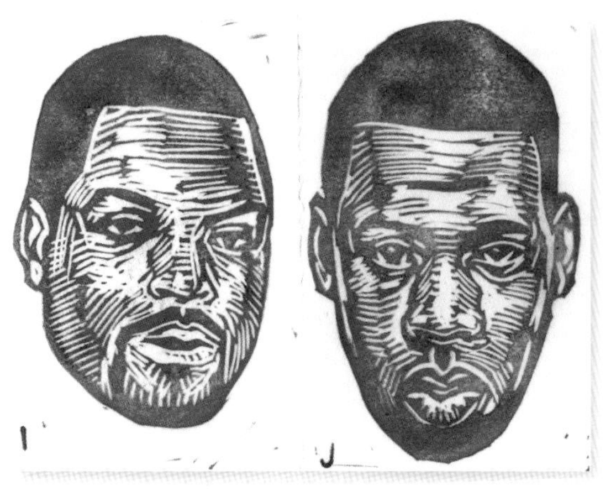

ABOVE
POCKET-SIZED ALPHABET OF HIP HOP
Jason Urban, 2009

Hip Hop music is inextricably linked with youth culture. Since its origins in New York City in the 1970s, Hip Hop has commonly been perceived to be a liberating and challenging means of expression for the disenfranchised youth of urban areas. However, the genre now pervades mainstream culture and is enjoyed by a diverse range of people all over the world. Jason Urban's *Pocket-Sized Alphabet of Hip Hop* is for the Hip Hop connoisseur who has everything. The handmade accordion book is an A to Z picture guide to 26 of the world's most infamous rappers. Starting with Andre Benjamin and ending with Z-Lo, every letter in the alphabet is represented with a famous star of the Hip Hop world. Each image has been hand-carved and then hand-printed to create this informative and attractive guide to Hip Hop culture.

E IS FOR EMO

Jared von Hindman, 2008

The term 'Emo' commonly refers to a modern subculture of teenagers who stereotypically wear black clothing and sport asymmetrical haircuts. On Jared von Hindman's website, *Head Injury Theater*, the artist remarks: "I don't believe in Emo kids. They're a myth." His intense painting is taken from an alphabetical series of his artwork called *Alphabet of Excuses*, which was created in a marathon, single evening painting session. The painting is tinged with dark humour, and acts as a form of social parody. Emo kids are associated with angst, depression, and self-harm. Von Hindman's painting plays on this misguided stereotype, purely utilising the colour black which is consistently associated with the 'Emo' fad, and depicting the character of the image as if splattered with blood. Fully aware of his own personal angst, the artist confounds the clichéd 'Emo' tags which are associated with the outwardly expressive youth of today. He utilises the traditional alphabet form and structure to express his thoughts and attitudes because it is a simple, nostalgic and safe mode of expression, which enables dark topics to be conveyed in a satirical manner.

HOODIE ALPHABET

Dominique Bell, 2007

Designer Dominique Bell's playful and inventive *Hoodie Alphabet* subverts typically negative associations with the contentious 'hoodie' and uses it to create an individual representation of A through to Z. Despite being just a simple item of clothing, with a handy appendage to cover the head in times of adverse weather conditions, the hooded-top is—in the UK at least—frequently associated with an urban subculture characterised by criminal intent. As a result of widespread media distortion and social labelling, the hooded garment now has the ability to provoke suspicion in some citizens, who may believe that the wearer of this kind of sweatshirt is likely to be an angry youth—a Chav or Rude Boy—who is hell bent on disrupting society. Dominique Bell's *Hoodie Alphabet* plays with these misconceptions. As he shapes the malleable material of his hooded-top into each letter of the alphabet, he transcends the deplorable connotations of his clothing; turning the hoodie into a work of art—or perhaps even a learning tool.

O

MA
J

M

Q

Z

Y

THE CONTEMPORARY TEENAGE ALPHABET

Julian Jensen, 2008

Julian Jensen has been taking photos since he was eight years old, and has now amassed a catalogue of over 17,000 images online. Jensen created his *Contemporary Teenage Alphabet* at the age of just 16, when he was still a student photographer in high school. His pictures challenge the way in which teenagers are grouped into stereotypical categories—such as jocks, nerds or artists—by adults and their peers. The overriding message of his project is that not every teenager can be ascribed to a specific label. Indeed, each student can be viewed as an individual and not simply as a member of a specific clique. The stencils being held by each student are see-through, and are intended to express the idea that social labels only hold transparent and limited value in their construction of a teenagers' identity.

A–Z OF AWESOMENESS

Neill Cameron, 2009

Neill Cameron's *A–Z of Awesomeness* is the result of an adventurous 2009 Internet campaign. The British illustrator posted a new drawing, inspired by the letters of the alphabet, every day over a 26 day period. The pictures demonstrate his characteristic style, which is influenced heavily by manga and comic books. Suggestions for the pictures were obtained from enthusiasts across the world, via social networking sites and posts on his own blog. The pictures often feature comic book or science fiction characters, placing them in peculiar and unfamiliar guises or situations. Each image is accompanied by an alliterative sentence describing the scenario; some of which concern violent, risqué or controversial topics. The juxtaposition of the subject matter with the alphabet format—which mimics traditional methods for teaching the English language—demonstrates the transitional identity of young people, a major audience for comic books and graphic novels.

COMIC FANS
Alex Lukas, 2007

Alex Lukas' *Comic Fans* typeface vividly combines the characters of the alphabet and of comic books to create a playful screenprint that is designed to appeal to comic book enthusiasts. Its name is a simple wordplay on the famous *Comic Sans* typeface; a casual script which was designed by Vincent Connare and released in 1994 by the Microsoft Corporation for use in informal documents. Designed to imitate comic book lettering, the typeface has come under fire from various typography enthusiasts who despise its letterforms, including a typographical protest group, called Ban Comic Sans, that is actively trying to stop its ubiquitous usage. A comic book character accompanies each of Lukas' letters, with the initial letter of each classic hero's alias determining each one's inclusion in this nostalgic alphabet, where B is for Batman, I is for Iron Man, R is Radioactive Man, and W is for Wolverine.

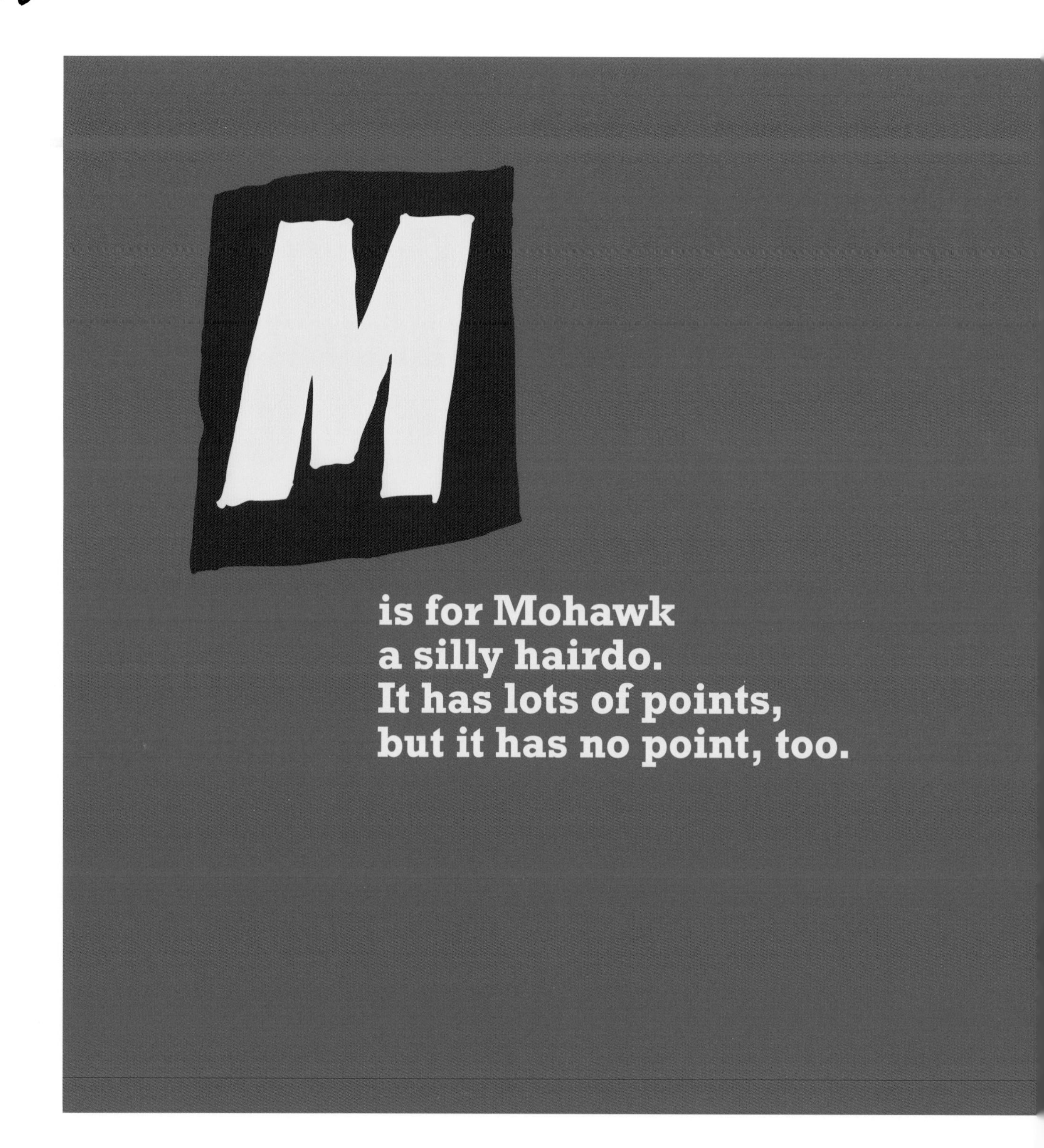
M
is for Mohawk
a silly hairdo.
It has lots of points,
but it has no point, too.

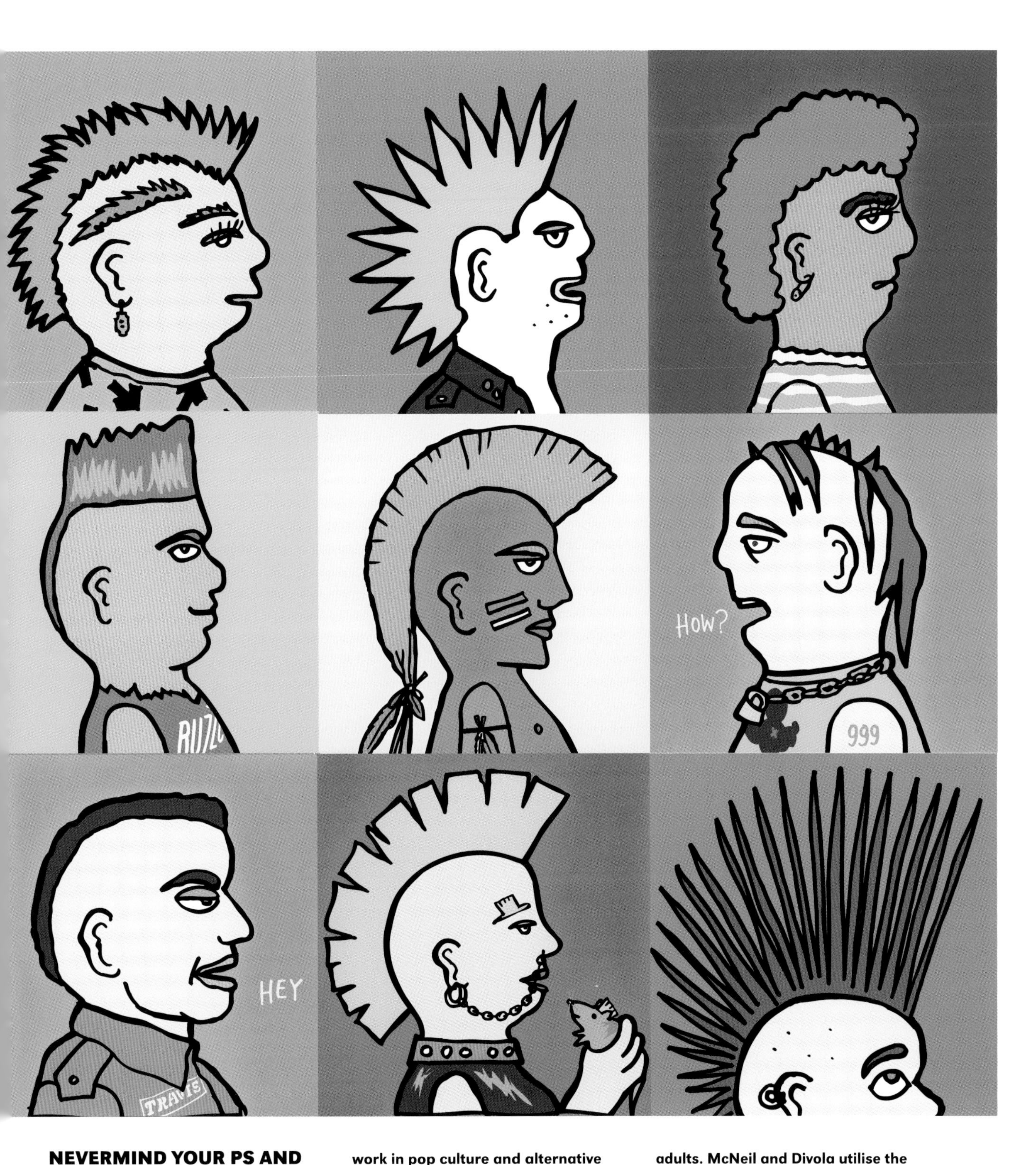

NEVERMIND YOUR PS AND QS: HERE'S THE PUNK ROCK ALPHABET

Paul McNeil and Barry Divola, 2008

Nevermind Your Ps and Qs: Here's the Punk Rock Alphabet is illustrated by Paul McNeil, and written by Barry Divola, an Australian duo who both work in pop culture and alternative music circles. Part of *The Rockin Alphabet* series of books—which also includes *M is for Metal* and *ABC&W: The Country and Western Alphabet*—it is designed with a varied target audience in mind; the whimsical drawings appealing to children, and the nostalgic in-jokes are intended for adults. McNeil and Divola utilise the traditional children's ABC book format and subvert it in true anarchic fashion. Each letter of the alphabet relates to a punk band, or a recognisable characteristic of punk rock culture; bringing Dr Seuss and Joe Strummer together with a resounding clash.

0101

1010

Z IS FOR ZERO

The earliest evidence of zero is as a form of punctuation—represented by two slanted wedges—which was integrated into Babylonian mathematics in order to carry out substitution. Zero, as we recognise and use it today, was conceived with the development of a positional number system, when it became necessary to devise some means of determining the different values of numbers; before zero existed as a symbol, all that indicated the difference between 45 and 450 was context.

Numbers and alphabets are closely linked and clearly have been since zero's grammatical origins. Most commonly perhaps, samples often include numbers as well as lettering, for both aesthetic and educational purposes. The alphabet is taught at the same time as the ability to count and so similar techniques are implemented, such as rhyming and interaction between text and images. Counting books are often illustrated in the same way that alphabets are. Bestiary is strongly related to numbers, as it is to the alphabet, and there are many examples of books that teach counting through pictures of animals.

The evolution of zero has had an impact on the way that we operate from day to day. Society is developing an increasingly technological emphasis, and this has often been enabled by numerical systems. This is exemplified by the use of binary code, which is solely comprised of 1's and 0's, and is central to all computers, giving zero a great significance within everyday life. Furthermore, the reliance on maths in fields such as science, architecture and engineering further reinforces the importance of comprehensive and complex numerical systems, and the fact that we are constantly benefiting from them.

**When One made love to Zero, spheres embraced their arches and prime numbers caught their breath.
—Raymond Queneau**

OPPOSITE
BINARY CODE
Z in binary code, in two lines

BELOW

LINGO NOTEBOOKS

Carolyn Will, 2010

This image is one from a series of notebooks that have screen-printed endpapers decorated with famous texts translated into different alphabets. This example shows the soliloquy from Act 3, Scene 1 of *Hamlet*, written in binary code. The series also includes translations into Morse Code, shorthand and the phonetic alphabet. This places the focus largely on the superficial appearances of the alphabets, because the majority of people will not be able to read them. However, the text is so seminal that it is almost clichéd, and therefore it no longer seems to matter that it cannot be understood; the reader's pre-existing knowledge of the original text is enough to give this encrypted version literary significance. The fact that translation can be directly carried out between the Latin alphabet and binary code implies that numbers can serve simply as alternatives to letters, and therefore should be recognised as an alphabet in their own right.

OPPOSITE

LETTER AS NUMBERS II

Tauba Auerbach, 2008

Tauba Auerbach originally worked as a sign-painter, and continues to use the skills she gained from this in her text-based work, which often requires numbers and lettering to be painted onto large canvases. Auerbach is concerned with logic, and her work is frequently centred on systems and codes. *Letters As Numbers* exposes the plasticity of the signifying ability of symbols. With one tiny change, a symbol can hold a completely different meaning, and can even become representative of an entirely different system. *Letters As Numbers* shows numerical and alphabetical symbols morphing into one another with just small changes to their appearance.

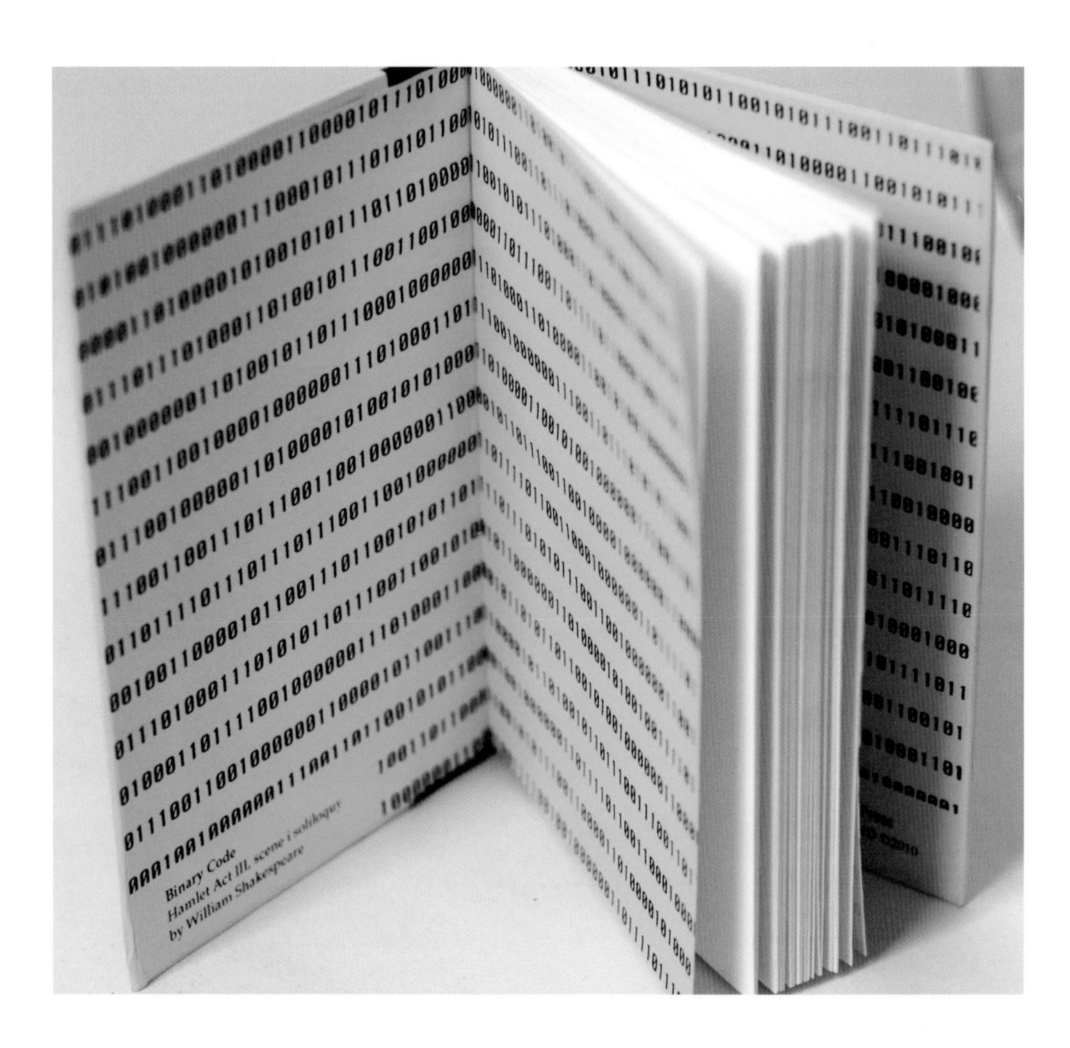

O I

Z Ǝ H

S b Z

B g

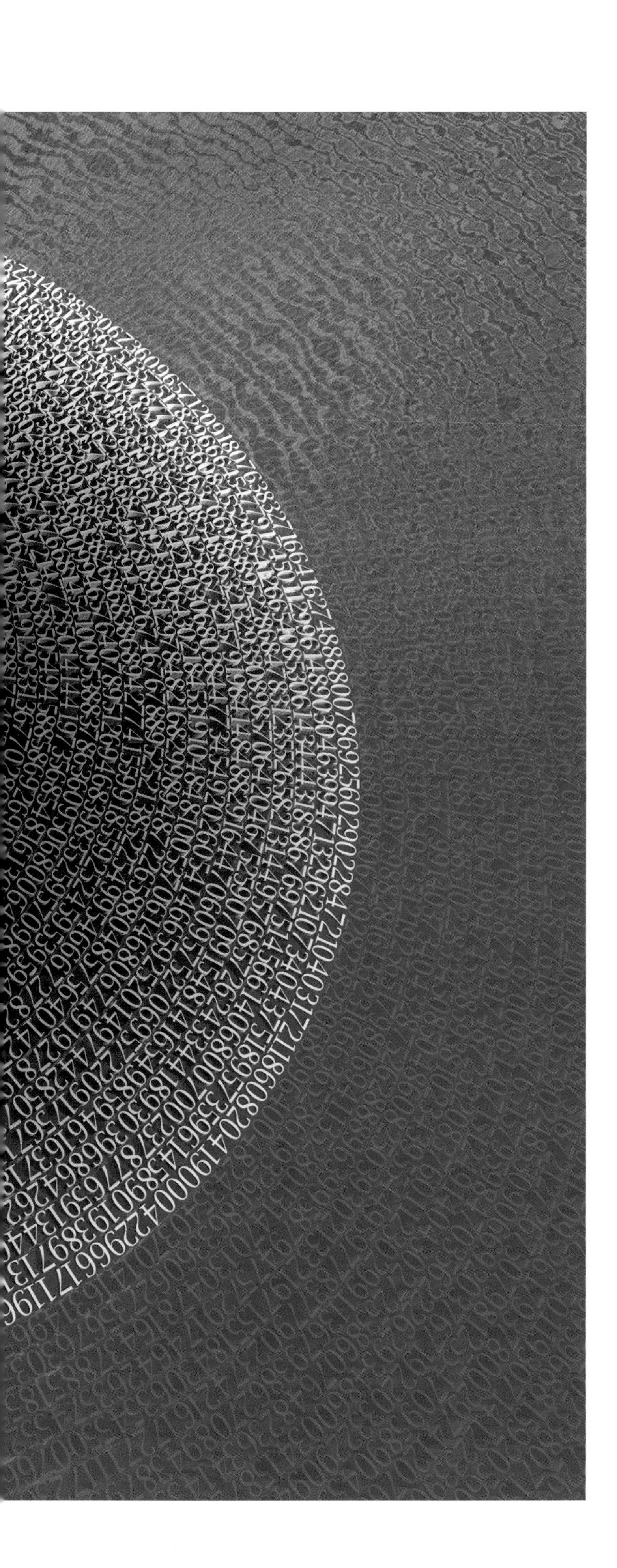

PI: ISLAND AND LOW TIDE

2010

This photograph shows a sculpture of the digits of pi, organised in outward spirals and placed on the shore. The structure is referred to as a 'Pi ziggurat', which indicates that it is tiered, and it rises towards the centre of the spiral. This means that at low tide the whole arrangement is visible but as the tide comes in the edges are gradually submerged until only the central circles of digits are left, resembling an island. Pi is an engaging concept within alphabets and mathematics, as it is a number that is expressed by a letter—π—taken from the Greek alphabet. This shows a distinct crossover between the fields of literacy and mathematics, suggesting that the two are mutually beneficial.

CREDITS

4 Gill Sans "O" / Eric Gill, 1926

6 Dziennik Polski, www.dziennikpolski.co.uk, Hürriyet, www.hurriyet.com, Kommersant, www.kommersant.ru

7 The Polish Alphabet / Adam Twardoch, 1999 / www.twardoch.com

7 Brockhaus and Efron Encyclopaedic Dictionary / Dmitry Mendeleyev, Vladimir Solovyov et al., 1890–1906 / Published by Brockhaus and Efron

11 Edwin Smith papyrus / 1600 BC / New York Academy of Medicine / www.nyam.org

17 The Trajan Inscription / c 114 AD / Donnelley replica / RR Donnelley & Sons, 1951 / Reproduced by permission of RR Donnelley & Sons

19 Photograph of metal font blocks by Tonystl

24–25 Letter A (additional letter), Letter B, Letter J (additional letter), Letter N (additional letter), Letter P (additional letter) / From the series Alpha Beta / Magne F, 2009 / Monotype with drypoint, 31 x 31cm, signed and numbered, edition of 46 / Published by Paul Stolper Gallery

27–28 Alphabeasties / Sarah Forss and Sharon Werner, 2009 / © 2009 Werner Design Werks / Published by Blue Apple Books

28–29 Letraset Animals / Marcus Fischer, 2010 / www.dustbreeding.com

30 Lupus: An Alphabet of Wolves / Holly Trill, 2009 / www.hollytrill.co.uk

30 Alphabet / Jules-Auguste Habert-Dys, c 1880

31 Linotype Zootype / Victor Garcia, 1997 / www.victorgarcia.com.ar

34–35 Alphabet Soup / Photo by Bark

36 Advertisement for Helvetica, 1966 / Print and Design Production, Vol 2, Issue 6 / From the Archive of Michael Hernan

37 Times Square Subway Sign / Photo by Joe Shlabontnik, 2007

38–39 Home / Graeme Offord, 2009 / www.graemeofford.com

40–41 The Pradalphabet / M/M (Paris), 2010 / Reproduced with kind permission of Prada (Milano) / www.mmparis.com

42, 46 Laphabet / Jonathon Lander, 2009

43 The Most to Least Used Letters of the Alphabet / Amy Wicks, 2009 / www.amywicks.co.uk

47 Components, In Order / Tauba Auerbach, 2005 / Ink on paper / 47 x 36.8 cm / www.taubaauerbach.com

48–49 Every Word Unmade / Fiona Banner, 2007 / 26 neon parts bent by the artist, paper templates, clamps, wire, and transformers / 100 x 70 cm / Photo by Steve Payne / www.fionabanner.com

50 Musicians Typeface / Connie Dickson, 2009 / www.conniedickson.co.uk

51 A Three-Dimensional Typeface / Karina Petersen, 2009 / www.karinapetersen.com

53 Shiny Letter E / © Designer Things

55 Kachahlhlichi / Marksteen Adamson (designer), Neil Taylor (writer), 2004

56 Derek Birdsall (designer), Jim Davies (writer), 2004

59 X Stories / Thomas Manss (designer), Mike Reed (writer), 2004

60, 62–63 Letter F, Letter A, Letter B, Letter C, Letter D, Letter W, Letter X, Letter Y, Letter Z / From the portfolio Alphabet / Peter Blake, 2007 / Silkscreen, 52 x 37.5cm, signed and numbered, edition of 46 / Published by Paul Stolper and Coriander Studio

64–66 Type the Sky / Lisa Reinermann, 2005 / www.lisarienermann.com

66 Frequency / Tauba Auerbach / 10,000 pieces cut letters on paper / 111.8 x 76.2 cm / www.taubaauerbach.com

67 Alphabets / Bela Borsodi, 2009 / www.belaborsodi.com / Publication: WAD Magazine #39, www.wadmag.com / Stylist: Akari Endo-Gaut, www.akarie.com

74 Objectography / Jamie Hearn, 2009 / www.jamiehearn.com

75 Tangram Type / Oriol Gayán, 2009 / www.oriolgayan.com

78 Sign Language Alphabet / Justin Simoni, 2007 / www.justinsimoni.com

79 Fingerspelling Alphabet / Royal National Institute for Deaf People / www.rnid.org.uk

80 ASL Fingerspelling Matchbooks / JK Keller, 2005 / www.jk-keller.com

81 Alphabet Relief / Tim Fishlock, 2010 / 70 x 92cm / www.timfishlock.com

82 Diamond Font / Steve MacDonald / www.ramblinworker.com

86–87 Mapplethorpe Alphabet II / Amandine Alessandra, 2009 / www.amandinealessandra.com

88 Illuminated initial I / Ms 2 folio 175 t.2 from The Gospel of St. Mark, Bible of the Monastery of Saint-Andre aux-Bois / French School, 12th Century, Vellum / Biblioteque Municipale, Boulogne-sur-Mer, France / Giraudon/The Bridgeman Art Library

92–93 Profile / Kumi Yamashita, 1994 / Wood, light, shadow / Microsoft Art Collection / www.kumiyamashita.com

94–95 Recycled Characters / Character, 2009 / Photo by Johan Warden / www.character.fi

97, 101 Morse Alphabet / Konst and Teknik, 2009 / www.konst-teknik.se

98 An A–Z of Possible Worlds / AC Tillyer (writer), Dave Roberts (cover design), 2009 / A Roastbooks Publication / www.roastbooks.org

99 Abecederia / Blexbolex, 2009 / English translation published by Nobrow Press / Original French Publisher: Les Requins Marteaux, 2008 / www.nobrow.net

100 Alphaposter / Happy Centro with Scalacolore, 2008 / www.happycentro.it

104 A to Z / Tim Fishlock, 2009 / www.timfishlock.com

105 A to Z Atlas and Guide to London and Suburbs / Geographers' Map Co. Ltd., 1938–1939 / Front cover image used with the knowledge and permission of Geographers' A-Z Map Co. Ltd. / www.a-zmaps.co.uk

107 Truck Alphabet / Eric Tabuchi, 2008 / www.erictabuchi.fr

109 My Alphabet of Space Exploration / © Pigment and Hue, 2008 / www.pigmentandhue.com

110–111, 116 ABCing: Seeing the Alphabet Differently / Coleen Ellis, 2009 / Mark Batty Publisher / www.abseeing.com

112–113 Alphabeta Concertina / Ron King, 2007 / Circle Press / www.circlepress.com

114 ABC 3D / Marion Bataille, 2008 / French and original edition: © 2008 Albin Michel Jeunesse / Published in UK by Bloomsbury Publishing / Published in US by Neal Porter Books/ Roaring Brook Press

115 Liliane Lijn / ABC Cone, 1965 / What is the Sound of One Hand Clapping?, 1973 / www.lilianelijn.com

116 ABC Yo-yo / Marianne Ludensky (video), Justin Weber (yo-yo), 2009 / www.vimeo.com/user1777805

122 Might Not the Pupil Know More? / Francisco José de Goya, 1799 / Plate 37 of Los Caprichos

123 A is for Apple Pie / Kate Greenaway, 1886 / Courtesy of The Wandsworth Collection

126, 128–129 Alphabet of Democracy / Anton Kannemeyer, 2008 / N is for Nightmare: 57 x 67 cm, eight colour lithograph / B is for Black: 44 x 57 cm, six colour lithograph / W is for White: 44 x 57 cm, five colour lithograph

130 The Child's First Alphabet of Bible Names / Printed for the Religious Tract Society / Courtesy of The Wandsworth Collection

131 The Good Citizen's Alphabet / Written by Bertrand Russell / Illustrations by Franciszka Themerson, 1953 / Courtesy of The Themerson Archive

132 Grass Letter / © Christophe Rolland

133 Appalachian Trail / Photo by ScubaBear68

134–135 Forest Typography / Teagan White, 2008 / Ink on vellum / www.teaganwhite.com

136 Alphabet of Endangered Species in the British Isles / Present and Correct, 2007/2010 / www.presentandcorrect.com

137 Alphabet of Caught Fish / Joanne Young, 2009 / www.joanneyoungillustration.co.uk

138 XY Chromosome / © Sebastian Kaulitzki

139 XY Chromosome / Krista Shapton, 2010 / www.rodel.med.utoronto.ca

142 Armenian Alphabet Monument / Photos by Nina Stössinger

143 Syntax Series / Steve Tobin / Cast and wielded bronze / Photo by Ken Ek / www.stevetobin.com

146 Alphabet Drawers / Kent and London, Homemade Furniture / www.kentandlondon.co.uk

148–149 Wearable Lettering / Amandine Alessandra, 2009 / www.amandinealessandra.com

150–151 Abeceda / Karel Teige, 1926 / Written by Vitezslav Nezval / Danced by Milca Mayerová

152 American Football Officials / Photos by Arts Pets Photography, 2008

153 X for X-ray, Y for Yoga / Paul Thurlby, 2009 / www.paulthurlby.com

154–155 ? / Robert Stadler / Nuit Blanche Paris, 2007 / Light installation in the Saint-Paul Saint-Louis church / Photo by Marc Domage / Commissioned by Jérôme Delormas and Jean-Marie Songy, art directors of the Nuit Blanche, City Hall of Paris

156 Punctuation Face / Valentine Makhouleen, 2007 / www.new-media.ca

158 Happiness is a Warm Gun / Matthias Ernestberger, 2005 / © 2010 Sagmeister Inc / www.sagmeister.com

159 Exclamation Point, Comma, Question Mark / Andrea D'Aquino / www.andreadaquino.com

161 Make Art Not War / Bob and Roberta Smith, 2009 / www.bobandrobertasmith.zxq.net

162–163 ABC of Feminism / Carrie O'Neill, 2009 / www.carrieoneill.com

164–165 Antifascist Schoolbook / Mauricio Amster, 1937 / Courtesy of Lutz Becker

166 Une assemblée tumultueuse / Fillippo Tommaso Marinetti, 1919 / © DACS 2010

167 Klankbeelden / Theo van Doesburg, 1921 / Taken from De Stijl Journal, 4e Volume No.11

172–173 Reader / Designed by The Entente / Released by Colophon Foundry / www.the-entente.org / www.colophon-foundry.org

174, 176–177 The Bastard Word / Fiona Banner, 2006–2007 / 26 drawings, graphite on paper / 70 x 100 cm each / Photo by Steve Payne / www.fionabanner.com

178 Atomic Alphabet / Linzie Hunter, 2008 / www.linziehunter.co.uk

179 A Young Mad Scientist's First Alphabet Blocks / Xylocopa Design, 2009 / www.xylocopa.com

180 Amazon Kindling/ Rob Cockerham, 2009

182, 190–191 Scott Teplin / Alphabet for Alphaville, 2008 / Teplin's entire alphabet will be published in the Fall of 2010 by McSweeney's Books, with a narrative for children written by Eli Horowitz / www.teplin.com

183 ABC / © Jason Santa Maria, 2008 /www.jasonsantamaria.com

184–185 Shutters / Ben Eine, 2002–2007 / www.einesigns.co.uk

186 Pixação / Thomas Heaphy, 2010 / www.thomasheaphy.co.uk

187 C-Squat Punk House and ABC No Rio/ © Lucas Cometto, 2008

188–189 Graffiti Taxonomy / Evan Roth, 2004/2008/2009 / www.evan-roth.com

192, 194 Kögra Typeface / Siggi Odds, 2006 / www.siggiodds.com

193 Swindle Alphabet / Blake E Marquis, 2006 / www.camecrashing.com

195 Calligraphy Initials / Decorative Alphabets and Initials / Edited by Alexander Nesbitt, 1987

196 Shapeset / Tim Fishlock, 2010 / Giclee print on 350g acid free archival stock / 90 x 90 cm / www.timfishlock.com

197 Viney Alphabet / Jessica Hische, 2009 / www.jessicahische.com

198–199 The Alphamen [Generic], The Alphamen (Sacha) / M/M (Paris) , 2004 / with Inez van Lamsweerde & Vinoodh Matadin / 50x65cm / 1 color silkscreen print on Vélin BFK Rives 250gr / Edition of 26, numbered A to Z, stamped at the back / Printed by Éric Linard, coedtion by Éric Linard Editions/Cneai (Chatou) / Courtesy of mmparis.com

200, 202 A is for Book / Bob and Roberta Smith, 2001 / www.bobandrobertasmith.zxq.net

201 Q for Queen / Jo Ratcliffe, 2008 / www.jocandraw.com

203 A to Z / Bob Gill, 1962/2009 / www.bobgilletc.com

206 Gorey Alphabet and Noisy Alphabet Tom Gauld, 2006 / www.tomgauld.com

208–209 The Illustrated Dictionary of Received Ideas / Gareth Long and Derek Sullivan, 2009–present / www.garethlong.net

210, 215 Pin Ups / Malika Favre, 2008–2009 / www.airside.co.uk

211 Alphabet Erotica / Scott Idleman, Alyson Tyler, 2007 / Published by Cleis Press

212–213 Adult Movie Theatre Flyers / Cleveland Press / Showtime Magazine, 1967–1977

214 Alphabunnies / Malika Favre, 2008–2009 / www.airside.co.uk

216 ABC of Sex / Mie Yim / Pointed Leaf Press, 2008 / www.pointedleafpress.com

217 Typographic Wallpapers / Stephen Herko, 2009 / www.stephenherko.com

218–219 Alphabet Pornographique / Joseph Apoux, c 1880 / Images courtesy of Erotomane / www.erotomane.org

220, 224–225 The Contemporary Teenage Alphabet / Julian Jensen, 2008 / www.julianjensen.com

221 Pocket-sized Alphabet of Hip-Hop / Jason Urban, 2009 / www.jasonurban.com

222 Alphabet of Excuses, E is for Emo / Jared von Hindman, 2008 / www.headinjurytheater.com

223 Hoodie Alphabet / Dominique Bell, 2007

226 A–Z of Awesomeness / Neill Cameron, 2009 / www.neillcameron.com

227 Comic Fans / Alex Lukas, 2007 / www.alexlukas.com

228–229 Nevermind Your Ps and Qs: Here's the Punk Rock Alphabet / Paul McNeil and Barry Divola, 2008 / www.paulmcneil.com

232 Lingo Notebooks / Photo by Carolyn Will, 2010

233 Letters as Numbers II / Tauba Auerbach, 2010 / Gouache and pencil on paper on panel 50.8 x 40.6 cm / www.taubaauerbach.com

234–235 Pi Island: Low Tide / Images by fdecomite, 2010

ACKNOWLEDGEMENTS

Alphabets: A Miscellany of Letters owes much in the way of thanks to a number of people, all of whom without which the book would not have been possible. There is a long list of contributing artists, designers and typographers whose individual explorations of the alphabet and great generosity have made the book the rich wealth of material that it is.

Although there is sadly not enough space to thank all of the contributors individually, there are a few names that cannot be missed. We would like to say a special thank you to Tauba Auerbach, Fiona Banner, Peter Blake, Ben Eine, Magne F, Tim Fishlock, Tom Gauld, Liliane Lijn, M/M (Paris), Bob and Roberta Smith, Paul Thurlby and Kumi Yamashita for all their gracious help and for allowing us to include their beautiful alphabetic works in the book, as well as to Jasia Reichdart, Julian Rothenstein and Paul Stolper, for their willingness to assist us in securing the use of material.

Thank you to David Sacks, not just for his wonderful essay here but also for his other writings on alphabets, which led us to rethink how the alphabet can be opened up and explored in *Alphabets: A Miscellany of Letters*. Thank you, too, to Pat Garrett, whose advise and thoughts on the book were of great help.

A special thank you must go to Adriana Caneva for her invaluable help at the beginning of the project and for her playful take on how to structure and represent this vast collection of material, a daunting task to say the least. Thank you to Sophie Hallam and her support throughout the project, and to Tom Howells and his editorial assistance towards the end of the project. Also thank you to Hannah Carnegy for her help in polishing the book off in its final stages.

A big thank you must go to the design team who brought this miscellany of material together, namely Fred Birdsall, Johanna Bonnevier, Leonardo Collina, and Rachel Pfleger. A huge thank you also to Matt Bucknall for his wonderful design and patience, and for creating the beautiful finished product, even if it felt at times that we would never get there.

Last but not least, thank you to Jack Collins, Clare Fielder and Sarah Siguine, for your enthusiasm and dedication to the project, there would not have been a book without it.

Introduction by David Sacks.

Designed by Matt Bucknall at Black Dog Publishing.

Black Dog Publishing Limited
10A Acton Street
London WC1X 9NG
info@blackdogonline.com

British Library Cataloguing-in-Publication Data. A CIP record for this book is available from the British Library.

ISBN 978 1 907317 09 5

Black Dog Publishing Limited, London, UK, is an environmentally responsible company. *Alphabets: A Miscellany of Letters* is printed on FSC certified paper.